❶ 卡通人物的绘制

❷ 背景图形的绘制

❸ 空中飞人

❹ 音乐之夜

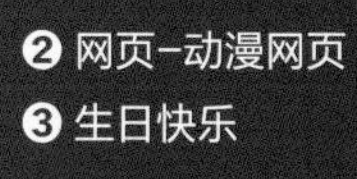

❷ 网页-动漫网页
❸ 生日快乐
❶ 桌面日历

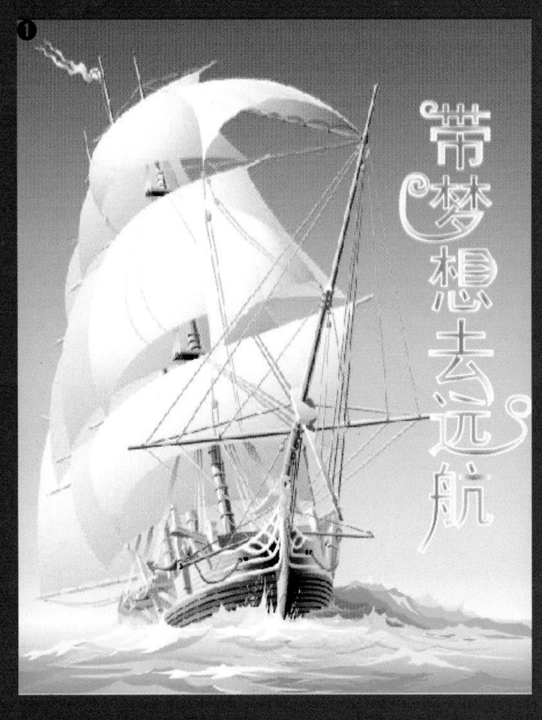

❶ 变形字
❷ 立体字

❶ 百叶窗效果
❷ 童话世界
❸ 纸飞机
❹ 望远镜效果
❺ 奔跑的马
❻ 荷塘月色

❶ 烟花特效

❷ 雪花特效

❸ 愚公移山动画短片

❹ 生命安全带

❺ 巨石战游戏

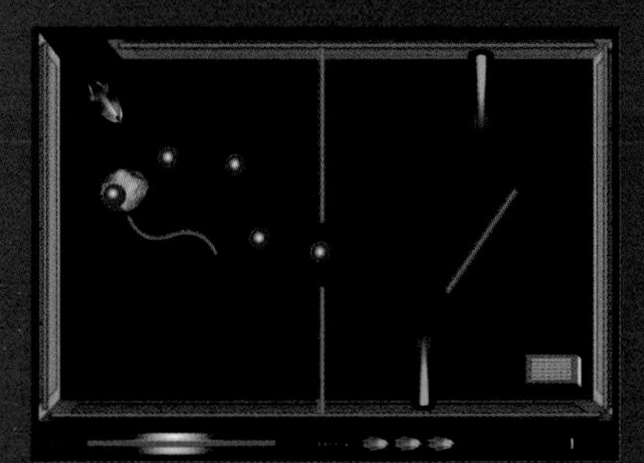

❻ 勇闯关卡游戏

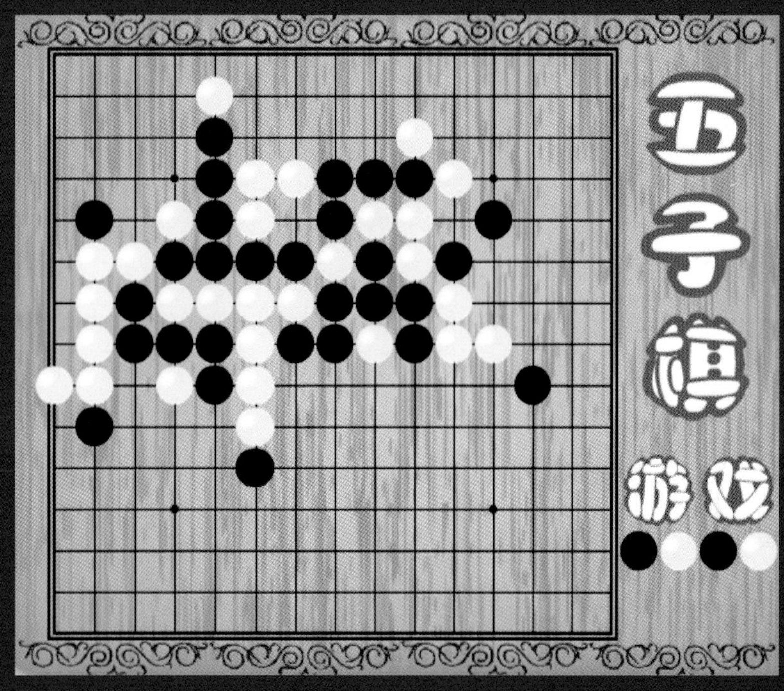

❼ 五子棋游戏

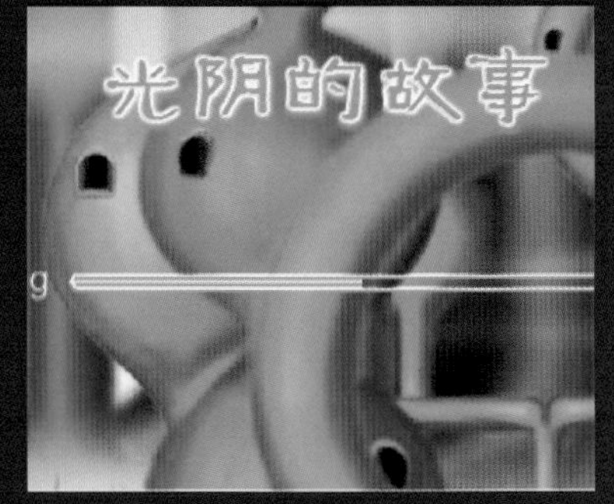

❶ 祝福贺卡动画

❷ 小小眼睛

❸老鼠爱大米

❹ 广告-横幅广告

❺ 饰品广告的制作

❻ 视频的播放

21世纪数字艺术精品课程规划教材

最新Flash中文版动画设计高级教程

贺鹏 谢丽 倪培铭/主编
张颖 汪坤 潘海参/副主编

中国青年出版社
CHINA YOUTH PRESS

图书在版编目（CIP）数据

最新 Flash 中文版动画设计高级教程 / 贺鹏，谢丽，倪培铭主编．— 北京：中国青年出版社，2011.3

动画软件高级教程系列

ISBN 978-7-5006-9846-3

I. ①最… II. ①贺… ②谢… ③倪… III. ①动画－设计－图形软件，Flash－教材 IV. ① TP391. 41

中国版本图书馆 CIP 数据核字（2011）第 038729 号

最新Flash中文版动画设计高级教程

贺 鹏 谢 丽 倪培铭 主编

出版发行：中国青年出版社

地 址：北京市东四十二条 21 号

邮政编码：100708

电 话：（010）59521188 / 59521189

传 真：（010）59521111

企 划：中青雄狮数码传媒科技有限公司

责任编辑：肖 辉 刘 洋

封面设计：唐 棣 张旭兴

印 刷：北京时尚印佳彩色印刷有限公司

开 本：787 × 1092 1/16

印 张：17.25

版 次：2011 年 3 月北京第 1 版

印 次：2011 年 3 月第 1 次印刷

书 号：ISBN 978-7-5006-9846-3

定 价：49.90 元（附赠 1CD，含案例素材）

本书如有印装质量等问题，请与本社联系 电话：(010) 59521188 / 59521189

读者来信：reader@cypmedia.com

如有其他问题请访问我们的网站：www.21books.com

“北大方正公司电子有限公司”授权本书使用如下方正字体。

封面用字包括：方正兰亭黑系列

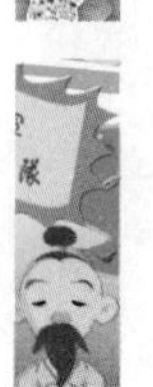

前 言

随着计算机技术的迅猛发展，与之相关的图书也层出不穷，但由于受传统出版思路和教学方法的影响，市面上相当一部分图书都存在理论讲解与案例操作无法完全融合的尴尬，使得读者在学习过程中感到了知识的不连贯性，表现为往往在学习完理论知识后，实际操作软件时还是会遇到不知如何下手的困惑。基于此，我们考虑以知识改革为核心，在图书的内容和结构上做一些突破，运用比较成熟的案例教学方法，策划出版一批真正让读者所学即可所用的实战案例型图书，从而使每一位读者学完后均可达到一定的职业技能水平。

———— 作者

软件简介

在 Adobe 公司推出的 Adobe CS5 系列软件中，Flash CS5 尤为引人注目。它是一款二维矢量动画软件，主要用于设计和编辑 Flash 文档。利用该软件不仅可以制作生活和工作中相关的人物肖像、特效设计、节日贺卡和产品广告等动画作品，还可以开发出供人们休闲娱乐的动画游戏及音乐 MV 等。随着科技的进步，人们已将 Flash 作品应用于媒体宣传、动漫设计、游戏开发和网站设计等多个领域。

内容导读

本书以 Flash CS5 版本为载体，将基础知识与实际运用相结合为用户进行讲解。全书在内容结构上分为上下两篇：上篇为理论篇，从软件的基础知识和操作入手，按照传统的学习顺序，从易到难、循序渐进对软件功能进行讲解，让读者充分熟悉软件的各大功能；下篇为案例篇，结合 Flash 在各行各业的实际应用进行了案例展示和制作，并对行业相关知识进行了深度剖析，以辅助读者完成各项动画设计工作。正所谓要"授人以渔"，读者不仅可以掌握 Flash CS5 软件，还能利用该软件独立完成动画作品的创作。

体例特色

本书体例结构完整，集知识与应用为一体。上篇共 12 章，对基础知识和具体操作等方面的内容进行了全方位讲解，其间穿插"课堂练习"，对章节中的重要知识点进行运用，从而加深读者的印象。此外，还增加了"动画设计锦囊"板块，以促使读者掌握更多的技巧知识。下篇共 6 章，主要围绕节日贺卡设计、动画短片设计、线上游戏设计、音乐 MV 设计、网络广告设计和交互网页设计 6 个方面进行了综合介绍。每章均以典型案例的制作为主，以拓展项目实训为辅，全面综合地对各类 Flash 动画进行了阐述。

本书在书稿的编写和对行业实例的制作过程中力求严谨。但由于时间关系与作者水平的限制，书中难免出现疏漏与不妥之处，敬请广大读者批评指正。

目 录 Contents

Part 01 理论篇

Chapter 01 初识 Flash CS5

Chapter 02 掌握 Flash 的基本操作

Chapter 03 Flash 动画图形的设计

Chapter 04 Flash 动画图形的编辑

Chapter 05 文本的创建与编辑

Chapter 06 Flash 图层和时间轴应用

Chapter 07 元件、库、实例的应用

那就意味着他直面人生
的风风雨雨

Chapter 08 Flash 时间轴动画设计

Chapter 09 音频与视频动画的应用

Chapter 10 ActionScript特效动画设计

Chapter 11 Flash 组件的应用

Chapter 12 影片后期处理全程设计

Part 02 行业应用篇

Chapter 13 节日贺卡设计

Chapter 14 动画短片设计

珍爱生命，驾车需系安全带

Replay

Chapter 15 线上游戏设计

Chapter 16 音乐 MV 设计

Chapter 17 网络广告设计

Chapter 18 交互网页设计

PART

01 理论篇

本篇导引

理论知识篇分为12章，汇总了Flash CS5软件所有常用知识点。为帮助读者更顺利地进行学习，右侧展示了不同知识板块的学习比重，以及书中关键技术对应的课堂练习。

关键技术	课堂练习
选区	扣取图像
形状与路径	个性纹身
滤镜组	电影眩光效果
选区	扣取图像
形状与路径	个性纹身
滤镜组	电影眩光效果
选区	扣取图像
形状与路径	个性纹身
滤镜组	电影眩光效果
选区	扣取图像
形状与路径	个性纹身
滤镜组	电影眩光效果
选区	扣取图像
形状与路径	个性纹身
滤镜组	电影眩光效果

※ **重点知识**：精粹软件相关的重点难点知识。

※ **动手操作**：精粹软件相关的重点难点知识。

Chapter 01 初识 Flash CS5

设计师指导

Flash CS5是Adobe公司专门为顺应网络发展设计的一款交互性矢量动画设计软件，网站设计者可以使用Flash软件随心所欲地设计各种动态Logo、动画、导航条及全屏动画，还可以添加动感音乐，具备多媒体的各项功能。

核心知识点

❶ 了解Flash CS5的新增功能
❷ 了解Flash软件的应用，从而将多媒体动画推广至更广泛的领域
❸ 理解矢量图与位图的区别
❹ 熟悉像素与分辨率的概念

1.1 初识Flash CS5

Flash 是一款多媒体矢量动画编辑软件，它具有交互性强、文件尺寸小、简单易学及拥有独特的流式传输方式等优点，因此受到了人们的青睐。在学习使用 Flash CS5 之前，先来了解一下有关 Flash 的基本知识，如 Flash 的发展历史、优势及应用。

1.1.1 Flash的发展历史

目前，Flash 的最新版本为 Flash CS5，与以往版本相比，其功能十分强大。从 1996 年最早版本至今，其发展非常迅速，下面就来简单回顾一下 Flash 的发展历程。

时　间	版　本	功能概述
1996 年 11 月	Flash 1.0	Flash 最早期的版本
1997 年 6 月	Flash 2.0	引入库的概念
1998 年 5 月	Flash 3.0	支持影片剪辑、JavaScript 插件、透明度和独立播放器
1999 年 6 月	Flash 4.0	支持变量、文本输入框、增强的 ActionScript、流媒体 MP3
2000 年 8 月	Flash 5.0	JavaScript、智能剪辑、HTML 文本格式、支持播放器 Flash Player 5
2002 年 3 月	Flash MX	Unicode、组件、XML、流媒体视频编码、支持播放器 Flash Player 6
2003 年 8 月	Flash MX 2004	文本抗锯齿、ActionScript 2.0、播放器 Flash Player 7
2005 年 9 月	Flash 8.0	增强了对视频支持的功能
2007 年 1 月	Flash CS3	最新的 ActionScript 3.0 编程语言替换原来的 ActionScript 2.0 编程语言，该版本是 ADOBE 公司收购 Macromedia 公司后推出的第一个版本
2008 年 12 月	Flash CS4	属性关键帧动画预设、骨骼工具、3D 变形及 Deco 工具
2010 年 5 月	Flash CS5	文本引擎、“代码片断”面板、Flash Builder 集成、Creative Suite 集成、基于 XML 的 FLA 源文件等

1.1.2 Flash的优势

Flash CS5继承了Flash早期版本的各种优点，并且在此基础上进行了改进。它的一些新特点极大地完善了Flash的功能，新增加了一些实用的工具，如自动绘图工具。

Flash动画的主要特点可以归纳为如下7点。

（1）文件数据量小：由于Flash作品中的对象一般为矢量图形，所以即使动画内容很丰富，其数据量也非常小。

（2）交互性强：Flash制作人员可以轻松地为动画添加交互效果，让用户直接参与，从而极大地提高用户的兴趣，更好地满足所有用户的需要。用户可以通过点击、选择等动作，决定动画的运行过程和结果，这是传统动画所无法比拟的。

（3）适用范围广：利用Flash不仅可以制作应用于广告宣传的动画，也可以制作MV、小游戏、网页、搞笑动画、情景剧和多媒体课件等，还可制作项目文件，应用于多媒体光盘或展示中。

（4）图像质量高：Flash动画大多由矢量图形制作而成，可以真正无限制地放大而不影响质量，因此图像的质量很高。

（5）下载时间短：Flash动画可以放在网页上供大家欣赏和下载。由于其使用的是矢量图技术，具有文件小、传输速度快、采用流式技术播放的特点，因此可以边下载边欣赏动画，大大节省了等待的时间。

（6）制作成本低：使用Flash制作的动画能够大大地减少人力、物力资源的消耗，同时也会大大缩短制作时间。另外，在Flash动画制作完成后，可以把生成的文件设置为带保护的格式，这样可以维护设计者的版权利益。

（7）可以跨平台播放：制作完成的Flash作品放在网页上后，不论使用哪种操作系统或平台，任何访问者看到的内容和效果都是一样的，不会因为平台的不同而有所变化。

1.1.3 Flash的应用

Flash是矢量图形编辑和动画创作的专业软件，功能十分强大和独特。相同的效果，用Flash制作的文件比GIF文件要小很多，因此，Flash技术广泛应用于网页动画制作、网站制作、多媒体课件、音乐MV、在线游戏等的制作中。

下面介绍Flash的一些主要应用领域。

1. 多媒体课件

课件是Flash应用的重要领域之一。由于使用Flash制作的课件具有生成文件小、交互性强、表现形式丰富、制作容易、维护及更新方便等众多优点，因此，Flash成为了目前最流行的课件制作软件之一。如下图所示为一个利用Flash制作的语文课件。

2. 交互式游戏

许多计算机用户都对游戏情有独钟，使用 Flash 中的影片剪辑元件、按钮元件、图形元件制作动画，再结合运用动作脚本就能制作出精彩的 Flash 游戏。如下图所示为一个利用 Flash 制作的竞技比赛游戏。

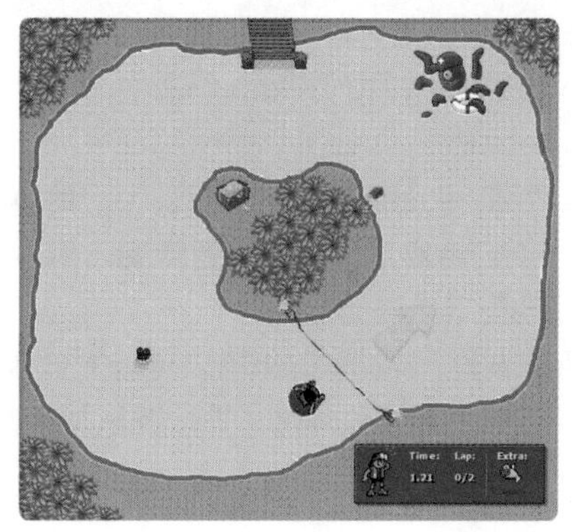

3．电子贺卡

使用 Flash 制作的电子贺卡可以同时具有动画、音乐、情节等多种元素，而其他类型的贺卡却不能同时具备这些功能，因此 Flash 贺卡的流行就成为情理之中的事了。目前，许多大型网站中都有专门的贺卡专栏，还有许多专业从事贺卡制作与销售的网站也在大量制作此类贺卡。Flash 贺卡可以是一个很复杂的故事，也可以是一个很幽默的情节，在技术上并不复杂，因此也有许多爱好者自己制作。如下图所示为利用 Flash 制作的中秋节的贺卡。

4．动态网站

由于制作精美的 Flash 动画可以具有很强的视觉和听觉冲击力，因此公司网站往往会利用 Flash 软件进行制作，借助 Flash 的精彩效果吸引客户的注意力，从而达到比静态页面更好的宣传效果。使用 Flash 制作个人网页已经不是什么稀奇的事了，用 Flash 还可以制作出各种类型的网页。如下图所示为利用 Flash 制作的动态网站。

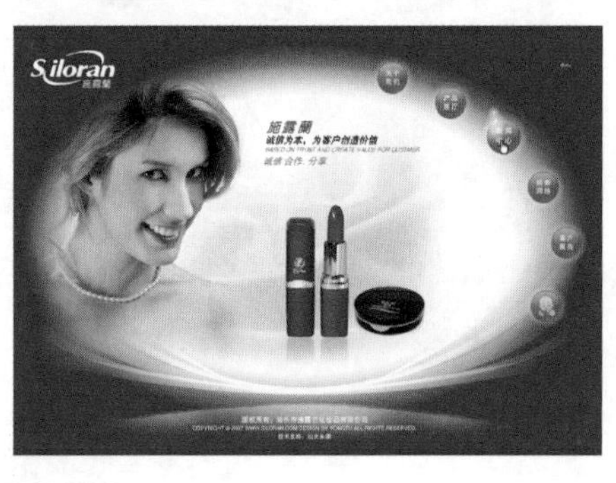

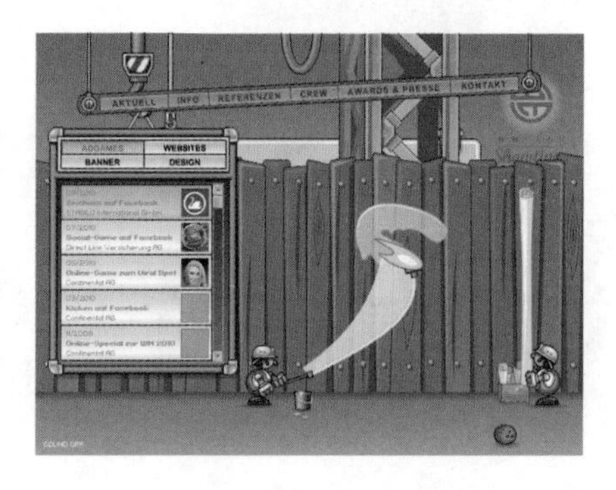

5．动画短片

用 Flash 制作的动画短片是最常见的，其题材涉及范围很广，各种情景类型都有，可谓是丰富多彩。由于其可进行互动且动画制作简捷、方便，不仅可免去用户大量的绘制时间，更能够方便用户快速制作出精美的作品。如下图所示为利用 Flash 制作的动画公益宣传片，能形象生动地表达主题，起到广泛的宣传教育作用。

6. 网络广告

网络广告作为 Web 宣传最主要的方式，其市场正在以惊人的速度扩大，发挥的作用也越来越重要。它可以在很短的时间内把整体信息传达给访问者，加深访问者的印象。网络广告的种类很多，如横幅式、插播式、按钮式、文本链接广告等，下图所示就是一则利用 Flash 制作的网络广告。

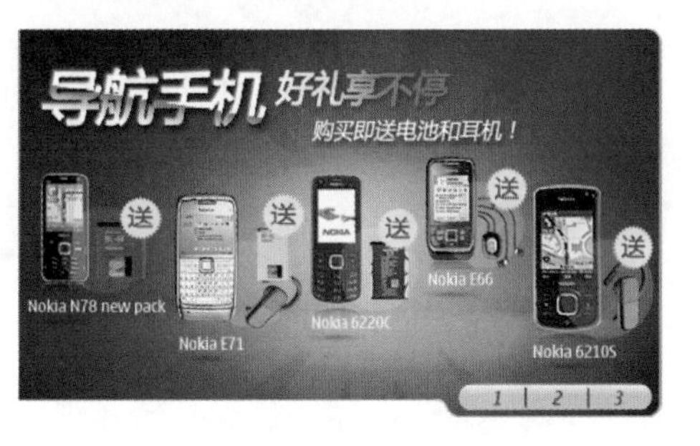

7. 产品广告

平时在打开网页时，经常可以看到一些动感十足的产品广告，这是最近流行的一种广告形式，在各种门户网站内随处可见。有了 Flash，广告在网络上发布才成为可能。它既可以在网络上发布，同时也可以存储为视频格式在传统的电视媒体上播放。因其一次制作、多平台发布的优势，得到了越来越多企业的青睐。如下图所示为一则利用 Flash 制作的珠宝首饰广告。

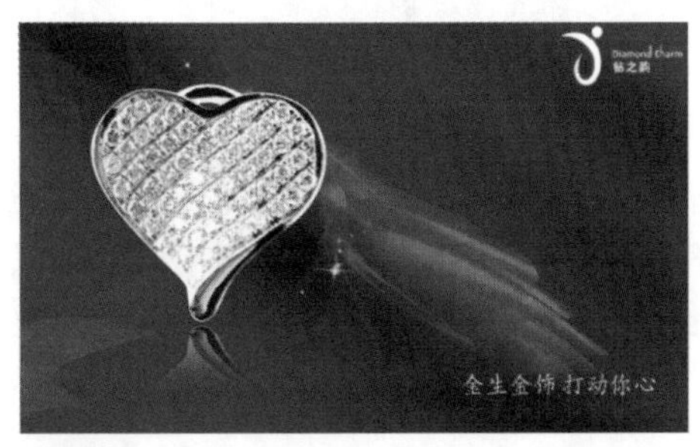

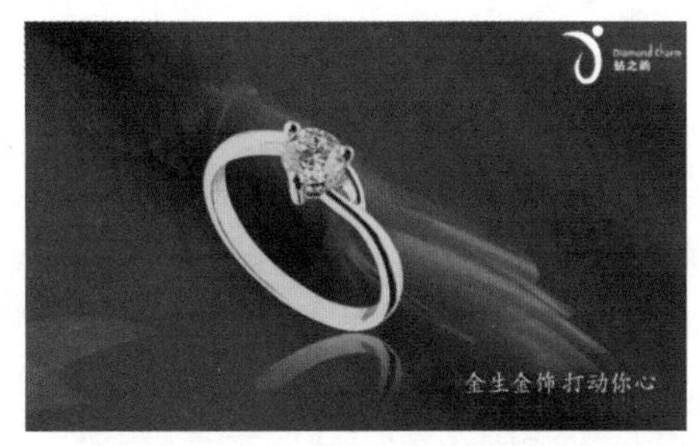

8. 音乐MV

MV 动画的出现生动鲜明地表达了歌曲的情意，让人可以轻松地看懂并融入其中。如下图所示为歌曲《白狐》的 MV 动画。

1.2 Flash动画设计的工作流程

要想学好 Flash，并非一朝一夕就能做到的。利用 Flash 制作动画，首先要熟悉动画制作的基本流程，如下图所示。

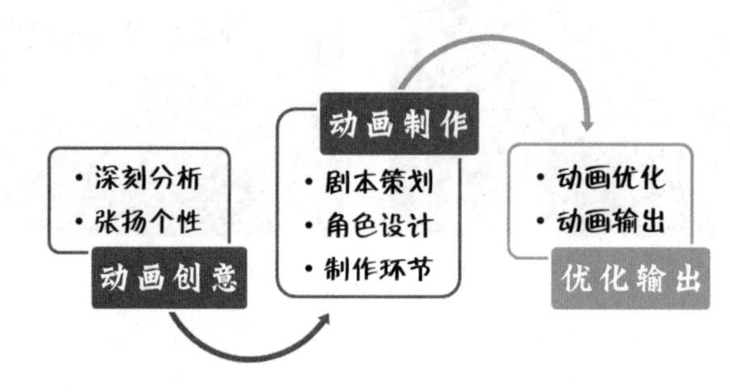

1.2.1 Flash动画的创意

在设计一个动画之前，应该对这个动画进行足够的分析，理清创作思路，拟定创作提纲。明确制作动画的目的，要制作什么样的动画，通过这个动画要达到什么样的效果，以及通过什么形式将它表现出来，同时还要考虑到不同观众的欣赏水平。完成动画的整体风格设计，突出动画的个性。“好的开始是成功的一半”，做好动画的构思工作，作品也就成功了一半。对于初学者，可先模仿优秀的 Flash 作品，学习作者的设计思路和设计技巧。

1.2.2 Flash动画的制作过程

动画的制作是整个流程的关键部分，利用 Flash 制作动画的创作过程可分为以下 3 个环节。

1. 剧本策划

在目前来讲，剧本策划已经成为衡量一部 Flash 动画设计作品成功与否的标准了。剧本即文字记录的剧情，主要包括人物对白、动作和场景的描述。在很多用 Flash 制作的动画中，虽然没有人物对白，却也达到了强烈的震撼效果。人物动作的幅度和力度要生动、形象，人物出场顺序、位置环境、服装、道具、建筑等都要写清楚，只有这样才能够帮助脚本画家进行更生动的动画创作。通过动画片叙述的故事一定要具有卡通特色，比如幽默、夸张等，如果再加上一些感人情节，那么会更受大家的欢迎。

2. 角色设计

一部好的作品要求人物符合剧本故事需要，生动、形象，能够让人印象深刻。动画角色造型设计是设计者根据故事情节，对人物和其他角色进行造型设计，并绘制出每个造型或角色不同角度的形态，以供其他工序的制作人员参考。而且，还要表现出他们之间的高矮比例、脸部的表情及角色所使用的道具等。主角、配角等要有很明显的差异，比如服饰、颜色、五官等，服饰和造型与人物个性要匹配，还要考虑动画和其他工序的制作人员制作时是否会有困难，不可太复杂、琐碎。

3. 制作环节

制作环节是整个动画制作的主干部分，要把握好各类工具的使用，准确、生动地将作品的主题表达出来。收集与作品主题相关的素材，包括文本、图片、声音和影片剪辑等，将准备好的素材导入到 Flash 中，按照设计要求对素材进行分类使用，按照剧本和角色要求准确地表达出作品的意境。

1.2.3 Flash动画的优化与输出

在动画制作完成后，需要将其放到网络上与他人分享，此时，必须要先发布作品。这就需要将 Flash 动画输出成专门在网页上演示动画而设计的 SWF 格式。

如果制作的 Flash 影片文件较大，常常会让网页浏览者在不断等待中失去耐心。对 Flash 影片进行优化就显得很有必要了，但前提是不能损坏影片的播放质量。下面介绍在优化与输出动画时需要注意的几项内容。

1. 优化动画

优化动画时需要注意以下几点。

（1）多使用元件。如果影片中的元素有使用一次以上的，则应考虑将其转换为元件。

（2）尽量使用补间动画。

（3）多用实线，少用虚线。

（4）多用矢量图形，少用位图图像。

（5）音效文件最好以 MP3 方式压缩。

（6）限制字体和字体样式的数量，不要包含所有字体，尽量不要将文本打散。

（7）尽量少使用渐变填充颜色，而代之以单色。

（8）尽量缩小动作区域。

2. 输出动画

测试完动画的下载性能并优化后，就可以将动画导出到其他应用程序中，以便将其应用于网页或多媒体等领域。将作品保存为 .fla 文件，并发布作品，格式为 .swf。

1.3 Flash CS5新增功能介绍

Flash CS5 软件是目前 Flash 的最新版本，它继承了之前版本的各种优点，并在此基础上进行了改进，进一步完善了 Flash 的功能，下面具体介绍其新增功能。

1.3.1 新的文本引擎

新的文本引擎功能是通过新的文本布局框架，借助印刷质量的排版全面控制文本。网页和交互界面设计者都很欣赏 Flash CS5 中处理文本的新方式。使用新的文本引擎 TLF（Text Layout Framework），可以通过完整的排版控制设置和编辑文本，可以实现高级的文本样式，如缩距、连字、调整字距和行间距。现在，Flash CS5 已经支持高级的文本布局控制，如螺旋形文本块、与多列交叉的文本流和内嵌图像，这样就可以流畅、快捷地处理文本了，如右图所示。

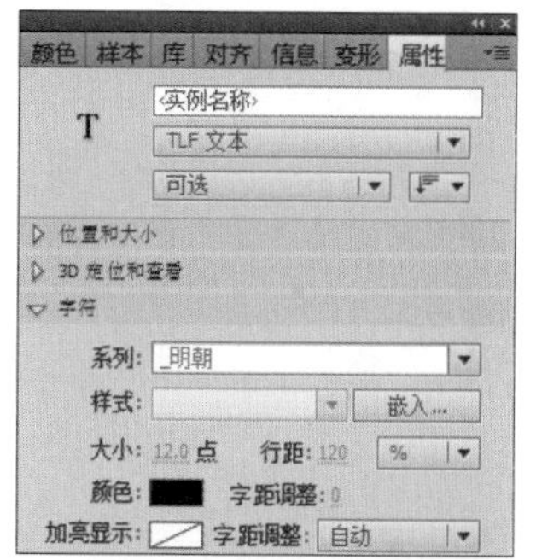

1.3.2 “代码片断”面板

通过将预建代码注入项目，可缩短 ActionScript 3.0 学习过程并实现更高创意。“代码片断”面板旨在使非编程人员能快速、轻松地开始使用简单的 ActionScript 3.0。借助该面板，可以将 ActionScript 3.0 代码添加到 FLA 文件中以启用常用功能。使用“代码片断”面板不需要掌握 ActionScript 3.0 的知识。可以添加影响对象在舞台上的行为的代码，添加在时间轴中控制播放头移动的代码，还可将创建的新代码片断添加到面板中，如右图所示。

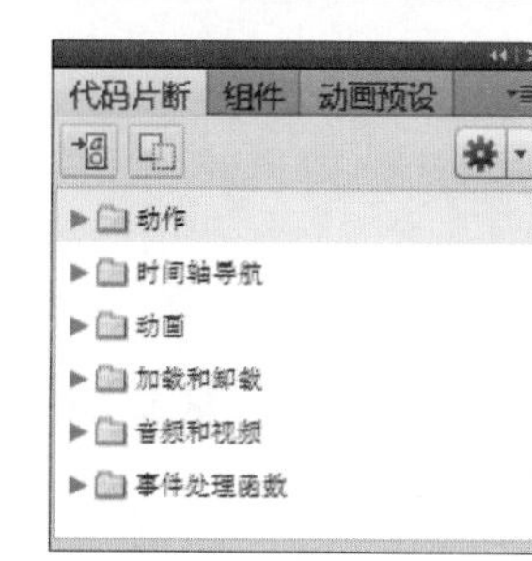

1.3.3 基于XML的FLA源文件

使用源控制系统管理和修改项目，能更轻松地实现文件协作。Flash CS5 可以提供改进的基于 XML 的 FLA 文件。凭借这项支持可以发展新的工作流程，而且可以在处理较大的 Flash 项目时拥有更大的灵活性。新的 FLA 文件是由一组 XML 文件和其他部分（JPEG、GIF、MP3、WAV 等文件）组成的，这些文件会被保存为压缩文件（*.fla）或者未压缩的文件夹（*.xfl）。开发小组可以在文件合作时更容易地使用源控制系统管理和修改 Flash 项目，因为可以直接访问 Flash 项目中的各个组成部分。

1.3.4 绘制工具

借助 Deco 工具新增的一整套刷子添加高级动画效果，如下图所示。

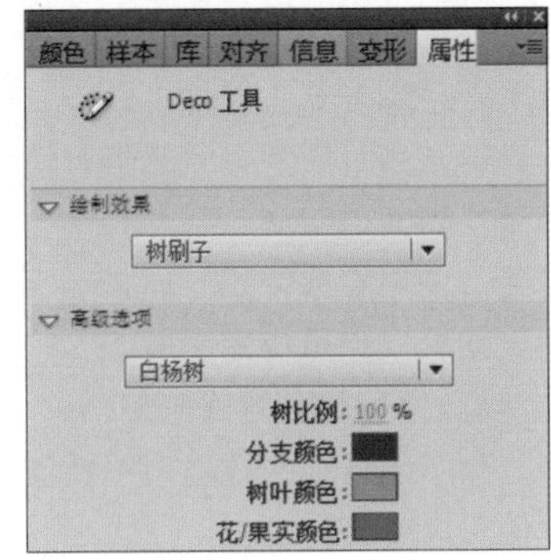

1.3.5 骨骼工具的大幅改进

借助骨骼工具新增的动画属性，可创建出更逼真的反向运动效果，如下图所示。

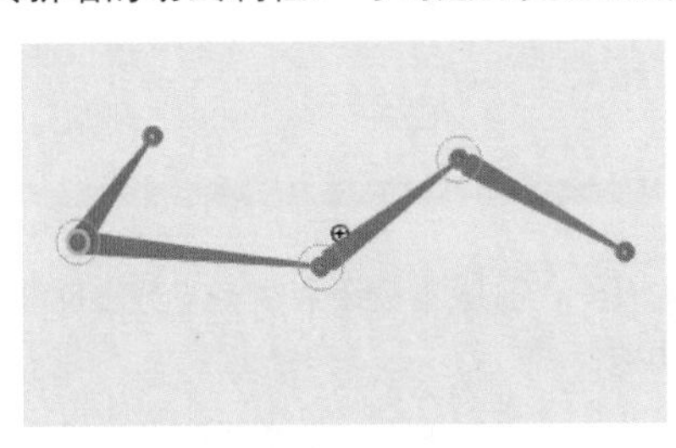
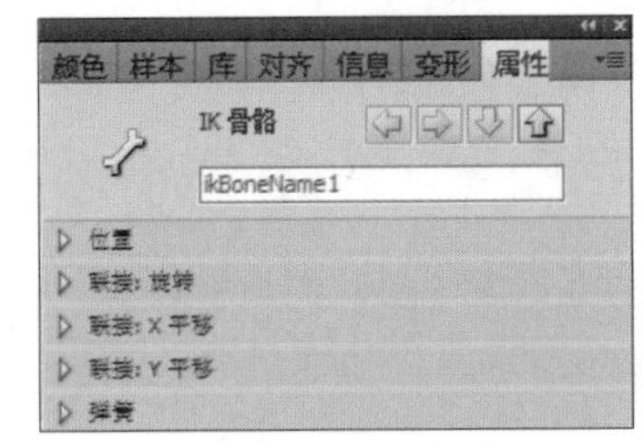

1.3.6 ActionScript编辑器的增强

借助经过改进的 ActionScript 编辑器可加快开发流程，其中包括自定义类代码提示和代码完成，如下图所示。

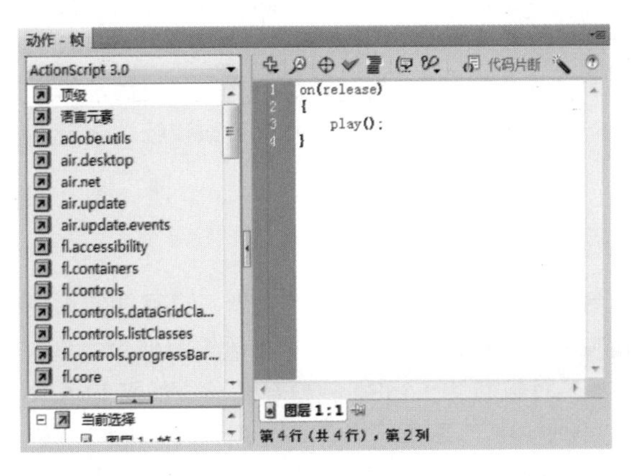

1.3.7 Flash Builder集成

Flash CS5 可以轻松和 Flash Builder 进行集成。用户可以在 Flash 中完成创意，在 Flash Builder 中完成 ActionScript 的编码，将 Flash Builder 用做 Flash 项目的 ActionScript 主编辑器。用户通过选择，还可以创建一个 Flash Builder 项目。

1.3.8 Creative Suite集成

使用 Adobe Photoshop、Illustrator、InDesign 和 Flash Builder 等 Creative Suite 组件，可提高工作效率。

1.4 图形图像的基础知识

Flash 是一个动画制作及图像处理软件，因此在使用之前，需要了解一些图形图像处理方面的基础知识，如图像的像素和分辨率、矢量图和位图。

1.4.1 图像的像素和分辨率

像素和分辨率是图形图像处理软件中的基本概念，掌握这些基本概念，有助于更好地学习 Flash 动画制作。

1. 像素

像素是构成图像的最小单位，是图像的基本元素。若把影像放大数倍，会发现这些连续色调其实是由许多色彩相近的小方点所组成的，这些小方点就是构成影像的最小单位“像素”（Pixel）。这种最小的图形单元能在屏幕上显示单个的染色点。越高位的像素，其拥有的色板就越丰富，越能表达颜色的真实感。

2. 分辨率

分辨率是指单位长度内所含像素点的数量，单位为“像素每英寸”（ppi）。分辨率表示屏幕图像的精密度，是指显示器所能显示的像素的多少。由于屏幕上的点、线和面都是由像素组成的，显示器可显示的像素越多，画面就越精细，同样的屏幕区域内能显示的信息也越多，所以分辨率是一个非常重要的性能指标。如果把整个图像想象成一个大型的棋盘，那么分辨率的表示方式就是所有经线和纬线交叉点的数目。由此可见，图像的分辨率可以改变图像的精细程度，直接影响图像的清晰度。也就是说，图像的分辨率越高，图像的清晰度就越高，图像占用的存储空间也越大。

1.4.2 矢量图和位图

计算机中的数字化图像可分为位图和矢量图两种。其中，Flash 软件主要用于处理矢量图。下面将对这两种图像类型进行介绍。

1. 矢量图

矢量图也称为面向对象绘图，是用数学方式描述的曲线及曲线围成的色块制作的图形，它们在计算机内部表示为一系列的数值而不是像素点，这些值决定了图形如何在屏幕上显示。

矢量图形尤其适用于标志设计、图案设计、文字设计、版式设计等，它所生成的文件比位图文件要小一些。

用户制作的每一个图形、输入的每一个字母都是一个对象，可以自由地改变对象的位置、形状、大小和颜色。同时，由于这种保存图形信息的方式与分辨率无关，因此无论将图形放大或缩小多少倍，其都一样有平滑的边缘、一样的视觉细节和清晰度，如右图所示。

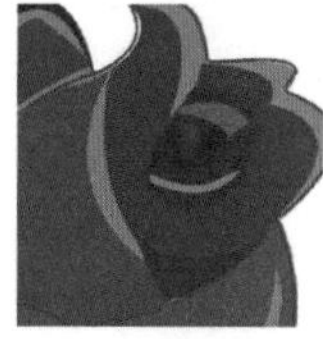

常见的矢量图绘制软件有 CorelDRAW、Illustrator、Freehand 等。

2. 位图

位图也称为像素图，由像素或点的网格组成。与矢量图形相比，位图的图像更容易模拟照片的真实效果，其工作方式就像用画笔在画布上画画一样。如果将这类图形放大到一定程度，就会发现其是由一个个小方格组成的，这些小方格被称为像素点，如下图所示。

像素点是图像中最小的图像元素。一幅位图图像包括的像素可以达到百万个，因此，位图的大小和质量取决于图像中像素点的多少。通常来说，每平方英寸面积上所含的像素点越多，颜色之间的混合也越平滑，同时文件也越大。

常见的位图编辑软件有 Photoshop、Painter 等。

拓展项目练习

通过本章的学习，读者对 Flash 的发展及图形图像基础知识有了一定的了解。为了巩固相关的知识，下面对本章中的一些重点知识进行考查。

一、选择题

（1）Adobe 公司收购 Macromedia 公司的时间是（　）年。

A. 2005　　B. 2007　　C. 2008　　D. 2010

（2）Adobe 公司推出的第一个版本是（　）。

A. Flash 8.0　　B. Flash CS3　　C. Flash CS4　　D. Flash CS5

（3）关于 Flash 动画的优势叙述，下面正确的是（　）。

A. 交互性强　　B. 适用范围广

C. 图像质量高　　D. 以上说法都正确

（4）Flash 动画的应用领域非常广泛，下面属于其应用范围的是（　）。

A. 交互式游戏　　B. 多媒体课件

C. 电子贺卡　　D. 动态网站

E. 音乐 MV

二、填空题

（1）Flash 是一款__________编辑和__________创作的专业软件。

（2）矢量图形以数学的矢量方式来记录图像内容，它的内容以__________和__________为主。

（3）位图图像由许多点组成，这些点称为__________。

（4）图像像素越多，文件就越__________，处理速度也就越__________。

（5）Flash 动画设计的工作流程分别是__________、__________、__________。

三、简答题

（1）在 Flash 中，优化动画应该注意哪些方面？

（2）与早期的 Flash 版本相比，Flash CS5 版本新增加了哪些功能？

（3）什么是像素？它与分辨率的区别是什么？

四、操作题

（1）找一些矢量图和位图的图片并进行区分，以便掌握二者之间的区别。

（2）到 Adobe 官方网站下载简体中文版 Flash CS5，准备安装并使用。

（3）熟悉 Flash CS5 中的新增功能，并尝试使用这些功能。

（4）从网络上下载一些不同类型的优秀动画，欣赏并借鉴。

动画设计锦囊

Flash 这种交互式动画设计工具，可以将音乐、声效及富有新意的界面融合在一起，制作出高品质的动态效果。其中也有技巧可循，这里笔者总结出了制作动画时的一些经验，供读者参考。

1. 简化主体

动作主体的简单与否对工作量有很大的影响，擅于将动作的主体简化，可以提高工作效率。另外，对于不是以动作为主要表现对象的动画，画面简单也是省力良方。

2. 尽量使用变形

运动补间动画和形状补间动画是 Flash 提供的两种变形，它们只需要指定首尾两个关键帧，中间过程由电脑生成，所以它们是制作动画时最常使用的方法。

但是，有时候用单一的变形，动作会显得比较单调，这时可以考虑组合使用变形。如通过前景、中景和背景分别变形，或者仅是前景和背景分别变形，这样工作量不大，却能取得良好的效果。

3. 使用一定的技巧

对于许多不能采用运动补间动画和形状补间动画来表现的情况，常常要用到逐帧动画，也就是一帧一帧地将动作的每个细节都画出来。显然，这是一件很费力的工作，要尽量避免逐帧表现，如果不能避免，可使用一些小技巧，这样能够减少一定的工作量。

（1）循环法

这是最常用的方法，将一些动作简化为只有几帧，甚至 2、3 帧的逐帧动画组成的影片剪辑，利用影片剪辑的循环播放特性来表现一些动画，例如头发、衣服的飘动，或走路、说话等。

（2）节选渐变法

在表现一个“缓慢”的动作时，如表现手缓缓张开，头（正面）缓缓抬起时，可以考虑从整个动作中节选几个关键的帧，然后用渐变或闪现的方法来表现整个动作。如果完全逐帧地将整个动作绘制出来，会花费大量的时间和精力，而使用这种方法可以简化工作。

4. 避免使用不必要的开场动画

开场动画妨碍了用户直接获取他们所需要的选项，如果必须使用的话，一定要在动画界面中加入一个 Skip 按钮，这样当用户再次访问时，就可以直接跳过开场动画了。

5. 设计的一致性

站内界面的一致性是提高站点使用性的最佳方式，应重复利用站内的结构元素、设计元素和使用名称，这样做的目的是让用户在寻找他们的目的信息时不用分散精力去辨识对应的元素，也就是让用户更快地分辨出目的信息。站内界面的统一还有利于站点的维护。另外，设计师还可以将导航栏中每个部分的元素或者词语、图片放置到对应的界面中。

Chapter 02 掌握 Flash 的基本操作

设计师指导

本章将着重介绍Flash软件的基础操作，其中包括Flash CS5的安装及启动、两种操作界面、3种辅助工具在动画中的应用、4种常用的文档操作，以及动画环境的设置。

核心知识点

❶ 了解Flash CS5的安装过程
❷ 掌握常用的文档操作
❸ 掌握辅助工具在动画中的应用
❹ 掌握动画环境的设置方法

2.1 中文版Flash CS5的安装与启动

目前，Flash CS5 是 Flash 的最新版本，该版本继承了早期版本的各种优点，并且在此基础上进行了改进，进一步完善了 Flash 的功能。

2.1.1 安装Flash CS5的准备工作

任何一种软件的安装与使用，都离不开相应硬件系统的支持，中文版 Flash CS5 也不例外。下面将对该软件安装时需要的最低系统配置进行说明。

	Windows	Mac OS
处 理 器	Intel Pentium 4 或 AMD Athlon 64	Intel 多核处理器
操作系统	Microsoft Windows XP（带有 Service Pack 2）；Windows Vista Home Premium、Business、Ultimate 或 Enterprise（带有 Service Pack 1）；Windows 7	Mac OS X 10.5.7 或 10.6 版
内　存	1GB	1GB
磁盘空间	3.5GB 可用硬盘空间用于安装；安装过程中需要额外的可用空间（无法安装在基于闪存的可移动存储设备上）	4GB 可用硬盘空间用于安装；安装过程中需要额外的可用空间（无法安装在使用区分大小写的文件系统的卷，或基于闪存的可移动存储设备上）
显示器分辨率	1024×768，16 位显卡	1024×768，16 位显卡
驱 动 器	DVD-ROM	DVD-ROM
其他方面	多媒体功能需要 QuickTime 7.6.2 软件；在线服务需要宽带 Internet 连接	多媒体功能需要 QuickTime 7.6.2 软件；联机服务需要连接 Internet

2.1.2 启动中文版Flash CS5

在安装好中文版 Flash CS5 之后，就可以启动并进入中文版 Flash CS5 的工作界面创建动画了。

启动中文版 Flash CS5 有以下 3 种方法。

（1）选择“开始 > 程序 >Adobe Flash Professional CS5”命令。

（2）双击格式为 FLA 的 Flash 文件。

（3）双击桌面上的 Adobe Flash CS5 快捷图标。

使用以上任意一种方法，均可启动 Flash CS5，其启动界面如下图所示。

2.2 课堂练习——安装Flash CS5

注意事项	组件的选择性添加及序列号的准确输入
核心知识	正确安装并设置中文版Flash CS5

在学习使用 Flash CS5 软件之前，首先介绍如何安装中文版 Flash CS5。下面以在 Microsoft Windows XP 操作系统中的安装为例进行演示。

01 双击Flash CS5的安装文件，系统会自动弹出“Adobe安装程序”的提示对话框。

Adobe 安装程序

初始化安装程序

取消(C)

02 初始化完成以后，程序进入软件许可协议对话框，确认之后单击“接受”按钮。

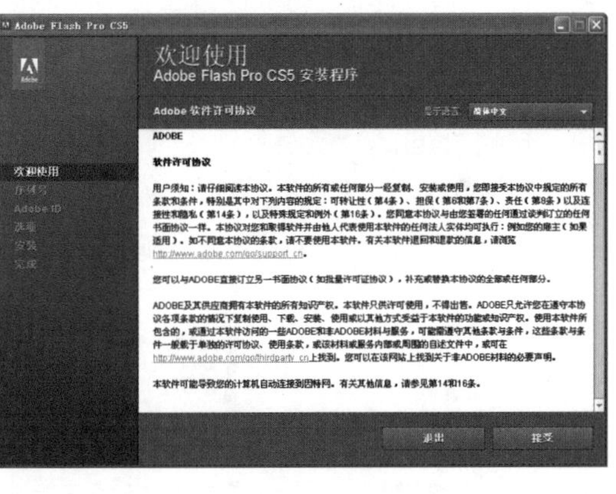

03 之后进入安装选择对话框。在其中输入版本序列号或者选择“安装此产品的试用版”，设置“选择语言”为“简体中文”，单击“下一步”按钮。

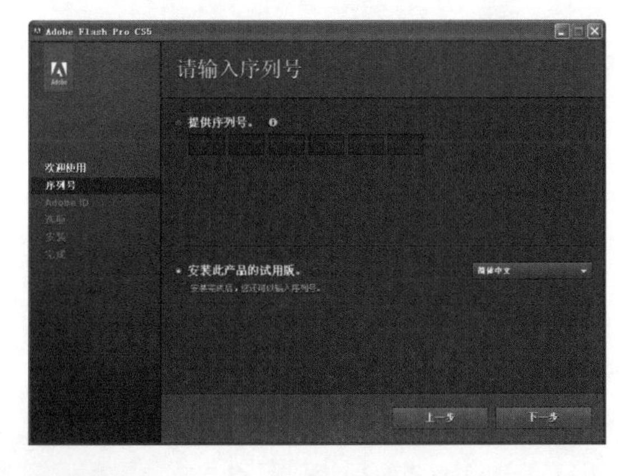

04 在安装选项对话框中，设置安装组件和安装路径，确定无误后单击“安装”按钮。

05 随后进入安装进度对话框，此过程时间较长，需要耐心等待。

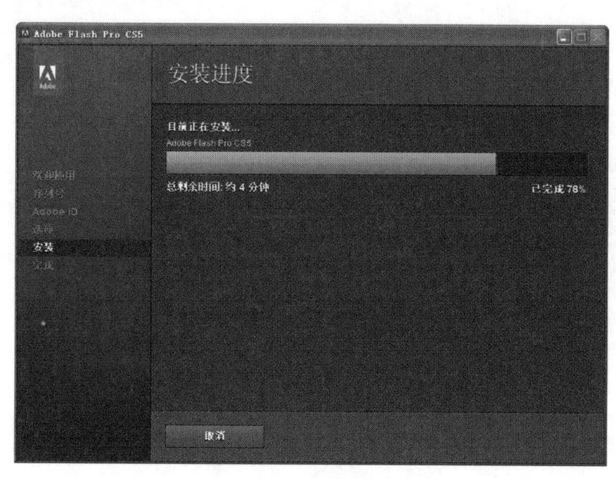

06 在完成安装对话框中，单击“完成”按钮，至此Flash CS5安装完成。

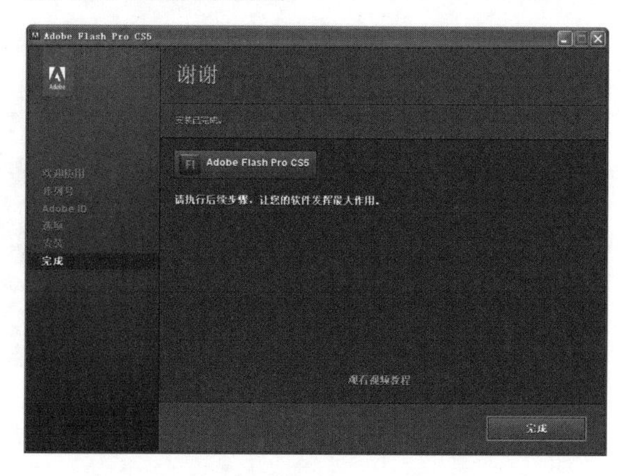

2.3 中文版Flash CS5的两种操作界面

启动中文版 Flash CS5 后，首先进入的是初始界面，用户通过初始界面才能进入 Flash 的工作界面。下面分别介绍 Flash CS5 这两种界面的特点。

2.3.1 中文版Flash CS5的初始界面

启动 Flash CS5 后，最先看到的是初始界面。在该界面中，不仅可以从模板中创建各类动画文档（如广告、横幅、媒体播放、演示文稿等），还可以打开最近的项目或者新建一个普通 Flash 文件，如创建基于 ActionScript 3.0、ActionScript 2.0、iPhone OS 等形式的动画文档。

同时，可以通过链接按钮，链接到相应网站学习 Flash 的基础知识。其中，“学习”列表中的链接包括“介绍 Flash”、“元件”、“时间轴和动画”、“实例名称”、“简单交互”、“ActionScript”及“处理数据”等选项，如下图所示。

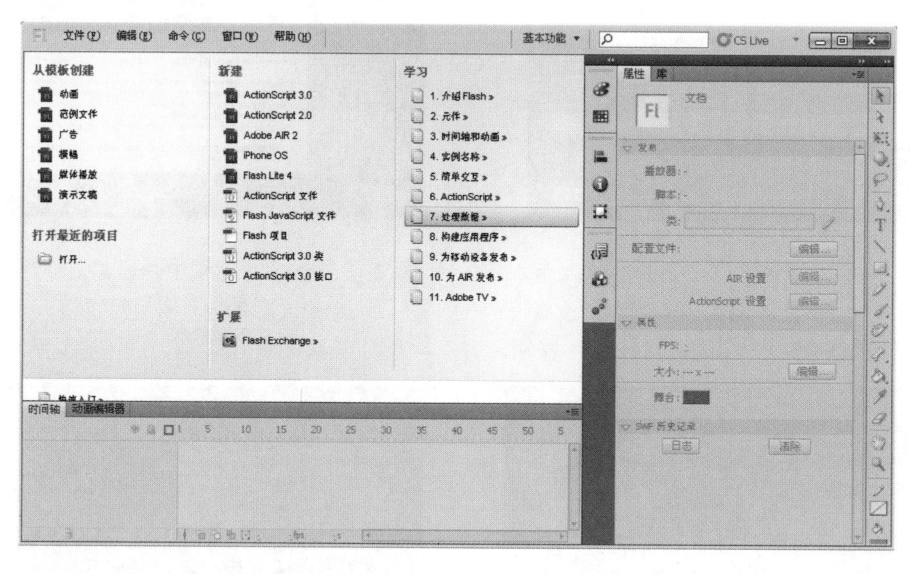

2.3.2 中文版Flash CS5的工作界面

在 Flash CS5 的初始界面中，单击“打开”按钮，在弹出的“打开”对话框中选择一个 Flash 文件将其打开。随后便进入中文版 Flash CS5 的工作界面。

Flash CS5 的工作环境主要包括标题栏、菜单栏、工具箱、时间轴、舞台和工作区及一些常用的面板，下面分别介绍 Flash 工作环境中的各组成部分。

1. 标题栏

Flash CS5 的标题栏主要包括软件名称、基本功能、搜索文本框和窗口控制按钮。

2. 菜单栏

菜单栏主要由“文件”、“编辑”、“视图”、“插入”、“修改”、“文本”、“命令”、“控制”、“调试”、“窗口”和“帮助”菜单组成，Flash 中的所有命令都可从这些菜单中找到。

3. 工具箱

在基本工作界面中，工具箱位于窗口的右侧（也可将其拖动到其他任意位置，如下左图所示）。用户可以使用工具箱中的工具绘图、填充颜色、选择对象、修改对象，并可以更改舞台中的视图。各工具的具体使用方法将在之后的学习中详细讲解，此处不多加叙述。

4. 时间轴

时间轴是显示图层与帧的一个面板（如下右图所示），其主要用于组织和控制文档内容在一定时间内播放的帧数。换句话说，时间轴控制着整个影片的播放和停止状态。

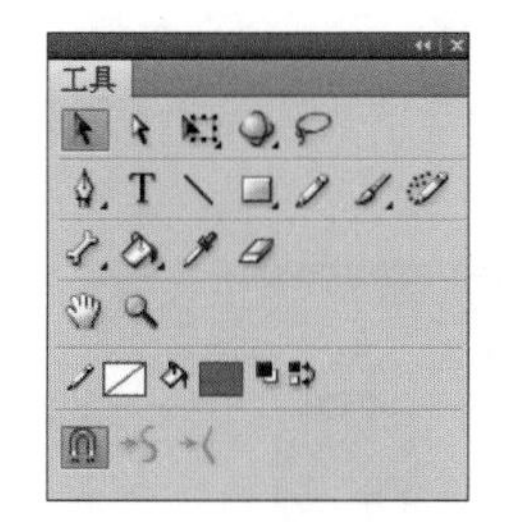

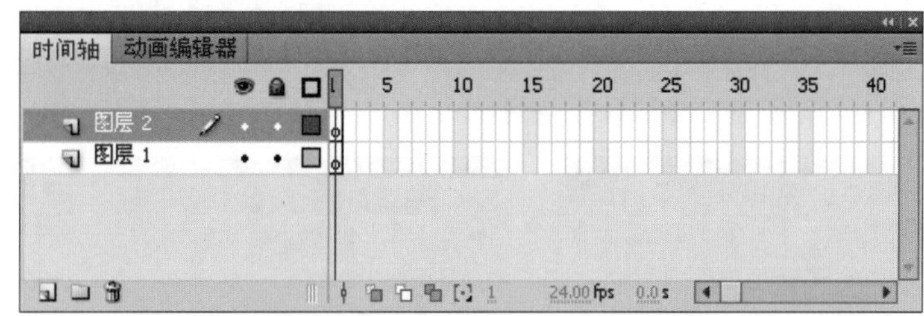

“时间轴”面板大致可以分为“控制区”、“图层区”、“时间轴”3 部分，其各自功能介绍如下。

（1）控制区用于设置该面板的隐藏或显示，以及各场景、元件之间的切换。双击“时间轴”名称，便可隐藏或显示“时间轴”面板。

（2）图层区用于设置整个动画的“空间”顺序，包括图层的隐藏、锁定、插入、删除等。

（3）时间轴用于设置各图层中各帧的播放顺序，它由若干小格构成，每一格代表一帧，一帧又包含着若干内容，即所要显示的图片及动作。将这些图片连续播放，就形成一个动画影片。

Flash 动画与传统动画的原理相同，即按照画面的顺序和一定的速度播放影片，每一帧中包含各种不同的画面。这些画面分别是一组连贯动作的分解画面，按照一定顺序将这些画面在时间轴中排列，连贯起来看就像动起来一样。时间轴上的各帧就像电影中的胶片，影片的长度由它的帧数决定。图层就像堆叠在一起的多张幻灯片，每个图层都包含一个显示在舞台中的不同图像。时间轴主要由图层、帧和播放头组成。

5. 舞台和工作区

动画是在场景中制作完成的，场景即指当前整个动画的编辑区域，其用于按主题有组织地播放 Flash 动画。场景包含舞台和工作区，就像拍电影是在一个大的摄影棚中拍摄的一样，这个摄影棚可以被理解为场景，而镜头对准的地方就是舞台。舞台是用户在创建 Flash 文档时放置图形对象的矩形区域，这些图形对象可以是任意的对象；工作区就是舞台周围的灰色区域，可以暂时性地存放对象，但是在测试影片时，处于工作区中的对象不会显示出来，显示的只是舞台区域中的对象，如下左图所示。

需要说明的是，在一个 Flash 动画中，场景至少要有一个。当一个 Flash 动画中包含有多个场景时，播放器会在第一个场景播放结束后自动播放下一个场景中的内容，直至最后一个场景播放结束为止。用户还可以通过“场景”面板对场景进行添加、复制和删除操作，以及通过拖动场景名称来改变场景的排列顺序，从而改变其播放次序，如下右图所示。

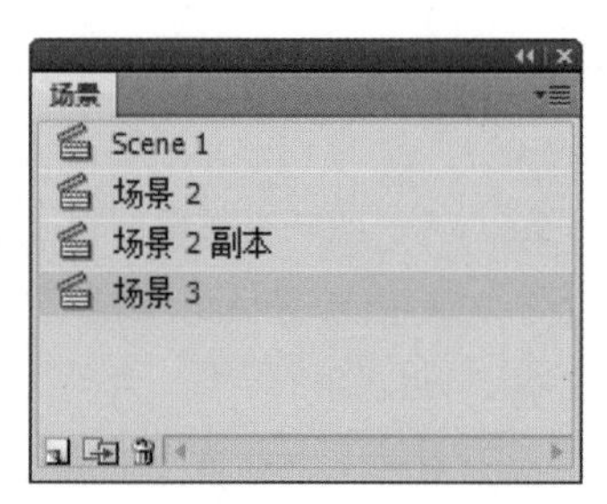

6. 常用面板

Flash 共提供了 20 多个控制面板帮助用户快速执行特定的命令，如“颜色”面板、“变形”面板、“库”面板、“属性”面板、“历史记录”面板等，如下图所示。其中“颜色”面板用于修改 FLA 的调色板并更改笔触和填充的颜色；“库”面板用于存储在 Flash 创作环境中创建或在文档中导入的媒体资源。“历史记录”面板用于显示自创建或打开某个文档以来在该活动文档中执行的步骤列表，列表中的数目最多为指定的最大步骤数。“信息”面板用于查看文件的详细信息和测试设备所支持的不同内容类型。

使用这些面板可以使操作更加便捷，而将所有的面板都显示在界面上是不现实的，有效地组织这些面板的显示就可以获得更多的操作空间。

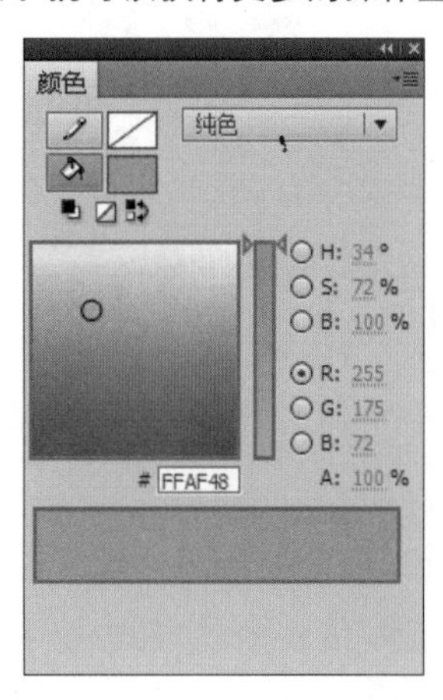

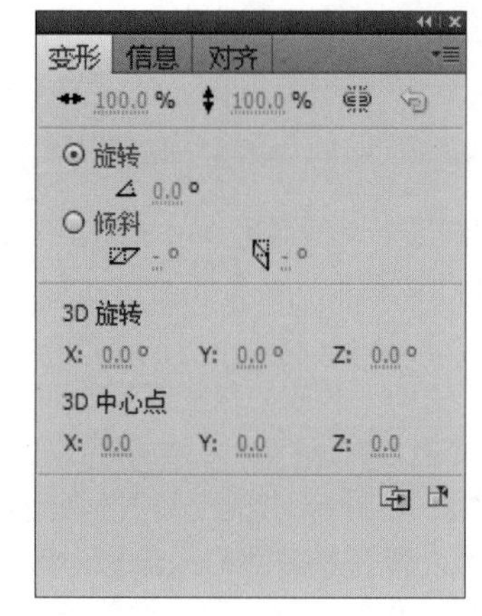

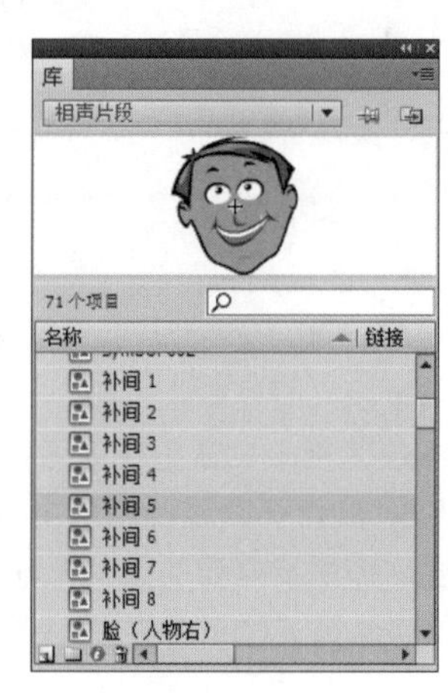

2.4 常用文档操作

用户在使用 Flash 软件进行工作时，可以创建新文档或打开已有的文档，以及保存或关闭文档等。

2.4.1 新建动画文档

在 Flash CS5 中，新建动画文档有以下 3 种方法。

（1）选择“文件 > 新建”命令。

（2）按下【Ctrl + N】组合键。

（3）在“主工具栏”上单击“新建”按钮。

使用以上任意一种方法即可新建一个 Flash 空白文档。

2.4.2 打开动画文档

在 Flash CS5 中，打开动画文档有以下 6 种方法。

（1）在资源管理器中直接双击文件的图标将其打开。

（2）将文件拖曳到 Flash 应用程序图标上。

（3）选择“文件 > 打开”命令。

（4）按下【Ctrl + O】组合键。

（5）在“主工具栏”上单击“打开”按钮。

（6）在 Flash 的初始界面上单击“打开”按钮。

使用以上任意一种方法即可打开一个动画文档。

2.4.3 保存动画文档

在 Flash CS5 中，保存动画文档有以下 7 种方法。

（1）选择“文件 > 保存”命令。

（2）选择“文件 > 另存为”命令。

（3）选择“文件 > 另存为模板”命令。

（4）选择“文件 > 全部保存”命令。

（5）按下【Ctrl + S】组合键。

（6）按下【Ctrl + Shift + S】组合键。

（7）在“主工具栏”上单击“保存”按钮。

使用以上任意一种方法即可保存动画文档。其中，“全部保存”命令可以保存 Flash 中打开的所有动画文档。

2.4.4 关闭动画文档

在 Flash CS5 中，关闭动画文档有以下 9 种方法。

（1）选择“文件 > 关闭”命令。

（2）选择“文件 > 全部关闭”命令。

（3）选择“文件 > 退出”命令。

（4）在标题栏上单击应用程序的图标，在弹出的下拉菜单中选择“关闭”命令。

（5）按下【Ctrl + W】组合键。

（6）按下【Ctrl + Alt + W】组合键。

（7）按下【Alt + F4】组合键。

（8）单击标题栏上的关闭按钮。

（9）单击场景中的关闭按钮。

使用以上任意一种方法即可关闭动画文档，如果在关闭之前，用户编辑过文档而没有保存，则会弹出如右图所示的提示对话框。

Adobe Flash CS5
是否保存对 未命名-1 的更改?
是 否 取消

在该对话框中单击“是”按钮可以保存修改过的文档；单击“否”按钮可以不进行保存；单击“取消”按钮，取消用户的关闭动画文档的操作。

2.5 辅助工具

在 Flash CS5 中制作动画时，常常需要对某些对象进行精确定位，这时可使用标尺、网格、辅助线这 3 种辅助工具来定位对象。

2.5.1 标尺

选择“视图 > 标尺”命令，或按下【Ctrl + Alt + Shift + R】组合键，即可将标尺显示在编辑区的上边缘和左边缘处，如下左图所示。在显示标尺的情况下移动舞台上的对象时，将在标尺上显示刻线，以指出该对象的尺寸。若再次选择“视图 > 标尺”命令或按下相应的组合键，则可以将标尺隐藏。

默认情况下，标尺的度量单位是像素。如果需要更改标尺的度量单位，可选择“修改 > 文档”命令，打开“文档属性”对话框，在“标尺单位”下拉列表中选择相应的单位即可，如下右图所示。

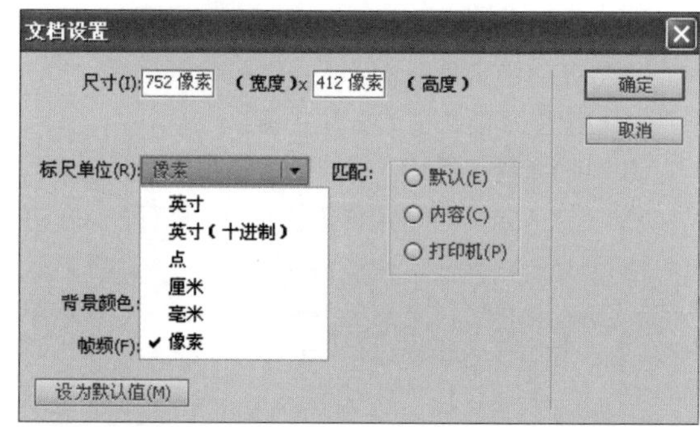

2.5.2 网格

使用网格可以更方便地排列对象，或绘制一定比例的图像，并且还可以对网格的颜色、间距等参照进行设置，以满足不同的要求。

在 Flash CS5 中，选择“视图 > 网格 > 显示网格”命令，或按下【Ctrl + '】组合键，可显示网格，如下左图所示。再次选择命令或按下组合键，可将网格隐藏。

选择“视图 > 网格 > 编辑网格”命令，或按下【Ctrl + Alt + G】组合键，打开“网格”对话框，如下右图所示。在该对话框中可以对网格的颜色、间距进行编辑。

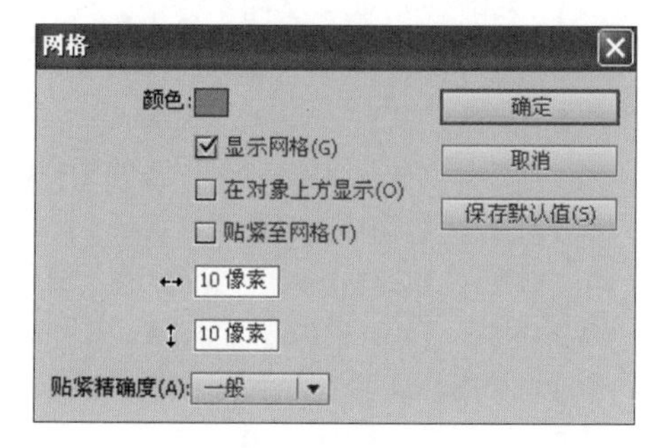

2.5.3 辅助线

使用辅助线可以对舞台中的对象进行位置规划、对各个对象的对齐和排列情况进行检查，还可以提供自动吸附的功能。使用辅助线之前，需要先将标尺显示出来。在显示标尺的状态下，使用鼠标分别在水平和垂直的标尺处向舞台中拖动，可以从标尺上将水平和垂直辅助线拖动到舞台上。

在 Flash CS5 中，选择“视图 > 辅助线 > 显示辅助线”命令，或按下【Ctrl + ;】组合键，将显示辅助线。再次选择命令或按下组合键，即可隐藏辅助线。辅助线的属性也可以进行自定义，选择“视图 > 辅助线 > 编辑辅助线”命令，即可打开“辅助线”对话框，如右图所示。在该对话框中可以对辅助线进行编辑，如锁定、显示、贴紧至辅助线，全部清除辅助线，更改辅助线颜色等。

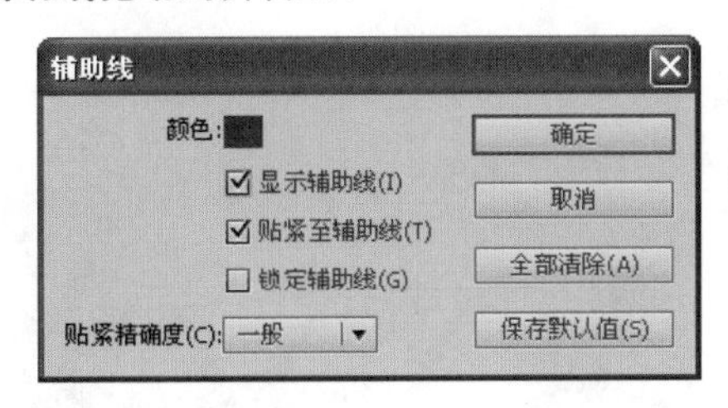

若单击“颜色”选项后的颜色框，则可以打开调色板，从中选择辅助线的颜色。

若选中或取消选中“显示辅助线”复选框，则可以实现对辅助线的显示或隐藏。

若单击“全部清除”按钮，则可以从当前场景中删除所有的辅助线。

若单击“保存默认值”按钮，则可以将当前设置保存为默认值。

提 示

如果用户创建嵌套时间轴，则仅在其中创建辅助线的时间轴处于活动状态时，舞台上才会显示可拖动的辅助线。用户可以在当前编辑模式（文档编辑模式或元件编辑模式）下清除所有辅助线。如果在文档编辑模式下清除辅助线，则会清除文档中的所有辅助线。如果在元件编辑模式下清除辅助线，则会清除所有元件中的所有辅助线。

2.6 课堂练习——新建动画文档并调出辅助工具

注意事项	标尺与辅助线的应用原则
核心知识	掌握快速调出辅助线的操作

本练习讲解“新建动画文档并调出辅助工具”的具体操作，旨在让读者熟练掌握这 3 种辅助工具的应用。操作步骤如下。

01 双击Flash CS5图标，在启动界面中单击Action Script 3.0选项，创建新文档。

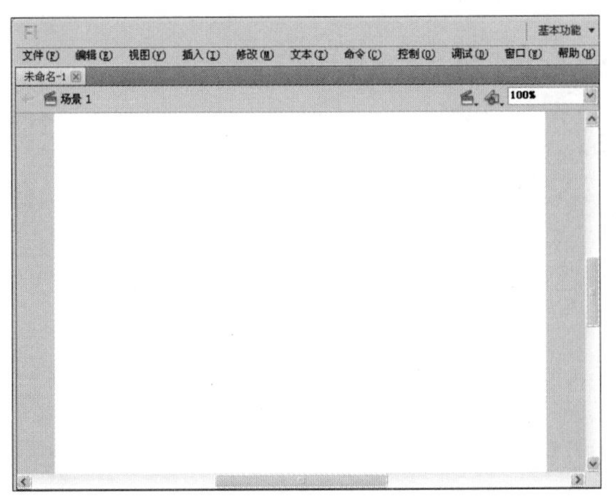

02 选择“文件>导入>导入到舞台”命令，或按下【Ctrl+R】组合键。

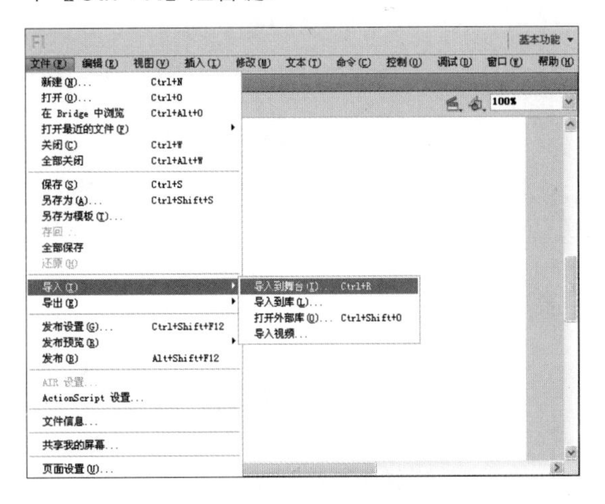

03 打开“导入”对话框，从中选择素材图片后，单击“打开”按钮将其直接导入至舞台中。

04 在“属性”面板中设置导入图片的位置与大小。

05 为了更加精确地设置其中的对象，可以单击“视图>标尺”命令，调出标尺，随后拖出辅助线。

06 选择“视图>辅助线>编辑辅助线”命令，打开“辅助线”对话框，可以对辅助线进行编辑。

2.7 动画环境设置

用户可以对 Flash 进行设置，使其符合自身的操作习惯和喜好，可以选择 Flash 中预先设置的选项，也可以根据需要自行设置。下面将介绍设置文档属性、舞台的显示比例及常用环境参数的具体方法。

2.7.1 设置文档属性

设置文档的属性是创作动画的第一步，在 Flash 中，使用“属性”面板可以设置舞台的大小、颜色等属性。下面介绍设置文档属性的具体操作方法，其具体操作步骤如下。

（1）选择“窗口 > 属性”命令，或按下【Ctrl + F3】组合键，弹出“属性”面板，如下左图所示。

（2）单击“大小”选项右侧的“编辑”按钮，打开“文档设置”对话框。在其中设置“宽度”和“高度”，如下右图所示。

提 示

选择“修改>文档”命令，或按下【Ctrl＋J】组合键，在弹出的“文档属性”面板中可直接设置文档的属性，改变舞台的大小和颜色。其操作步骤与通过“属性”面板设置文档属性的操作步骤基本一致，惟一的区别是使用菜单命令设置文档属性只在“文档属性”对话框中进行，而不必在“属性”面板中进行设置。

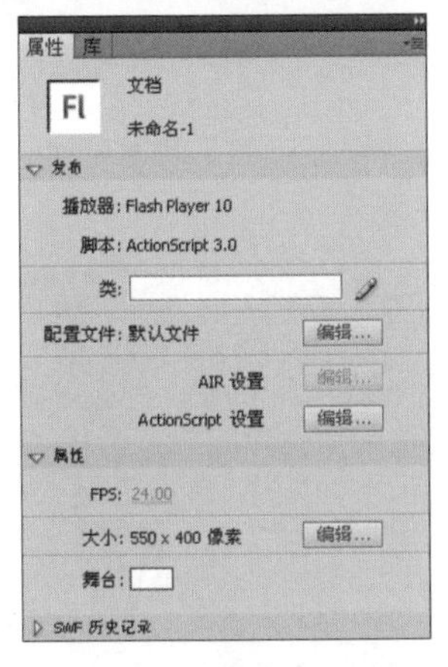

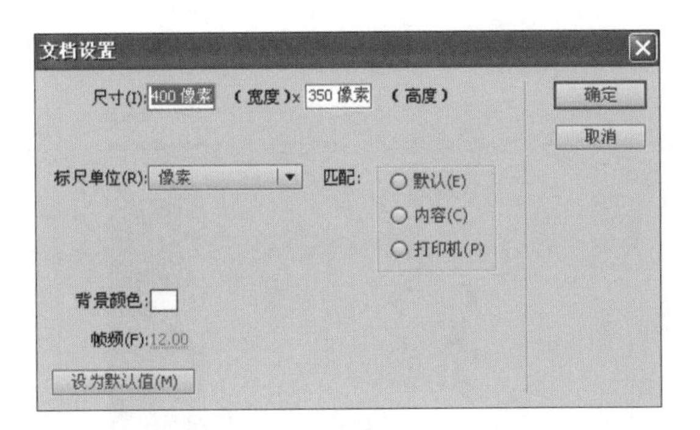

（3）单击“确定”按钮即可改变舞台的大小。在“属性”面板中单击“舞台”右侧的背景颜色图标，在弹出的颜色列表框中选择“粉红色”，如下左图所示。

（4）选择颜色，即可改变舞台背景的颜色，如下右图所示。

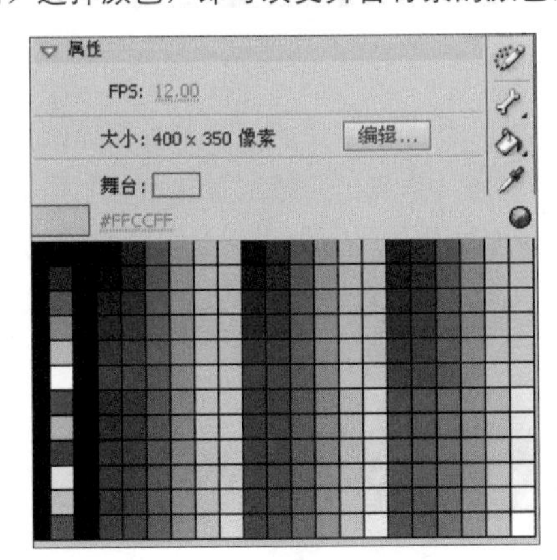

（5）在 fps 栏中设置帧频，这里设置为 12。数值越大，动画播放得越快，对于网站来说，一般设置为 12 帧 / 秒。

2.7.2 设置舞台显示比例

场景在默认情况下是按 100% 的比例显示的，在创作动画时，用户可以根据需要改变场景的显示比例，如下左图所示。

在 Flash CS5 中，可以根据需要选择不同的工作界面，由于工作界面中的面板较多，留给舞台的区域太小，常常无法看到整个舞台的场景，这时就要设置适合的舞台显示比例。在工作区右上方的舞台视窗百分比下拉列表中可选择一个设置（如 50%），从而能够满足总览整个舞台的需要，但舞台中的对象将会相应变小，如下右图所示。

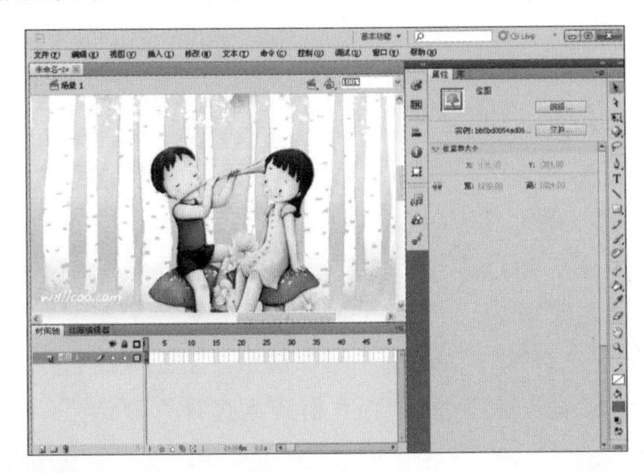

在默认的工作界面中，工作区的视窗是比较小的，界面被时间轴和大量的功能面板所占据。要将工作区的视窗变大，有以下两种方法。

（1）将所有功能面板缩小成按钮图标，这样就可以节约出大量的视窗，如下左图所示。

（2）通过按下【F4】键，隐藏所有的面板和时间轴，如下右图所示。

2.7.3 设置常用环境参数

在 Flash 中编辑影片时，通过对首选参数进行合理的设置，可以使工作环境更符合用户的习惯和特殊要求，从而有效地提高创作影片的效率。在 Flash CS5 中，通过选择“编辑 > 首选参数”命令，或按下【Ctrl + U】组合键，即可打开“首选参数”对话框。在该对话框中可以对常规显示、自动套用格式、剪贴板、警告及脚本编辑等参数进行具体设置。

（1）设置“常规”首选参数

①启动时：指定在启动应用程序时打开的文档。

②文档或对象层级撤销：文档层级撤销维护一个列表，其中包含用户对整个 Flash 文档的所有动作。对象层级撤销为用户针对文档中每个对象的动作单独维护一个列表。使用对象层级撤销可以撤销针对某个对象的动作，而无须另外撤销针对修改时间比目标对象更近的其他对象的动作。

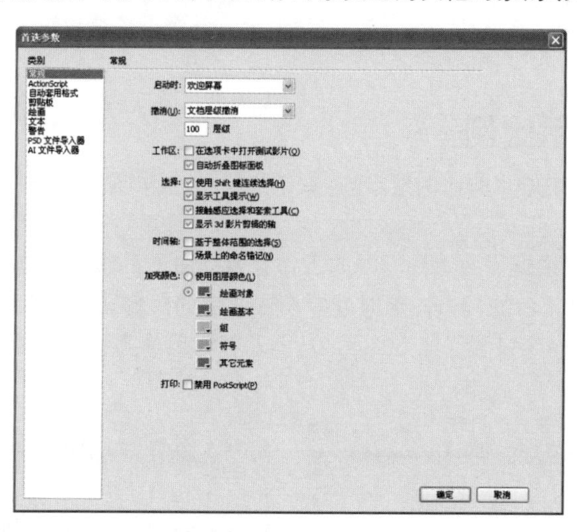

③撤销层级：若要设置撤销或重做的层级数，即输入一个介于 2 ～ 300 之间的值。撤销层级需要消耗内存，使用的撤销层级越多，则占用的系统内存就越多。默认值为 100。

④工作区：若要在选择“控制 > 测试影片”命令时在应用程序窗口中打开一个新的文档选项卡，则应选择“在选项卡中打开测试影片”复选框。默认情况是在其自己的窗口中打开测试影片。若要在单击处于图标模式中的面板的外部时使这些面板自动折叠，则应选择“自动折叠图标面板”复选框。

⑤选择：若要控制选择多个元素的方式，则选择或取消选择“使用 Shift 键连续选择”复选框。如果

取消了该复选框，单击附加元素可将它们添加到当前选择中。如果选择了“该复选框”，单击附加元素将取消选择其他元素，若按住【Shift】键，则不取消。

⑥显示工具提示：当指针悬停在控件上时会显示工具提示。若要隐藏工具提示，而取消选择此复选框。

⑦接触感应选择和套索工具：当使用选取工具或套索工具进行拖动时，如果选取框矩形中包括了对象的任何部分，则对象将被选中。默认情况是仅当工具的选取框矩形完全包围了对象时才选中对象。

⑧显示 3d 影片剪辑的轴：在所有 3d 影片剪辑上显 X、Y 和 Z 轴的重叠部分。这样就能够在舞台上轻松地标识它们。

⑨时间轴：若要在时间轴中使用基于整体范围的选择而不是默认的基于帧的选择，则选择“基于整体范围的选择”复选框。

⑩场景上的命名锚记：将文档中每个场景的第一帧作为命名锚记。命名锚记使用户可以使用浏览器中的“前进”和“后退”按钮从一个场景跳到另一个场景。

⑪加亮颜色：若要使用当前图层的轮廓颜色，则从面板中选择一种颜色，或选择“使用图层颜色”单选按钮。

⑫打印（禁用 PostScript）：若要在打印到 PostScript 打印机时禁用 PostScript 输出，则选择“禁用 PostScript”复选框。默认情况下，此选项处于取消选择状态。如果打印到 PostScript 打印机有问题，则选择此选项，但是此选项会减慢打印速度。

（2）设置“警告”首选参数

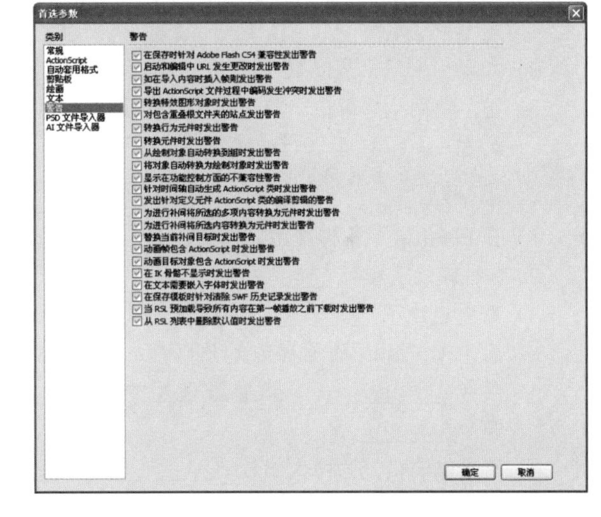

①若在将包含 Adobe Flash CS5 创作工具的特定内容的文档保存为 Flash CS5 文件时收到警告，则选择“在保存时针对 Adobe Flash CS4 兼容性发出警告”复选框（默认设置）。

②若要在文档的 URL 自上次打开和编辑以来已发生更改时收到警告，则应选择“启动和编辑中 URL 发生更改时发出警告”复选框。

③若要在 Flash 将帧插入文档中以容纳导入的音频或视频文件时收到警告，则选择“如在导入内容时插入帧则发出警告”复选框。

④若要在选择“默认编码”时可能会导致数据丢失或出现乱码的情况下收到警告，则选择“导出 ActionScript 文件过程中编码发生冲突时发出警告”复选框。

⑤若要在试图编辑已应用时间轴特效的元件时收到警告，则选择“转换特效图形对象时发出警告”复选框。

⑥若要在创建本地根文件夹与另一站点重叠的站点时收到警告，则选择“对包含重叠根文件夹的站点发出警告”复选框。

⑦若要在将具有附加行为的元件转换为其他类型的元件（如将影片剪辑转换为按钮）时收到警告，则选择“转换行为元件时发出警告”复选框。

⑧若要在将元件转换为其他类型的元件时收到警告，则选择“转换元件时发出警告”复选框。

⑨若要在 Flash 将在对象绘制模式下绘制的图形对象转换为组时收到警告，则选择“从绘制对象自动转换到组时发出警告”复选框。

若要针对当前 FLA 文件在其“发布设置”中面向的 Flash Player 版本所不支持的功能控制显示警告，则选择“显示在功能控制方面的不兼容性警告”复选框。

拓展项目练习

本章针对 Flash CS5 的基本操作，从软件的安装与启动、操作界面介绍、常用文档操作、辅助工具和动画环境设置 5 个方面进行了讲解。下面对本章中的一些重点知识进行考查，同时也是对本章内容的回顾，力求帮助读者巩固所学知识，打牢基础。

一、选择题

（1）在 Flash 中，新建动画文档，除了执行“文件 > 新建”命令外还可以按下快捷键（　）。

A.【Ctrl + O】　B.【Ctrl + N】　C.【Ctrl + B】　D.【Ctrl + J】

（2）要打开“网格”对话框，除了执行“视图 > 网格 > 编辑网格”命令外，还可按下快捷键（　）。

A.【Ctrl + Alt + G】　B.【Ctrl + Alt + S】

C.【Ctrl + Alt + W】　D.【Ctrl + Alt + M】

（3）在“文档属性”对话框中，不能修改的属性是（　）。

A. 文件名称　B. 背景颜色　C. 帧频　D. 工作区大小

（4）Flash 专用的面向对象的程序设计语言是（　）。

A. ActionScript　B. JavaScript　C. C++　D. Java

（5）对于在网络上播放动画来说，最合适的帧频率是（　）。

A. 每秒 24 帧　B. 每秒 12 帧　C. 每秒 25 帧　D. 每秒 16 帧

（6）如果一个对象是以 100% 的大小显示在工作区中，选择工具箱中的“缩放”工具，并按下【Alt】键，使用鼠标单击，则对象将以多少的比例显示在工作区中（　）。

A. 50%　B. 100%　C. 200%　D. 400%

二、填空题

（1）在 Flash 中，4 种常用文档操作有__________、__________、__________和__________。

（2）3 种辅助工具有__________、__________和__________。

（3）右图描述了__________的属性，其中“大小”是指__________，通过设置__________可以改变 Flash 动画播放的流畅度，设置数据则越大流畅度越__________，该参数使用的单位是__________，表示__________。

属性
FPS: 24.00
大小: 550 x 400 像素　编辑...
舞台:

（4）时间轴窗口分为两大部分：__________和__________。

三、操作题

（1）新建一个 450×360 像素的文档，设置其舞台背景色为 #FFCC99，帧频为 25，并保存文件。

（2）将以下图片导入舞台，并调整其大小与位置，使之与舞台居中对齐。最后调出辅助线，以便于制作百叶窗效果。

动画设计锦囊

本章节重点介绍了 Flash 的基本操作，包括文本的基本操作及辅助工具的应用，下面将了解一下关于 Flash 文件类型的知识，以便更好地学习 Flash。

在 Flash 中，用户可以处理各种文件类型，但每种文件类型的用途各不相同。

（1）FLA 文件

FLA 文件是在 Flash 中使用的主要文件，是所有项目的源文件，其中包含 Flash 文档的基本媒体、时间轴和脚本信息。媒体对象是组成 Flash 文档内容的图形、文本、声音和视频对象。时间轴用于告诉 Flash 应何时将特定媒体对象显示在舞台上。用户可以将 ActionScript 代码添加到 Flash 文档中，以便更好地控制文档的行为并使文档对用户交互做出响应。

（2）SWF 文件

SWF 文件是 FLA 文件的压缩版本，是已进行了优化以便在网页上显示的文件。当用户发布 FLA 文件时，Flash 将创建一个 SWF 文件。此文件可以在浏览器中播放并在 Dreamweaver 中进行预览，但不能在 Flash 中编辑。

（3）AS 文件

AS 文件是 ActionScript 文件。用户可以使用这些文件将部分或全部 ActionScript 代码放置在 FLA 文件之外，这对于代码组织和有多人参与开发 Flash 内容的不同部分的项目很有帮助。

（4）SWC 文件

SWC 文件包含可重用的 Flash 组件。每个 SWC 文件都包含一个已编译的影片剪辑、ActionScript 代码及组件所要求的任何其他资源。通过此类文件合并到 Web 页，可以创建丰富的 Internet 应用程序。

（5）ASC 文件

ASC 文件是用于存储 ActionScript 的文件，ActionScript 将在运行 Flash Media Server 的计算机上执行。这些文件提供了实现与 SWF 文件中的 ActionScript 结合使用的服务器端逻辑的功能。

（6）FLV 文件

FLV 文件是一种视频文件，它包含经过编码的音频和视频数据，用于通过 Flash Player 进行传送。如果有 QuickTime 或 Windows Media 视频文件，可以使用编码器（如 Flash Video Encoder 或 Sorensen Squeeze）将视频文件转换为 FLV 文件。

（7）SWT 文件

Flash 模板文件 SWT 使用户能够修改和替换 Flash SWF 文件中的信息。这些文件用于 Flash 按钮对象，使用户能够用自己的文本或链接修改模板，以便创建要插入在用户文档中的自定义 SWF。

（8）JSFL 文件

JSFL 文件是 JavaScript 文件，可用来向 Flash 创作工具添加新功能。

Chapter 03 Flash 动画图形的设计

设计师指导

随着Flash软件的不断更新，其绘图功能越来越强大，操作也更加便捷。利用Flash中的绘图工具，可以方便地绘制各种图形。图形是Flash动画中的主要元素，它作为Flash动画中最直观的载体，在设计的过程中起到了重要的作用。本章将对Flash中各绘图工具的特点和应用进行详细介绍。

核心知识点

❶ 熟练掌握各种绘图工具的使用方法，如线条工具、钢笔工具、铅笔工具、刷子工具等

❷ 了解颜色面板并能熟练掌握颜色工具的使用方法，如墨水瓶工具和颜料桶工具等

❸ 掌握查看工具的使用方法，其中包括缩放工具和手形工具

3.1 绘图工具

由于使用矢量运算方式生成的影片占用存储空间较小，因此，在 Flash 动画制作中会应用大量的矢量图。Flash 提供了多种工具来绘制形状和路径，如下图所示。下面将对这些工具的使用方法进行详细介绍。

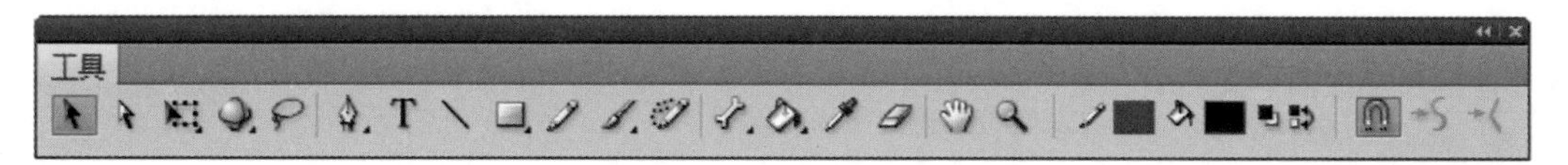

3.1.1 线条工具

线条工具是专门用来绘制直线的工具，是 Flash 中最简单的绘图工具。使用线条工具可以绘制出各种直线图形，并且可以选择直线的样式、粗细程度和颜色。

在中文版 Flash CS5 中，使用以下两种方法可以调用线条工具。

（1）选择工具箱中的线条工具。

（2）按下【N】键。

使用以上任意一种方法，即可调用线条工具。选择工具箱中的线条工具，然后在舞台中单击鼠标并拖曳，当直线达到所需的长度和斜度时，再次单击鼠标即可。

选择线条工具后，在其对应的“属性”面板中可以设置线条的属性，如下左图所示。

在线条工具所对应的“属性”面板中，各主要选项的含义如下。

（1）笔触颜色：用于设置所绘线段的颜色。单击颜色按钮，在弹出的颜色列表中可以选择线条的颜色。

（2）笔触：用于设置线段的粗细。拖动滑块或在文本框中直接输入数值，可以调整线条的粗细。

（3）样式：用于设置线段的样式，单击右侧的按钮或下三角按钮，在弹出的下拉列表中可以选择需要的样式，如下右图所示。

（4）“编辑笔触样式”按钮：单击该按钮，打开“笔触样式”对话框，如下左图所示。在该对话框中可以对线条的缩放、粗细、类型等选项进行设置。

（5）缩放：用于设置在 Player 中包含笔触缩放的类型。单击右侧的按钮或下三角按钮，在弹出的下拉列表中可以选择需要的类型，如下右图所示。

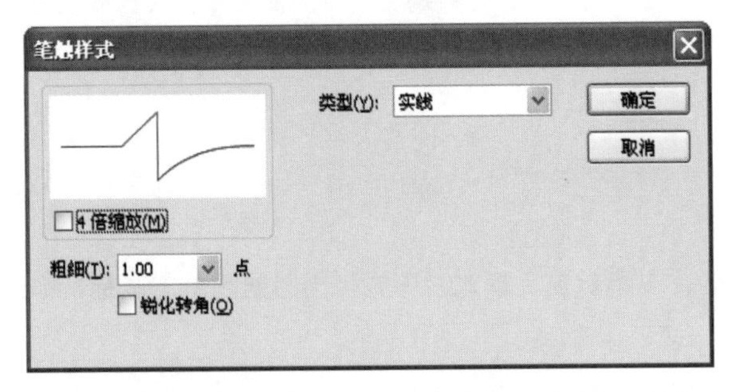

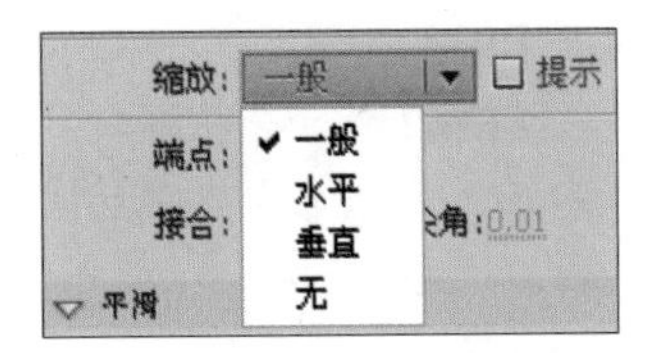

（6）提示：选中该复选框，可以将笔触锚记点保持为全像素，以防止出现模糊线。

（7）端点：用于设置线条端点的形状，包括“无”、“圆角”和“方形”3 种，如下左图所示。

（8）接合：用于设置线条之间接合的形状，包括“尖角”、“圆角”和“斜角”3 种，如下右图所示，当选择“尖角”选项时，可设置尖角参数。

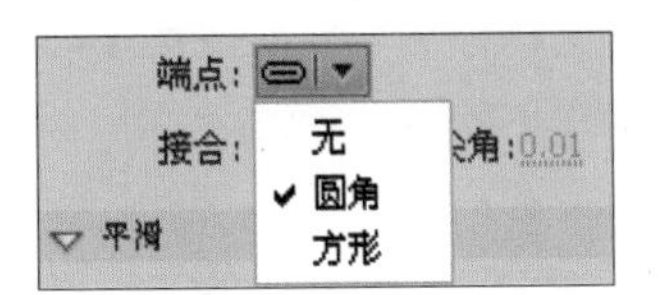

线条工具配合选择工具可以非常方便地绘制图形，在实际制作过程中也是很常用的。用户在绘制完一条线条后按住【Ctrl】键可以直接使用选择工具，松开按键后恢复使用线条工具或者直接使用选择工具选择线条，均可在“属性”面板中对线条进行修改。

3.1.2 钢笔工具组

在 Flash CS5 中，要绘制精确的路径（如直线或平滑流畅的曲线），可使用钢笔工具。使用钢笔工具绘画时，单击可以创建直线段上的点，而拖动可以创建曲线段上的点，并且可以通过调整线条上的点来调整直线段和曲线段。

在中文版 Flash CS5 中，使用以下两种方法可以调用钢笔工具。

（1）选择工具箱中的钢笔工具。

（2）按下【P】键。

使用以上任意一种方法，均可调用钢笔工具。

利用钢笔工具可以对绘制的图形进行非常精确的控制，并可以很好地控制绘制的锚点、锚点的方向点等，因此，钢笔工具适合于喜欢精准设计的人员。如下图所示为使用钢笔工具所绘制的 3 种图形。

钢笔工具 主要用于绘制常见、复杂的曲线。它除了具有绘制图形的功能外，还可以用于进行路径锚点的编辑工作，如调整路径、增加锚点、将锚点转化为角点及删除锚点等。

1. 绘制直线

选择钢笔工具 后，每单击一下就会产生一个锚点，并且同前一个锚点自动以直线连接。如果在绘制的同时按下【Shift】键，则在线段约束为 45° 的倍数方向上直接单击生成的锚点为角点。

结束图形的绘制可以采取以下 3 种方法。

（1）在终点双击鼠标。

（2）单击钢笔工具 。

（3）按住【Ctrl】键单击鼠标。

如果将钢笔工具 移至曲线起始点处，当指针变为钢笔右下方带小圆圈时单击鼠标，即连成一个闭合曲线，并填充默认的颜色。

2. 绘制曲线

钢笔工具 最强的功能在于绘制曲线。在添加新的线段时，在某一位置按下鼠标左键后不要松开，拖动鼠标，新的锚点与前一锚点以曲线相连，并且显示控制曲率的切线控制点。

3. 曲线点与角点转换

若要将角点转换为曲线点，使用部分选取工具 选择该点，然后按住【Alt】键拖动该点来放置切线手柄；若要将曲线点转换为角点，可用钢笔工具 单击该点。

4. 添加锚点

若要绘制更加复杂的曲线，则需要在曲线上添加一些锚点。选择钢笔工具 选项组中的添加锚点工具 ，笔尖对准要添加锚点的位置，指针的右上方将出现一个加号标志，单击鼠标，则添加一个锚点。

5. 删除锚点

删除角点时，钢笔的笔尖对准要删除的锚点，指针的下方将出现一个减号标志，表示可以删除该点，单击鼠标即删除了锚点。

删除曲线点时，用钢笔工具 单击一次该曲线，将该曲线点转换为角点，再单击一次，将该点删除。在钢笔工具 的“属性”面板中同样可以设置其属性，类似于线条工具属性设置。

3.1.3 矩形工具组

在 Flash CS5 中，矩形工具组包括很多几何图形绘制工具，如矩形工具 、椭圆工具 、多角星形工具 等。使用矩形工具组创建图形时，与使用对象绘制模式创建的形状不同，Flash 会将形状绘制为独立的对象。下面详细介绍这些几何图形工具。

1. 矩形工具

矩形工具 可以用来绘制长方形和正方形。在中文版 Flash CS5 中，使用以下两种方法可以调用矩形工具 。

（1）选择工具箱中的矩形工具 。

（2）按下【R】键。

使用以上任意一种方法，均可调用矩形工具 。选择工具箱中的矩形工具 ，在舞台中单击鼠标并拖曳，当达到所需形状及大小时，释放鼠标即可绘制矩形或正方形。在绘制矩形之前或在绘制过程中，按住【Shift】键可以绘制正方形。

选择矩形工具 后，在其对应的“属性”面板中可以设置属性，如“填充和笔触”。在“矩形选项”选项区域中，可以设置矩形边角半径，用来绘制圆角矩形，如右图所示。

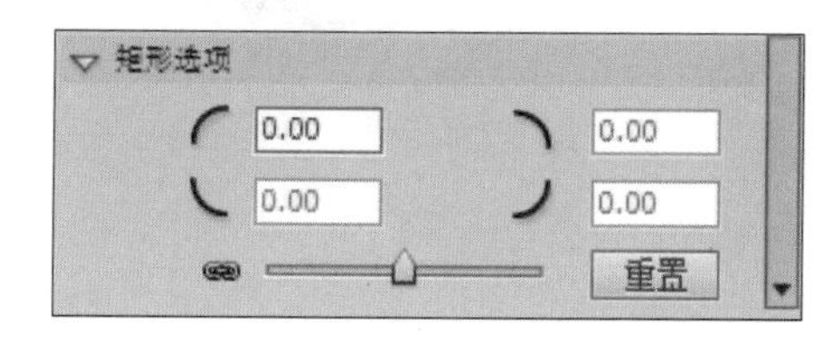

“矩形选项”区域的各选项含义如下。

（1）矩形角半径控件：用于指定矩形的角半径。可以在每个文本框中输入内径的数值。如果输入负值，则创建的是反半径。还可以取消选择限制角半径图标，然后分别调整每个角半径。

（2）重置：重置基本矩形工具的所有控件，并将在舞台上绘制的基本矩形形状恢复为原始大小及形状。

2. 椭圆工具

椭圆工具是用来绘制椭圆及圆形的工具，是在制作动画过程中需要经常用到的工具之一，恰当地使用椭圆工具，可以绘制出各种简单却生动的图形。

在中文版 Flash CS5 中，使用以下两种方法可以调用椭圆工具。

（1）选择工具箱中的椭圆工具。

（2）按下【O】键。

使用以上任意一种方法，均可调用椭圆工具。选择工具箱中的椭圆工具，在舞台中单击鼠标并拖曳，当椭圆达到所需形状及大小时，释放鼠标即可绘制椭圆。在绘制椭圆之前或在绘制过程中，按住【Shift】键可以绘制正圆。

使用椭圆工具，还可以绘制圆、无边（线条）圆和无填充的圆，如下图所示。

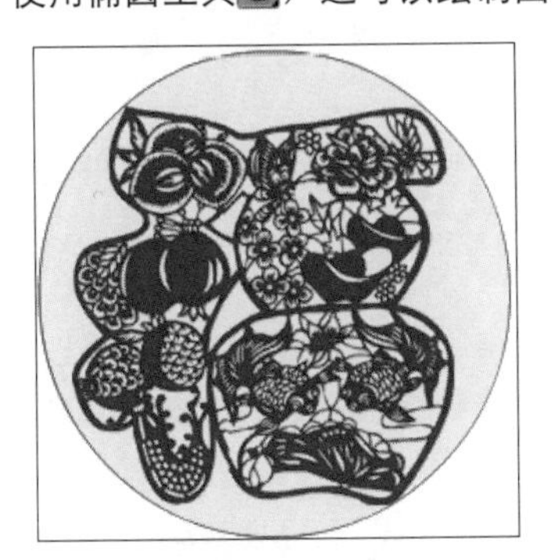

椭圆工具同样具有填充和笔触属性，可进行修改设置。另外，在“椭圆选项”中，可以设置椭圆的“开始角度”、“结束角度”和“内径”等选项。如下左图所示。

“椭圆选项”区域的各选项含义如下。

（1）开始角度和结束角度：用来绘制扇形及其他有创意的图形。

（2）内径：参数值由 0 ～ 99，为 0 时绘制的是填充的椭圆；为 99 时绘制的是只有轮廓的椭圆；为中间值时，绘制的是内径不同的圆环。

（3）闭合路径：确定图形的闭合与否。

（4）重置：重置椭圆工具的所有控件，并将在舞台上绘制的椭圆形状恢复为原始大小及形状。

通过在“属性”面板的“椭圆选项”选项区域中设置相应的参数，可绘制扇形、半圆形及其他有创意的形状，如下右图所示。

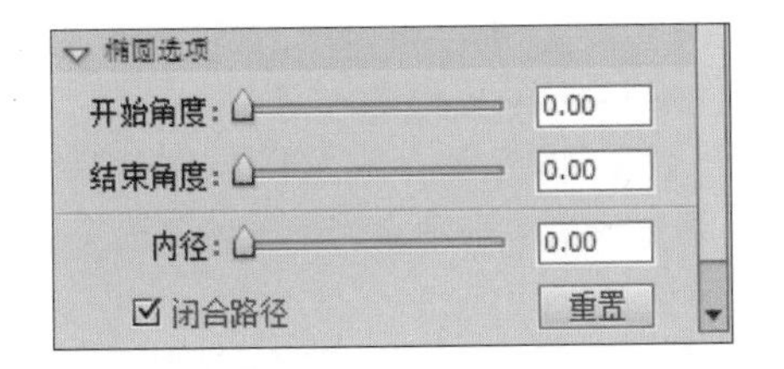

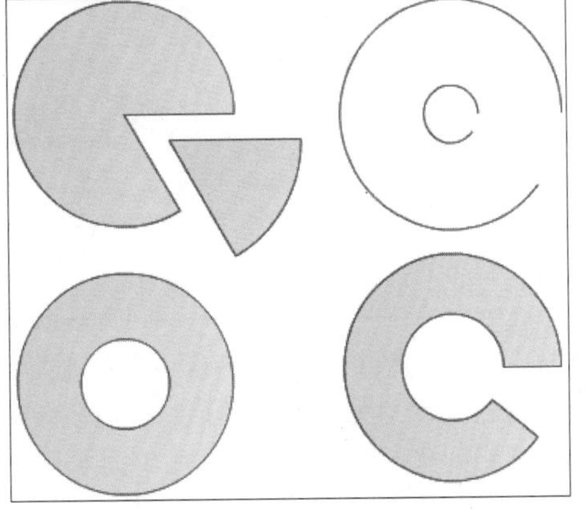

3. 基本矩形工具和基本椭圆工具

使用基本矩形工具 或基本椭圆工具 创建矩形或椭圆时，与使用对象绘制模式创建的形状不同，Flash 会将形状绘制为独立的对象。基本形状工具 可让用户使用属性检查器中的控件，指定矩形的角半径及椭圆的起始角度、结束角度和内径。创建基本形状后，可以选择舞台上的形状，然后调整属性检查器中的控件来更改半径和尺寸。

（1）基本矩形工具

在 Flash CS5 中，在矩形工具 上单击并按住鼠标左键，然后在弹出的菜单中选择基本矩形工具 ，此时“属性”面板即显示基本矩形的相关属性。直接在舞台上拖动鼠标，即可绘制基本矩形。此时绘制的矩形有 4 个锚点，若在“属性”面板的“矩形选项”选项区域中拖动滑块，即可改变矩形的边角，还可以在使用基本矩形工具进行拖动时，通过按下【↑】键和【↓】键改变圆角的半径。

使用选择工具 选择基本矩形时，可在“属性”面板中进一步修改形状或指定填充和笔触颜色。

（2）基本椭圆工具

在矩形工具 上单击并按住鼠标，然后选择基本椭圆工具 ，此时“属性”面板即显示基本椭圆的相关属性。直接在舞台上拖动基本椭圆工具 可创建基本椭圆。如果要绘制正圆，可通过按住【Shift】键并拖动鼠标，当椭圆达到所需形状及大小时，释放鼠标即可绘制正圆。此时绘制的图形有锚点，若在“属性”面板的“椭圆选项”选项区域中拖动各滑块，即可改变形状。

使用选择工具 选择基本椭圆工具 时，可在“属性”面板中进一步修改形状或指定填充和笔触颜色。

提 示

基本矩形工具 和基本椭圆工具 提供了几个锚点，可供鼠标点、选、拖、曳，从而改变形状，而且这些改变是规则的。而矩形和椭圆则没有这些锚点，单击边缘拖曳而产生的变化是不规则和随意的。通过使用基本矩形工具 和基本椭圆工具 产生的图形，可以通过打散（选中后按下【Ctrl+B】组合键）得到普通矩形和椭圆。

4. 多角星形工具

在矩形工具 上单击并按住鼠标，然后选择多角星形工具 ，此时“属性”面板即显示多角星形的相关属性，如下左图所示。直接在舞台上拖动多角星形工具 ，可创建图形，默认情况下为五边形。单击“选项”按钮即弹出“工具设置”对话框，如下右图所示。

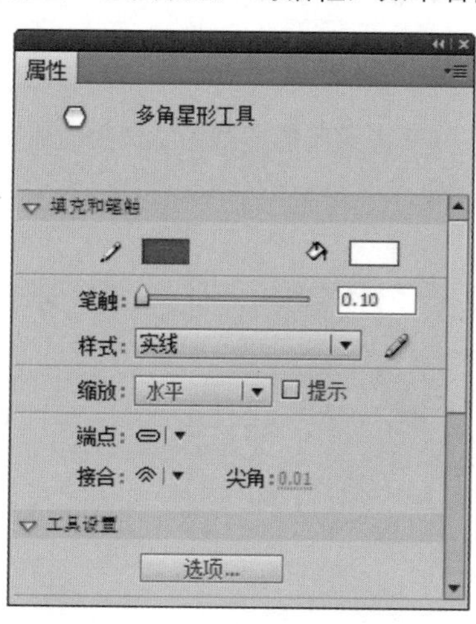

在“样式”下拉列表框中可选择多边形和星形，在“边数”文本框中输入数值确定形状的边数，可显示效果的数值范围为 3 ～ 32。还可以在选择星形时，通过改变星形顶点大小数值来改变星形的形状。星形顶点大小只针对星形样式有作用，如下图所示。

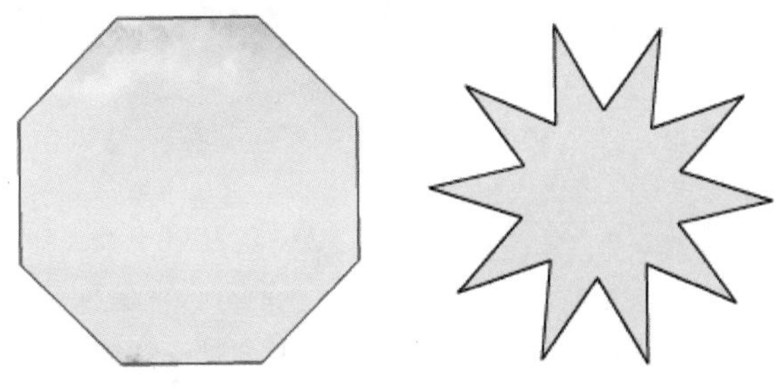

使用选择工具选择多边形或星形时，可在“属性”面板中进一步修改形状或指定填充和笔触颜色。

3.1.4 铅笔工具

使用铅笔工具绘制形状和线条的方法几乎与使用真实的铅笔相同。在中文版 Flash CS5 中，使用以下两种方法可以调用铅笔工具。

（1）选择工具箱中的铅笔工具。

（2）按下【Y】键。

使用以上任意一种方法，即可调用铅笔工具。铅笔工具的自由度非常大，它可以在“伸直”、“平滑”及“墨水”3 种模式下进行工作，适合习惯使用手写板进行创作的人员。

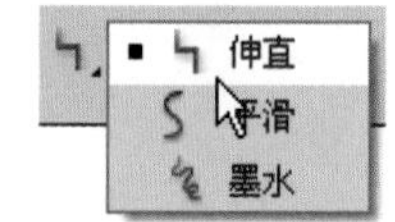

单击选项区中的“铅笔模式”按钮右下角的小三角形，弹出如右图所示的下拉菜单。在该下拉菜单中，有 3 种模式可供选择，分别是伸直、平滑和墨水，可以选择其中的任意一种绘图模式，将其应用到形状和线条上。

在中文版 Flash CS5 中，铅笔工具的 3 种绘图模式的含义分别如下。

（1）“伸直”按钮：进行形状识别。如果绘制出近似的正方形、圆、直线或曲线，Flash 将根据它的判断调整成规则的几何形状。

（2）“平滑”按钮：可以绘制平滑曲线。在“属性”面板中可以设置平滑参数。

（3）“墨水”按钮：可较随意地绘制各类线条，这种模式不对笔触进行任何修改。

3.1.5 刷子工具组

刷子工具可以在画面上绘制出具有一定笔触效果的特殊填充。其和橡皮擦工具类似，具有非常独特的编辑模式。

在中文版 Flash CS5 中，使用以下两种方法可以调用刷子工具。

（1）选择工具箱中的刷子工具。

（2）按下【B】键。

使用以上任意一种方法，即可调用刷子工具。在刷子工具的选项区中，除了“对象绘制”按钮和“锁定填充”按钮以外，还包括“刷子模式”、“刷子大小”和“刷子形状”3 个功能按钮。在 Flash CS5 中，单击“刷子模式”按钮，可以在弹出的下拉菜单中选择一种涂色模式；单击“刷子大小”按钮，可以在弹出的下拉菜单中选择刷子的大小；单击“刷子形状”按钮，可以在弹出的下拉菜单中选择刷子的形状，如下图所示。

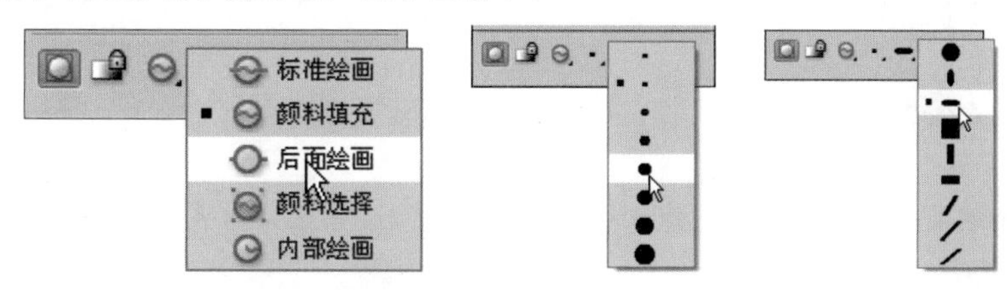

“刷子模式”下拉菜单中各选项的含义如下。

（1）标准绘画：使用该模式绘图，在笔刷所经过的地方，线条和填充全部被笔刷填充所覆盖。

（2）颜料填充：使用该模式只能对填充部分或空白区域填充颜色，不会影响对象的轮廓。

（3）后面绘画：使用该模式可以对舞台上同一层中的空白区域填充颜色，不会影响对象的轮廓和填充部分。

（4）颜料选择：必须要先选择一个对象，然后使用刷子工具在该对象所占有的范围内填充（选择的对象必须是打散后的对象）。

（5）内部绘画：该模式分为3种状态。当刷子工具的起点和结束点都在对象的范围以外时，刷子工具填充空白区域；当起点和结束点中有一个在对象的填充部分以内时，则填充刷子工具所经过的填充部分（不会对轮廓产生影响）；当刷子工具的起点和结束点都在对象的填充部分以内时，则填充刷子工具所经过的填充部分。

3.1.6 橡皮擦工具

使用橡皮擦工具可以像使用真实橡皮擦一样，在舞台上擦掉矢量图形。在Flash CS5中，单击工具栏中的橡皮擦工具按钮，在工具栏的下方将显示“橡皮擦模式”、“水龙头”和“橡皮擦形状”3个按钮。其中“橡皮擦模式”和“橡皮擦形状”按钮所对应的下拉菜单（如下图所示）与刷子工具所对应的“刷子模式”按钮和“刷子形状”按钮相似，这里不再赘述。

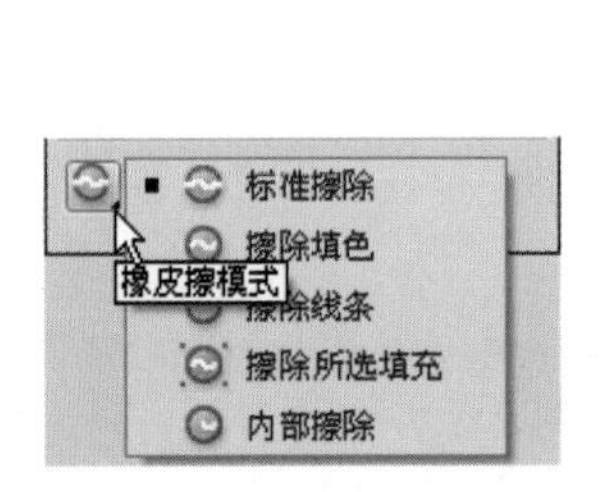

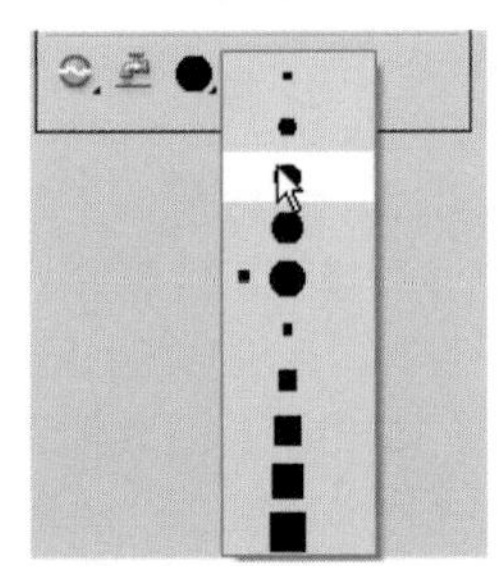

“水龙头”按钮的功能非常强大，单击该按钮，然后选择线条或填充图形，即可将整个线条或填充图形删除，相当于一步就执行了选择和删除两个命令。

3.1.7 Deco工具

Flash CS5在Deco工具上有了进一步的改进，新增了很多应用效果，如建筑物刷子、粒子系统、树刷子等。使用Deco绘画工具，可以对舞台上的选定对象应用效果。在选择Deco绘画工具后，可以从“属性”面板中选择效果，如右图所示，然后设置相应的参数，直接在舞台上单击即可绘制图案。

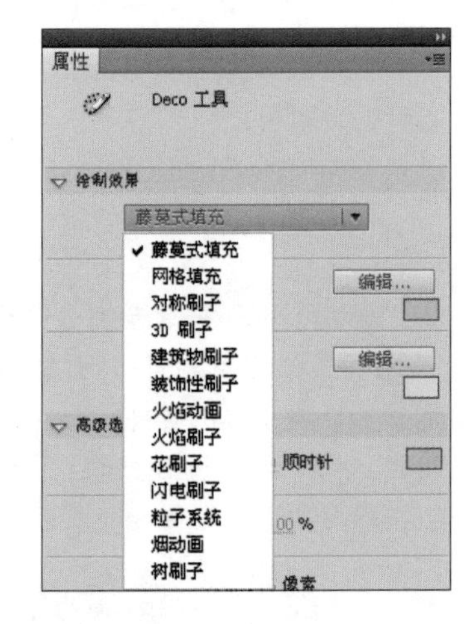

在Flash CS5中，使用Deco工具可以绘制以下13种图案效果，包括藤蔓式填充效果、网格填充效果、对称刷子效果、3D刷子效果、建筑物刷子效果、装饰性刷子效果、火焰动画效果、火焰刷子效果、花刷子效果、闪电刷子效果、粒子系统、烟动画效果、树刷子效果，并且每种效果都有其高级选项属性，可通过更改高级选项参数来改变效果。由此可见Flash CS5功能非常强大。下面讲解前3种效果的应用，其他效果读者可以自己练习。

（1）藤蔓式填充效果：利用藤蔓式填充效果，可以用藤蔓式图案填充舞台、元件或封闭区域，如下右图所示。

（2）网格填充效果：使用网格填充效果可创建棋盘图案、平铺背景或用自定义图案填充的区域或形状，如下中图所示。

（3）对称刷子效果：可使用对称效果来创建圆形用户界面元素（如模拟钟面或刻度盘仪表）和旋涡图案。对称效果的默认元件是25×25像素、无笔触的黑色矩形形状，如下左图所示。

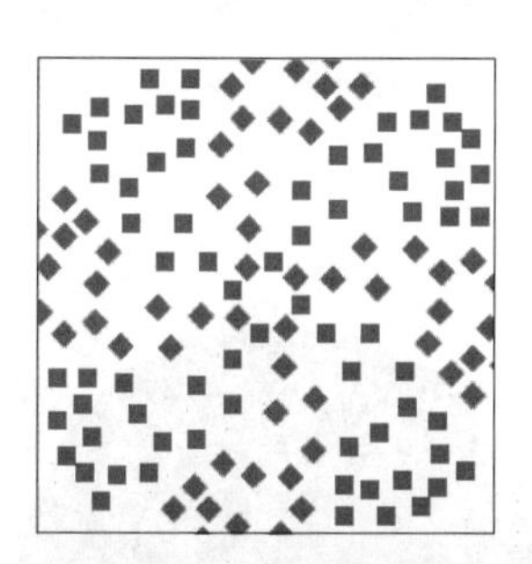

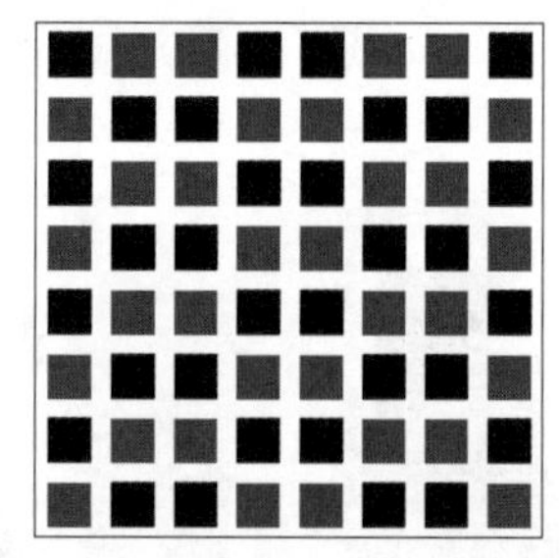

3.2 课堂练习——绘制卡通人物

原始文件	无
最终文件	第3章\3.2\卡通人物\卡通人物.fla
注意事项	卡通人物五官的绘制，将影响到人物的整体形象
核心知识	练习使用各种绘图工具

本小节将以绘制卡通人物为例进行介绍，在绘制过程中用到的绘图工具有钢笔工具、椭圆工具等。画面中活泼可爱的孩子加上五彩斑斓的背景图像，呈现出一幅天真烂漫、轻松快乐的嬉戏景象，从而引发了人们对童年美好时光的向往。

01 新建一个Flash文档，并设置其属性。然后将素材导入到库中。

02 新建图形元件nanhai，使用钢笔工具在编辑区域绘制一图形，并设置其填充色为棕色。

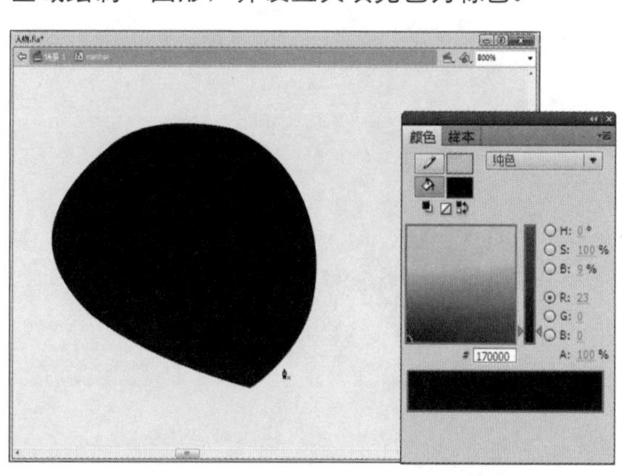

03 利用椭圆工具绘制一个椭圆形，然后使用选择工具适当调整，同时设置其填充色为淡粉色，以绘制小孩的脸部轮廓。

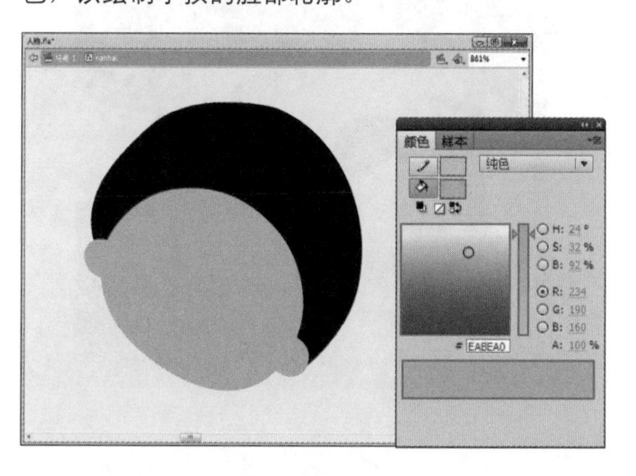

04 选择椭圆工具，在按住【Shift】键的同时绘制圆形，以制作小孩的眼睛。可以先绘制一只眼睛，然后通过复制得到另一只眼睛。

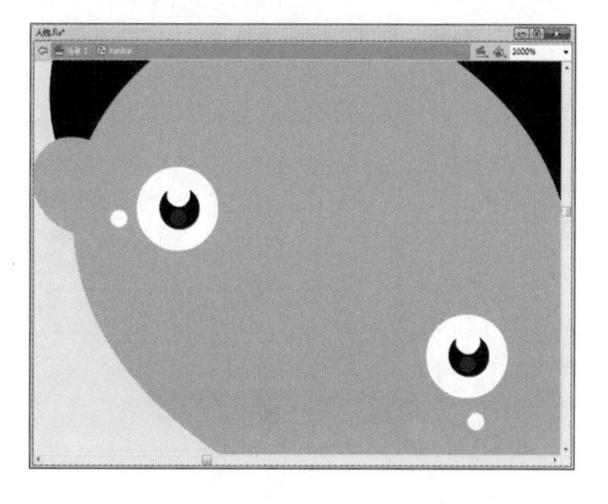

05 选择椭圆工具为小孩绘制粉红色腮红，其中颜色类型为径向渐变。

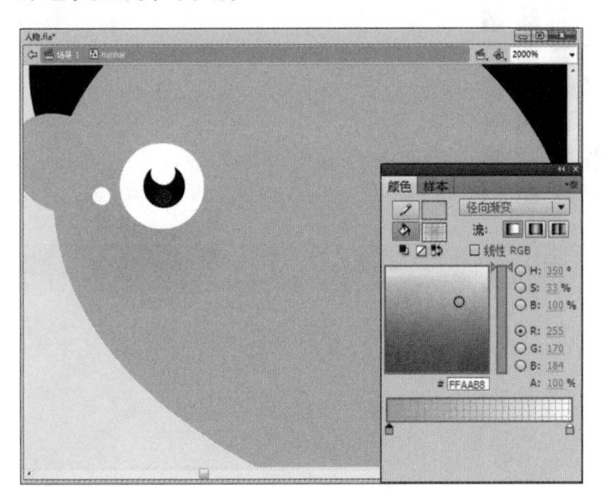

06 选择钢笔工具绘制小孩的刘海、鼻子及嘴巴，然后使用填充工具为其分别上色。

07 选择钢笔工具绘制小孩的衣服，其填充颜色为蓝色与橙色。

08 采用绘制头部的方法绘制小孩的四肢、鞋子、花朵。

09 新建图形元件nvhai，在其中绘制一个小女孩。其绘制方法与绘制男孩类似。

10 返回主场景，将背景元件等拖曳至舞台合适位置，最后将其保存。

3.3 颜色工具及面板

在中文版 Flash CS5 中，使用墨水瓶工具 和颜料桶工具 可以为绘制好的动画对象进行轮廓上色及填充颜色，使用滴管工具 可以从舞台中指定的位置拾取填充、位图、笔触等的颜色属性而应用于其他对象上。

3.3.1 墨水瓶工具

墨水瓶工具 可以用于给工作区中的图形绘制一个轮廓或改变形状外框的颜色、线条宽度和样式等。墨水瓶工具 只可应用于矢量图形。

在中文版 Flash CS5 中，使用以下两种方法可以调用墨水瓶工具 。

（1）选择工具箱中的墨水瓶工具 。

（2）按下【S】键。

使用以上任意一种方法，即可调用墨水瓶工具 。

墨水瓶工具 主要用于改变当前的线条颜色（不包括渐变和位图）、尺寸和线型等，或者为无线的区域填充、增加线条。墨水瓶工具 用于为填充色描边，其中包括笔触颜色、笔触高度与笔触样式的设置。

1. 为填充色描边

在“属性”面板中设置笔触颜色为彩虹色、笔触高度为 4、笔触样式为实线，在场景中光标变为墨水瓶的样子，在需要描边的填充色上方单击，即可为填充色描边。如下左图所示的效果为描边前，下右图所示的效果为描边后。

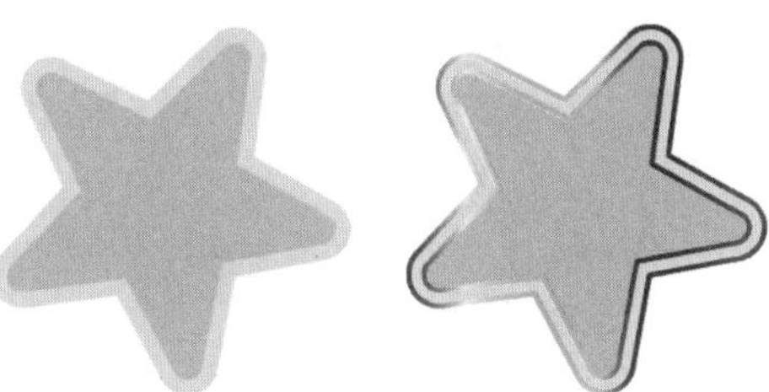

2. 改变笔触样式、颜色

在“属性”面板中重新设置笔触颜色、笔触高度和笔触样式，在包含边框的填充色上方单击，即可改变当前笔触样式。

3. 为文字描边

在“属性”面板中设置笔触颜色、笔触高度和笔触样式，在打散的文字上方单击，即可为文字描边，如下图所示。打散文字的方法与具体应用将在第 5 章中详细讲解。

为文字描边　为文字描边

3.3.2 颜料桶工具

颜料桶工具 可以用于给工作区内有封闭区域的图形填色。无论是空白区域还是已有颜色的区域，它都可以填充。如果进行恰当的设置，颜料桶工具 还可以给一些没有完全封闭但接近封闭的图形区域填充颜色。

在中文版 Flash CS5 中，用户可以使用以下两种方法调用颜料桶工具 。

（1）选择工具箱中的颜料桶工具 。

（2）按下【K】键。

使用以上任意一种方法，都可以调用该工具。此时，工具箱中的选项区中除了有“锁定填充”按钮之外，还有一个“空隙大小”按钮，单击该按钮右下角的小三角形，在弹出的下拉菜单中包括了用于设置空隙大小的 4 种模式，如右图所示。

在右图所示的下拉菜单中，各命令的含义如下。

（1）不封闭空隙：选择该命令，只填充完全闭合的空隙。

（2）封闭小空隙：选择该命令，可填充具有小缺口的区域。

（3）封闭中等空隙：选择该命令，可填充具有中等缺口的区域。

（4）封闭大空隙：选择该命令，可填充具有较大的区域。

单击“锁定填充”按钮，当使用渐变填充或者位图填充时，可以将填充区域的颜色变化规律锁定，作为这一填充区域周围的色彩变化规范。

3.3.3 滴管工具

滴管工具用于提取与绘制图形中的线条或填充色具有相同属性的图形，以及位图中的各种 RGB 颜色，不但可以用来确定渐变填充色，还可以将位图转换为填充色。滴管工具类似于经常用到的格式刷，可以使用滴管工具获得某个对象的笔触和填充颜色属性，并且可以立刻将这些属性应用于其他对象上。

在中文版 Flash CS5 中，可以使用以下两种方法调用滴管工具。

（1）选择工具箱中的滴管工具。

（2）按下【I】键。

使用以上任意一种方法，都可以调用该工具。

滴管工具采用的样式一般包含笔触颜色、笔触高度、填充颜色和填充样式等。在将吸取的渐变色应用于其他图形时，必须先取消“锁定填充”按钮的选中状态，否则填充的将是单色。

1. 提取线条属性

选取滴管工具，当光标靠近线条时单击，即可获得所选线条的属性，此时光标变成墨水瓶的样子，如果单击另一个线条，即可改变该线条的属性。

2. 提取填充色属性

选取滴管工具，当光标靠近填充色时单击，即可获得所选填充色的属性，此时光标变成墨水瓶的样子，如果单击另一个填充色，即可改变这个填充色的属性。

3. 提取渐变填充色属性

选取滴管工具，在渐变填充色上方单击，提取渐变填充色，此时在另一个区域中单击即可应用提取的渐变填充色。

如果发现图形好像只被一种颜色填充了，是因为锁定填充选项被自动激活，所以渐变填充色会延续上一个填充色的效果。此时单击工具箱中的“锁定填充”按钮，取消锁定，再次填充渐变色即可。

4. 位图转换为填充色

滴管工具不但可以吸取位图中的某个颜色，而且可以将整幅图片作为元素填充到图形中。用位图填充图形的方法有两种，既可以利用“颜色”面板，也可以利用滴管工具，但效果有所不同。

3.3.4 “属性”面板

使用“属性”面板可以设置笔触样式与填充样式，即图形对象的描边与填充。在 Flash CS5 中，可使用以下两种方法打开或关闭“属性”面板。

（1）选择“窗口 > 属性”命令。

（2）按下【Ctrl + F3】组合键。

使用以上任意一种方法，均可调用该面板。“属性”面板是动态显示的，它所显示的属性根据用户所选择的工具或对象而变化。如当选择钢笔工具时，此时“属性”面板中显示的是钢笔工具所对应的属性。

3.3.5 “颜色”面板

在 Flash CS5 中，使用“颜色”面板可以更改图形的笔触和填充颜色。如果“颜色”面板在当前工作界面中没有显示，可通过以下两种方法将其打开。

（1）选择“窗口 > 颜色”命令。

（2）按下【Alt + Shift + F9】组合键。

使用以上任意一种方法，均可打开该面板，如下左图所示。

在“颜色”面板中，各主要选项的含义分别介绍如下。

（1）笔触颜色：更改图形对象的笔触或边框的颜色。

（2）填充颜色：更改填充颜色。填充是填充形状的颜色区域。

（3）颜色类型：用于更改填充样式（如下右图所示）。其中“无”表示删除填充。“纯色”表示提供一种单一的填充颜色。“线性渐变”表示将产生一种沿线性轨道混合的渐变。“径向渐变”表示将产生从一个中心焦点出发沿环形轨道向外混合的渐变效果。“位图填充”表示用可选的位图图像平铺所选的填充区域。

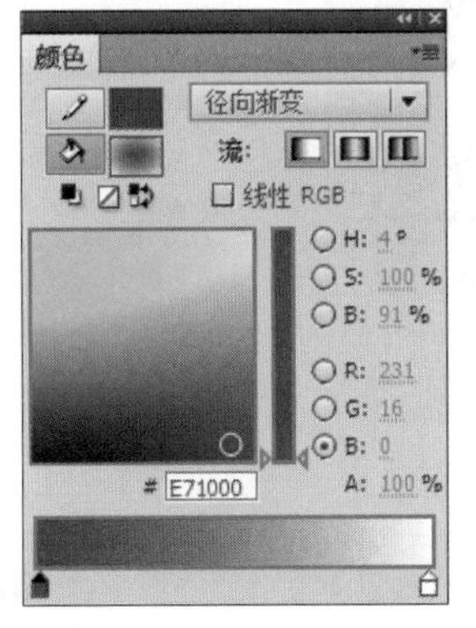

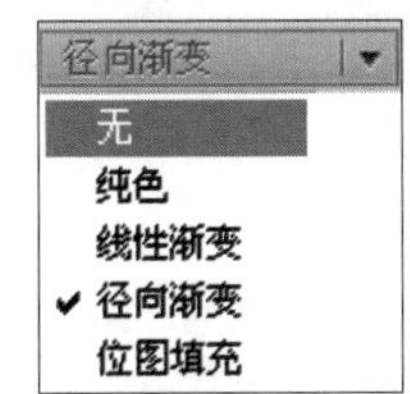

提 示

选择“位图填充”选项时，系统会显示一个对话框，可以通过该对话框选择本地计算机上的位图图像，并将其添加到库中。用户可以将此位图用于填充，其外观类似于形状内填充了重复图像的马赛克图案。

（4）线性 RGB：可以更改填充的红、绿和蓝（RGB）的色密度。

（5）Alpha：可设置实心填充的不透明度，或者设置渐变填充的当前所选滑块的不透明度。如果 Alpha 值为 0%，则创建的填充不可见（即透明）；如果 Alpha 值为 100%，则创建的填充不透明。

（6）当前颜色样本：用于显示当前所选颜色。如果从“颜色类型”下拉列表框中选择某个渐变填充样式（线性渐变或径向渐变），则“当前颜色样本”框将显示所创建的渐变内的颜色过渡。

（7）系统颜色选择器：使用户能够直观地选择颜色。单击“系统颜色选择器”按钮，然后拖动十字准线指针，直到找到所需颜色。

（8）十六进制值：显示当前颜色的十六进制值。若要使用十六进制值更改颜色，可输入一个新的值。十六进制颜色值（也叫做 HEX 值）是 6 位的字母数字组合，代表一种颜色。

（9）溢出：使用户能够控制超出线性或径向渐变限制进行应用的颜色。

在“颜色”面板中允许用户修改 FLA 的调色板并更改笔触和填充的颜色，包括下列各项。

（1）使用“样本”面板导入、导出、删除和修改 FLA 文件的调色板。

（2）以十六进制模式选择颜色。

（3）创建多色渐变。

（4）使用渐变可达到各种效果，如赋予二维对象以深度感。

3.3.6 “样本”面板

“样本”面板为用户提供了最常用的“颜色”，并且能“添加颜色”和“保存颜色”。用鼠标单击的方式可选择需要的颜色。

在 Flash CS5 中，用户可以复制调色板中的颜色，从调色板中删除某个颜色或清除所有颜色。若要复制或删除颜色，选择“窗口 > 样本”命令，单击要复制或删除的颜色，然后从该面板菜单中选择“直接复制样本”或“删除样本”命令，如下图所示。

复制样本时将显示颜料桶工具。用颜料桶工具在“样本”面板的空白区域单击可复制选中的颜色。

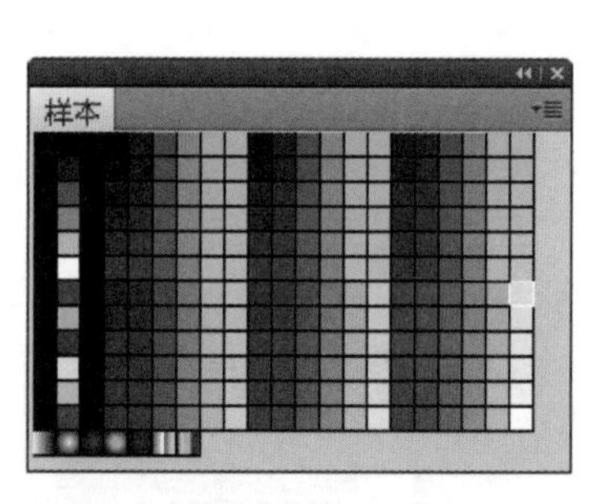

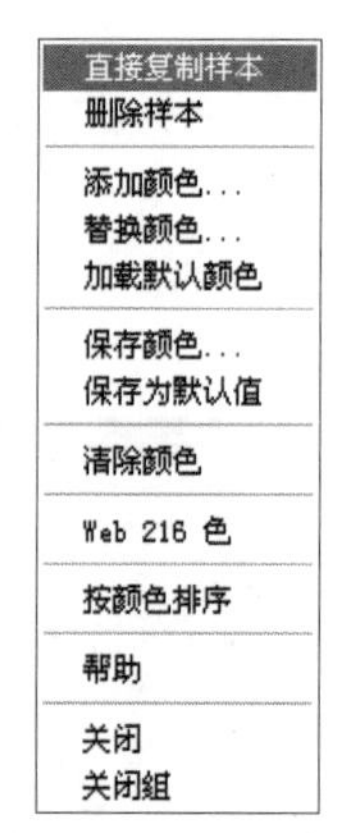

若要从调色板中清除所有颜色，在“样本”面板菜单中选择“清除颜色”命令。执行该操作将从调色板中删除黑白两色以外的所有颜色。

3.4 课堂练习——绘制背景图形

最终文件	第3章\3.4\背景图形\背景图形.fla
注意事项	绘制背景图形时要注意颜色的搭配，否则会使人产生不舒服的感觉
核心知识	颜料桶工具与颜色面板的熟练应用

本练习将以绘制背景图形为例进行介绍。整个动画展现出了一幅美丽田园风景，在广阔的田野上到处都是绿草、大树，近景处有几层漂亮的楼房，看到眼前景色，仿佛已置身世外桃源，让人流连忘返。

01 新建一个Flash文档，并设置其属性。尺寸为700像素×400像素，帧频为24。

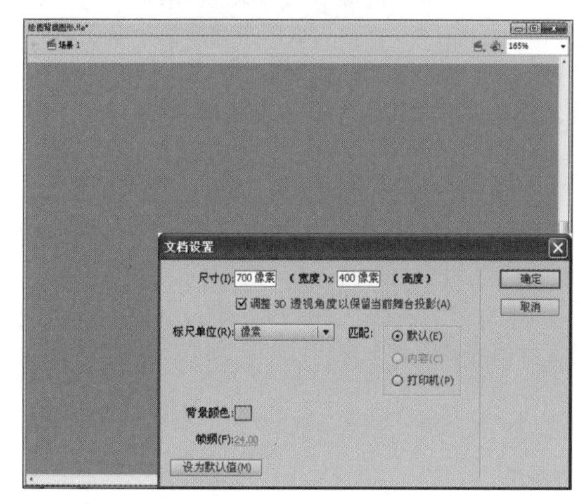

02 新建图形元件fangzi，用线条工具在编辑区域绘制房子的轮廓。

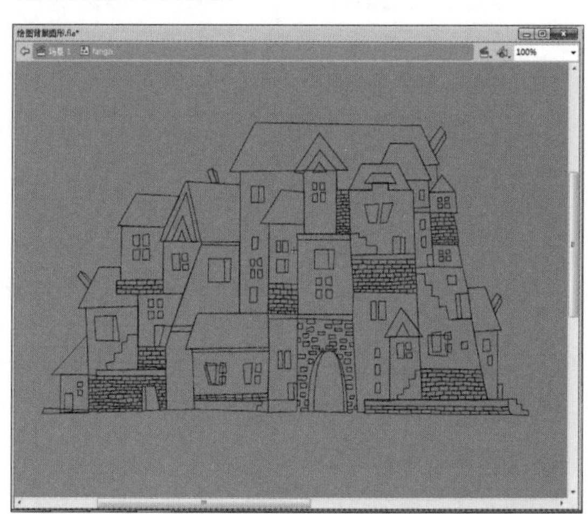

03 按下【Ctrl+A】组合键将房子轮廓全部选中，选择颜料桶工具下的空隙大小按钮，在其下拉菜单中选择封闭小空隙命令。

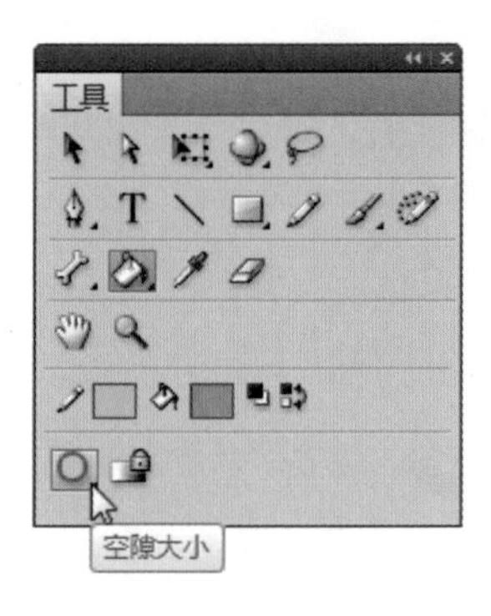

04 选择颜料桶工具，依次为房子的各个部位填充自己喜欢的颜色。

05 新建图形元件beijing，利用矩形工具在编辑区域绘制一个矩形，并设置其颜色为红黄色的线性渐变。

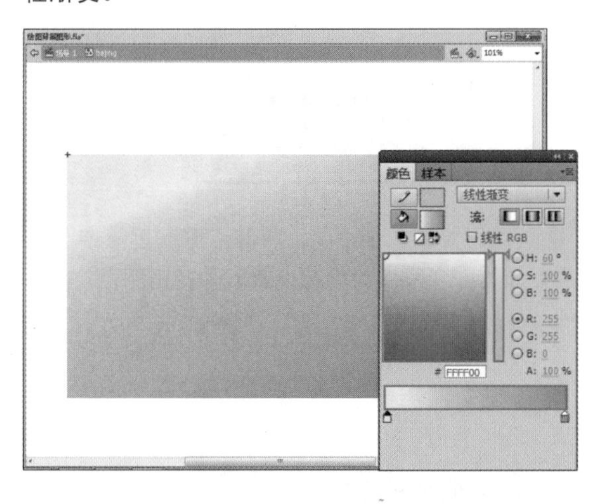

06 新建图形元件taiyang，选择椭圆工具，在按住【Shift】键的同时在编辑区域绘制一个正圆，其颜色类型为径向渐变。

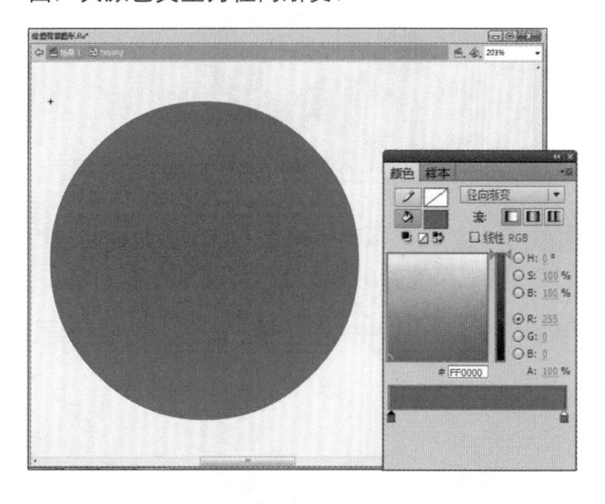

07 新建图形元件 yun1，利用铅笔工具在编辑区域绘制一个云状图形，然后设置其填充色为蓝色。

08 使用钢笔工具在所绘制的云状图形上做进一步的绘制，并为其填充线性渐变色，以使云朵更加形象、逼真。

09 新建图形元件 yun2，采用制作元件 yun1 的方法绘制该云朵。

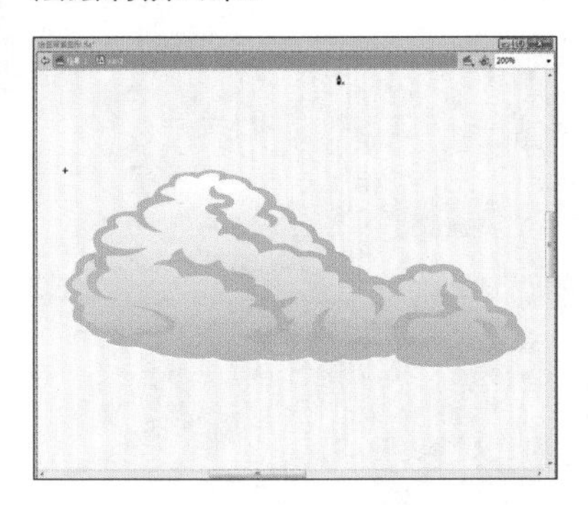

10 新建图形元件hua1，利用铅笔工具绘制草丛，并为其填充绿色。

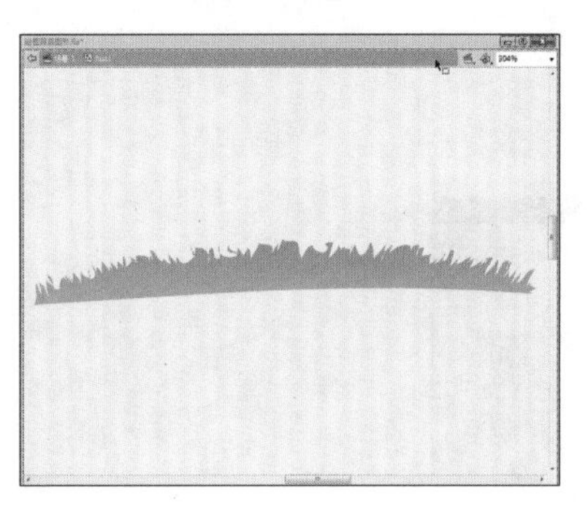

11 利用钢笔工具在草丛上绘制一朵有 8 个花瓣的小花，并为其填充深绿色。

12 复制绿色小花并粘贴到当前位置，将粘贴之后的小花填充为白色并旋转相应角度。

13 选择椭圆工具绘制花蕊，为其填充橙色。复制得到第二朵花并将其花蕊颜色改为蓝色。

14 同理，复制多个小花，将其点缀在草丛中。为了更加美观，可以为小花设置多种花蕊颜色。

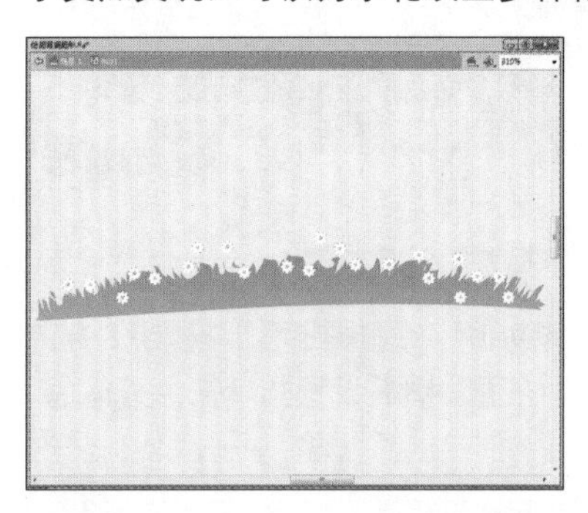

15 新建图形元件 hua2，参照元件 hua1 的制作方法绘制草丛与花朵。

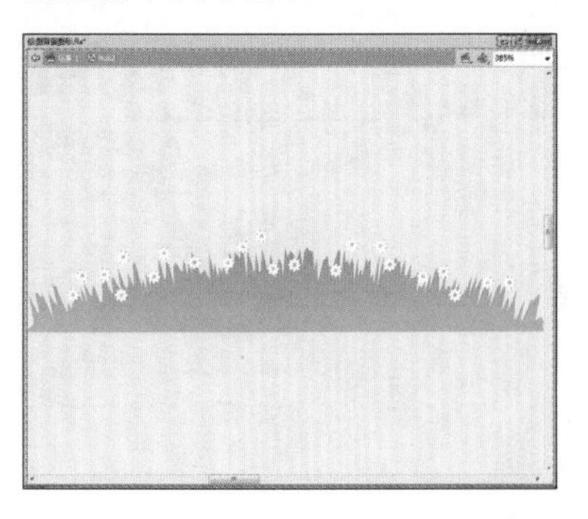

16 返回主场景，将绘制的各个元件拖曳至合适位置，并调整其大小。最后保存该动画。

3.5 查看工具

工具箱内“查看”栏中提供了两个舞台工作区的控制工具，一个是手形工具，另一个是缩放工具。在Flash设计中，手形工具和缩放工具是必不可少的，经常要放大局部进行修正。下面详细介绍这两种工具的使用方法。

3.5.1 手形工具

手形工具用于移动工作区，调整场景中的可视区域，同样是移动工具，应注意与选择工具相区别。选择工具用于移动场景中的对象，改变对象的位置，而手形工具的移动不会影响场景中对象的位置。使用时单击手形工具，光标变成手的样子，在场景中单击并拖曳鼠标即可调整工作区在场景中的可视区域。画面放大后，可用手形工具来移动画面，便于操作。

在中文版Flash CS5中，使用以下两种方法可以调用手形工具。

（1）选择工具箱中的手形工具。

（2）按下【H】键。

使用非手形工具时，按住空格键后可转换为手形工具，即可移动视窗内图像的可见范围。在手形工具上双击鼠标可以使图像以最适合的窗口大小显示，在缩放工具上双击鼠标可使图像以1:1的比例显示。选择手形工具，鼠标光标移入舞台工作区后，指针变为手的形状，如下左图所示，按下左键并拖曳，可以对舞台工作区的不同部位进行查看，如下右图所示。

3.5.2 缩放工具

缩放工具是一种看图工具，可以一定比例放大或缩小画面，用于调整视图比例。可以通过编辑栏中的视图比例列表来确定视图比例，但其可选的选项非常有限，使用缩放工具可以更随意、灵活地调整视图比例。

缩放工具包含两种调整视图比例的方式，分别为放大和缩小。单击“放大”按钮，在场景中单击，即可放大视图比例，比例的范围为8%~2000%。单击选项组中的“缩小”按钮，即可缩小视图比例。

在中文版Flash CS5中，使用以下两种方法均可以调用缩放工具。

（1）选择工具箱中的缩放工具。

（2）按下【H】键。

当按钮按下时，放大镜光标带有“+”号，在场景中单击将放大图像，如下左图所示。当按钮按下时，放大镜光标带有“-”号，在场景中单击将缩小图像。

单击缩放工具后，再单击“放大”按钮，按住【Alt】键不放，可缩小图像；反之，在单击“缩小”按钮的情况下，按住【Alt】键不放，可放大图像。

拓展项目练习

本章介绍了 Flash CS5 中基本工具的使用，下面对本章中的一些重点知识进行考查，同时也是对本章内容的一个回顾，力求帮助读者巩固所学知识，打牢基础。

一、选择题

（1）在 Flash 中，用以下何种绘图工具可以绘制笔直的斜线（　）。

A. 使用铅笔工具，按住 Shift 键拖动鼠标

B. 使用铅笔工具，采用伸直绘图模式

C. 直线工具

D. 钢笔工具

（2）Flash 转换到刷子工具按（　）键。

A. P　　B. I　　C. B　　D. U

（3）铅笔工具的笔触模式有（　）。

A. 伸直　　B. 平滑　　C. 墨水　　D. 柔软

二、填空题

（1）在 Flash 中，可以用来绘制填充图形的工具有__________、__________和__________。

（2）与 Flash CS4 相比，CS5 版本中 Deco 工具应用效果增加了__________种。

（3）打开颜色面板的快捷键是__________。

三、操作题

（1）用 Flash 工具箱中的工具绘制以下图形。

（2）使用绘图工具和颜色工具绘制下面的图形并填充颜色。

动画设计锦囊

利用 Flash 提供的工具箱可以方便地绘制出所需的各种图形，熟练掌握其中每个工具的使用方法，是制作 Flash 动画的基础。下面将介绍关于绘图工具的一些小技巧。

填充变形工具用于调整渐变填充色，还可以用于调整填充位图 。

1. “颜色”面板的应用

在介绍渐变变形工具之前，先对如何设置渐变填充做详细的介绍。Flash 在填充色面板中提供了默认的几种渐变颜色，通过选择即可得到渐变填充效果，但这些效果非常有限，不足以满足绘图的需要。通过“颜色”面板可以方便地设置各种填充颜色与渐变色，制作出需要的填充色。

2. 任意变形工具的应用

利用任意变形工具可以调节渐变颜色的中心点、范围、样式及角度。因为填充的渐变样式分为线性渐变与径向渐变两种，所以在使用任意变形工具时，也会有两种相应的形式。

选取任意变形工具后单击图形中的渐变填充色，出现相应的编辑点，如下图所示，其中，下左图所示为应用了线性渐变的效果，下右图所示为应用了径向渐变的效果。

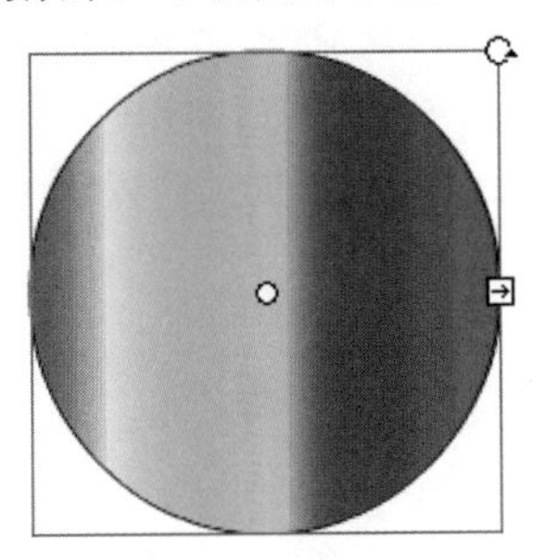
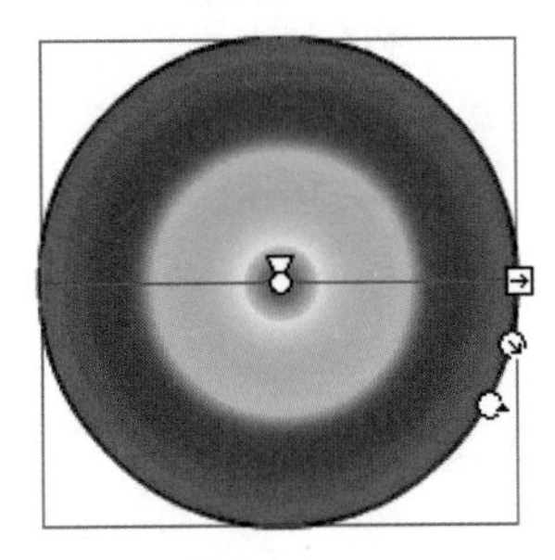

（1）中心点直线：用于调节渐变颜色的中心点。当光标靠近中心编辑点时，变成如下左图所示的效果，单击并拖曳鼠标即可改变渐变颜色的中心点，如下右图所示，两种渐变形式的原理相同。

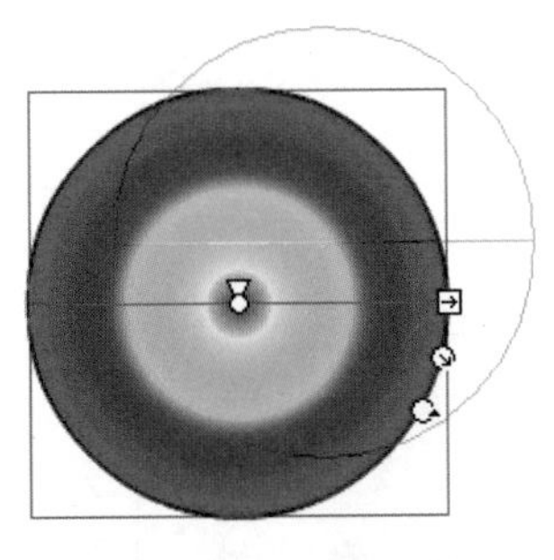
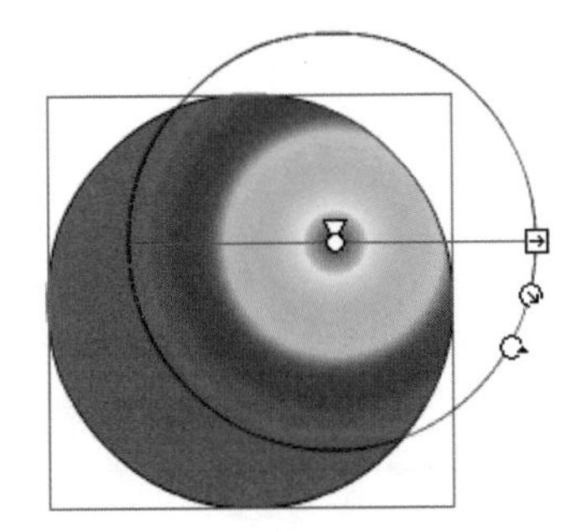

（2）样式：用于调节渐变颜色区域的形状。

（3）范围：用于调节渐变颜色的渐变范围，这是调节径向渐变填充时独有的。

（4）角度：用于调整渐变颜色的旋转角度。

Chapter 04 Flash动画图形的编辑

设计师指导

图形对象是舞台上的重要元素，用户在编辑图形对象之前，首先应选择要编辑的对象。对象的编辑可以说是制作Flash动画最基本也是最主要的工作，只有熟练掌握这些方法，才能在制作动画时得心应手。因此，本章将主要介绍在制作动画时对对象进行的各种编辑操作。

核心知识点

❶ 了解3种选择工具的使用方法
❷ 熟悉预览图形的5种模式
❸ 掌握图形的基本操作，如移动、删除、剪切、复制等
❹ 掌握动画图形对象的几种变形
❺ 掌握图形对象的排列、叠放和组合操作

4.1 选择对象的工具

在 Flash 中，提供了多种选择对象的方法，选取对象主要是使用工具箱中的选择工具、部分选取工具和套索工具进行选取。当用户要选择一个整体对象时，可以使用选择工具；当要选择对象的锚点时，可以使用部分选取工具；当要选择打散对象的某一部分时，可以使用套索工具。

4.1.1 选择工具

在中文版 Flash CS5 中，使用以下两种方法可以调用选择工具。

（1）单击工具箱中的选择工具。

（2）按下【V】键。

使用以上任何一种方法，均可调用选择工具。选择工具主要用来选择物体，可以选择任何对象，还可以同时选择一个或多个对象，包括形状、组、文字、实例和位图等。

选择工具具体有以下 3 种使用方法。

1. 选择单个对象

使用选择工具，在要选择的对象上单击即可。

2. 选择多个对象

先选取一个对象，按住【Shift】键不放，然后依次单击每个要选取的对象或按住鼠标左键，拖曳出一个矩形范围，将要选择的对象都包含在矩形范围内，如下图所示。

3. 双击选择图形

对于包含填充和线条的图形，在对象上双击即可将其选择；对于线条连着叠在一起的图形，双击即可选择所有线条，如下图所示。

4.1.2 部分选取工具

在中文版 Flash CS5 中，部分选取工具通过对路径上的控制点进行选取、拖曳、调整路径方向及删除锚点等操作，完成对矢量图的编辑。使用以下两种方法可以调用部分选取工具。

（1）选择工具箱中的部分选取工具。

（2）按下【A】键。

使用以上任意一种方法，即可调用部分选取工具。部分选取工具用于选择矢量图形上的锚点，即以贝塞尔曲线方式编辑对象的轮廓。用部分选取工具选择对象后，该对象周围将出现许多锚点，可以用于选择线条、移动线条和编辑锚点及方向锚点等，如下图所示。

使用部分选取工具也要注意在不同情况下鼠标指针的含义及作用，这样有利于快捷地使用部分选取工具。

（1）当鼠标指针移到某个锚点上时，指针变为形状，这时按住鼠标左键拖动可以改变该锚点的位置。

（2）当鼠标指针移到没有锚点的曲线上时，鼠标指针变为形状，这时按住鼠标左键拖动可以移动整个图形的位置。

（3）当鼠标指针移到锚点的调节柄上时，鼠标指针变为形状，按住鼠标左键拖动可以调整与该锚点相连的线段的弯曲程度。

4.1.3 套索工具

套索工具主要用于选取不规则的物体，选择套索工具后，在工具栏的下方将出现 3 个按钮，分别是“魔术棒”按钮、“魔术棒设置”按钮和“多边形模式”按钮，如下左图所示。

在进行实际操作之前，先来了解一下这 3 个按钮的具体含义。

（1）“魔术棒”按钮：该按钮不但可以用于沿对象轮廓进行较大范围的选取，还可对色彩范围进行选取。

（2）“魔术棒设置”按钮：该按钮主要对魔术棒选取的色彩范围进行设置。单击该按钮，弹出“魔术棒设置”对话框（如下右图所示）。在该对话框中，“阈值”文本框用于定义选取范围内的颜色与单击处像素颜色相近程度的数值，“平滑”下拉列表框用于指定选取范围边缘的平滑度。

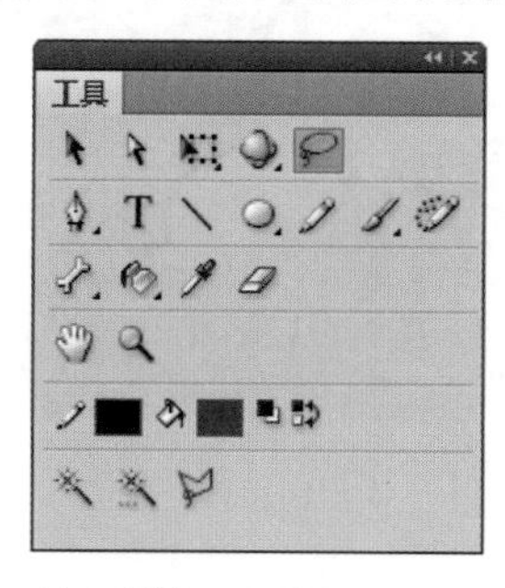

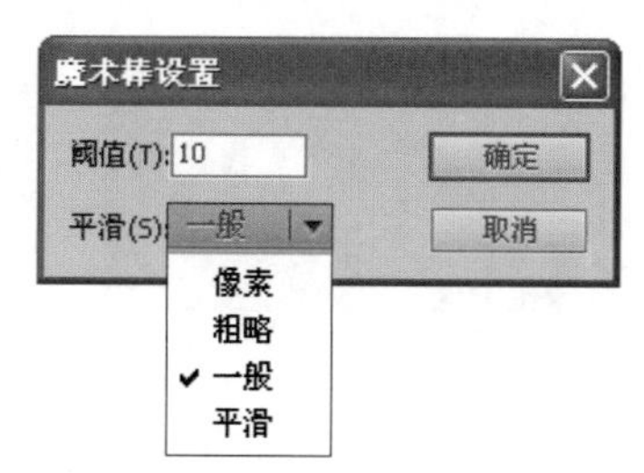

（3）“多边形模式”按钮：该按钮主要用于对不规则图形进行比较精确的选取。

4.2 预览图形对象

在 Flash CS5 中，预览动画图形对象共有 5 种预览模式，通过选择“视图 > 预览模式”菜单中的“轮廓”、“高速显示”、“消除锯齿”、“消除文字锯齿”和“整个”命令（如下图所示），即可完成图形对象的预览。下面分别介绍这 5 种预览模式的特点和具体应用。

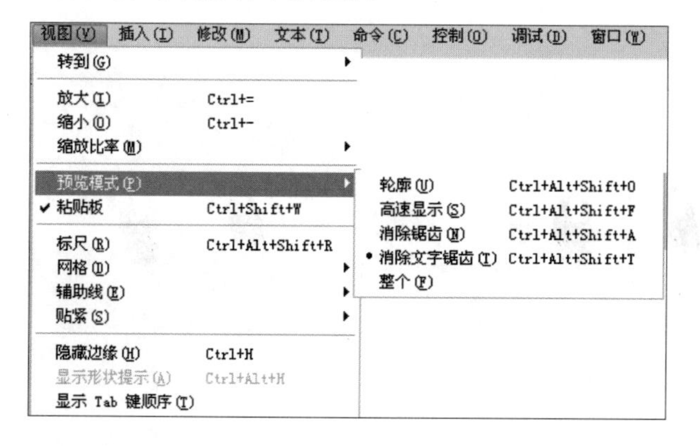

4.2.1 轮廓预览图形对象

通过选择“视图 > 预览模式 > 轮廓”命令，可以只显示场景中形状的轮廓，从而使所有线条都显示为细线，如下右图所示。这样更容易改变图形元素的形状及快速显示复杂的场景。

4.2.2 高速显示图形对象

通过选择“视图 > 预览模式 > 高速显示”命令，可以关闭消除锯齿功能，显示出绘画的所有颜色和线条样式，此时的图形对象边缘有锯齿，并且不光滑，如下右图所示。

4.2.3 消除动画图形中的锯齿

通过选择“视图 > 预览模式 > 消除锯齿”命令，可以将打开的线条、形状和位图的锯齿消除。经过消除锯齿处理后，形状和线条的边缘在屏幕上显示得会更加平滑。使用该模式绘图的速度要比在高速显示模式下慢得多。使用该预览模式显示图形的效果与在整体预览模式下显示的效果基本一致，如下图所示。

4.2.4 消除动画中的文字锯齿

通过选择“视图 > 预览模式 > 消除文字锯齿”命令，可以平滑所有文本的边缘，如下图所示。在该模式下预览动画中的文字大小效果时，如果文本数量太多，则会减慢速度，该模式是最常用的工作模式。

4.2.5 显示整个动画图形对象

通过选择“视图 > 预览模式 > 整个”命令，可以完全呈现舞台中的所有内容。整个视图模式是默认的视图模式，使用该模式可能会降低显示速度，但其视图效果是最好的。

4.3 图形基本操作

在 Flash 中，图形对象是舞台中的项目，Flash 允许对图形对象进行编辑选择、移动、复制等基本操作。下面介绍几种对图形对象进行基本操作的方法。

4.3.1 移动对象

移动图形不但可以使用不同的工具，还可以使用不同的方法，下面介绍几种常用的移动图形的方法。

（1）使用选择工具：用选择工具选中要移动的图形，将图形拖曳到下一个位置即可，如下左图所示。

（2）使用部分选取工具：用部分选取工具选中要移动的图形，其图形外框将出现一圈绿色的带锚点的框线，此时，只能将鼠标移动到该框线上，将图形拖曳到下一个位置即可，如下右图所示。

（3）使用任意变形工具：用任意变形工具选中要移动的图形，当鼠标指针变为✥时，将图形拖动到下一个位置即可，如下左图所示。

（4）使用快捷菜单：选中要移动的图形，右击，在弹出的快捷菜单中选择“剪切”命令，如下右图所示。选中要移动的目的方位后右击，在弹出的快捷菜单中选择“粘贴”命令即可。

4.3.2 删除对象

在 Flash CS5 中，可以一次只删除一个图形对象，也可以一次删除多个图形对象。下面介绍常用的两种删除图形的方法。

（1）使用选择工具或任意变形工具选择要删除的图形对象，按下【Backspace】或【Delete】键即可删除该图形。

（2）使用快捷菜单：选中要删除的图形右击，在弹出的快捷菜单中选择“剪切”命令，也可以删除图形。

4.3.3 剪切对象

剪切图形对象使用快捷菜单，选中要剪切的图形，右击，在弹出的快捷菜单中选择“剪切”命令，然后粘贴到其他位置。

另外，对于剪切后的对象，若不进行粘贴即表示删除了此图形对象。

4.3.4 复制和粘贴对象

复制图形可以使用不同的工具和方法，下面介绍几种最常见的方法。

（1）使用选择工具：用选择工具选中要复制的图形，按住【Alt】或【Ctrl】键的同时拖曳鼠标，鼠标指针的右下侧变为“＋”号，将图形拖曳至下一个位置即可，如下图所示。

（2）使用任意变形工具：用任意变形工具选中要复制的图形，按住【Alt】键的同时，指针的右下侧变为“＋”号，将图形拖曳至要复制的位置即可。

（3）使用快捷键：选中要复制的图形，按下【Ctrl ＋ C】组合键复制图形，然后按下【Ctrl ＋ V】组合键粘贴图形。

4.3.5 再制对象

在 Flash CS5 中，选中需要再制的图形对象，选择“编辑 > 直接复制”命令，或按下【Ctrl ＋ D】组合键，可以快速错位地复制所选择的图形对象，如下图所示。

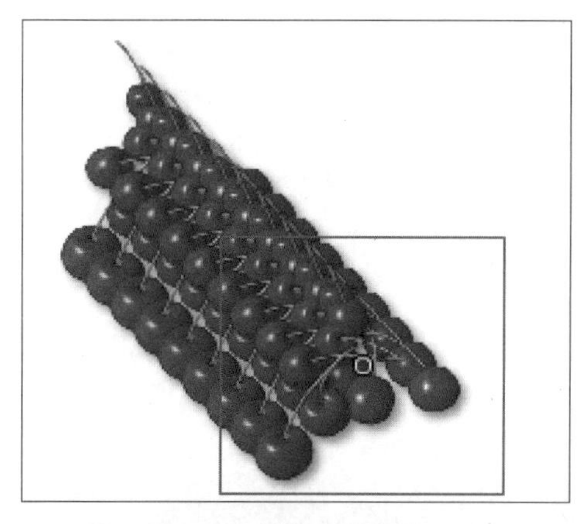

4.4 课堂练习——移动并复制图形

原始文件	无
最终文件	第4章\4.4\空中飞人\空中飞人.fla
注意事项	复制与再制的区别
核心知识	练习并掌握图形对象的复制、移动等操作

下面将通过一个案例介绍图形对象的编辑操作。在该案例中，首先制作了向日葵图形，之后对其进行了多次复制及位置调整，从而起到了对前面所学知识的温习与巩固作用。

01 新建一个Flash文档并设置其属性，尺寸为550像素×400像素，帧频为24，背景颜色为淡蓝色。

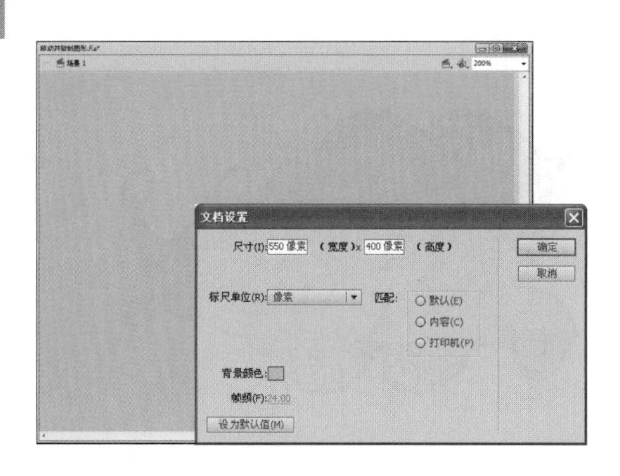

02 新建图形元件xiangrikui，用钢笔工具在编辑区域绘制向日葵的主干，选中绘制完成的图形。在“颜色”面板中将颜色类型设为线性渐变，颜色设为深绿至淡绿渐变。

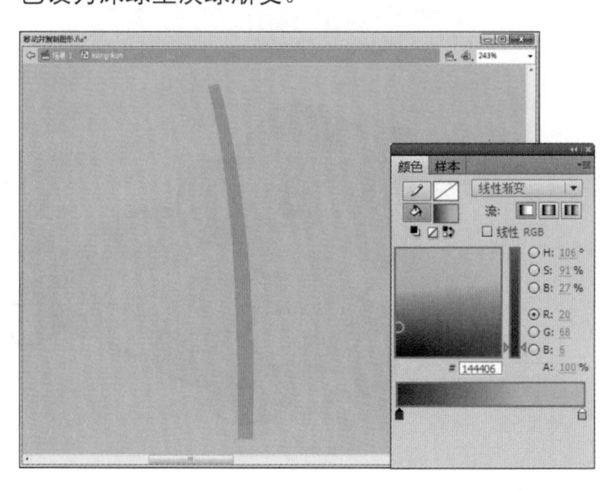

03 新建图层 2，绘制向日葵的叶子。利用线条工具绘制叶子的叶面，颜色为淡绿色。并用铅笔工具绘制叶子的经脉，颜色为深绿色。

04 按下【Ctrl+C】组合键复制所绘制的叶子，然后按下【Ctrl+V】组合键粘贴，再得到其他两片叶子。

05 利用选择工具选中三片叶子，然后将其复制并粘贴，以在当前编辑区域中制作其他叶子图形。

06 利用选择工具选中复制后的三片叶子，选择“修改 > 变形 > 水平翻转”命令，然后将其放置在主干的另一侧。

07 新建图层3，选择线条工具，在编辑区域绘制向日葵花瓣。之后选择该图层的第1帧，将其复制。

08 新建图层4，选择第1帧并粘贴帧。选择粘贴之后编辑区域中的向日葵花瓣，利用任意变形工具实施变形。

09 新建图层5，用同样的方法，再制作一层向日葵花瓣。以使其更加形象。

10 新建图层6，利用椭圆工具，在向日葵花瓣中心位置绘制一个圆形，并设置其颜色为径向渐变色。

11 新建图层7，利用刷子工具，并设置其填充颜色为棕红色。在向日葵花心处随意涂抹，其效果如下图所示。

12 返回主场景，将素材图片image拖曳至编辑区域。新建图层2，将图像元件xiangrikui拖曳至编辑区域。

13 选择图形元件 xiangrikui，按住 Alt 键将其拖曳至元件 xiangrikui，复制多次该元件并对其位置进行相应的调整。

14 新建图层 3，将素材元件 qingting 拖曳至编辑区域合适位置。按下【Ctrl + S】组合键保存文件，然后再按下【Ctrl + Enter】组合键可对该动画效果进行测试。

4.5 变形动画图形对象

在 Flash CS5 中，使用任意变形工具、“修改 > 变形”子菜单中的命令（如下图所示），或者是“变形”面板，可以将图形对象、组、文本块和实例进行变形。根据所选元素的类型，可以任意变形、旋转、倾斜、缩放或扭曲该元素。在变形操作期间，可以更改或添加选择内容。

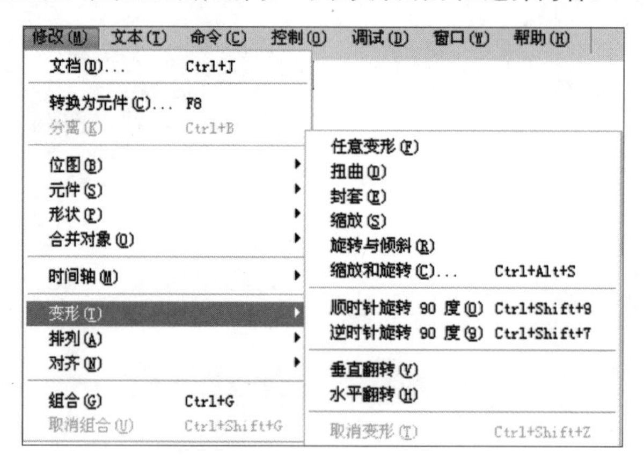

4.5.1 自由变换对象

在 Flash CS5 中，可以单独执行某个变形操作，也可以将移动、旋转、缩放、倾斜和扭曲等多个变形操作组合在一起执行。

在舞台上选择图形对象、组、实例或文本块，选择任意变形工具，在所选内容的周围移动指针，指针会发生变化，具体有以下几种情况。

（1）当鼠标指针变为形状时，单击鼠标并拖曳，所选对象将按照垂直方向倾斜变形，如下左图所示。

（2）当鼠标指针变为形状时，单击鼠标并拖曳，所选对象将按照水平方向倾斜变形，如下右图所示。

（3）当鼠标指针变为形状时，单击鼠标并拖曳，所选对象将围绕变形点旋转，如下左图所示。按住【Shift】键并拖曳鼠标，所选对象将以 45° 增量进行旋转；按住【Alt】键并拖曳鼠标，所选对象将以对角为中心进行旋转。

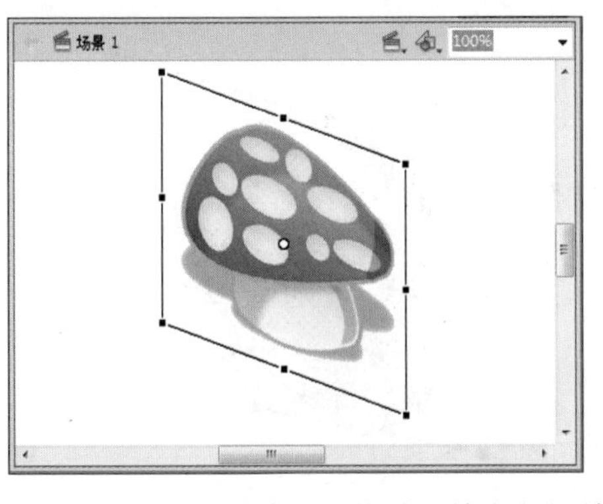

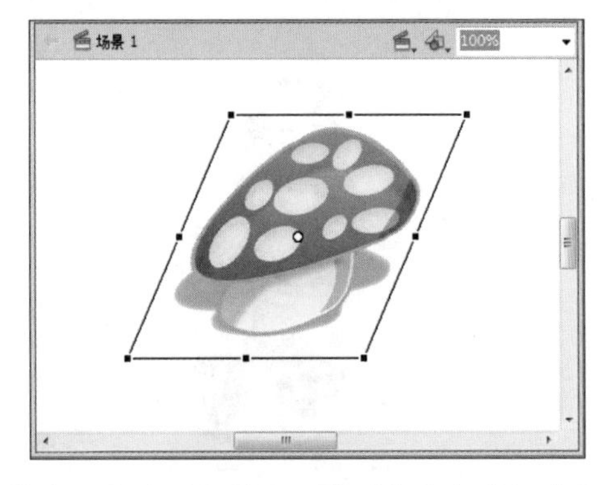

（4）当鼠标指针变为⤢或⤡形状时，单击鼠标并拖曳，所选对象将沿两个对角方向进行改变，如下右图所示。按住【Shift】键并拖曳鼠标时，所选对象将按一定的宽高比例调整图形的大小。

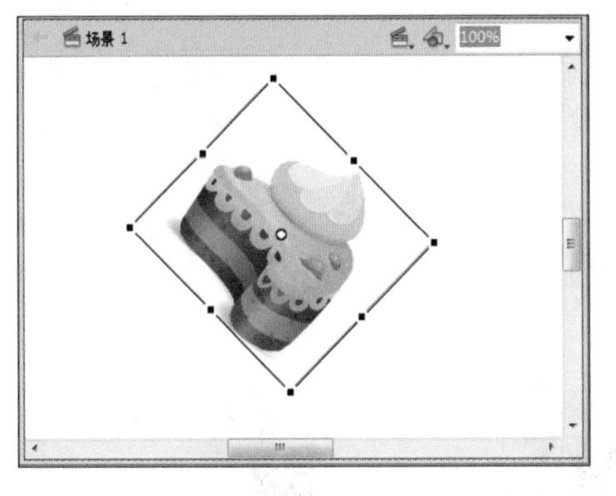

（5）当鼠标指针变为↕形状时，单击鼠标并拖曳，所选对象将沿垂直方向改变，如下左图所示。

（6）当鼠标指针变为↔形状时，单击鼠标并拖曳，所选对象将沿水平方向改变，如下右图所示。

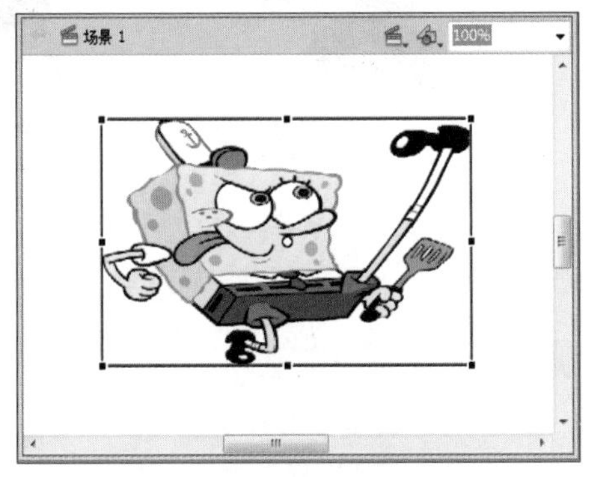

提 示

任意变形工具不能变形元件、位图、视频对象、声音、渐变或文本。如果多项选区包含以上任一项，则只能扭曲形状对象。要将文本块变形，首先要将文本转换为形状对象。

4.5.2 扭曲对象

通过选择“修改 > 变形 > 扭曲”命令，可以扭曲图形对象。同时，还可以在对对象进行任意变形时扭曲它们。

对选定的对象进行扭曲变形时，可以拖动边框上的角手柄或边手柄，移动该角或边，然后重新对齐相邻的边。按住【Shift】键拖动角点可以将扭曲限制为锥化，即该角和相邻角沿相反方向移动相同距离（相邻角是指拖动方向所在的轴上的角）。按住【Ctrl】键拖动边的中点，可以任意移动整个边，如下图所示。

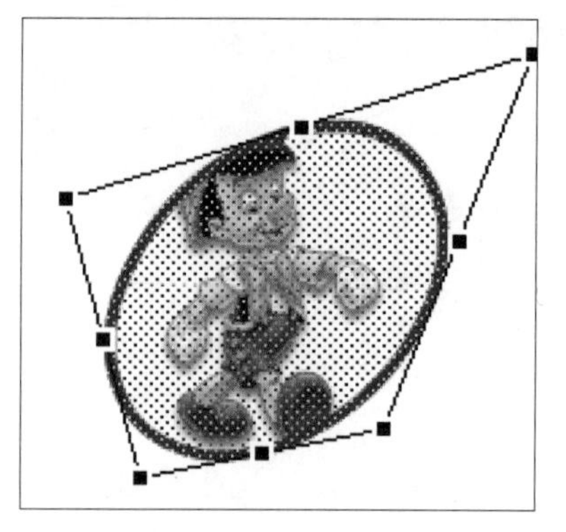

扭曲变形命令只用于在场景中绘制的图形，对于导入的图片或元件无效。

4.5.3 封套对象

“封套”命令允许用户弯曲或扭曲对象，制作出更加奇妙的变形效果，弥补了扭曲变形在某些局部无法达到的变形效果。封套是一个边框，其中包含一个或多个对象。更改封套的形状会影响该封套内的对象形状。用户可以通过调整封套的点和切线手柄来编辑封套形状。

封套变形命令把图形“封”在里面，当改变封套形状时，里面的图形会适应于封套的变化。对象上的 8 个小方块，是改变封套形状的调锚点，移动其中的一个锚点，会引起该锚点前后两个锚点之间这段边沿形状的改变，如下图所示。

封套变形命令对图形修改有奇特的功能。但注意，此命令只用于在场景中绘制的图形，对于导入的图片或元件无效。

4.5.4 旋转与倾斜对象

旋转对象会使该对象围绕其变形点旋转。变形点与注册点对齐，默认位于对象的中心，用户可以通过拖动来移动该点。

在 Flash CS5 中，可以通过以下 3 种方法旋转对象。

（1）使用任意变形工具拖动（可以在同一操作中倾斜和缩放对象）。

（2）通过执行“修改 > 变形 > 旋转与倾斜”命令。

（3）通过在“变形”面板中指定角度（可以在同一操作中缩放对象），如右图所示。

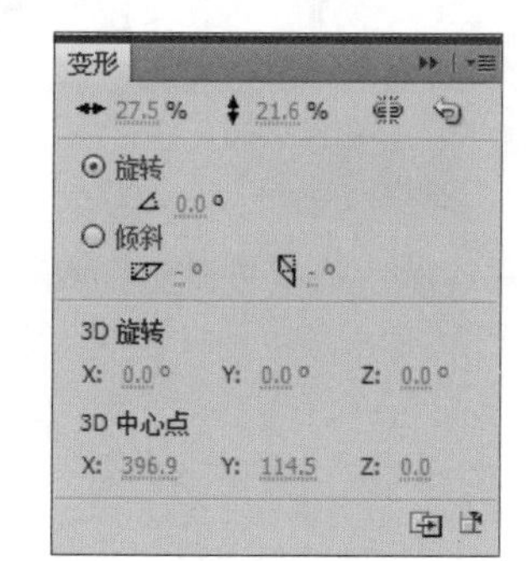

4.5.5 缩放和旋转对象

在 Flash CS5 中，若执行“修改 > 变形 > 缩放和旋转”命令，会弹出“缩放和旋转”对话框，显示缩放比例和旋转角度。可以在其中输入数值，对图形对象同时进行缩放和旋转，如下图所示为图片缩放 50%、旋转 60° 的前后效果对比。

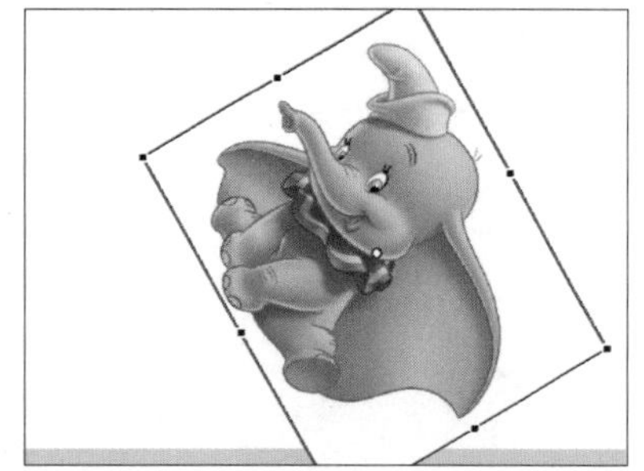

4.5.6 翻转对象

通过菜单命令，可以沿垂直或水平轴方向翻转对象，其操作方法分别如下（如下左图所示为原图）。

（1）选择需要翻转的图形对象，选择“修改 > 变形 > 垂直翻转”命令，即可将图形进行垂直翻转，如下中图和下右图所示。

（2）选择需要翻转的图形对象，选择“修改 > 变形 > 水平翻转”命令，即可将图形进行水平翻转，如下右图所示。

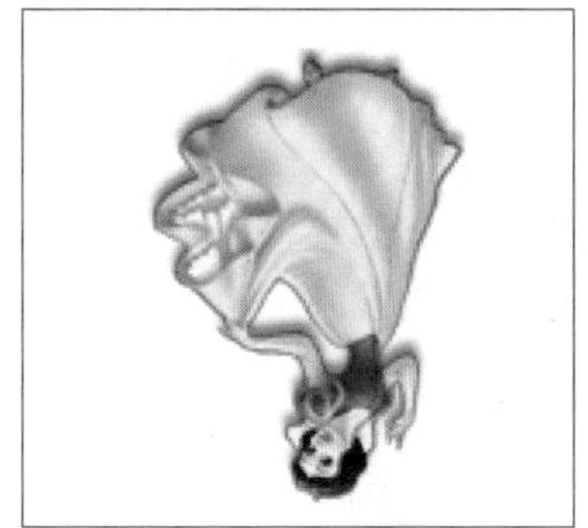

4.5.7 取消变形操作

在 Flash CS5 中，要取消变形操作有两种方法。

（1）执行“修改 > 变形 > 取消变形”命令，可以将变形的对象还原到初始状态。

（2）执行“编辑 > 撤销”命令或按下【Ctrl + Z】组合键，撤销变形操作。

4.6 合并图形对象

如果要通过合并或改变现有对象来创建新形状，可选择“修改 > 合并对象”菜单中的“联合”、“交集”、“打孔”等命令。在一些情况下，所选对象的堆叠顺序决定了操作的工作方式。

4.6.1 联合对象

选择“修改 > 合并对象 > 联合”命令，可以将两个或多个形状合成一个“对象绘制”模式形状，其由联合前形状上所有可见的部分组成，且将删除形状上不可见的重叠部分的单个形状，如下图所示。

4.6.2 交集对象

选择“修改 > 合并对象 > 交集”命令，可以创建两个或多个对象的交集的对象。生成的“对象绘制”形状由合并形状的重叠部分组成，并且将删除形状上任何不重叠的部分。生成的形状使用堆叠中最上面的形状的填充和笔触，如下图所示。

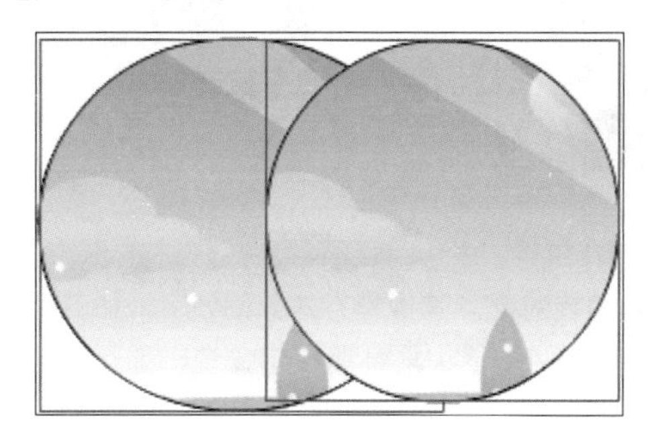
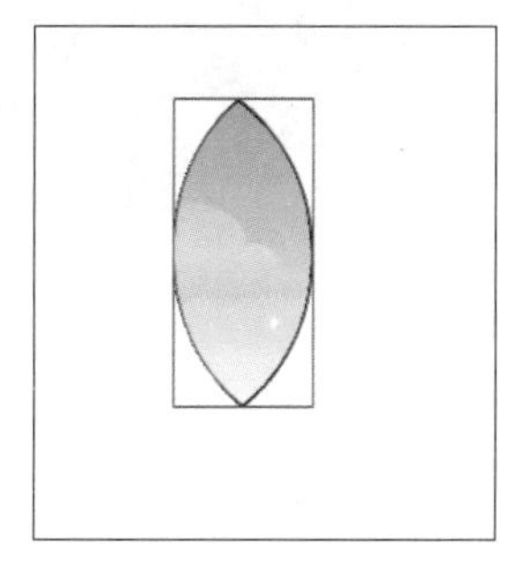

4.6.3 打孔对象

选择“修改 > 合并对象 > 打孔”命令，可删除所选对象的某些部分，这些部分由所选对象与排在所选对象前面的另一个所选对象的重叠部分定义，如下图所示。

执行“打孔”命令将删除由最上面形状覆盖的任何部分，并完全删除最上面的形状。生成的形状保持为独立的对象，不会合并为单个对象。

4.6.4 裁切对象

选择“修改 > 合并对象 > 裁切”命令，可以使用一个对象的形状裁切另一个对象。前面或最上面的对象定义裁切区域的形状，如下图所示。

执行“裁切”命令，将保留与最上面的形状重叠的任何下层的形状部分，而删除下层形状的其他部分，并完全删除最上面的形状。生成的形状保持为独立的对象，不会合并为单个对象。

4.7 课堂练习——音乐之夜

原始文件	无
最终文件	第4章\4.7\音乐之夜\音乐之夜.fla
注意事项	对图形对象的翻转操作一定要事先考虑，否则将会产生错误
核心知识	熟悉并掌握对图形对象的操作

本节将通过一个案例对前面所学知识进行巩固练习。

01 新建一个Flash文档并设置属性，其中尺寸为550像素×400像素，帧频为24。

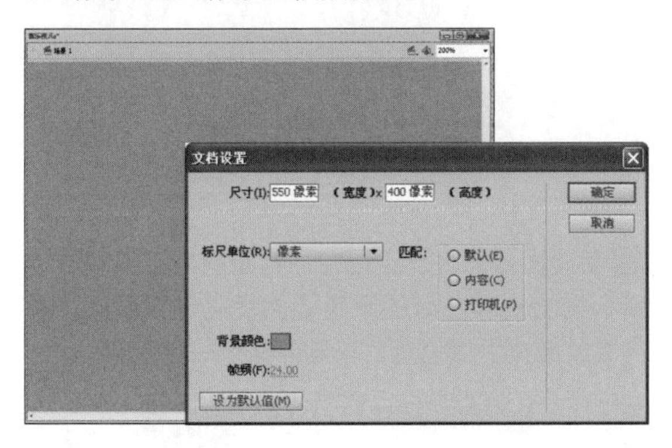

02 新建图形元件shape12，使用钢笔工具在编辑区域绘制男孩胳膊。

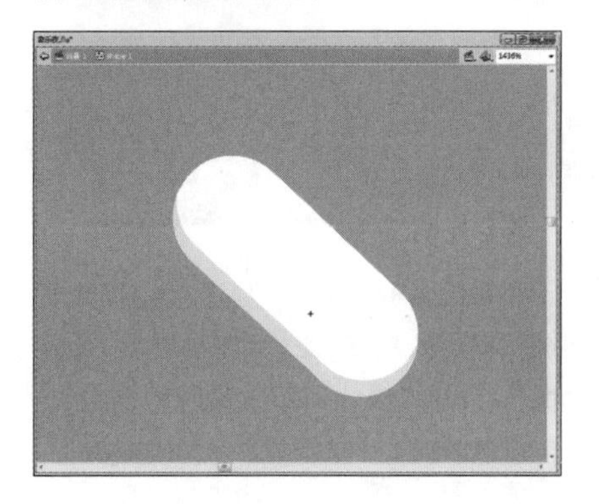

03 复制步骤2所绘制的图形，新建图形元件shape 2，然后按下【Ctrl+V】组合键将所复制的图形粘贴至编辑区域，并对其实施水平翻转。

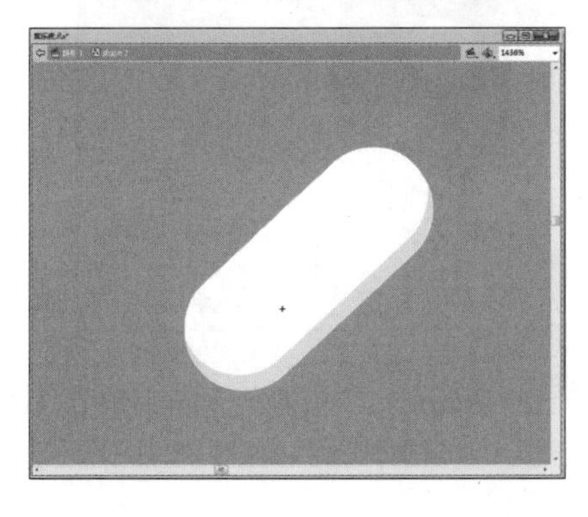

04 新建图形元件shape14，利用钢笔工具在编辑区域绘制男孩的左腿。

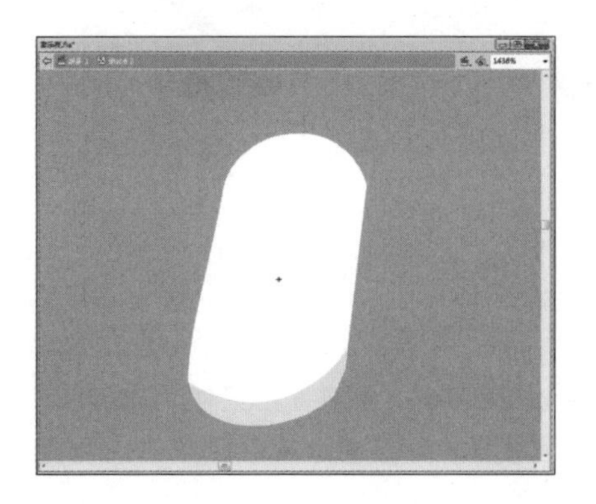

05 复制步骤4所绘制的图形，新建图形元件shape 13，然后按下【Ctrl+V】组合键将所复制的图形粘贴至编辑区域，并对其实施水平翻转。

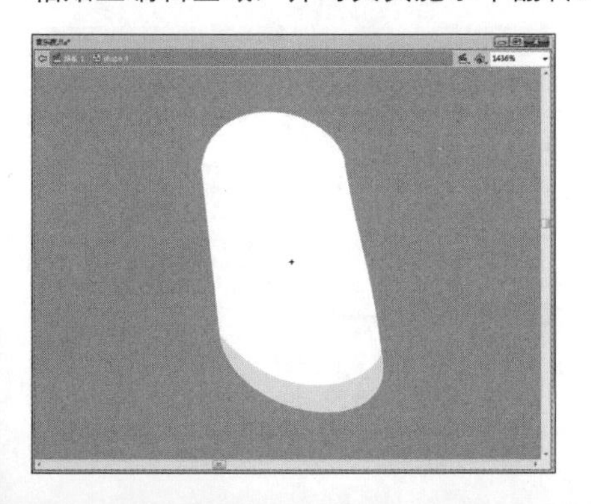

06 新建图形元件shape3，利用钢笔工具、线条工具等在编辑区域绘制男孩的衣服，并为其填充蓝色。

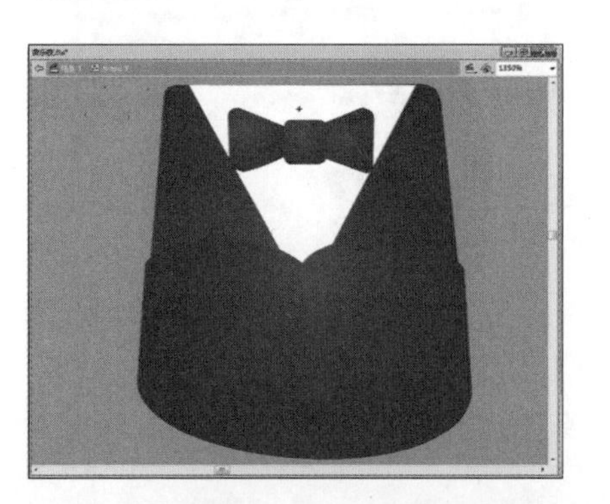

07 新建图形元件shape4，利用钢笔工具与椭圆工具在编辑区域绘制男孩的头部。其中头发的颜色设为蓝色。

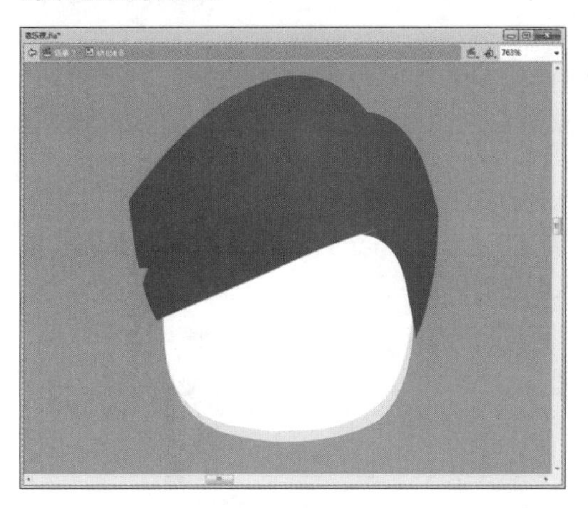

08 新建图形元件shape16，在编辑区域绘制一个图形，填充颜色比男孩头发颜色淡一些。

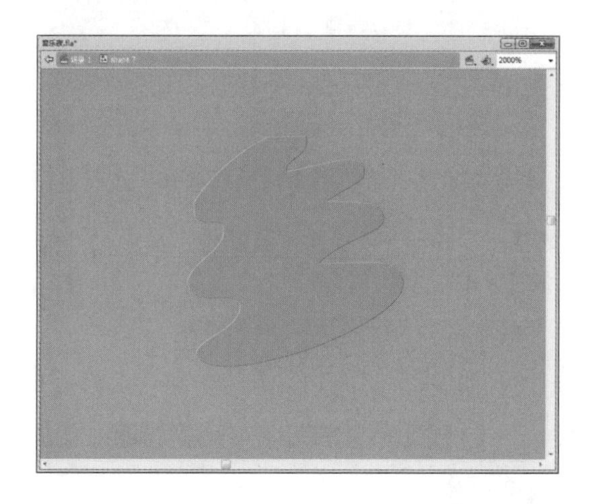

09 新建图形元件shape8，利用椭圆工具在编辑区域绘制闭眼时的眼睛。复制图层1的第1帧，新建图形元件shape9，在第1帧处粘贴所复制的帧。

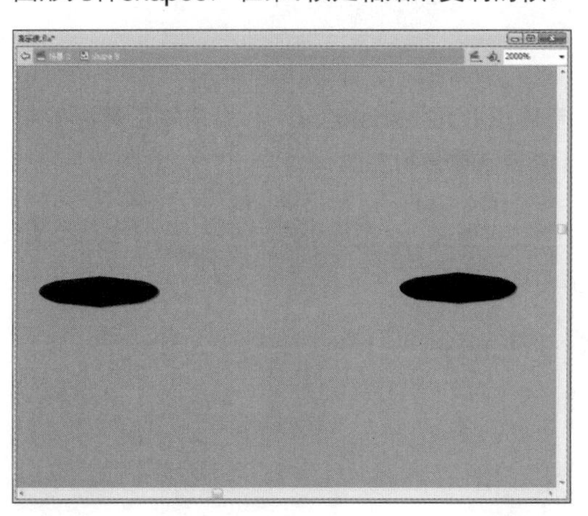

10 新建图形元件shape22，利用椭圆工具在编辑区域绘制睁开时的眼睛。然后复制该眼睛，并将其放置在右侧位置，以制作另外一只眼睛。

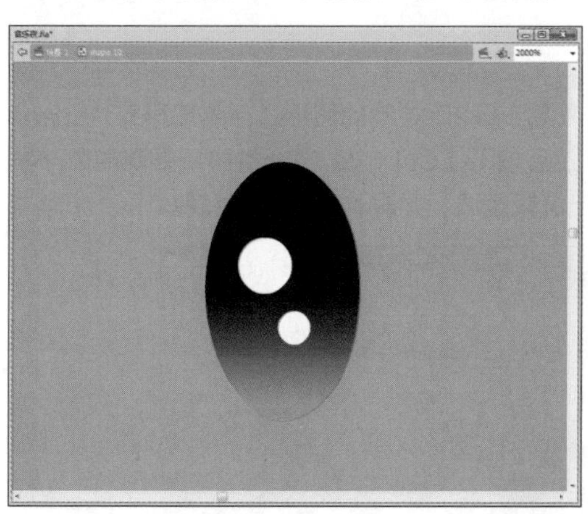

11 复制shape22所有帧，新建图形元件shape23，然后执行粘贴帧操作。接着选择眼睛中的白色圆形，改变其位置。

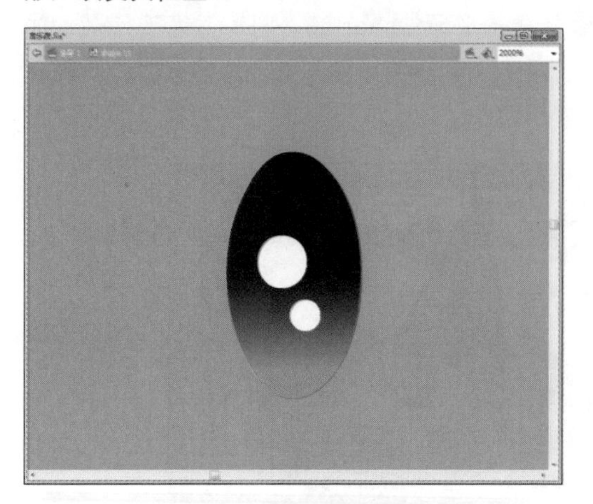

12 新建图形元件shape11，选择矩形工具在编辑区域绘制笛子，并设置其颜色类型为线性渐变。

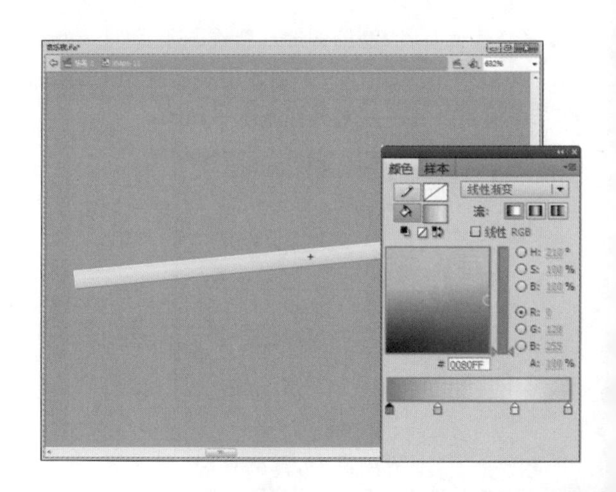

13 新建影片剪辑sprite8，在图层1的第14帧处插入关键帧，将元件shape8拖曳至编辑区域。在15帧处插入普通帧，复制14～15帧。新建图层2，选择第18帧，然后执行粘贴帧操作。

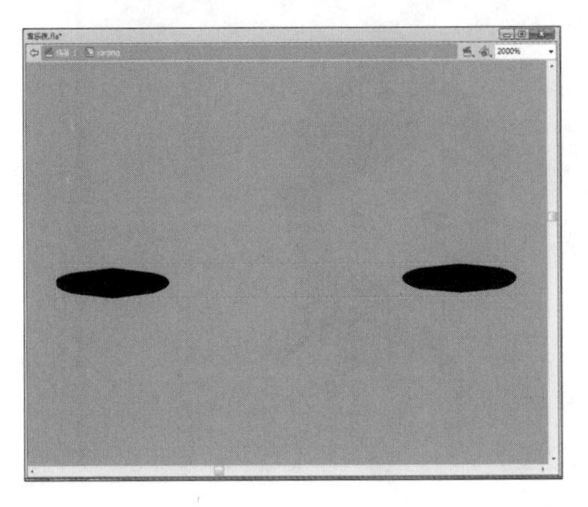

14 新建图层3，将元件shape22拖曳至第1帧，在第5、9、13、17、21、25、29、33帧处插入关键帧。在第3帧处插入空白帧，将元件shape11拖曳至编辑区域。

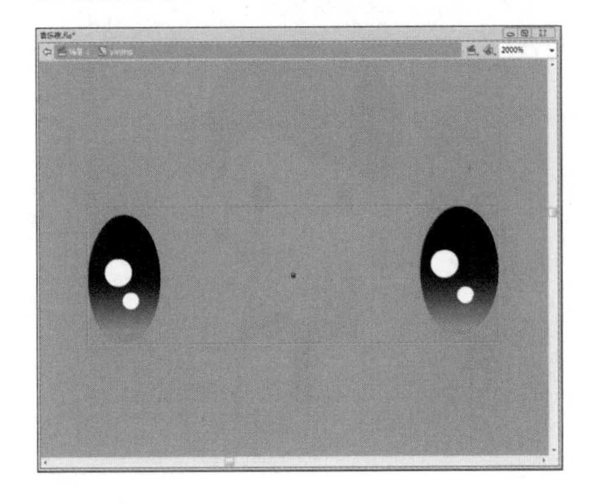

15 复制第3帧，分别粘贴至第7、11、16、20、23、27、31、35帧处。分别在第14、18帧处插入空白关键帧。

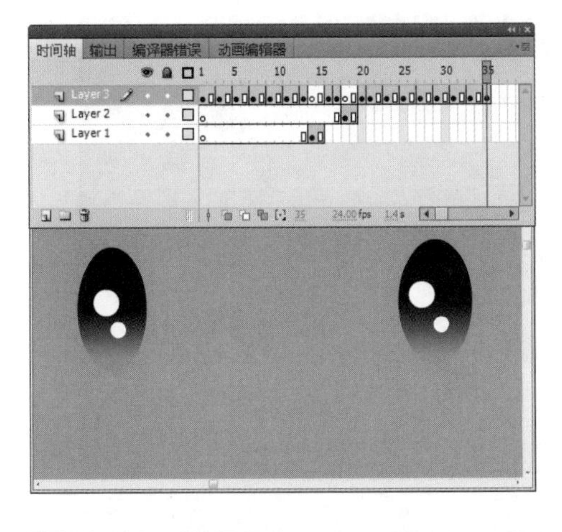

16 新建影片剪辑sprite1，将元件shape2拖曳至编辑区域。在第41帧处插入关键帧，再在第1～41帧间的合适位置插入关键帧，并调整元件的位置。最后在各帧间创建传统补间动画。

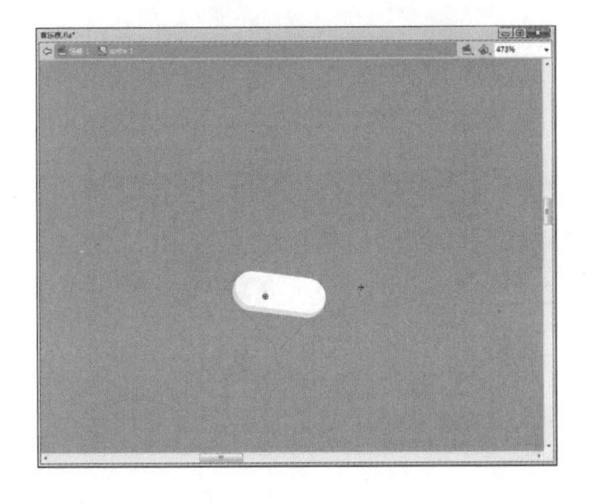

17 新建图层2，将元件shape3拖曳至编辑区域。在第41帧处插入普通帧。接下来制作小男孩头部晃动的动画效果。

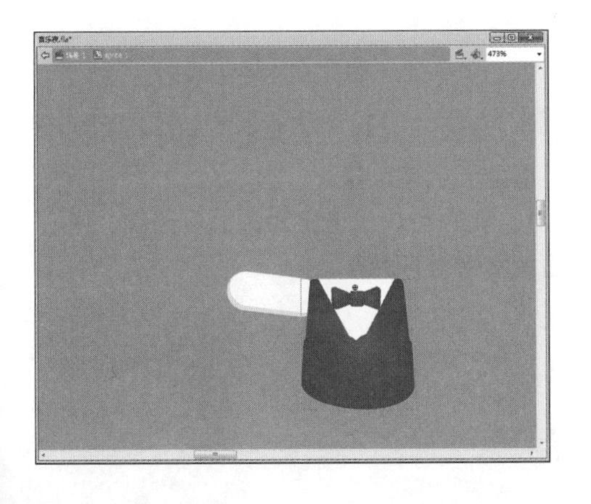

18 新建图层3，将男孩的头部元件shape4拖曳至编辑区域。在第41帧处插入关键帧，在第1～41帧间相应位置再插入关键帧，并改变其位置。最后在各帧间创建传统补间动画。

19 新建图层4～9，分别将元件yanjing、shape10、shape11、shape12、shape13、shape14拖曳至各个图层合适位置。

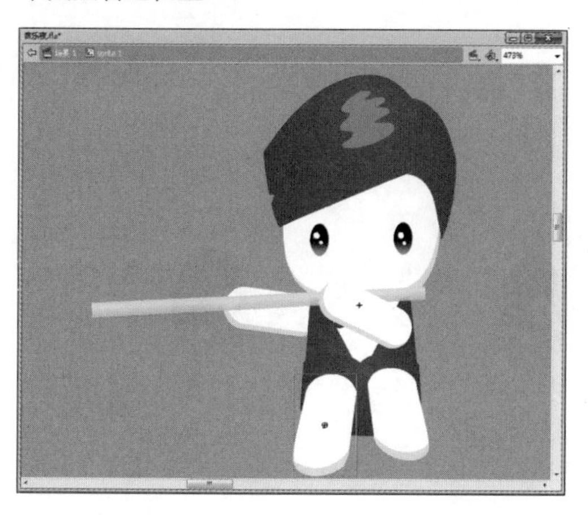

20 参照步骤18制作各元件的运动效果。用同样的方法，制作小女孩的动画效果。

21 返回主场景，将各元件拖曳至编辑区域，之后再分别调整其位置。

22 按下【Ctrl＋S】组合键，以“音乐之夜”为名称保存文件。按下【Ctrl＋Enter】组合键对该动画进行测试。

4.8 排列与编辑图形对象

在对图形对象进行编辑时，经常需要将一些对象按一定的层次顺序或对齐方式进行排列。下面就来介绍如何使用“排列”和“对齐”子菜单中的命令、“对齐”面板中的按钮，以及用快捷菜单中的命令，对图形对象进行排列、对齐或层叠操作。

4.8.1 “对齐”面板

在Flash CS5中，利用“对齐”面板中的各项功能，或选择“修改＞对齐”子菜单中的命令，如下左图所示，可以将对象精确地排列，并且可以调整对象的间距、匹配大小等功能。

使用“对齐”面板，能够沿水平或垂直轴方向对齐所选对象。用户可以沿选定对象的右边缘、中心或左边缘垂直对齐对象，或者沿选定对象的上边缘、中心或下边缘水平对齐对象。

使用以下两种方法可以调出“对齐”面板。

（1）选择“窗口＞对齐”命令。

（2）按下【Ctrl + K】组合键。

使用以上任意一种方法，均可调出“对齐”面板，如下右图所示。

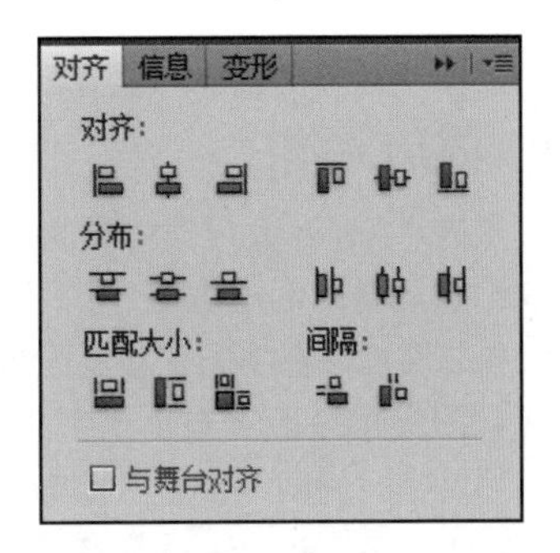

在“对齐”面板中，包括“对齐”、“分布”、“匹配大小”、“间隔”和“与舞台对齐”共5个功能区，下面将分别介绍这5个功能区中各按钮的含义及应用。

（1）对齐：在该功能区中，通过单击“左对齐”按钮、“水平中齐”按钮、“右对齐”按钮、“顶对齐”按钮、“垂直中齐”按钮或“底对齐”按钮，可分别将对象向左、水平居中、向右、向顶、垂直居中或向底对齐。如下左图为原图，垂直居中对齐效果如下右图所示。

（2）分布：在该功能区中，通过单击“顶部分布”按钮、“垂直居中分布”按钮、“底部分布”按钮、“左侧分布”按钮、“水平居中分布”按钮或“右侧分布”按钮，将选择的对象分别以顶部、垂直居中、底部、左侧、水平居中或右侧进行分布。垂直居中分布效果如下左图所示，水平居中分布效果如下右图所示。

（3）匹配大小：在该功能区中，可通过单击“匹配宽度”按钮、“匹配高度”按钮、“匹配宽和高”按钮，将选择的对象分别进行水平缩放、垂直缩放、等比例缩放，其中最左侧的对象是其他所选对象匹配的基准。

（4）间隔：在该功能区中，通过单击“垂直平均间隔”按钮、“水平平均间隔”按钮，可使选择的对象在垂直方向或水平方向的间隔距离相等。

（5）与舞台对齐：当勾选该复选框时，选择对象后，可使对齐、分布、匹配大小、间隔等操作以舞台为基准。

4.8.2 叠放对象

在图层内，Flash 会根据对象的创建顺序层叠对象，将最新创建的对象放在最上面。对象的层叠顺序决定了它们在重叠时的出现顺序。可以在任何时候更改对象的层叠顺序，所画出的线条和形状总是在堆的组和元件的下面。要将它们移曳到堆的上面，必须组合它们或者将它们变成元件。

此外，图层也会影响层叠顺序。上层的任何内容都在底层的任何内容之前，依此类推。要更改图层的顺序，可以在时间轴中将层名拖曳到新位置。

在 Flash CS5 中，选择舞台需要排列的图形对象，选择“修改 > 排列”子菜单中的命令，如下左图所示，或右击，在弹出的快捷菜单中选择相应的命令，如下右图所示，即可调整对象的层叠位置。

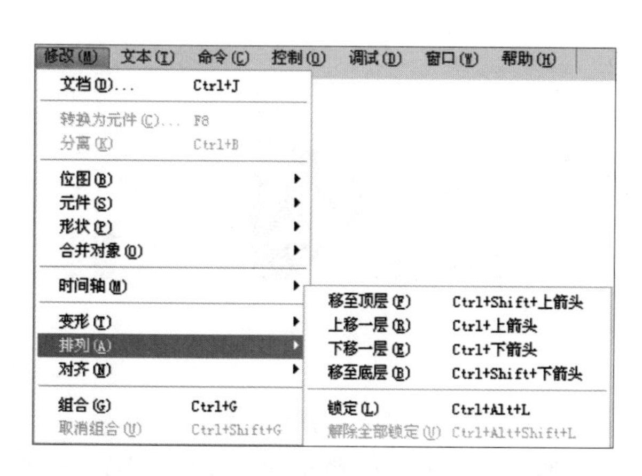

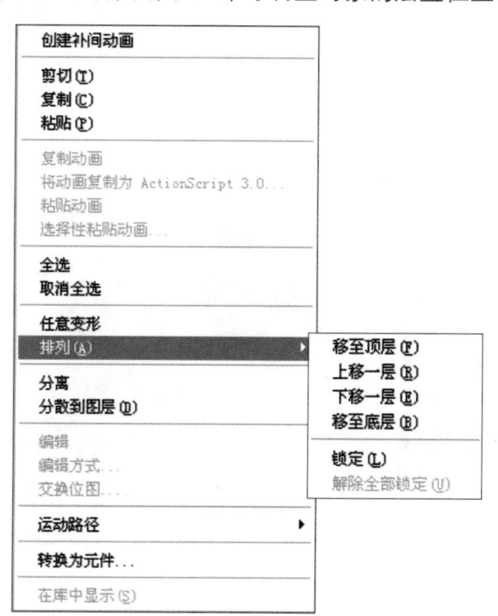

4.9 组合动画图形对象

在 Flash CS5 中，如果对多个元素进行移动、变形等操作，可以对其进行组合，作为一个组对象来处理，这样可以节省编辑的时间。此外，也可以将组合的图形对象进行解组和分离，重新编辑。

4.9.1 组合对象

组合操作包括对图形对象的组合与解组两部分操作，组合后的对象可以被同时移动、复制、缩放和旋转等。

组合的功能主要用于将多个对象归为一个临时对象，利于移动等操作，组合的图形是独立存在的个体，它的属性就是独立存在。可以将任意的形状组合，也可以将已经组合的图形再次组合，组合后的图形不会互相干扰。当组合后的图形之间相互重叠时，组合的图形会被遮盖但不会相互分割。

如果需要编辑组合对象中的某个对象，也可以在解组后再进行编辑。组合的对象不仅可以发生在对象与对象之间，而且可以发生在组与组之间。

在 Flash CS5 中，使用以下两种方法可以将选择的对象进行组合。

（1）选择“修改 > 组合”命令。

（2）按下【Ctrl + G】组合键。

使用以上任意一种方法，均可将对象组合，如下图所示。

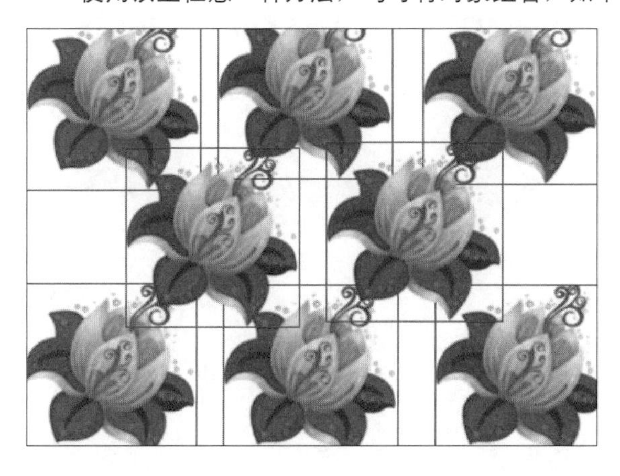

4.9.2 编辑组

如果要对组中的单个对象进行编辑，可以通过选择“修改 > 取消组合”命令，或按下【Ctrl + Shift + G】组合键将组对象进行解组。此外也可以选择组对象，然后选择“编辑 > 编辑所选项目”命令，或在对象上双击，进入该组合的编辑状态，如下图所示。

组合后的对象没有笔触颜色和内部填充，只能以图形的方式进行处理，例如变形操作，如下图所示。如果要进行填充，需要执行“修改 > 分离”操作。

拓展项目练习

通过本章的学习，读者对动画图形的编辑操作有了一定的了解，为了巩固所学的知识，下面对本章中的一些重点知识进行考查。

一、选择题

（1）选择线条的方法是（　）。

A. 使用选择工具单击该线条

B. 使用部分选择工具单击该线条

C. 使用选择工具双击该线条

D. 使用选择工具在线条周围拖曳出一个选择框，不一定将线条完全包含在选择框中

（2）使用“粘贴”命令可以（　）。

A. 将剪切或复制到剪贴板上的对象放置到新的位置

B. 按照指定的格式粘贴或嵌入剪切或复制到剪贴板中的内容

C. 创建对象链接

（3）要使选择对象围绕对角旋转，应执行以下哪种操作（　）？

A. 直接拖动对象角点上的控制柄

B. 把指针放在对象的边沿拖动

C. 按住【Shift】键拖动控制柄

D. 按住【Alt】键拖动控制柄

（4）若要将变形点与元素的中心点重新对齐，可以（　）。

A. 拖动变形点

B. 双击变形点

C. 在变形期间按住【Alt】键拖动

D. 在“信息”面板中，单击坐标网格中的中心方框以将其选定

二、填空题

（1）若要在选择和编辑对象时看到插图的最终显示效果，可以____________。

（2）单击工具箱中的任意变形工具后，选择对象的周围将出现控制柄。拖动对象____________的控制柄，可以在调整对象大小时保持其纵横比；拖动____________的控制柄，可以按横向或纵向调整比例的大小。

（3）选定对象被变形之后，若要将其还原到初始状态，可使用____________命令。

三、简答题

（1）列举移动对象的几种方法。

（2）列举删除对象的几种方法。

（3）分别列举出对象的几种对齐方式、分布方式和尺寸匹配方式。

四、操作题

（1）在舞台的任意位置绘制一个图形，通过剪切和粘贴操作将该图形移动到舞台的中心位置。

（2）使用“修改 > 变形 > 缩放和旋转”命令将一个图形对象放大 2 倍。

（3）使用封套功能对一个图形对象进行变形。

（4）选择 3 个以上对象，使其相互间以不同的方式对齐。

动画设计锦囊

利用选择工具可以单独或全部选中图形中的线条与填充色，除了具备最基本的选择功能以外，选择工具还可用于修改对象形状。

利用选择工具修改对象的线条形状有两种方式，一种是通过选项组来设置线条的平滑度与伸直度，另一种是直接用选择工具来修改线条的形状。修改线条的拐角位置即可改变图形的形状，修改线条部分可以改变线条的弧度。下面介绍通过“修改 > 形状”命令来改变对象形状的方法。

1. 将线条转换为填充

将线条转换为填充后，线条的属性变成填充色属性，可以对其进行各种填充色的设置。使用时选中线条，执行“修改 > 形状 > 将线条转换为填充”命令即可，如下图所示。

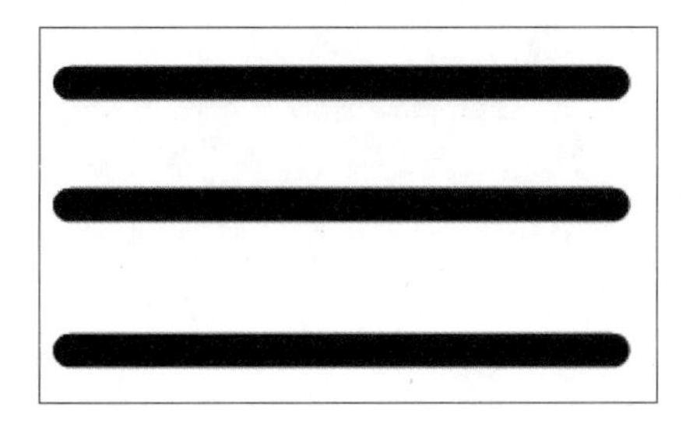

2. 扩展填充

扩展填充可以使填充色的填充范围扩大或缩小。选中任意填充色，执行“修改 > 形状 > 扩展填充”命令，弹出“扩展填充”对话框，可在其中进行设置，如下图所示。

3. 柔化填充边缘

柔化填充边缘可以使填充色的边缘产生模糊的效果。选中任意填充色，执行“修改 > 形状 > 柔化填充边缘”命令，弹出“柔化填充边缘”对话框，可在其中进行设置，如下图所示。

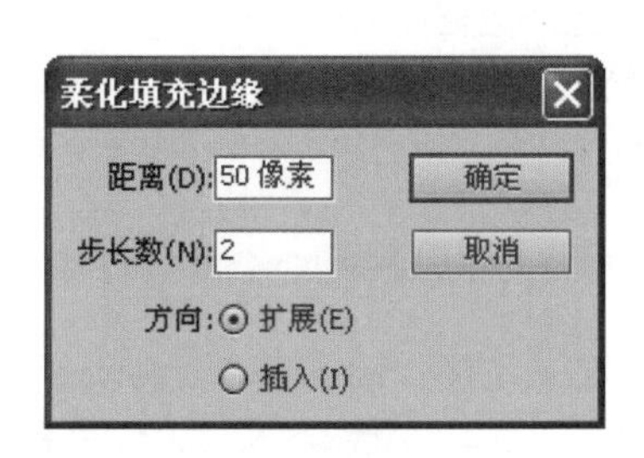

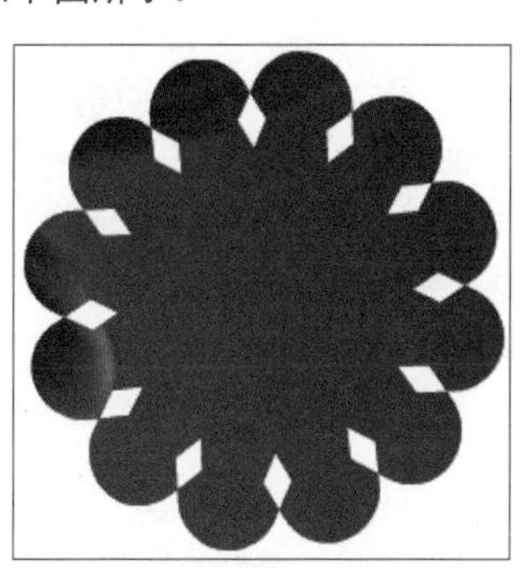

Chapter 05 文本的创建与编辑

设计师指导

文本是Flash作品中不可或缺的元素，而文本工具是必不可少的重要工具。通过文本可以更直观地表达作者所要表现的思想，并且文本的效果也会影响作品的质量。

在Flash中可以以多种方式添加文本，同时，也可以设置文本属性。

核心知识点

❶ 了解Flash动画中使用的两种字体
❷ 熟练掌握TLF文本的用法
❸ 掌握4种传统文本的创建方法
❹ 了解文本的属性设置
❺ 掌握文本的变形处理

5.1 动画中使用的两种字体

当在 Flash 中输入文本的时候，Flash 会将字体的相关信息存储到 Flash 的 SWF 文件中，这样就可以保证在用户浏览 Flash 影片时，字体能够正常显示。在 Flash CS5 中创建文本，即可以使用嵌入字体，也可以使用设备字体。下面分别介绍这两种字体的特点。

5.1.1 使用嵌入字体

在 Flash 影片中使用安装在系统中的字体时，Flash 中嵌入的字体信息将保存在 SWF 文件中，以确保这些字体能在 Flash 播放时完全显示出来。但不是所有显示在 Flash 中的字体都能够与影片一起输出。为了验证一种字体是否能够与影片一起输出，可以选择“视图 > 预览模式 > 消除文字锯齿”命令来预览文本。如果此时显示的文本有锯齿，则说明 Flash 不能识别字体的轮廓，它不能被导出。

5.1.2 使用设备字体

在 Flash 中，可以使用称为设备字体的特殊字体作为导出字体轮廓信息的一种替代方式，但其仅适用于静态水平文本，设备字体并不嵌入 Flash SWF 文件中。在 Flash 中，使用通用设备字体作为嵌入式字体轮廓信息的替换字体。Flash 包括 3 种通用设备字体：_sans（类似于 Helvetica 或 Arial 字体）、_serif（类似于 Times Roman 字体）和 _typewriter（类似于 Courier 字体）。当用户指定其中的一种字体然后导出文档时，Flash Player 会在用户的计算机上使用一种与通用设备字体最接近的字体。

由于设备字体不是嵌入的，使用这种字体时会使 SWF 文件变小，还会使文本在磅数较少（低于 10 磅）时清晰度提高。但是，如果用户的计算机没有安装与设备字体对应的字体，那么文本显示可能会与预期不同。

此外，可以使用影片剪辑遮罩另一个影片剪辑中的设备字体文本。（不能通过在舞台上使用遮罩层来遮罩设备字体。）使用影片剪辑遮罩设备字体文本时，Flash 将遮罩的矩形边框作为遮罩形状。这就是说，如果用户在 Flash 创作环境中为设备字体文本创建非矩形的影片剪辑遮罩，则出现在 SWF 文件中的遮罩，将呈现为该遮罩的矩形边框的形状，而不是该遮罩本身的形状。

5.2 文本工具

在 Flash 中包含了两类文本，除传统文本外，Flash CS5 新增了 TLF（Text Layout Framework）文本。传统文本包括静态文本、动态文本、输入文本 3 种文本对象，此外还可以创建滚动文本。使用 Flash 中的文本工具，可以创建横排文本或竖排文本。在中文版 Flash CS5 中，用户可以使用以下两种方法调用文本工具。

（1）选择工具箱中的文本工具T。

（2）按下【T】键。

使用以上任意一种方法，都可以调用该工具。在输入文字时，可以使用以下两种方式。

1. 默认状态

默认状态即不固定宽度的单行模式，输入框可以随着用户的输入自动扩展（即生成文本标签）。当用户选择文本工具T后，在舞台上单击鼠标，即可看到一个右下角有小圆圈的文字输入框，如下左图所示。

2. 固定宽度模式

输入框已经限定了宽度，超过限制宽度时，Flash 将自动换行（即生成文本块）。当用户选择文本工具T后，在舞台上单击并拖曳鼠标，将创建一个文本输入框，此时可以看到文本输入框的左上角和右下角分别出现了一个小方框。如果文本出现换行，则右下角的小方块变成红色格子状，如下右图所示。若双击该小方块，即转变为默认状态输入模式。

5.2.1 创建静态文本

静态文本就是动画制作阶段创建、在动画播放阶段不能改变的文本。静态文本是 Flash 中应用最广泛的一种文本格式，主要用于文字的输入与编排，起到解释说明的作用，是大量信息的传播载体，也是文本工具的最基本功能，具有较为普遍的属性。此外，静态文本只能在 Flash 创作工具中创建。不能使用 ActionScript 以编程方式对静态文本进行实例化。

5.2.2 创建动态文本

动态文本可以显示外部文件中的文本，主要用于数据的更新。在 Flash 中，界面中一些需要进行动态更新的内容及能够被浏览者选择的文本内容，通常用动态文本来显示。在 Flash 中制作动态文本区域后，创建一个外部文件，通过脚本语言的编写，使外部文件链接到动态文本框中。

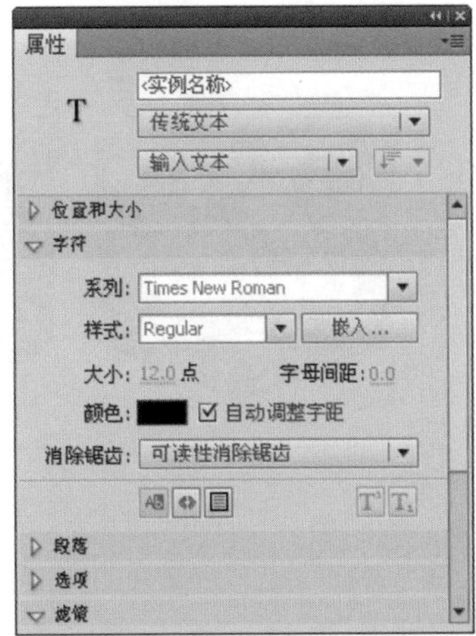

在“属性”面板的文本类型下拉列表框中选择“动态文本”选项，即可切换到动态文本输入状态。此时“属性”面板如下图所示。

在动态文本的“属性”面板中，各主要选项的含义如下。

（1）实例名称：在 Flash 中，文本框也是一个对象，这里就是为当前文本指定一个对象名称。

（2）行为：当文本包含的内容多于一行的时候，在“段落”选项区域中的“行为”下拉列表框中，可以选择单行、多行（自动回行）和多行不换行进行显示。

（3）将文本呈现为 HTML：在“字符”栏中单击按钮，可制定当前的文本框内容为 HTML 内容，这样一些简单的 HTML 标记就可以被 Flash 播放器识别并进行渲染了。

（4）在文本周围显示边框：在“字符”栏中单击按钮，可显示文本框的边框和背景。

（5）变量：在该文本框中，可为输入动态文本的变量名称。

5.2.3 创建输入文本

输入文本主要应用于交互式操作的实现，目的是让浏览者填写一些信息以达到某种信息交换或收集目的。例如，常见的会员注册表、搜索引擎或个人简历表等。

在输入文本类型中，对文本各种属性的设置主要是为浏览者的输入服务的。例如，当浏览者输入文字时，会按照在“属性”面板中对文字颜色、字体和字号等参数的设置来显示输入的文字。输入文本是让用户进行直接输入的地方，可以通过用户的输入得到特定的信息，比如用户名称和用户密码等。

在“属性”面板的文本类型下拉列表框中选择“输入文本”选项，即可切换到输入文本所对应的“属性”面板，如下图所示。

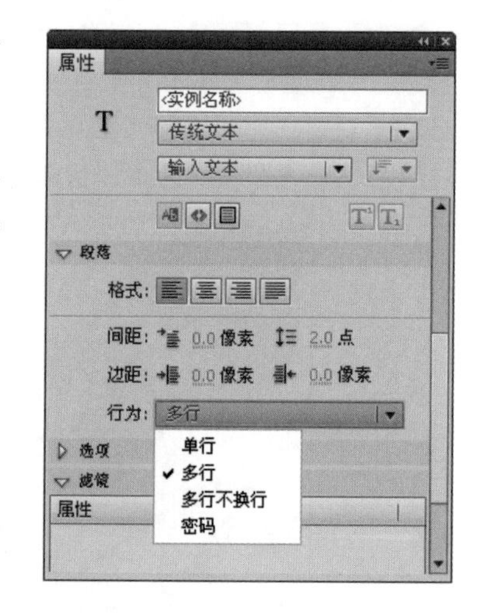

在输入文本中，“行为”下拉列表框中还包括“密码”选项，选择该选项后，用户的输入内容全部用“*”进行显示。而最多字符则规定用户输入字符的最大数目。

5.2.4 创建滚动文本

在 Flash CS5 中，通过使用菜单命令或文本字段手柄使动态或输入文本字段能够滚动。此操作不会将滚动条添加到文本字段，而是允许用户使用箭头键（对于文本字段同样设置为“可选”）或鼠标滚轮滚动文本。用户必须首先单击文本字段来使其获得焦点。

在 Flash CS5 中，可以将动态文本转换为可滚动文本，有以下 3 种方法。

（1）按住【Shift】键并双击动态文本字段上的右下手柄。手柄将从空心方形（不可滚动）变为实心方形（可滚动），如下左图所示。

（2）使用选择工具选择动态文本字段，然后选择“文本 > 可滚动”命令。

（3）使用选择工具选择动态文本字段，右击，在弹出的快捷菜单中选择“可滚动”命令，如下右图所示。

5.2.5 创建TLF文本

与 Flash CS4 版本相比，Flash CS5 新增加了 TLF 文本，第 1 章也提到了新增功能，使用 TLF 可以通过完整的排版控制设置和编辑文本，实现高级的文本样式，如缩距、连字、调整字距和行间距。Flash CS5 支持高级的文本布局控制，如螺旋形文本块、与多列交叉的文本流和内嵌图像，可以流畅、快捷地处理文本。下面就详细介绍 TLF 文本。

在“属性”面板中的“文本类型”下拉列表框中选择“TLF 文本”选项，即可切换到 TLF 文本输入状态。在选择 TLF 文本时，文本的“属性”面板如右图所示。

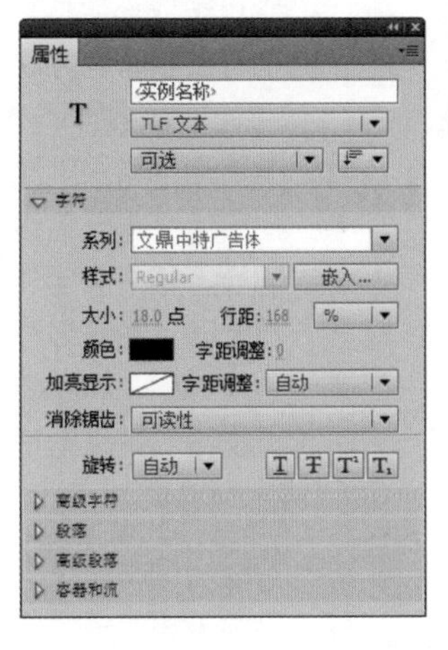

从“属性”面板来看，与传统文本相比，TLF 文本有以下功能。

（1）字符样式更多，包括行距、连字、加亮颜色、下划线、删除线、大小写、数字格式等。

（2）段落样式更多，包括通过栏间距支持多列、末行对齐选项、边距、须进、段落间距和容器填充值等。

（3）控制更多亚洲字体属性，包括直排内横排、标点挤压、避头尾法则类型和行距模型。

（4）直接为 TLF 文本应用 3D 旋转、色彩效果及混合模式等属性，无须将 TLF 文本放置在影片剪辑元件中。

（5）文本可按顺序排列在多个文本容器中。这些容器称为串接文本容器或链接文本容器。

（6）能够针对阿拉伯语和希伯来语文字创建从右到左的文本。

（7）支持双向文本，其中从右到左的文本可包含从左到右文本的元素。当遇到在阿拉伯语或希伯来语文本中嵌入英语单词或阿拉伯数字等情况时，此功能必不可少。

下面详细介绍 TLF 的“属性”面板中各选项的含义。

1. 字符

（1）系列：字体名称。

（2）样式：常规、粗体或斜体。TLF 文本对象不能使用仿斜体和仿粗体样式。某些字体还可能包含其他样式，如黑体、粗斜体等。

（3）大小：字符大小以像素为单位。

（4）行距：文本行之间的垂直间距。默认情况下，行距用百分比表示，也可用点表示。

（5）颜色：文本的颜色。

（6）字距调整：所选字符之间的间距。

（7）加亮显示：加亮颜色。

（8）字距调整：在特定字符之间加大或缩小距离。TLF 文本使用字距调整信息（内置于大多数字体内）自动调整字符字距。禁用亚洲字体选项时，会显示“自动字距调整”复选框。打开自动字距微调功能时，使用字体中的字距微调信息。关闭自动字距微调功能时，忽略字体中的字距微调信息，不应用字距调整。

（9）消除锯齿：有 3 种消除锯齿模式可供选择。

- 使用设备字体：指定 SWF 文件使用本地计算机上安装的字体来显示字体。
- 可读性：使字体更容易辨认，尤其是字体比较小的时候。要对给定文本块使用此选项，需嵌入文本对象使用的字体。
- 动画：通过忽略对齐方式和字距微调信息来创建更平滑的动画。要对给定文本块使用此选项，需嵌入文本块使用的字体。为提高清晰度，应在指定此选项时使用 10 点或更大的字号。

（10）旋转：可以旋转各个字符。旋转包括以下值。

- 0°：强制所有字符不进行旋转。
- 270°：主要用于具有垂直方向的罗马字文本。如果对其他类型的文本（如越南语和泰语）使用此选项，可能导致非预期的结果。
- 自动：仅对全宽字符和宽字符指定 90° 逆时针旋转，这是字符的 Unicode 属性决定的。此值通常用于亚洲字体，仅旋转需要旋转的那些字符。此旋转仅在垂直文本中应用，使全宽字符和宽字符回到垂直方向，而不会影响其他字符。

（11）T T T¹ T₁

- 下划线：将水平线放在字符下。
- 删除线：将水平线置于从字符中央通过的位置。
- 切换上标：将字符移动到稍微高于标准线的上方并缩小字符的大小。也可以使用 TLF 文本属性检查器“高级字符”部分中的“基线偏移”菜单应用上标。
- 切换下标：将字符移动到稍微低于标准线的下方并缩小字符的大小。也可以使用 TLF 文本属性检查器“高级字符”部分中的“基线偏移”菜单应用下标。

2. 高级字符

（1）链接：使用此字段创建文本超链接。输入运行时在已发布SWF文件中单击字符时要加载的URL。

（2）目标：用于链接属性，指定 URL 要加载到其中的窗口。目标包括以下值。

- _self：指定当前窗口中的当前帧。
- _blank：指定一个新窗口。
- _parent：指定当前帧的父级。
- _top：指定当前窗口中的顶级帧。
- 自定义：可以在“目标”字段中输入任何所需的自定义字符串值。

（3）大小写：可以指定如何使用大写字符和小写字符。大小写包括默认、大写、小写、大写转为小型大写字母、将小写转换为小型大写字母 5 个值。

（4）数字格式：允许用户指定在使用 OpenType 字体提供等高和变高数字时，应用的数字样式。

（5）数字宽度：允许用户指定在使用 OpenType 字体提供等高和变高数字时，是使用等比数字还是定宽数字。数字宽度包括以下值。

- 默认：指定默认数字宽度。结果视字体而定；字符使用字体设计器指定的设置，而不应用任何功能。
- 等比：指定等比数字。显示字样通常包含等比数字。这些数字的总字符宽度基于数字本身的宽度加上数字旁边的少量空白。
- 定宽：指定定宽数字。定宽数字是数字字符，每个数字都具有同样的总字符宽度。字符宽度是数字本身的宽度加上两旁的空白。

（6）基准基线包括以下值。

- 自动：根据所选的区域设置改变。此设置为默认设置。
- 罗马文字：对于文本、文本的字体和点值决定此值。对于图形元素，使用图像的底部。
- 上缘：指定上缘基线。对于文本、文本的字体和点值决定此值。对于图形元素，使用图像的顶部。
- 下缘：指定下缘基线。对于文本、文本的字体和点值决定此值。对于图形元素，使用图像的底部。
- 表意字顶端：可将行中的小字符与大字符全角字框的指定位置对齐。
- 表意字中央：可将行中的小字符与大字符全角字框的指定位置对齐。
- 表意字底部：可将行中的小字符与大字符全角字框的指定位置对齐。

（7）连字：属性值包括最小值、通用、非通用和外来选项。

（8）间断：用于防止所选词在行尾中断。间断包括以下值。

- 自动：断行机会取决于字体中的 Unicode 字符属性。此设置为默认设置。

- 全部：将所选文字的所有字符视为强制断行机会。
- 任何：将所选文字的任何字符视为断行机会。
- 无间断：不将所选文字的任何字符视为断行机会。

（9）基线偏移：此控制以百分比或像素设置基线偏移。如果是正值，则将字符的基线移到该行其余部分的基线下；如果是负值，则移动到基线上。在此菜单中也可以应用“上标”或“下标”属性。默认值为 0。范围是 ±720 点或百分比。

（10）区域设置：作为字符属性，所选区域设置通过字体中的 Open Type 功能影响字形的形状，如右图所示。

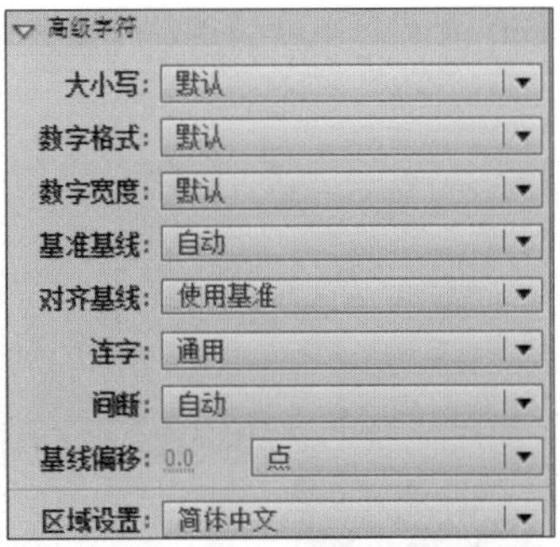

3. 段落

使用段落样式，可以设置文本的对齐方式。相比于传统文本，TLF 文本的两端对齐方式有 4 种，即。

文本对齐包括字母间距和单词间距，其中前者是在字母之间进行字距调整；后者是在单词之间进行字距调整。单词间距为默认设置，如右图所示。

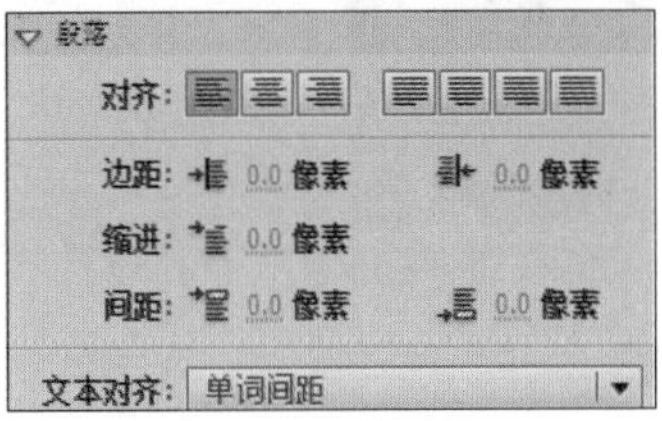

4. 高级段落

（1）标点挤压：此属性有时称为对齐规则，用于确定如何应用段落对齐。根据此设置应用的字距调整器会影响标点的间距和行距。

（2）避头尾法则类型：此属性有时称为对齐样式，用于指定处理日语避头尾字符的选项，此类字符不能出现在行首或行尾。

（3）行距模型：行距模型是由行距基准和行距方向组合构成的段落格式。行距基准确定了两个连续行的基线，它们的距离是行高指定的相互距离。行距方向确定度量行高的方向，如右图所示。

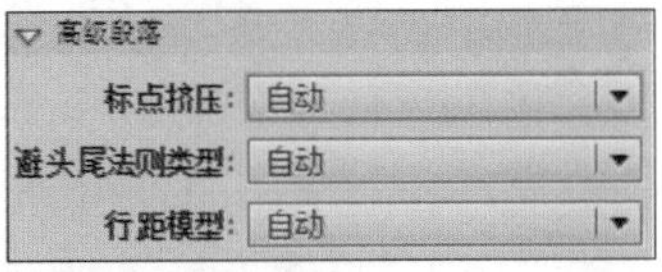

5. 容器和流

TLF 文本属性的“容器和流”控制影响整个文本容器，其属性包括以下几项。

（1）行为：控制容器如何随文本量的增加而扩展。行为包括单行、多行、多行不换行、密码选项。

（2）最大字符数：文本容器中允许的最多字符数。该选项仅适用于类型设置为“可编辑”的文本容器。最大值为 65535。

（3）对齐方式：指定容器内文本的对齐方式。

（4）首行线偏移：指定首行文本与文本容器的顶部的对齐方式，如右图所示。

5.3 课堂练习——制作立体字

原始文件	无
最终文件	第5章\5.3\立体字\立体字.fla
注意事项	填充颜色类型的恰当选择与应用
核心知识	熟练掌握“颜色”面板的应用与设置

本练习将以立体字的制作为例展开介绍。在 Flash 中，使用文本工具制作的文字是较为普通的效果，为了实现更加靓丽的文字特效，需要结合其他工具进行创作。

01 新建一个 Flash 文档，并设置其属性：尺寸为 550 像素 ×400 像素，帧频为 24。

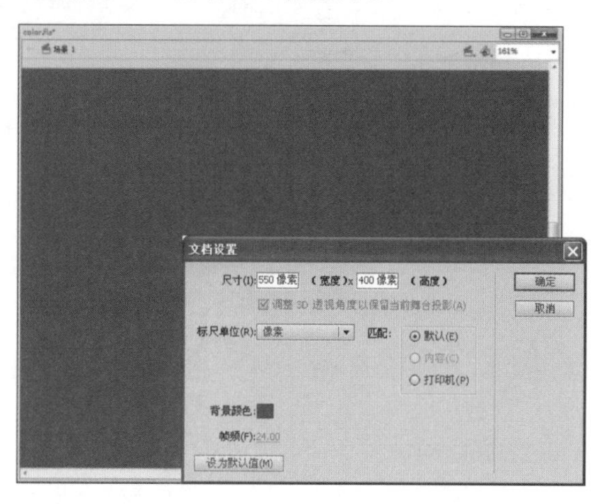

02 新建图形元件 wenzi，选择钢笔工具，在编辑区域绘制 C 样图形，其填充颜色类型为径向渐变。

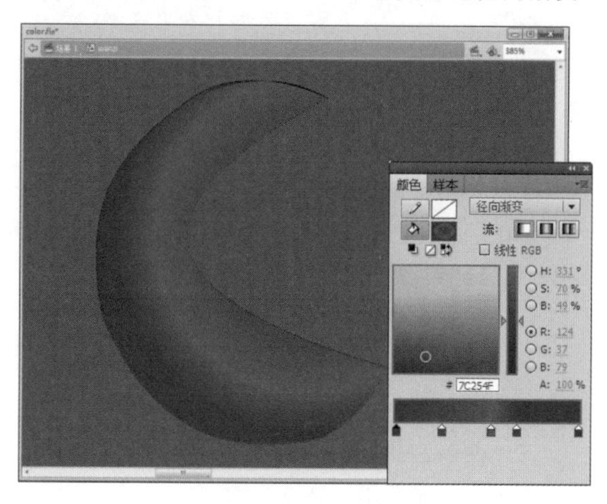

03 选择钢笔工具，在绘制好的 C 形基础上，按照其轮廓再绘制一个图形，其颜色面板设置如下，以使该图形更具立体感。

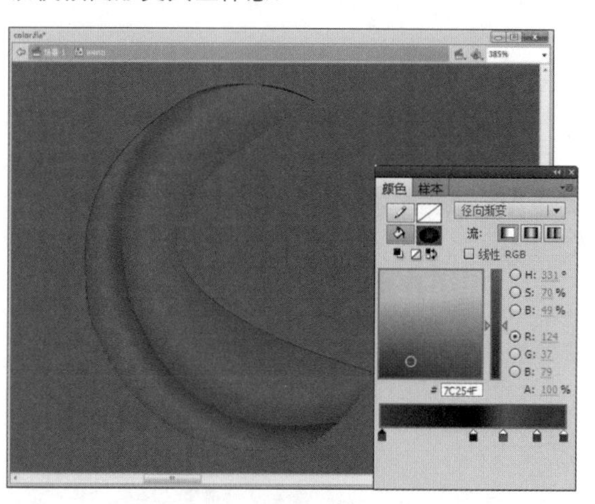

04 在绘制好的图形上绘制高光区域，其颜色类型为线性渐变，以制作文字的高光效果。

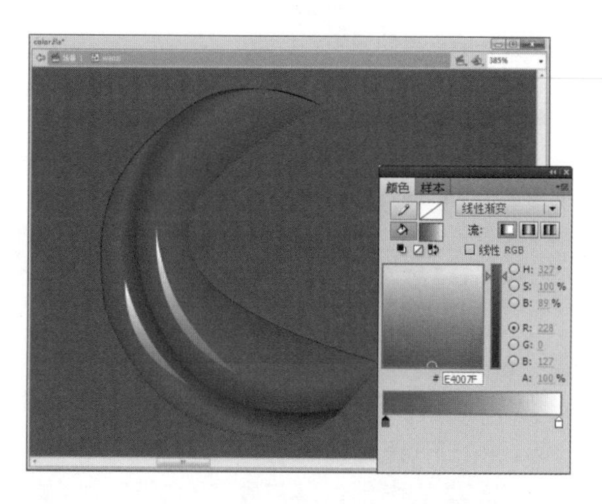

05 利用钢笔工具，用同样的方法在编辑区域中绘制一个图形，以制作 C 形的头部。

06 同理，在步骤 5 绘制的基础上再绘制一层，使之与所绘 C 形的主体相符合，均为两层效果。

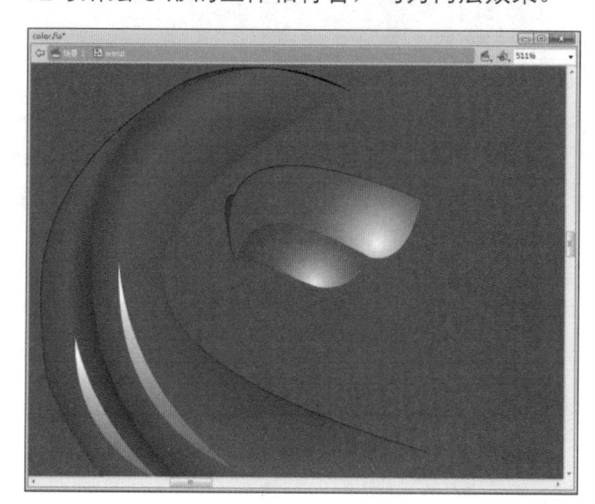

07 利用钢笔工具在编辑区域绘制一个C形图案，颜色填充类型为径向渐变，颜色值可参照颜色面板。

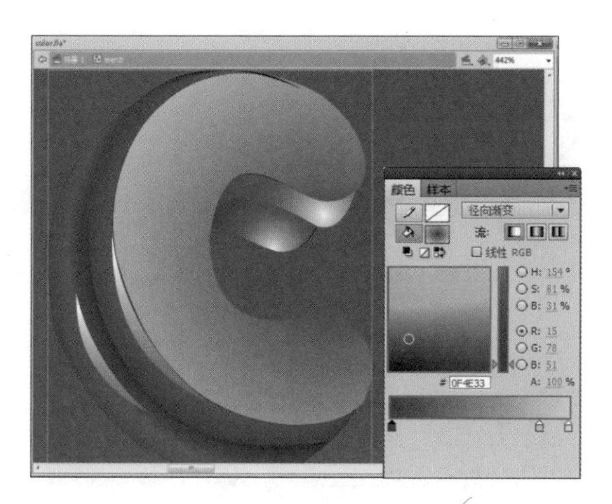

08 复制步骤7所绘制的图形，按下组合键【Ctrl + Shift + V】粘贴至当前位置。然后选择任意变形工具将其等比缩小，并对其颜色进行设置。

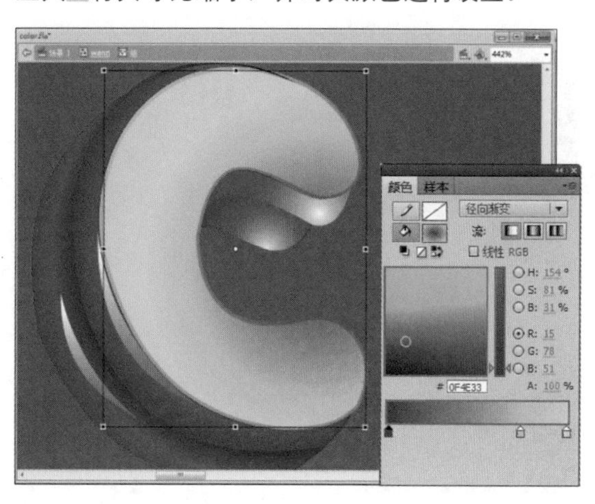

09 为文字绘制花纹图案，选择钢笔工具，在编辑区域绘制花纹，颜色类型为线性渐变，颜色值可参照“颜色”面板。

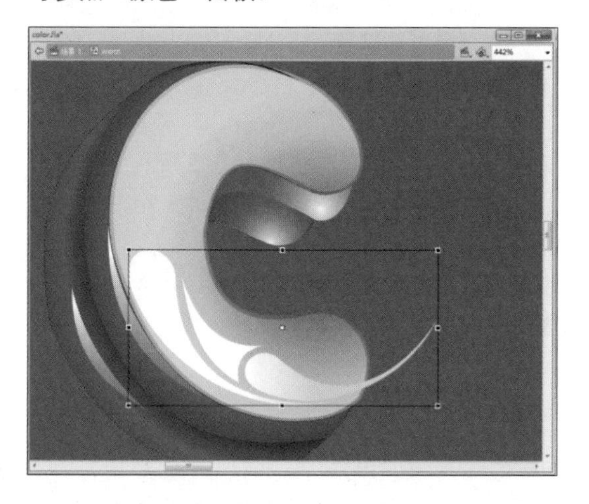

10 用同样的方法在C形的上端绘制花纹图案。其具体操作可参考步骤9，颜色设置与C形的下端图案相同。

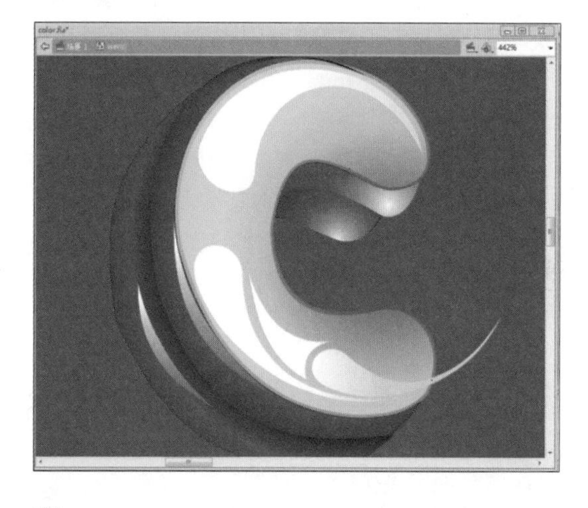

11 至此字母C绘制完成。参照字母C的绘制方法制作其他字母的立体效果。

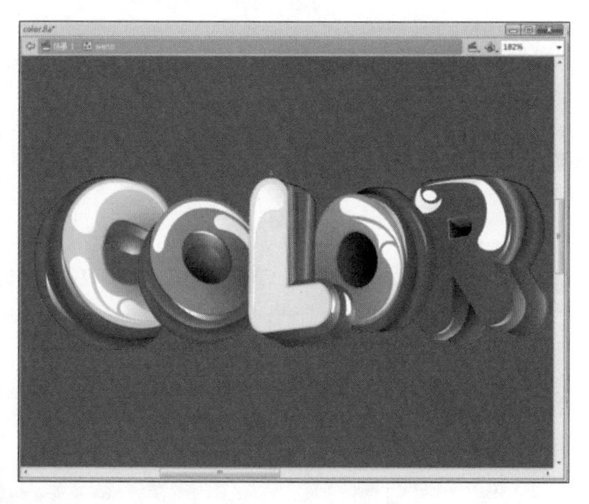

12 返回主场景，将素材元件moji拖曳至编辑区域。

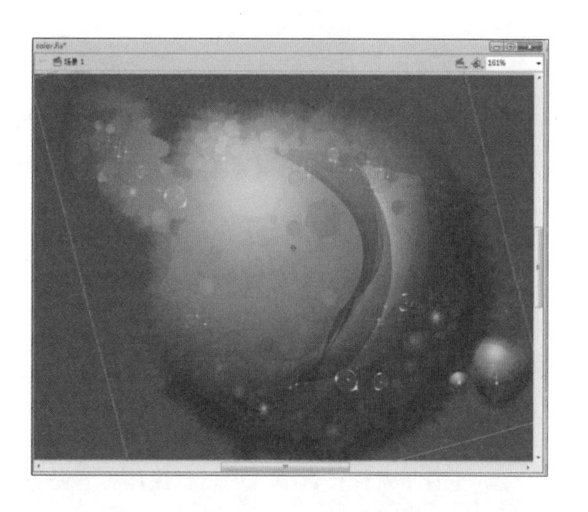

13 选择图形元件 moji，打开“属性”面板中的“色彩效果”栏，将其样式设为“色调”，颜色值设为黄色。

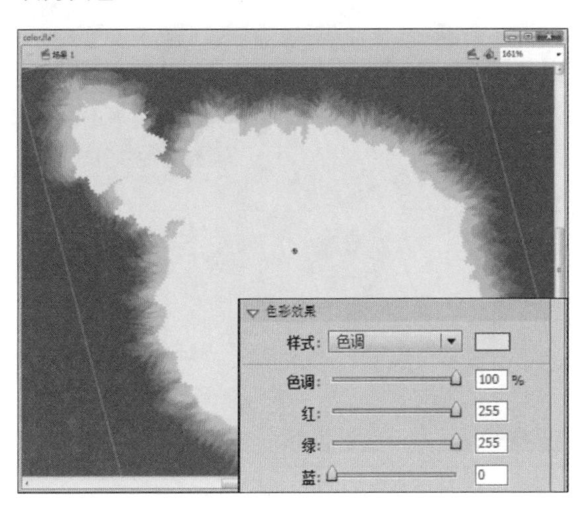

14 依次将各元件拖曳至编辑区域，并对其位置进行适当调整。最后按下【Ctrl + S】组合键保存该文档。

5.4 设置文本属性

在 Flash CS5 中，可以设置文本的字体和段落属性。字体属性包括字体系列、磅值、样式、颜色、字母间距、自动字距微调和字符位置。段落属性包括对齐、边距、缩进和行距。

静态文本的字体轮廓将导出到发布的 SWF 文件中。对于水平静态文本，可以使用设备字体，而不必导出字体轮廓。

对于动态文本或输入文本，Flash 存储字体的名称，Flash Player 在用户系统上查找相同或相似的字体。也可以将字体轮廓嵌入到动态或输入文本字段中。嵌入的字体轮廓可能会增加文件大小，但可确保用户获得正确的字体信息。

创建新文本时，Flash 使用“属性”面板中当前设置的文本属性。选择现有的文本时，可以使用“属性”面板更改字体或段落属性，并指示 Flash 使用设备字体而不使用嵌入字体轮廓信息。

5.4.1 设置文本的基本属性

在 Flash CS5 中，通过“属性”面板可以设置文本的基本属性，如字体的系列、样式、大小、字母间距等，如下图所示。

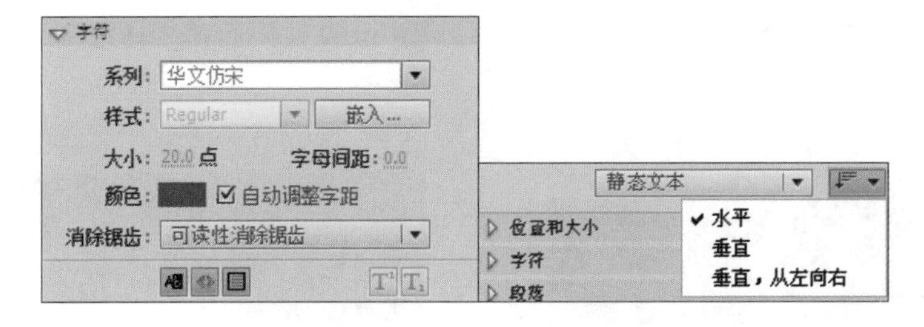

5.4.2 设置文本方向

在 Flash CS5 中，可以通过单击“属性”面板中“静态文本”选项右侧的“改变文本方向”按钮，在弹出的下拉列表框中选择相应的命令，如下图所示，即可改变文本的方向。需要注意的是只有静态文本和 TLF 文本才能设置文本方向，其他文本禁用。

在“改变文本方向”按钮的下拉列表框中，各命令的含义分别如下。

（1）水平：选择该选项，可以使用文本从左向右水平排列（该选项为默认设置）。

（2）垂直：选择该选项，可以创建从右向左垂直排列的文本，如下左图所示。

（3）垂直，从左向右：选择该选项，可以创建从左向右垂直排列的文本，如下右图所示。

5.4.3 设置段落文本属性

在 Flash CS5 中，用户可以在“属性”面板的“段落”选项区域中设置段落文本的缩进、行距、左边距和右边距等。其中边距决定文本字段的边框与文本之间的间隔量。缩进决定段落边界与首行开头之间的距离。行距决定段落中相邻行之间的距离。对于垂直文本，行距将调整各个垂直列之间的距离。在“行为”下拉列表框中可设置单行、多行和多行不换行，如下右图所示。

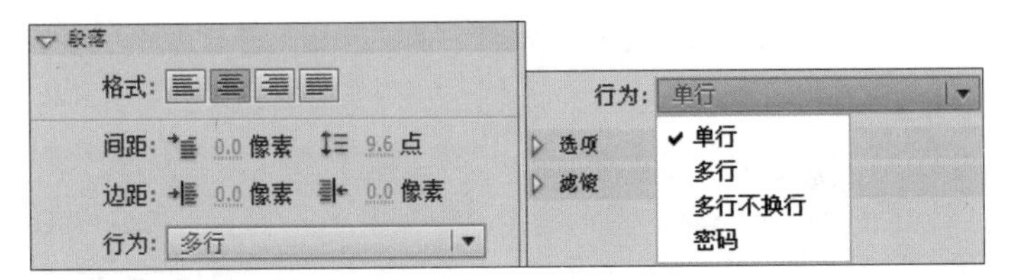

5.4.4 设置文本对齐方式

在 Flash CS5 中，设置文本的对齐方式可以分为水平文本和垂直文本两种对齐方式。

如创建水平文本，在“属性”面板的“段落”选项区域中，可以通过单击“左对齐”按钮、“居中对齐”按钮、“右对齐”按钮和“两端对齐”按钮这 4 种按钮，来设置水平文本的对齐方式，各按钮的含义分别如下。

（1）“左对齐”按钮：单击该按钮，可以将文本框内的文字相对于文本框的水平位置左对齐。左对齐是文本默认的对齐方式，其对齐效果如下左图所示。

（2）“居中对齐”按钮：单击该按钮，可以将文本框内的文字相对于文本框的水平位置居中对齐，其效果如下右图所示。

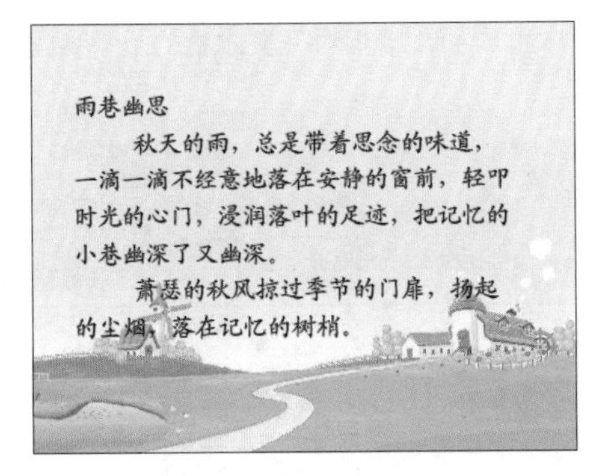

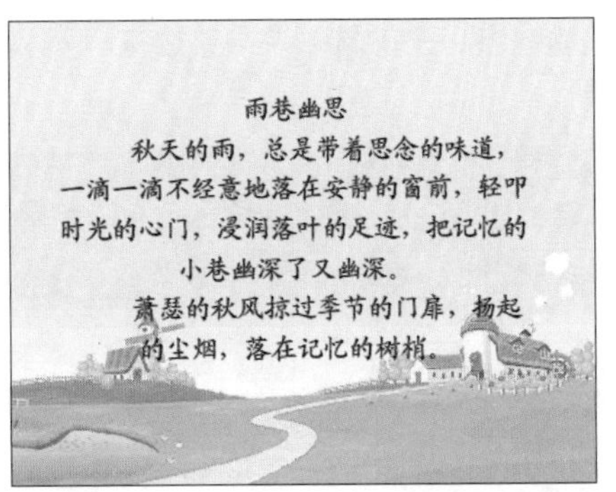

（3）“右对齐”钮：单击该按钮，可以将文本框内的文字相对于文本框的水平位置右对齐，其效果如下左图所示。

（4）“两端对齐”按钮：单击该按钮，可以将文本框内的文字相对于文本框的左右两端对齐，其效果如下右图所示。

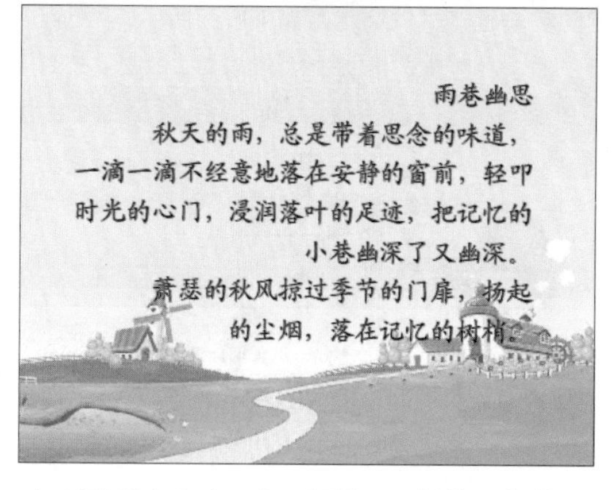

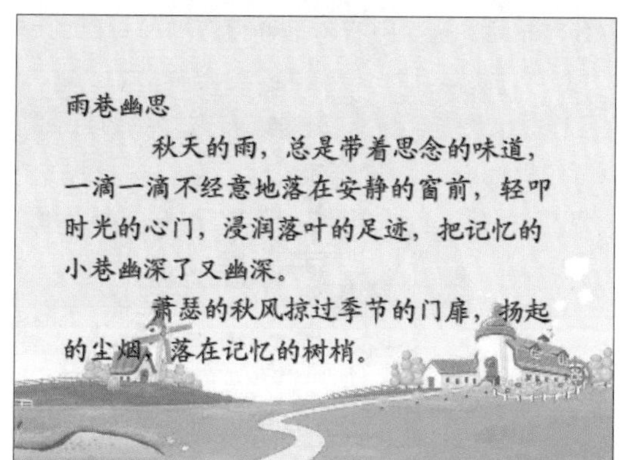

如创建垂直文本，在“属性”面板的“段落”选项区域中，可以通过单击“顶对齐”按钮、“居中”按钮、“底对齐”按钮和“两端对齐”按钮这 4 种按钮，来设置垂直文本的对齐方式，各按钮的含义分别如下。

（1）“顶对齐”按钮：单击该按钮，可以将文本框内的文字相对于文本框的垂直位置顶对齐。顶对齐是文本默认的对齐方式，其效果如下左图所示。

（2）“居中”按钮：单击该按钮，可以将文本框内的文字相对于文本框的垂直位置居中对齐，其效果如下右图所示。

（3）“底对齐”按钮：单击该按钮，可以将文本框内的文字相对于文本框的垂直位置底对齐，其效果如下左图所示。

（4）“两端对齐”按钮：单击该按钮，可以将文本框内的文字相对于文本框的上下两端对齐，其效果如下右图所示。

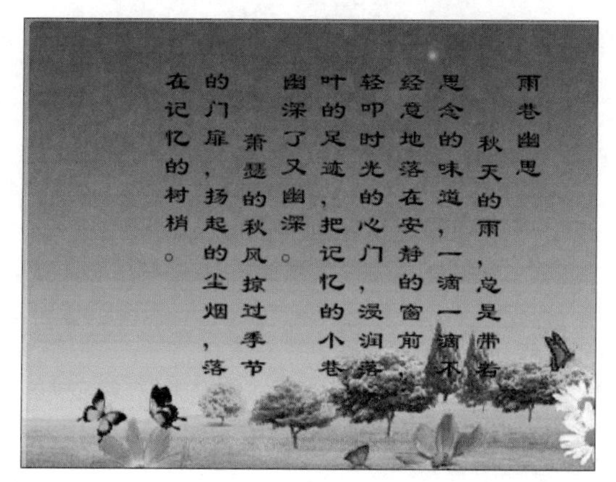

5.5 变形文本

在 Flash CS5 中，也可以像变形其他对象一样对文本进行变形操作。在进行动画创作过程中，可对文本进行缩放、旋转、倾斜等操作，通过将文本转换为图形，制作出更丰富的变形文字。

5.5.1 整体缩放文本

在 Flash CS5 中，除了在“属性”面板中设置字体的大小改变文本的大小之外，还可以使用任意变形工具或执行“修改 > 变形”命令整体对文本进行缩放变形。

文字输入好后，会形成一个文字框，可以使用任意变形工具进行缩放。使用任意变形工具，选中文本框，此时文本框周围出现 8 个方形控制点，将鼠标顺着箭头方向拖动文字框上的控制点，就可以自由地缩放文字了，如右图所示。

5.5.2 旋转与倾斜文本

在 Flash CS5 中，将鼠标指针放置在以任意变形工具选择的文本块变形框的不同控制点上时，鼠标指针的形状也会发生变化。将鼠标指针放置在变形框的 4 个角的控制点上，当鼠标指针变为形状时，可以旋转文本块；将鼠标指针放置在变形框左右两边中间的控制点上，当鼠标指针变为形状时，可以上下倾斜文本块；将鼠标指针放置在变形框上下两边中间的控制点上，当鼠标指针变为形状时，可以左右倾斜文本块，如下图所示。

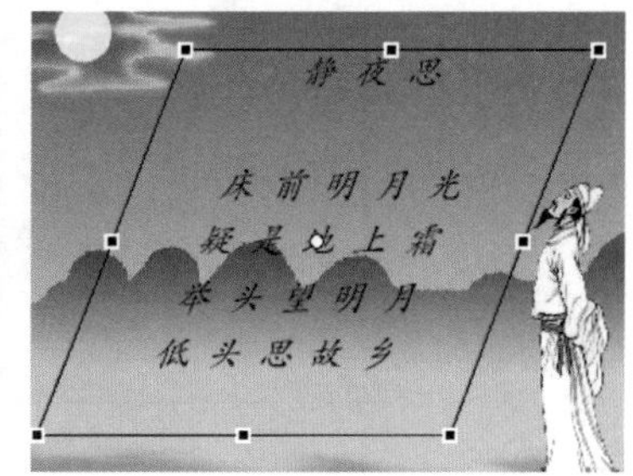

5.5.3 将文本转换为图形

在 Flash CS5 中，可以对文本进行一些更为复杂的变形操作，通过执行“修改 > 分离”命令，可以将文本转换为图形，然后通过扭曲、封套、变形文字的某个笔画、填色等操作，制作出更丰富的文字效果。

若要给文字添上渐变色，就要先打散文字对象，使用“分离”命令或按下【Ctrl + B】组合键将文字打散开，如下左图所示。然后再次使用该命令，效果如下中图所示。接着给文字填充颜色，选择工具箱中的颜料桶工具，在“属性”面板中选择要填充的颜色，这时文字就被填充了颜色。

5.6 课堂练习——制作变形文字

原始文件	无
最终文件	第5章\5.6\变形文字\变形文字.fla
注意事项	文本内容的属性设置及打散操作，这将对变形文字的制作起着决定性作用
核心知识	熟练掌握并应用文本工具

本节将以变形文字的制作为例展开介绍。在动画作品中，常常会发现一些非常漂亮的字，但是用文本工具T又不能直接制作出来，这样的文字一般都是通过变形制作的。

01 新建一个 Flash 文档，并设置其属性：尺寸为 450 像素 ×600 像素，帧频为 24，将素材 image 图片导入到库中。

02 新建图形元件 zi，选择文本工具T在编辑区域输入文本内容“带梦想去远航”。

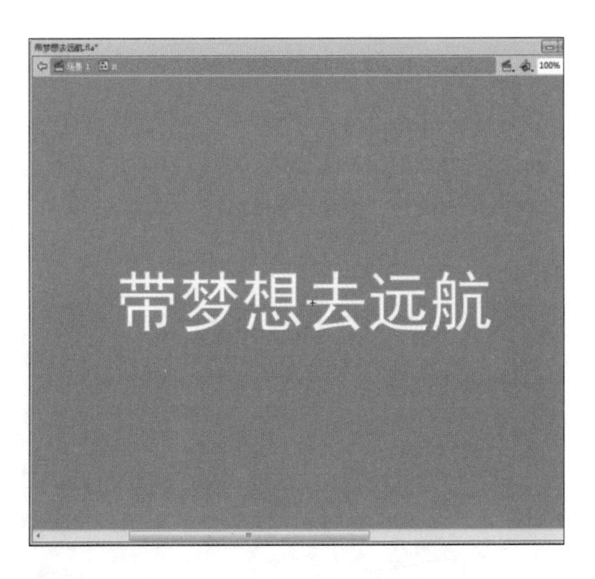

03 选中文本，打开其“属性”面板将文本方向设为垂直。

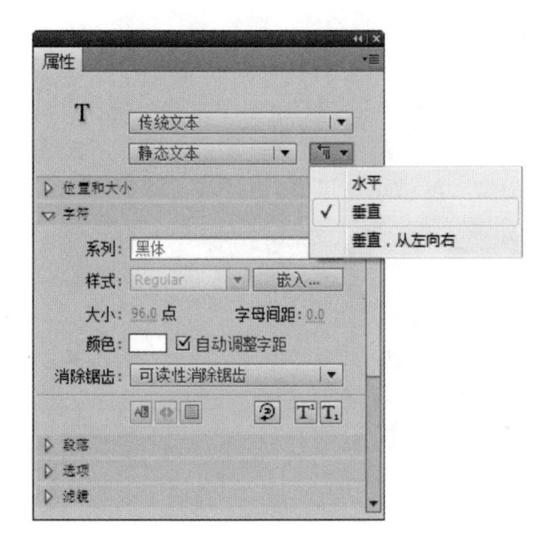

04 保持文本为选择状态，按下两次【Ctrl + B】组合键，将文本分离为图形。

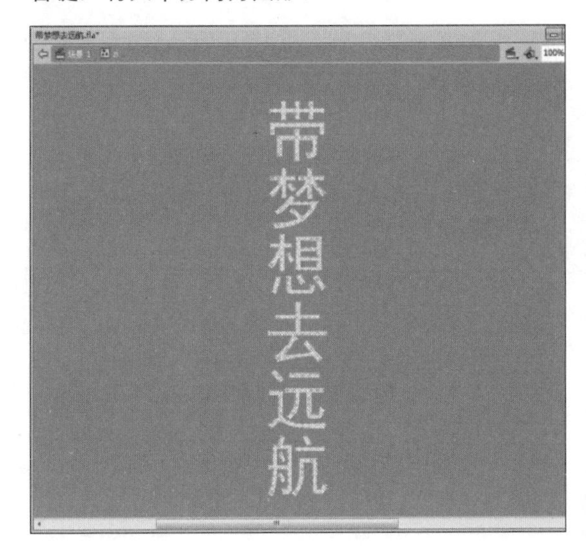

05 使用钢笔工具，按住【Ctrl】键，修饰“远”字的左下部分，改变其轮廓形状。

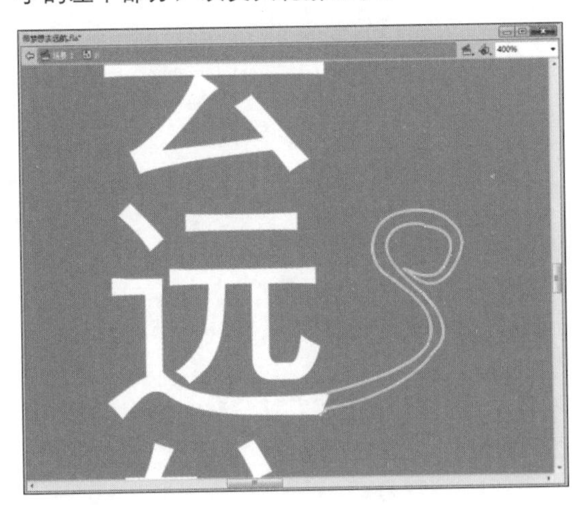

06 使用钢笔工具，通过添加锚点工具和转换锚点工具，并调整锚点的位置，完成轮廓的调整。

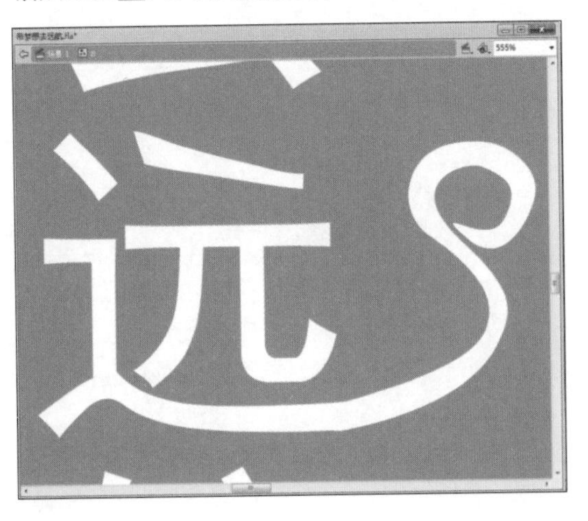

07 至此，“远”字的变形就完成了。用同样的方法依次对其他文字图形进行变形。

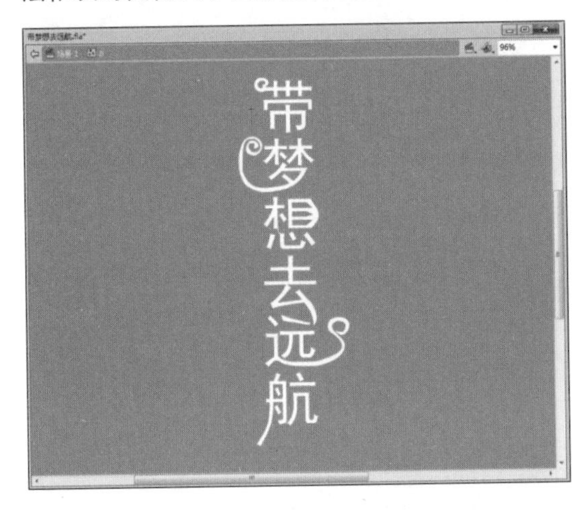

08 选中所有文字，打开颜色面板，对其填充颜色，填充类型为线性渐变，色值设置可参照“颜色”面板。

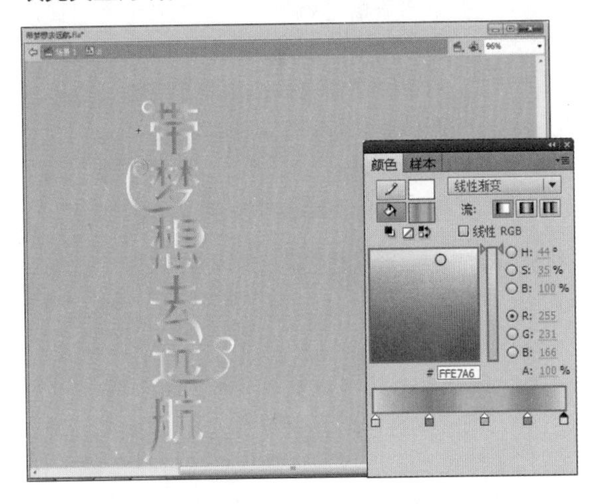

09 选择墨水瓶工具，颜色设置为白色，并设置其笔触大小，分别在图像文本上单击，为文本描边。

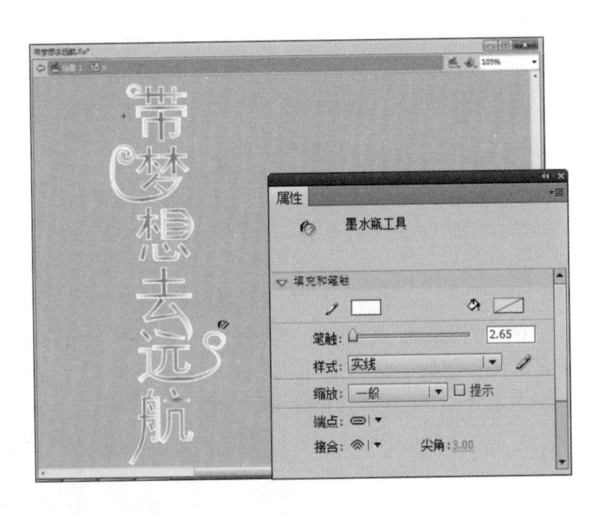

10 返回主场景，将各元件拖曳至舞台，并调整其大小及位置，将 image 最后按下【Ctrl + S】组合键保存该文件。

拓展项目练习

通过本章的学习，读者对文本的编辑操作有了一定的了解，为了巩固所学知识，下面通过如下练习对本章中的一些重点内容进行考查。

一、选择题

（1）在设置动态文本和输入文本的线条类型时，选择（ ）选项可以在多行中显示文本，但只在最后一个字符是换行字符时才会换行。

A. 多行　　B. 单行　　C. 多行不换行　　D. 以上都错误

（2）创建了一个文本对象后即可对其进行（ ）操作。

A. 分离文本　　B. 变形文本　　C. 填充文本　　D. 以上都可以

（3）在 Flash 中，若要将文本转换为图形并填充颜色时，需要（ ）次分离操作。

A. 1　　B. 2　　C. 3　　D. 0

（4）当检查拼写功能指出在指定的词典中未找到某个单词时，不能作为处理该单词的方式是（ ）。

A. 选择建议的单词以用于更改所指出的单词

B. 忽略所指出的单词或在所有地方出现的该单词

C. 删除所指出的单词

D. 不更改所指出的单词或在所有地方出现的该单词

（5）通过“字体映射”对话框可以（ ）。

A. 添加映射为缺少字体的替换字体

B. 删除映射为缺少字体的替换字体

C. 更改映射为缺少字体的替换字体

D. 更改已经保存在系统中的 Flash 中映射的所有替换字体

二、填空题

（1）在 Flash 中可以创建 3 种传统文本：________、________和________。

（2）使用字符间距可以调整________的间距。

（3）通过________功能可以查找和替换 Flash 文档中的指定元素。

（4）当系统中缺少 Flash 文档所需的字体时，若确定要选择替换字体，将会出现________对话框。

三、操作题

（1）创建一个无高度限制可以扩展的垂直文本框，在其中输入任意内容。

（2）将文本设置为 45 磅大小的加粗仿宋体字。

（3）将一个文本块中的文本分离为形状并填充颜色，如下图所示。

牵手于悠长的古巷，白衣素裙在风中遗落一路的清香。十指相扣的心灵，化蝶翩飞于柔软时光。

依旧是江南的古巷，依旧是阶上苔痕寂寞红墙。轻握一把惆怅，隔尘相望，依然是，岁月流转，一路风尘两茫茫。

牵手于悠长的古巷，白衣素裙在风中遗落一路的清香。十指相扣的心灵，化蝶翩飞于柔软时光。

依旧是江南的古巷，依旧是阶上苔痕寂寞红墙。轻握一把惆怅，隔尘相望，依然是，岁月流转，一路风尘两茫茫。

动画设计锦囊

学会了如何创建各种类型的文本及如何设置文本的属性后，为了制作更加令人满意的动画效果，还需要掌握如何对其进行编辑操作。下面将介绍有关文本编辑的技巧。

1. 分离文本

通常输入的文本不是矢量对象，因此，用户不能对其进行填色、变形等操作。要执行这些操作，就需要先将其转换为矢量对象，方法如下。

（1）选择工具箱中的文本工具T，在舞台上输入“分离文本”字样，如下左图所示。

（2）执行“修改 > 分离”命令，或者按下【Ctrl + B】组合键，将文本拆分为如下左图效果，这时用户可以对单个字进行编辑。

（3）再次执行步骤（2）的操作，效果如下中图所示。这时每一个字都被转换成了矢量对象，用户可以对其进行任何操作，如填充颜色（如下右图所示）等。

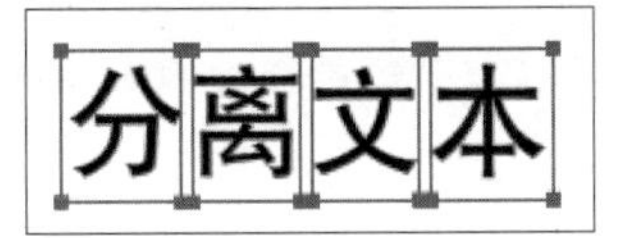

2. 特效

在 Flash 中，对于文本的效果处理，可以通过“属性”面板添加滤镜，滤镜效果包括模糊、投影、发光、渐变等。

下面以模糊特效为例。

（1）选择工具箱中的文本工具T，在舞台上输入“文本模糊”字样，如下左图所示。

（2）选中文本后，在“属性”面板中，单击“添加滤镜”按钮，在弹出的菜单中选择“模糊”命令，效果如下中图所示。在“模糊”效果设置中可以通过改变参数进一步改变“模糊”的效果，如下右图所示。

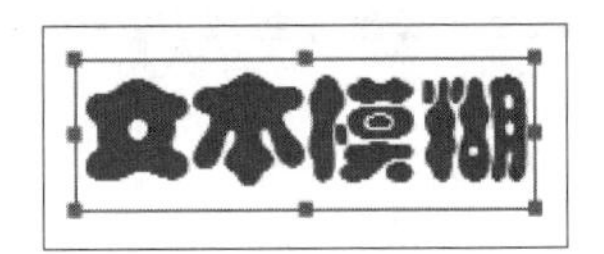

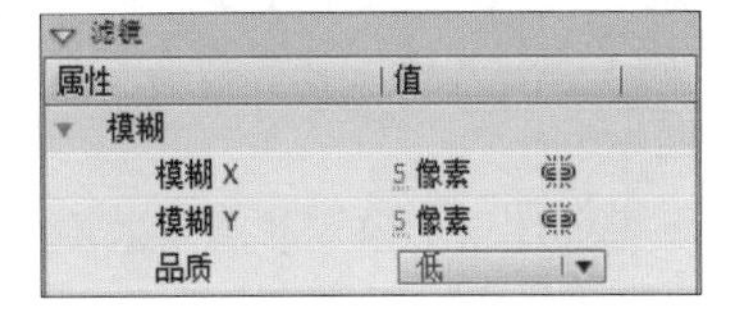

另外，对同一个对象可以应用多种滤镜效果。

3. 检查拼写

执行“文本 > 检查拼写”命令，检查文本的拼写是否正确，当正确无误时会弹出一个检查完毕的对话框。当拼写有误时，则弹出“检查拼写”对话框，显示错误的地方，然后等待用户做出处理，如右图所示，其中各选项含义如下。

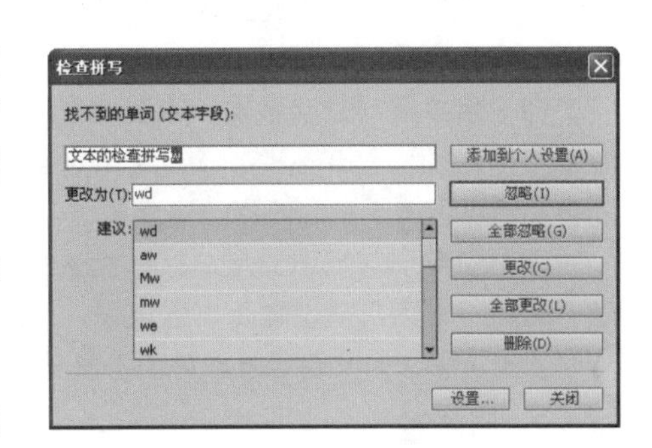

（1）单击“添加到个人设置”按钮，可以将该单词添加到用户的个人字典中。

（2）单击“忽略”按钮，可以保持该单词不变。

（3）单击“全部忽略”按钮，可以将所有在文档中出现的该单词保持不变。

（4）在“更改”文本框中输入一个单词或从“建议”列表中选择一个单词，然后单击“更改”按钮更改该单词，或单击“全部更改”按钮更改所有在文档中出现的该单词。

（5）单击“删除”按钮将从文档中删除该单词。

（6）单击“设置”按钮或在 Flash 编辑窗口中执行“文本 > 拼写设置”命令，将开启“拼写设置”对话框，进一步进行设置。

Chapter 06 Flash 图层和时间轴应用

设计师指导

时间轴是Flash中最核心的部分，所有动画的播放顺序、动作行为、控制命令及声音等，都是在此编排的。图层是时间轴的一部分，在一个完整的动画中，会用到多个图层，每个图层分别控制不同的动画效果。本章将介绍图层和时间轴的功能特点，以及在制作动画中的具体应用。

核心知识点

❶ 了解图层和时间轴的概念
❷ 熟练掌握图层的基本操作
❸ 了解图层文件夹的创建与管理
❹ 掌握Flash中3种类型的帧，包括普通帧、关键帧和空白关键帧
❺ 掌握帧的编辑操作

6.1 图层和时间轴的概念

图层与时间轴是 Flash 动画制作中的重要组成部分。下面将详细介绍 Flash 中的图层与时间轴。

1. 图层

使用图层有助于内容的整理。每个图层上都可以包含任何数量的对象，这些对象在该图层上又有自己内部的层叠顺序。图层中可以加入文本、图片、表格、插件，组成一幅幅复杂丰富的画面。在 Flash 中，每个图层都是相互独立的，拥有独立的时间轴和独立的帧，可以在一个图层上任意修改图层中的内容而不会影响到其他图层的内容。

当创建了一个新的 Flash 文档之后，时间轴中仅包含一个图层。根据需要，用户可自行添加更多图层，以便在文档中组织和管理对象。用户可以对图层进行各种操作，如添加图层、切换图层的状态、更改图层的类型及使用图层的特殊功能制作出特殊效果等。

在 Flash CS5 中，图层可分为 6 种类型，如右图所示，各类型的含义如下。

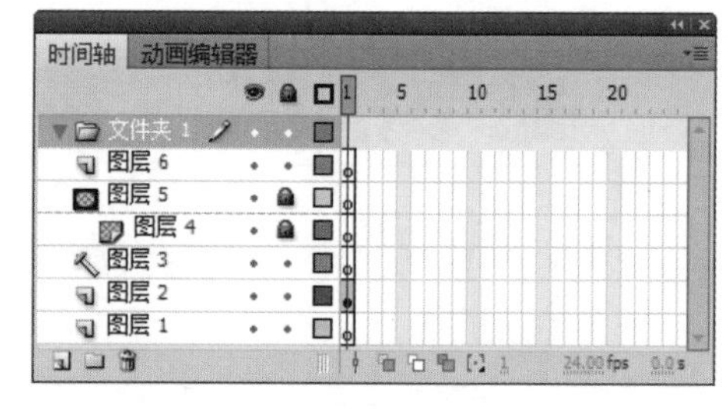

（1）普通图层：普通状态下的图层，是最常见的层，用来显示动画的内容。

（2）文件夹层：文件夹层可以将层分组，被放到同一个文件夹中的层可以作为整体来设置显示模式，而且还可以收起来，节省界面空间。

（3）遮罩层与被遮罩层：放置遮罩的图层，其作用是可以对下一图层（即被遮罩层）进行遮盖。在遮罩层中可以绘制出各种形状，无论这些形状填充什么颜色都没有关系，因为只有这些形状所在的位置才会显示被遮罩层中的内容。被遮罩层与遮罩层是相对应的。

（4）引导层与被引导层：这种类型的图层可以设置引导线，用来引导被引导层中的图形依照引导线进行移动。当图层被设置为引导层时，在图层名称的前面会出现一个引导形状的图标，此时该引导层下方的图层被默认为被引导层。被引导层与引导层是相对应的。

2. 时间轴

时间轴用于组织和控制一定时间内的图层和帧中的文档内容。与胶片一样，Flash 文档也将时长分为帧。图层就像堆叠在一起的多张幻灯胶片一样，每个图层都包含一个显示在舞台中的不同图像。时间轴的主要组件是图层、帧和播放头。

在时间轴的左侧为“图层查看”区，右侧为“帧查看”区。时间轴顶部的时间轴标题指示帧编号。播放头指示当前在舞台中显示的帧。播放文档时，播放头从左向右通过时间轴。在时间轴底部显示的时间轴状态指示所选的帧编号、当前帧速率及到当前帧为止的运行时间。

在 Flash CS5 中，“时间轴”面板是创建动画的基础面板，选择“窗口 > 时间轴”命令，或按下【Ctrl + Alt + T】组合键，即可打开“时间轴”面板，如右图所示。

在“时间轴”面板中，各主要选项的含义如下。

（1）图层：可以在不同的图层中放置相应的对象，从而产生层次丰富、变化多样的动画效果。

（2）播放头：用于表示动画当前所在帧的位置。

（3）关键帧：指时间轴中用于放置对象的帧，黑色的实心圆表示已经有内容的关键帧，空心圆表示没有内容的关键帧，也称为空白关键帧。

（4）当前帧：指播放头当前所在的帧位置。

（5）帧频率：指当前动画每秒钟播放的帧数。

（6）运时时间：指播放到当前位置所需要的时间。

（7）帧标尺：指显示时间轴中的帧所使用时间长度标尺，每一格表示一帧。

提 示

在播放动画时，将显示实际的帧频；如果计算机不能足够快地计算和显示动画，则该帧频可能与文档的帧频设置不一致。

6.2 图层的基本操作

使用图层可以很好地对舞台中的各个对象分类组织，并且可以将动画中的静态元素和动态元素分割开来，减少整个动画文件的大小。下面将介绍创建、命名、选择、删除、复制、排列图层顺序等基本操作的具体方法。

6.2.1 创建图层

新创建一个 Flash 文件时，Flash 会自动创建一个图层，并命名为“图层 1”。此后，如果需要添加新的图层，可以使用以下 3 种方法。

（1）选择“插入 > 时间轴 > 图层”命令。

（2）在“图层”编辑区选择已有的图层，右击，在弹出的快捷菜单中选择“插入图层”命令。

（3）单击“图层”编辑区中的“新建图层”按钮。

6.2.2 命名图层

Flash 默认的图层名是以“图层 1”、“图层 2”等命名的，为了便于区分各图层放置的内容，可为各图层取一个直观好记的名称，这就需要对图层进行重命名。

重命名图层有以下 3 种方法。

（1）在图层名称上双击，使其进入编辑状态，在文本框中输入新名称，如下图所示。

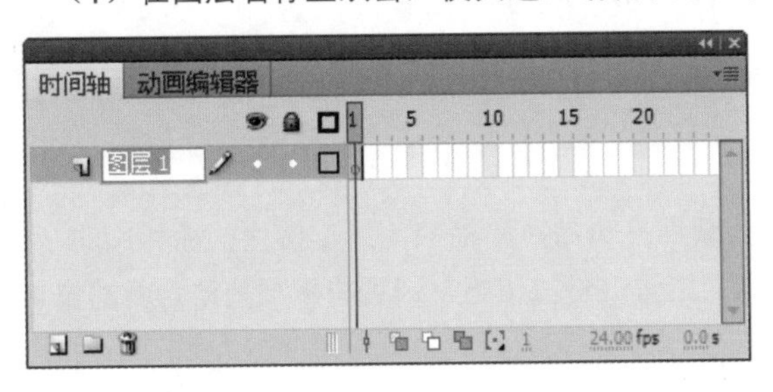

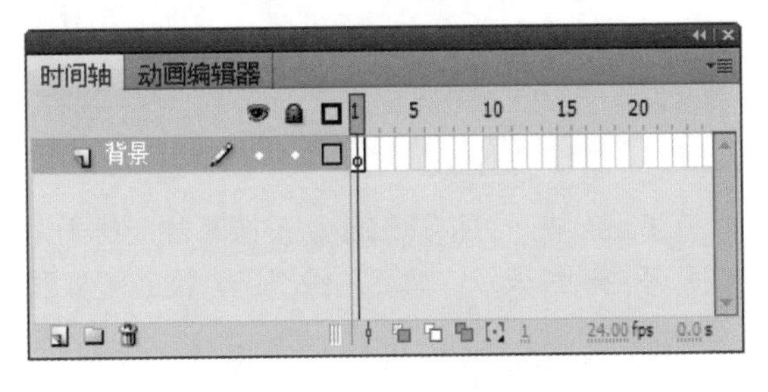

（2）选择要重命名的图层并右击，在弹出的快捷菜单中选择“属性”命令，打开“图层属性”对话框。在“名称”文本框中输入名称，然后单击“确定”按钮，即可为图层重命名。

（3）选择要重命名的图层，选择“修改 > 时间轴 > 图层属性”命令，在打开的“图层属性”对话框中也可以对图层重命名。

6.2.3 选择图层

选择图层包括选择单个图层、相邻的多个图层、不相邻的多个图层 3 种方式。在 Flash CS5 中，选择单个图层有以下 3 种方法。

（1）在时间轴的“图层查看”区中的某个图层上单击，即可将其选择。

（2）在时间轴的“帧查看”区的帧格上单击，即可选择该帧所对应的图层。

（3）在舞台上单击要选择图层中所含的对象，即可选择该图层。

6.2.4 删除图层

对于不需要的图层上的内容，可以将其删除，方法主要有以下 3 种。

（1）选择要删除的图层，按住鼠标左键不放，将其拖曳到“删除”按钮上，释放鼠标即可删除所选图层。

（2）选择要删除的图层，然后单击“删除”按钮，即可将选择的图层删除。

（3）选择要删除的图层，右击，在弹出的快捷菜单中选择“删除图层”命令。

6.2.5 复制图层

在 Flash CS5 中，要想复制某图层中的内容，可先选择要复制的图层。执行“编辑 > 时间轴 > 复制帧”命令或在要复制的帧上右击，在弹出的快捷菜单中选择“复制帧”命令，如下左图所示。然后选择要粘贴帧的新图层，执行“编辑 > 时间轴 > 粘贴帧”命令，或在要粘贴的帧上右击，在弹出的快捷菜单中选择“粘贴帧”命令，如下右图所示，即可将图层中的内容进行复制。

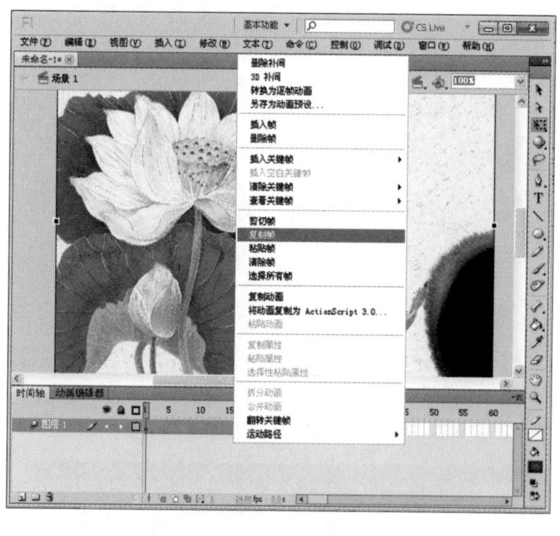

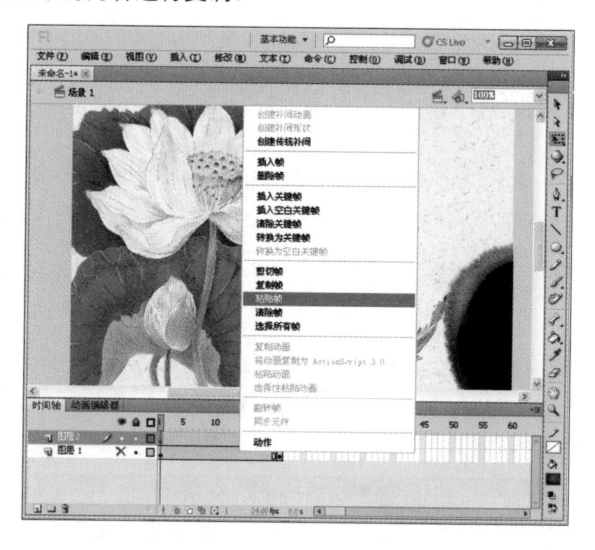

6.2.6 排列图层顺序

在 Flash 中，可以通过移动图层来重新排列图层的顺序。选择要移动的图层，按住鼠标并拖动，图层以一条粗横线表示，如下左图所示。拖动图层到相应的位置，释放鼠标，即可将图层拖动到新的位置，如下右图所示。

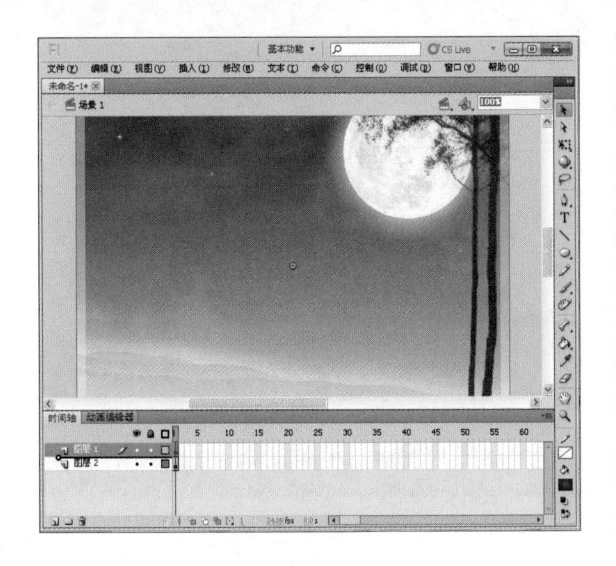

6.3 查看图层的状态

在 Flash CS5 中，可以查看图层的当前状态，并可以显示或隐藏图层、锁定图层及显示图层的轮廓。下面分别介绍这几种图层状态的特点及应用。

6.3.1 显示与隐藏图层

当舞台上的对象太多，操作起来感觉纷繁杂乱、无从下手，但又不能删除舞台上的对象时，可以将部分图层隐藏。这样舞台会显得更有条理，操作起来更加方便明了。隐藏和显示图层有以下 3 种方法。

（1）单击图层名称右侧的隐藏栏即可隐藏图层，隐藏的图层上将标记一个✕符号，再次单击隐藏栏则显示图层。

（2）单击“显示 / 隐藏所有图层“按钮，可以将所有的图层隐藏，再次单击该按钮则显示所有图层。图层被隐藏后不能对其进行编辑。

（3）在图层的隐藏栏上下拖动鼠标，可以隐藏多个图层或取消隐藏多个图层。

6.3.2 锁定图层

在 Flash CS5 中，除了隐藏图层外，还可以用锁定图层的方法防止不小心修改已编辑好的图层中的内容。选定要锁定的图层，单击图标下方该层的图标，图标将变为图标，则该图层处于锁定状态，再次单击该层中的图标即可解锁。

6.3.3 显示图层的轮廓

图层处于轮廓显示时，舞台中的对象只显示其角色外的轮廓。当某个图层中的对象被另外一个图层中的对象所遮盖时，可以使遮盖层处于轮廓显示状态，以便于对当前图层进行编辑。显示轮廓有以下 3 种方法。

（1）单击某个图层中的“轮廓显示”按钮，可以使该图层中的对象以轮廓方式显示，如下左图所示。再次单击该按钮，可恢复图层中对象的正常显示，如下右图所示。

（2）单击“时间轴”面板上的“将所有对象显示为轮廓”按钮，可将所有图层上的对象显示为轮廓，再次单击可恢复显示。

（3）在轮廓线列拖曳鼠标可以使多个图层中的对象以轮廓的方式显示或恢复正常显示。

每个对象的轮廓颜色和其所在图层右侧的“将所有对象显示为轮廓”图标的颜色相同，这样就可以一眼看出哪个对象属于哪个图层，从而方便影片的操作。

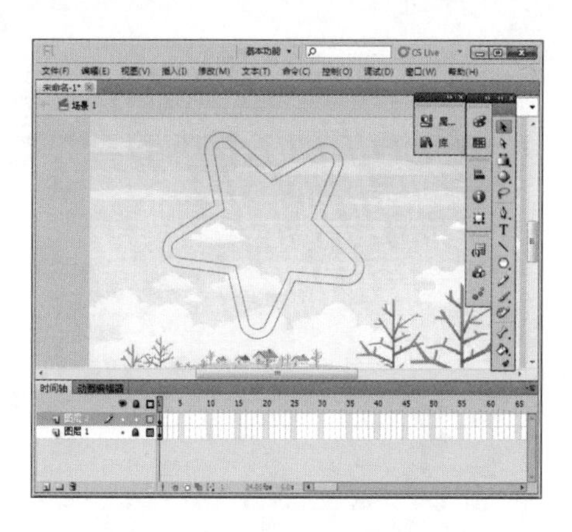

6.4 课堂练习——图层的应用

原始文件	无
最终文件	第6章\6.4\童话世界\童话世界.fla
注意事项	图层顺序的不同，将会影响到整个动画的效果
核心知识	熟练并掌握图层的创建及布置，从而制作出更具层次感的动画效果

下面将通过实例来介绍图层的有关应用。图层顺序的不同将会直接影响到整个动画的效果。

01 新建一个 Flash 文档并设置其尺寸为 1000 像素 ×400 像素，帧频为 30。然后将素材文件导入至库中。

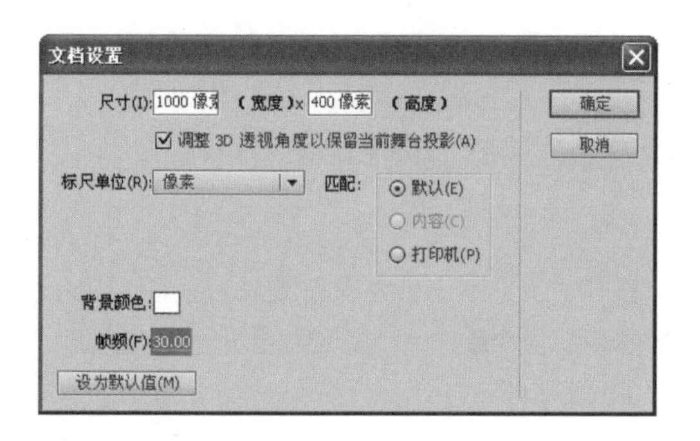

02 新建影片剪辑 sprite1，选择矩形工具在编辑区域绘制矩形，并填充渐变颜色。在第 224 帧处插入普通帧。

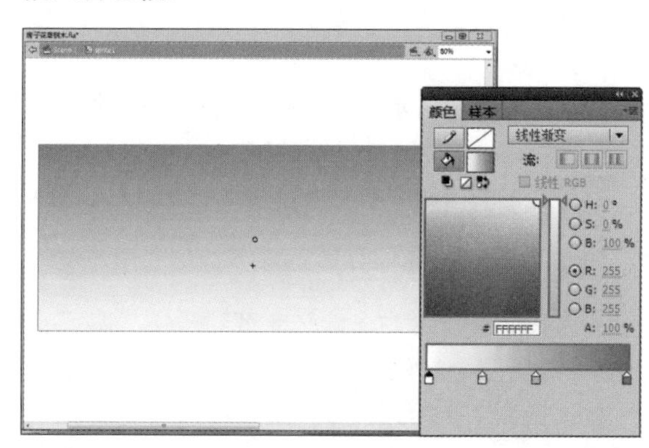

03 新建图层 2，将素材元件 caihong 拖曳至编辑区域。打开属性面板将其 Alpha 值设为 31%。在第 224 帧处插入普通帧。

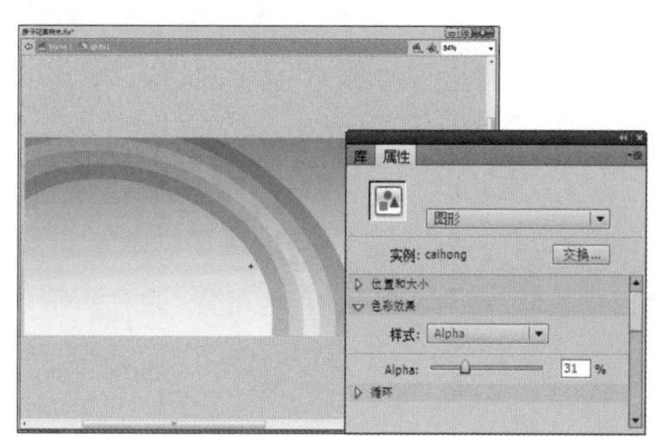

04 新建图层 3，将素材元件 shape1 拖曳至编辑区域合适位置，之后在第 224 帧处插入普通帧。

05 新建图层 4，将素材元件 sprite2 拖曳至编辑区域，并调整其位置。同样，在第 224 帧处插入普通帧。

06 新建图层 5，制作花瓣飘动效果。在第 120 帧处插入关键帧，将素材元件 shape2 拖曳至编辑区域，并将该元件的 Alpha 设为 0%。

07 在第 122 帧处插入关键帧，将元件 shape2 向前移动数个单位。在第 163 帧处插入关键，将元件 shape2 移动至中间位置，并将其 Alpha 值设为 70%。

08 以同样的方法继续制作 shape2 飘出画面之外的关键帧。制作完毕之后，在图层 5 的各个关键帧之间创建传统补间动画。

09 新建图层 6，将素材元件 sprite3 拖曳至编辑区域合适位置。然后在第 224 帧处插入普通帧。

10 新建图层 7，在第 10 帧处插入关键帧，将素材元件 fangzi 拖曳至编辑区域，并调整其大小及位置。

11 参照图层 7 的制作方法，新建多个图层，并将所需素材依次拖曳至各图层的编辑区域。要注意图层的前后顺序，以增加层次感。

12 返回主场景，将各元件拖曳至编辑区域并调整其大小与位置。最后保存该文件，并按下【Ctrl + Enter】组合键对该动画进行测试。

6.5 图层文件夹的创建与管理

图层文件夹可以使图层的组织更加有序，在图层文件夹中可以嵌套其他图层文件夹。图层文件夹可以包含任意图层，包含的图层或图层文件夹将缩进显示。

6.5.1 创建图层文件夹

通过图层文件夹，可以将图层放在一个树形结构中，这样有助于组织工作流程。要查看文件夹包含的图层而不影响在舞台中可见的图层，需展开或折叠该文件夹。文件夹中可以包含图层，也可以包含其它文件夹，可以像在计算机中组织文件一样来组织图层。

在 Flash CS5 中，新建图层文件夹有以下 3 种方法。

（1）选择“插入 > 时间轴 > 图层文件夹”命令。

（2）在“图层”编辑区中右击，在弹出的快捷菜单中选择“插入文件夹”命令。

（3）单击“图层”编辑区中的“新建文件夹”按钮。

使用以上任意一种方法，即可创建图层文件夹。

6.5.2 组织图层文件夹

当文件夹的数量增多后，可以为文件夹再添加一个上级文件夹。在 Flash CS5 中，可以像编辑图层一样，对图层文件夹进行重命名、删除、复制、排列等操作。时间轴中的图层控制将影响文件夹中的所有图层。如锁定一个图层文件夹将锁定该文件夹中的所有图层。

在 Flash CS5 中，可对图层文件夹进行以下编辑。

（1）要将图层或图层文件夹移动到图层文件夹中，可将该图层或图层文件夹的名称拖曳到目标图层文件夹的名称中。

（2）要更改图层或文件夹的顺序，可将时间轴中的一个或多个图层或文件夹拖曳到所需位置。

（3）要展开或折叠文件夹，可单击该文件夹名称左侧的三角形。

（4）要展开或折叠所有文件夹，可右击文件夹，然后在弹出的快捷菜单中选择“展开所有文件夹”或“折叠所有文件夹”命令。

6.6 分散到图层

使用“分散到图层”命令，可以自动为每个对象创建并命名新图层，并且将这些对象放置到对应的图层中。用户可以对舞台中的图形对象、实例、位图、视频剪辑和分离文本块等执行“分散到图层”命令。对于实例和位图对象，将其分散到图层后，新图层将按对象的名称命名。

在 Flash CS5 中，调用“分散到图层”命令有以下 3 种方法。

（1）选择“修改 > 时间轴 > 分散到图层”命令。

（2）按下【Ctrl ＋ Alt ＋ D】组合键。

（3）在舞台上选择在分散到图层的对象，右击，在弹出的快捷菜单中选择“分散到图层”命令。

6.7 时间轴中的帧

帧是创建动画的基础，也是构建动画最基本的元素之一。在时间轴中可以很明显地看出帧和图层是一一对应的。在时间轴中为元件设置在一定时间中显示的帧范围，然后使元件的图形内容在不同的帧中产生如大小、位置、形状等的变化，再以一定的速度从左到右播放时间轴中的帧，即可形成“动画”的视觉效果。帧在时间轴上的排列顺序决定了一个动画的播放顺序，至于每帧有哪些具体内容，则需在相应的帧的工作区域内进行制作。

6.7.1 帧的3种基本类型

在时间轴中，帧主要有两种类型，即普通帧和关键帧。其中关键帧又分为两种，一种是包含内容的关键帧，这种关键帧在时间轴中以一个实心的小黑点来表示；另一种是空白关键帧。在时间轴中不同帧的标识也不同，如下图所示。

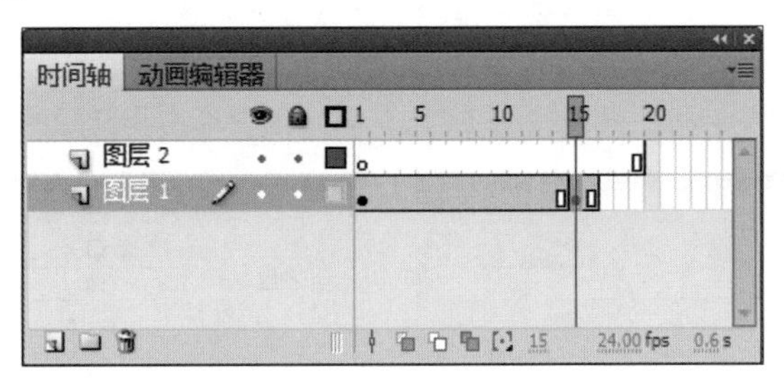

（1）普通帧：普通帧一般处于关键帧后方，其作用是延长关键帧中动画的播放时间，一个关键帧后的普通帧越多，该关键帧的播放时间越长。

（2）关键帧：关键帧是指在动画播放过程中，呈现关键性动作或关键性内容变化的帧。关键帧定义了动画的变化环节。

（3）空白关键帧：这是 Flash 中的另一种关键帧，为空白关键帧，这种关键帧在时间轴中以一个空心圆表示，该关键帧中没有任何内容，其前面最近一个关键帧中的图像只延续到该空白关键帧前面的一个普通帧。

6.7.2 设置帧频

帧频是动画播放的速度，以每秒播放的帧数（fps）为度量单位。帧频太慢会使动画看起来一顿一顿的，而帧频太快则会使动画的细节变得模糊。24fps 的帧速率是新 Flash 文档的默认设置，通常在 Web 上提供最佳效果。标准的动画速率也是 24fps。

在 Flash CS5 中，使用以下 3 种方法可以重新设置帧频。

（1）在时间轴底部的“帧频率”标签上双击，在文本框中直接输入帧频。

（2）在“文档设置”对话框的“帧频”文本框中直接设置帧频，如下左图所示。

（3）在“属性”面板的“帧频”文本框中直接输入帧的频率，如下右图所示。

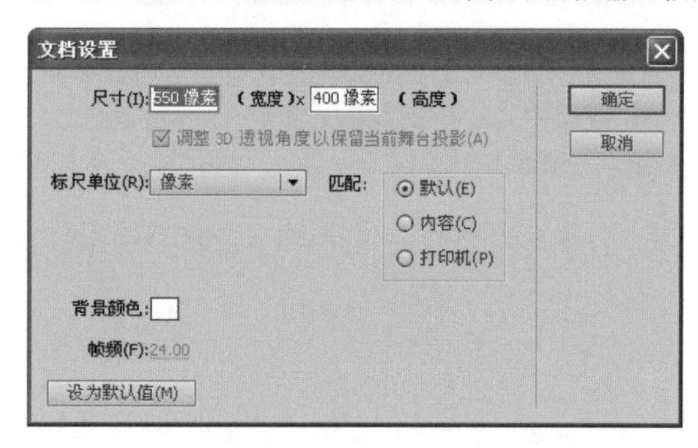

动画的复杂程度和播放动画的计算机的速度会影响回放的流畅程度。若要确定最佳帧速率，可在各种不同的计算机上测试动画。

6.8 帧的编辑操作

在 Flash CS5 中，通过编辑帧可以确定每一帧中显示的内容、动画的播放状态和播放时间等。编辑帧包括选择帧、删除帧、清除帧、复制和粘贴帧、移动帧、翻转帧等操作。

6.8.1 选择帧

在 Flash CS5 中，选择帧的方法主要有以下 3 种。

（1）若要选中单个帧，只需单击帧所在位置即可。

（2）若要选择连续的多个帧，只需按住【Shift】键然后分别选中连续帧中的第一帧和最后一帧即可，如下左图所示。

（3）若要选择不连续的多个帧，只需按住【Ctrl】键，依次单击要选择的帧即可，如下右图所示。

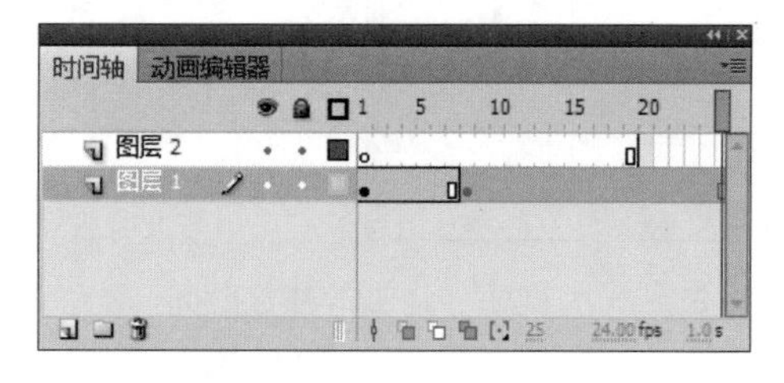

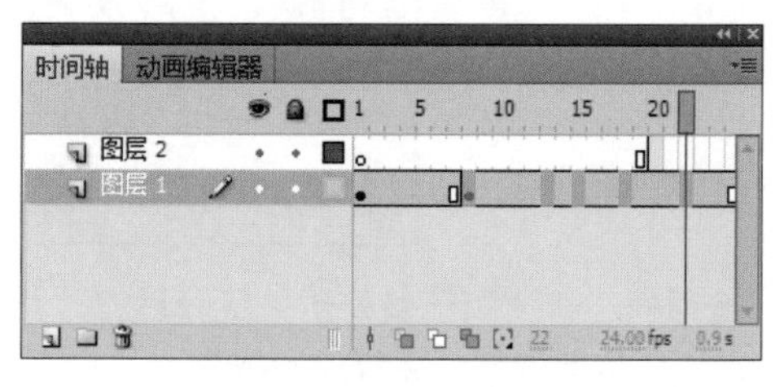

6.8.2 删除帧

在使用 Flash 制作动画的过程中，有时所创建的帧不符合要求，或者不需要某些帧中的内容时就可以对其进行删除。

在 Flash CS5 中，选择要删除的帧，在选择的帧上右击，在弹出的快捷菜单中选择“删除帧”命令或按下快捷键【Shift + F5】，即可删除选择的帧。

6.8.3 清除帧

清除关键帧可以将选中的关键帧转化为普通帧。其方法是选中要清除的关键帧，然后右击，在弹出的快捷菜单中选择“清除关键帧”命令或按下快捷键【Shift + F6】。清除帧相当于转换为空白帧，而删除帧是去掉当前帧，会使动画少一帧。

6.8.4 复制与粘贴帧

在 Flash CS5 中，复制帧的方法有以下两种。

（1）选中要复制的帧，然后按住【Alt】键将其拖曳到要复制的位置。

（2）在时间轴中右击要复制的帧，在弹出的快捷菜单中选择“复制帧”命令，然后右击目标帧，在弹出的快捷菜单中选择“粘贴帧”命令。

6.8.5 移动帧

在 Flash CS5 中，移动帧的方法有以下两种。

（1）选中要移动的帧，然后按住鼠标左键将其拖曳要移动曳的位置即可。

（2）选择要移动的帧，然后右击，在弹出的快捷菜单中选择“剪切帧”命令，然后在目标位置再次右击，在弹出的快捷菜单中选择“粘贴帧”命令。

6.8.6 翻转帧

在 Flash CS5 中，使用翻转帧的功能，可以使选择的一组帧反序，即最后一个关键帧变为第一个关键帧，第一个关键帧成为最后一个关键帧。要翻转帧，应首先选择时间轴中的某一图层上的所有帧（该图层上至少包含有两个关键帧，且位于帧序的开始和结束位置），或多个帧，然后使用以下任意一种方法即可完成翻转帧的操作。

（1）选择“修改 > 时间轴 > 翻转帧”命令。

（2）在选择的帧上右击，在弹出的快捷菜单中选择“翻转帧”命令。

6.9 课堂练习——百叶窗效果的制作

原始文件	无
最终文件	第6章\6.9\百叶窗\百叶窗.fla
注意事项	为帧添加代码时，一定要准确选择帧，否则将不能达到预期的动画效果
核心知识	熟练掌握插入普通帧、插入关键帧、选择帧等操作

下面将以百叶窗效果的制作过程为例对前面所学知识展开介绍。该示例将从不同方向打开百叶窗，从而将漂亮的风景一幅幅地展现在人们面前。

01 新建一个 Flash 文档并设置其尺寸为 518 像素 × 318 像素，帧频为 12。接着将素材导入到库中。新建影片剪辑 sprite1，在编辑区域绘制一个白色矩形。

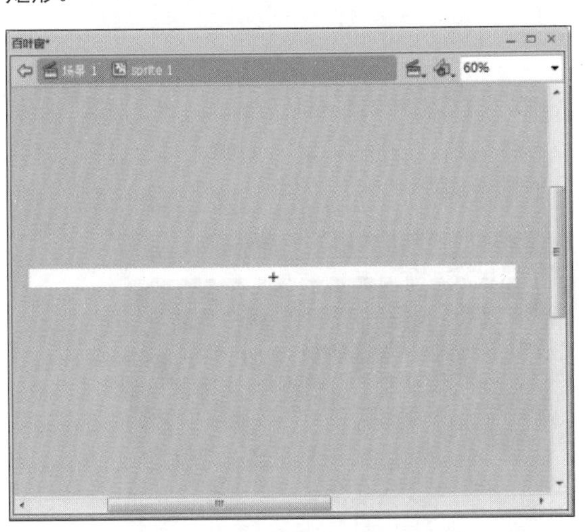

02 在第 29 帧处插入关键帧，然后对所绘图形实施变形。在第 1 ～ 29 帧间创建形状补间。在第 30 帧处插入空白关键帧并添加脚本 _root.play();。

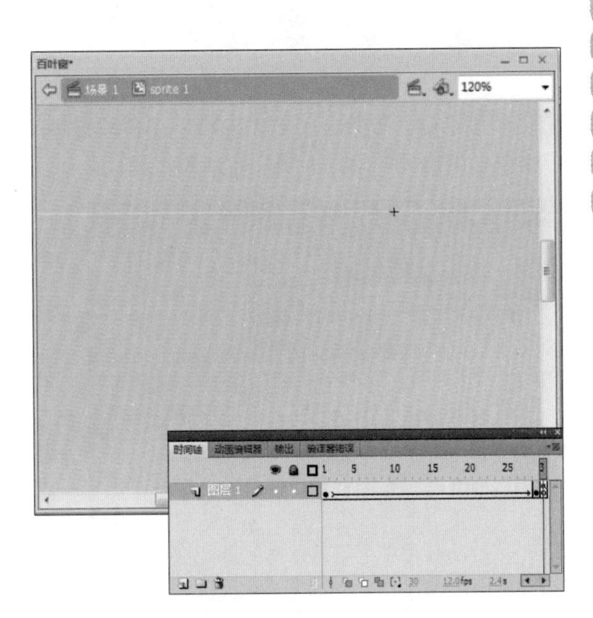

03 新建影片剪辑 sprite2，拖入元件 sprite1。新建 sprite3，将元件 sprite2 多次拖入，进行逐行排列，并改变其色彩效果。新建影片剪辑 sprite4 并拖入元件 sprite3。

04 返回主场景，在第 2 ~ 6 帧插入空白关键帧，然后依次将图片 image1 ~ image6 拖曳至各关键帧的编辑区。

05 新建图层 2，在第 2 ~ 6 帧插入空白关键帧，将图片 image1 ~ image6 依次拖至各关键帧的编辑区域。

06 新建图层 3，在第 2 ~ 6 帧处插入空白关键帧，将元件 sprite4 拖曳至各帧编辑区并调整其位置。将图层 3 设为图层 2 的遮罩层。

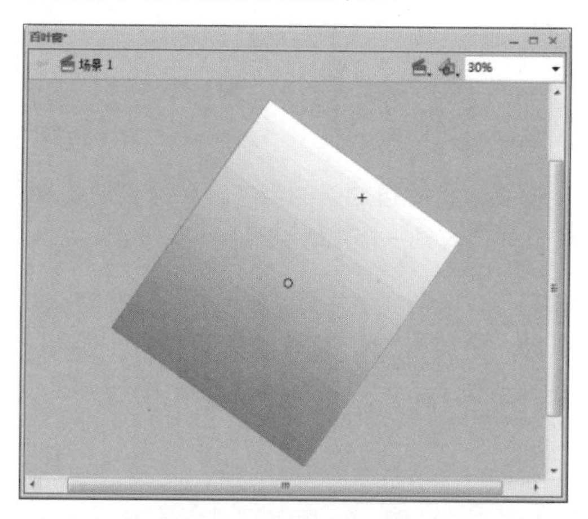

07 新建图层 4，在第 2 ~ 6 帧处插入空白关键帧，分别在各关键帧的动作面板中输入脚本 stop();。

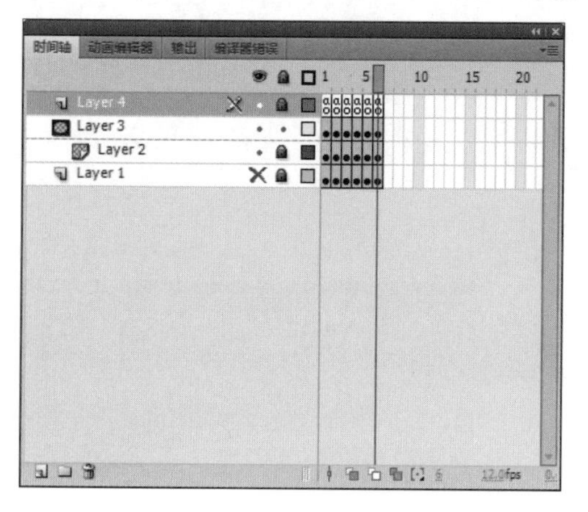

08 按下【Ctrl + S】组合键，以“百叶窗”为名称保存文件。按下【Ctrl + Enter】组合键对该动画进行测试。

拓展项目练习

通过本章的学习，读者应对图层和时间轴有了一定的了解，为了巩固所学知识，下面对本章中的一些重点知识进行考察。

一、选择题

（1）形成动画的最基本的时间单位是（　）。

A. 帧　　B. 图层　　C. 场景　　D. 时间轴

（2）插入关键帧的快捷键是（　）。

A. F5　　B. F6　　C. F7　　D. F11

（3）关键帧上出现一个红色的小旗，表明它包含一个（　）。

A. 动作代码　　B. 名称标签　　C. 注释标签　　D. 命名锚记

（4）下面是删除图层的操作，哪一个操作是错误的（　）？

A. 单击图层名称，然后单击时间轴左下角的垃圾桶按钮

B. 按住鼠标左键将图层拖曳到垃圾桶中

C. 在图层上右击，然后从弹出的快捷菜单中选择“删除图层”命令

D. 选中图层后，按下键盘上的【Delete】键

二、填空题

（1）__________、__________和__________是构成 Flash 动画最基本的三要素。

（2）总地来说，Flash 动画主要分为__________、__________和__________ 3 大类。

（3）制作动画的过程中，在某一时刻需要定义对象的某种新状态，那么这个时刻所对应的帧叫做__________。

（4）要按照主题组织文档，可以使用__________。

三、操作题

（1）建立一个 Flash 文档，将图层 1 命名为“背景”，然后在舞台中导入一幅 JPG 格式的图片，最后将图层内容扩展到第 25 帧。

（2）在第（1）题的基础上，选择最后一帧（即第 25 帧），删除它，然后新建一个图层，进行复制帧和粘贴帧操作，如下图所示。

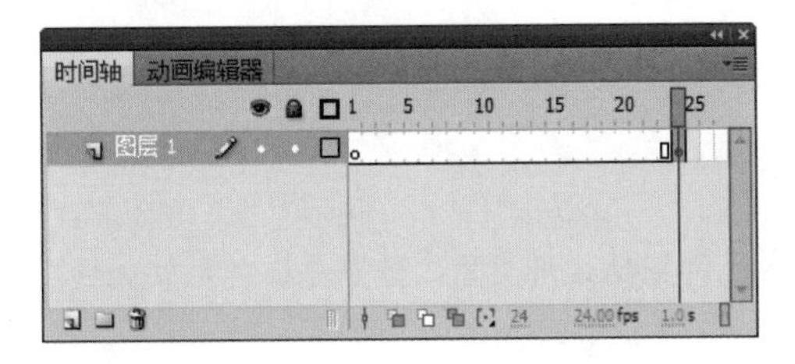

Chapter 07 元件、库、实例的应用

设计师指导

元件是存放在库中可以重复使用的图形、按钮或动画。使用元件可以使动画的编辑变得更简单。将元件从库中取出并拖曳至舞台上，就生成了一个实例。对舞台上的实例进行编辑并不会影响到“库”面板中的元件。本章将对元件、库和实例的相关知识进行详细介绍。

核心知识点

❶ 了解元件、库和实例的概念
❷ 熟练掌握元件的创建与管理
❸ 掌握元件的3种编辑方式
❹ 掌握实例的创建与管理
❺ 认识“库”面板
❻ 掌握共享资源的方法

7.1 元件和库的概述

Flash 动画中的元件就像影视剧中的演员、道具，都是具有独立身份的元件。它们在影片中发挥着各自的作用，是 Flash 动画影片构成的主体。Flash 动画由许多的元件组成，元件是动画中可以反复使用的一个小部件，因而通过使用元件可以大大提高工作效率。

用户创建新元件时，系统会自动将所创建的元件增加到该库中。“库”面板是 Flash 影片中所有可以重复使用的储存仓库，各种元件都放在“库”面板中，在使用时从该面板中直接调用即可。用户可以通过在“库”面板中预览动画，而无须打开此动画。此外，用户还可以使用来自其他动画的元件。

使用“库”面板可以对各种可重复使用的资源进行合理的管理和分类，从而方便在编辑影片时使用这些资源。在“库”面板中可以对元件进行复制和删除等操作，可以将不同类型的元件放置在不同的文件夹中，还可以将“库”面板设置为共享资源库，以便供多个不同的影片使用。

7.2 元件的定义和类型

用户在创建元件后，就可以在各场景中创建元件的实例。要创建元件的实例，只要将元件拖放到场景中即可创建一个实例。

每个实例都有其自身独立于元件的属性。用户可以改变实例的色彩、透明度、亮度及重新定义实例的类型等，也可以在不影响元件的情况下对实例进行变形，如倾斜、旋转或缩放等。如果用户对元件进行变形，则其对应的实例也会相应地改变。

7.2.1 元件的定义

元件是可以反复取出使用的图形、按钮或者一段小动画，元件中的小动画可以独立于主动画进行播放，每个元件可由多个独立的元素组合而成。直白些地说，元件就相当于一个可重复使用的模板，使用一个元件就相当于实例化一个元件实体。使用元件的好处是，可重复利用，缩小文件的存储空间。

元件可以应用于当前影片或者其他影片，在制作 Flash 影片的过程中，常常可以反复应用同一个对象，此时可以通过多次复制该对象来达到创作目的。但是通过这样的操作后，每个所复制的对象具有独立的文件信息，相应地整个影片的容量也会加大。如果将对象制作成元件以后加以应用，Flash 就会反复调用同一个对象，从而不会影响到影片的容量了。

7.2.2 元件类型

在 Flash 中，元件是构成动画的基本元素。Flash 元件包括 3 种类型，分别是影片剪辑元件、图形元件和按钮元件。

1. 影片剪辑元件

影片剪辑元件是构成flash动画的一个片段，能独立于主动画进行播放。影片剪辑可以是主动画的一个组成部分，当播放主动画时，影片剪辑元件也会随之循环播放。

影片剪辑元件在许多方面都类似于文档内的文档。此元件类型自己有不依赖主时间轴的时间轴。用户可以在其他影片剪辑和按钮内添加影片剪辑以创建嵌套的影片剪辑，还可以使用属性检查器为影片剪辑的实例分配实例名称，然后在动作脚本中引用该实例名称。

2. 图形元件

图形元件是可以反复使用的图形，它可以是影片剪辑元件或场景的一个组成部分。图形元件是含一个帧的静止图片，是制作动画的基本元素之一，但它不能添加交互行为和声音控制。

图形元件很适用于静态图像的重复使用，或创建与主时间轴关联的动画。与影片剪辑或按钮元件不同，用户不能为图形元件提供实例名称，也不能在ActionScript中引用图形元件。

3. 按钮元件

按钮元件是一种特殊的元件，具有一定的交互性，是一个具有4帧的影片剪辑。按钮元件主要用于创建动画的交互控制按钮。按钮具有弹起、指针经过、按下、点击4个不同状态的帧，如下图所示。可以分别在按钮的不同状态帧上创建不同的内容，既可以是静止图形，也可以是影片剪辑，而且可以给按钮添加时间的交互动作，使按钮具有交互功能。

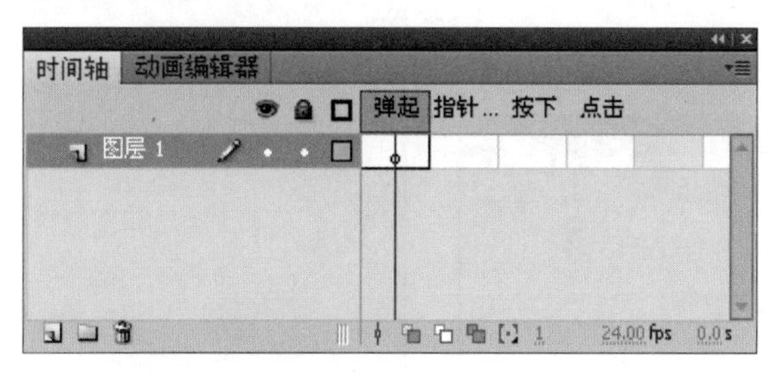

按钮元件所对应时间轴上各帧的含义分别如下。

（1）弹起：表示鼠标指针没有滑过按钮或者单击按钮后又立刻释放时的状态。

（2）指针经过：表示鼠标指针经过按钮时的外观。

（3）按下：表示鼠标单击按钮时的外观。

（4）点击：表示用来定义可以响应鼠标事件的最大区域。如果这一帧没有图形，鼠标的响应区域则由指针经过和弹出两帧的图形来定义。

7.3 元件的创建

在Flash CS5中，可以通过在舞台上选择对象来创建元件，也可以创建一个空白的元件，然后在元件编辑模式下制作或导入内容。Flash中有3种类型的元件，每种元件都有其各自的时间轴、舞台及图层。在创建元件时首先要选择元件的类型，创建何种元件主要取决于在影片中如何使用该元件。

7.3.1 创建元件

在Flash中，要创建元件有以下5种方法。

（1）执行“插入 > 新建元件”命令。

（2）在“库”面板中的空白处右击，在弹出的快捷菜单中选择“新建元件”命令。

（3）单击“库”面板右上角的面板菜单按钮，在弹出的下拉菜单中选择“新建元件”命令。

（4）按下【Ctrl + F8】组合键。

（5）单击“库”面板底部的“新建元件”按钮。

使用以上任意一种方法，均可打开“创建新元件”对话框，如下图所示。

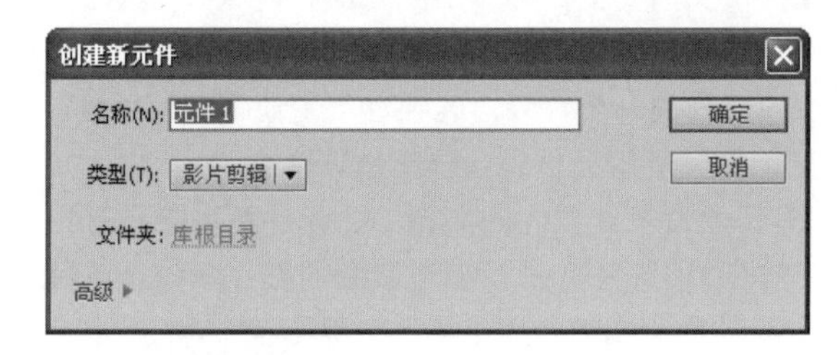

在该对话框中，各主要选项的含义如下。

（1）名称：在该文本框中可以设置元件的名称。

（2）类型：可以设置元件的类型，包含“图形”、“按钮”和“影片剪辑”3个选项。

（3）文件夹：在“库根目录”上单击，打开“移至文件夹…”对话框，如下左图所示，用户可以将元件放置在新创建的文件夹中，也可以将元件放置在当前的文件夹或库根目录下。

（4）“高级”按钮：单击该按钮可以展开该对话框，在其中可对元件进行高级设置，如下右图所示。

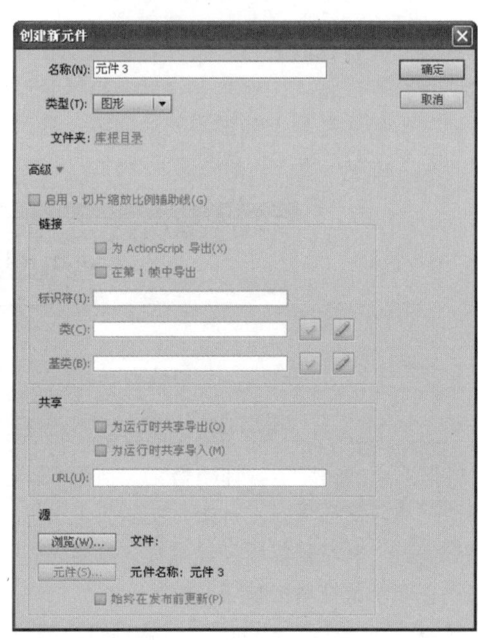

设置完各选项后，单击“确定”按钮即可创建一个新元件。

7.3.2 转换元件

在Flash CS5中，可以直接将已有的图形转换为元件，其方法有以下4种。

（1）选择要转换为元件的对象，选择“修改 > 转换为元件”命令。

（2）在选择的对象上右击，在弹出的快捷菜单中选择“转换为元件”命令。

（3）选择对象，按下【F8】键。

（4）直接将选择的对象拖曳至“库”面板中。

采用以上任意一种方法均可打开“转换为元件”对话框，如下图所示。

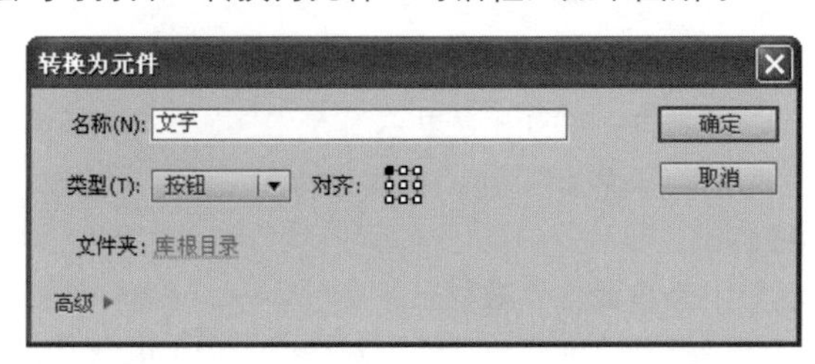

7.3.3 删除元件

对于多余的元件，可以在“库”面板中将其删除。删除元件有以下两种方法。

（1）在“库”面板中选择要删除的元件，单击“删除”按钮，或将其拖曳至面板底部的“删除”按钮中。

（2）在“库”面板中选择要删除的元件，右击，在弹出的快捷菜单中选择“删除”命令即可。

7.3.4 利用文件夹管理元件

利用“库”面板中的文件夹可以管理元件，也可以解决库冲突。如果要新建一个“库”文件夹，只需在“库”面板中单击“新建文件夹”按钮，在其后显示的文本框中输入文件夹的名称即可；如果要将元件放入文件夹中，只要将该元件拖曳至文件夹中即可，如下图所示。

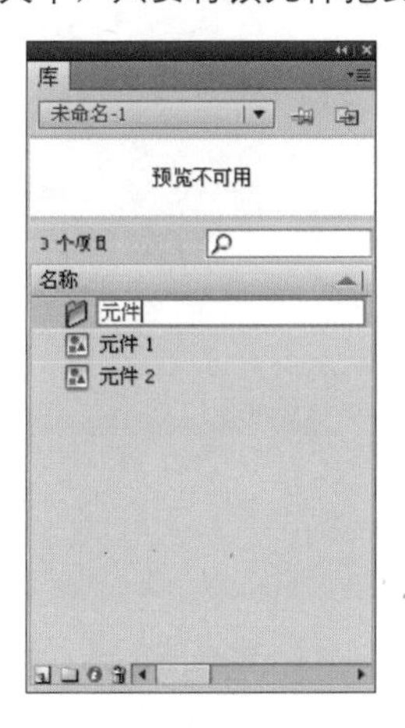

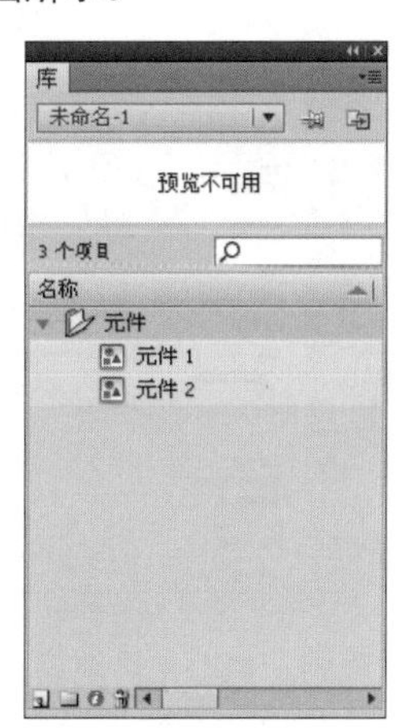

7.4 编辑元件

编辑元件时，Flash 会更新文档中该元件的所有实例。在 Flash CS5 中，通过在当前位置、在新窗口中、在元件的编辑模式下这 3 种方式编辑元件。下面将分别介绍这 3 种方式的特点及其具体操作。

7.4.1 在当前位置编辑元件

在 Flash CS5 中，使用以下 3 种方法可以在当前位置编辑元件。

（1）在舞台上双击要进入编辑状态的元件的一个实例。

（2）在舞台上选择元件的一个实例，右击，在弹出的快捷菜单中选择“在当前位置编辑”命令。

（3）在舞台上选择要进入编辑状态的元件的一个实例，然后选择“编辑 > 在当前位置编辑”命令。

执行“在当前位置编辑”命令在舞台上与其他对象一起进行编辑，其他对象以灰显方式出现，从而将它们和正在编辑的元件区别开。正在编辑的元件名称显示在舞台顶部的编辑栏内，位于当前场景名称的右侧，如下图所示。

进入元件编辑区后，如果要更改注册点，可在舞台上拖动该元件，有一个十字光标会表明注册点的位置。

7.4.2 在新窗口中编辑元件

如果感觉在当前位置编辑元件不方便，也可以在新窗口中进行编辑。在舞台上选择要进行编辑的元件并右击，在弹出的快捷菜单中选择“在新窗口中编辑”命令，此时可以同时看到该元件和主时间轴。正在编辑的元件的名称会显示在舞台顶部的编辑栏内，位于当前场景名称的右侧。

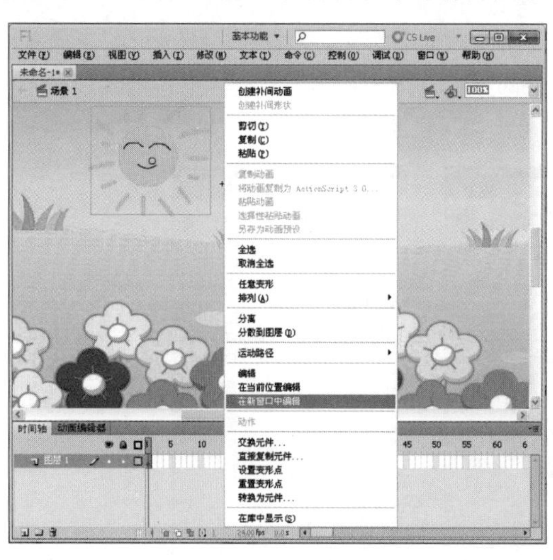

当用户编辑元件时，Flash 将更新文档中该元件的所有实例，以反映编辑的结果。编辑元件时，可以使用任意绘画工具、导入媒体或创建其他元件的实例。编辑完成后退出“在新窗口中编辑元件”模式并返回到文档编辑模式，直接单击右上角的关闭按钮关闭新窗口，然后在主文档窗口内单击以返回到编辑主文档中。

7.4.3 在元件的编辑模式下编辑元件

在 Flash CS5 中，要在元件的编辑模式下编辑元件，可使用以下 4 种方法。

（1）选择在进入编辑模式的元件所对应的实例并右击，在弹出的快捷菜单中选择“编辑”命令。

（2）选择进入编辑模式的元件所对应的实例，选择“编辑 > 编辑元件”命令。

（3）按下【Ctrl + E】组合键。

（4）在“库”面板中双击要编辑的元件名称左侧的图标。

使用以上任意一种方法，即可在元件的编辑模式下编辑元件。使用该编辑模式，可将窗口从舞台视图更改为只显示该元件的单独视图。当前所编辑的元件名称会显示在舞台上方的编辑栏内，位于当前场景名称的右侧，如右图所示。

7.5 课堂练习——荷塘月色

原始文件	无
最终文件	第7章\7.5\荷塘月色\荷塘月色.fla
注意事项	编辑元件时，一定要选择好元件类型，因为各种类型元件的应用范围不同
核心知识	熟练掌握元件的创建及边操作

下面将通过案例来介绍元件在动画中的应用。

01 新建一个 Flash 文档，然后设置其尺寸为 750 像素 ×400 像素，帧频为 24。随后将素材导入到库中。

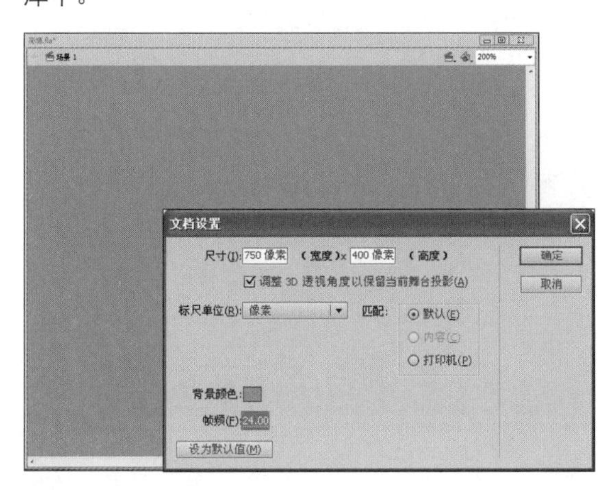

02 新建图形元件 beijing，利用矩形工具在编辑区域绘制一个矩形，颜色类型为线性渐变，色值可参照“颜色”面板。

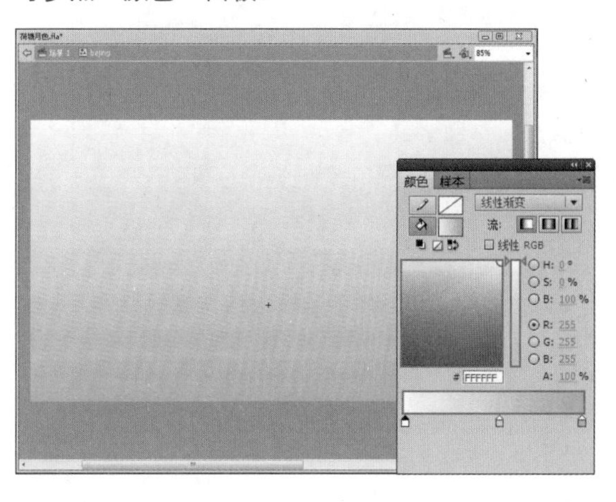

03 新建图层 2，选择线条工具，在编辑区域绘制一个曲线图形，颜色类型为线性渐变，色值可参照“颜色”面板。

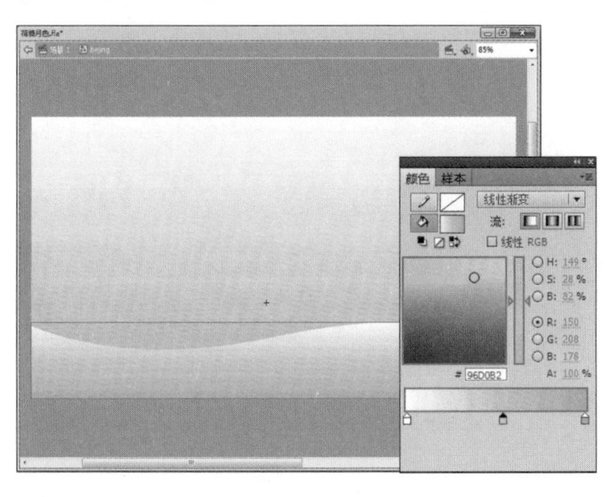

04 新建图层 3，参照图层 2 的制作方法，绘制图层 3 中的曲线图形。

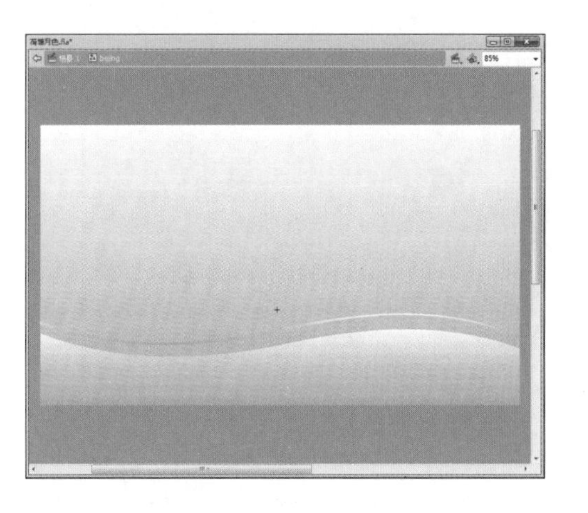

05 复制图层 3 中的图形，按【Ctrl + C】组合键复制，按【Ctrl + Shift + V】组合键粘贴至当前位置，然后将其向上移动若干单位。

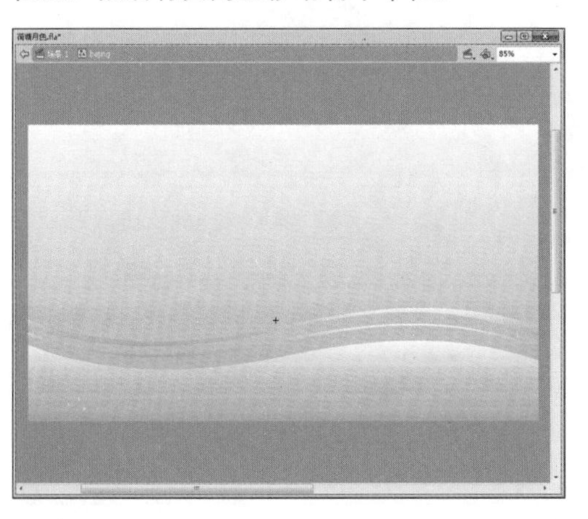

06 新建影片剪辑 sprite1，将“库”面板中的元件 hehua1 拖曳至编辑区域，并调整其位置。

07 在第 5 帧处插入关键帧，利用任意变形工具，将元件 hehua1 向右旋转数个单位。

08 在第 16 帧处插入关键帧，选择编辑区中的元件 hehua1，再次向右旋转数个单位。

09 为了使元件 hehua1 晃动得比较自然，在第 17 帧处插入关键帧。选择元件 hehua1 向左方旋转数个单位。

10 复制第 1 帧，选择 30 帧并右击，在弹出的快捷菜单中选择"粘贴帧"命令。最后在各个关键帧之间创建传统补间动画。

11 新建影片剪辑 sprite2，将库中的元件 hehua2 拖曳至编辑区域。参照影片剪辑元件 sprit1 的制作方法创建该元件的动画效果。

12 新建影片剪辑 sprite3，将元件 heye 拖至编辑区域。用同样的方法制作荷叶的晃动效果。

13 新建影片剪辑 xiahe，新建图层 2 ～ 3，依次将影片剪辑 sprite2、sprite3、sprite1 拖曳至各个图层的编辑区域。

14 返回主场景，将元件 beijing 拖曳至编辑区域。在图层 2 中，再将素材元件 yueliang 拖曳至编辑区域。

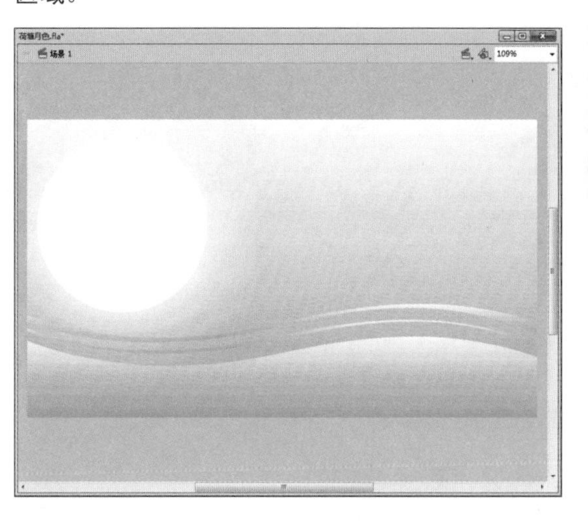

15 选中元件 yueliang，打开“属性”面板，将其色彩效果设置为色调，色调颜色为黄色。

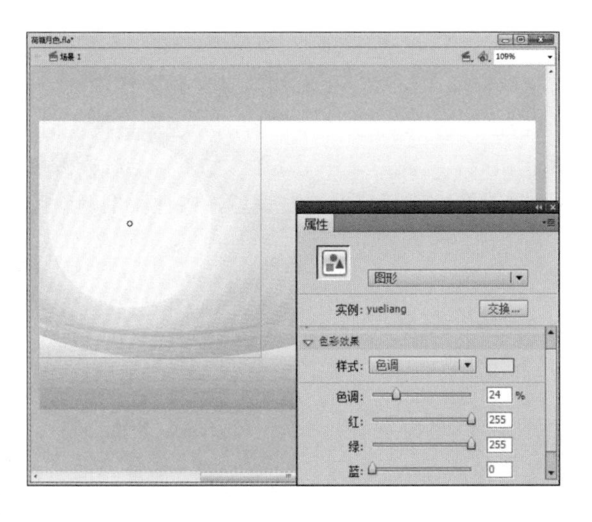

16 新建多个图层，将库中的其他元件分别拖曳至各图层编辑区域。最后按下【Ctrl + S】组合键，以“荷塘月色”为名称保存文件。

7.6 创建与编辑实例

将“库”面板中的元件拖动到场景或其他元件中时，实例便创建成功。也就是说，在场景中或元件中的元件被称为实例。一个元件可以创建多个实例，并且对某个实例进行修改不会影响元件，也不会影响到其他实例。此外，用户还可以复制实例、设置实例的颜色样式、改变实例的类型、分离实例、调用其他影片中的元件交换实例、查看实例信息等。

7.6.1 创建实例

在 Flash CS5 中，创建实例的方法很简单，只需在“库”面板中选择元件，按住鼠标左键不放，将其直接拖曳至场景中，释放鼠标，即可创建实例，如下图所示。

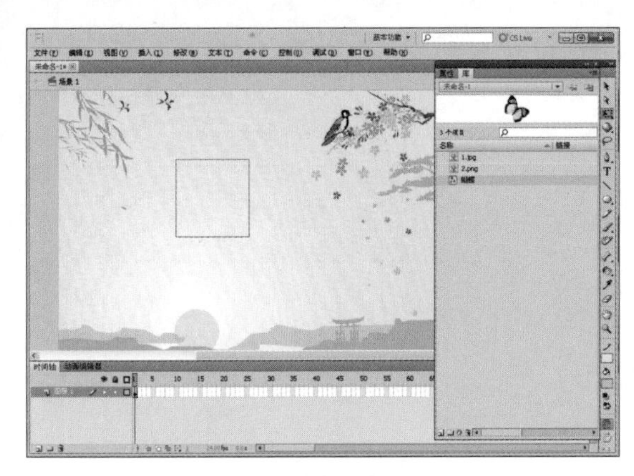

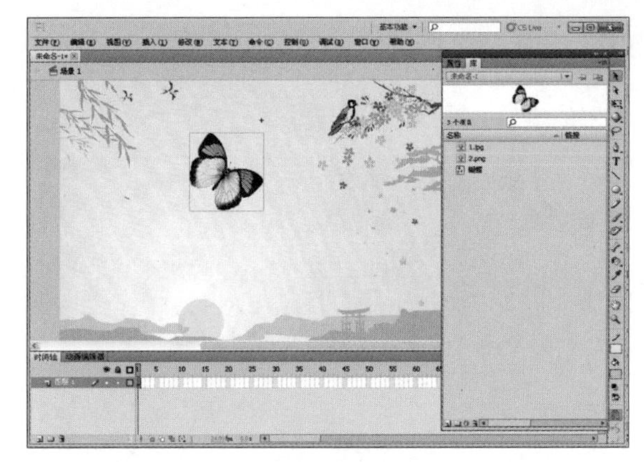

在创建实例时，需要注意场景中帧数的设置。多帧的影片剪辑元件和多帧的图形元件创建实例时，在舞台中影片剪辑设置一个关键帧即可，而图形元件则需要设置与该元件完全相同的帧数，这样动画才能完整地播放。

7.6.2 复制实例

对于已经创建好的实例，如果想直接在舞台上复制实例，可将鼠标选择要复制的实例，然后按住【Ctrl】键或【Alt】键同时拖动实例，此时鼠标指针的右下角将显示一个小的“＋”标识，将目标实例对象拖曳到目标位置时，释放鼠标即可复制所选择的目标实例对象。

7.6.3 设置实例的颜色样式

每个元件实例都可以有自己的色彩效果。使用“属性”面板，可以设置实例的颜色和透明度选项。“属性”面板中的设置也会影响放置在元件内的位图。 当在特定帧中改变一个实例的颜色和透明度时，Flash 会在显示该帧时立即进行这些更改。 要进行渐变颜色更改，可应用“补间动画”命令。当补间颜色时，可在实例的开始关键帧和结束关键帧中输入不同的效果设置，然后补间这些设置，以让实例的颜色随着时间逐渐变化。

在舞台上选择实例，在“属性”面板的“色彩效果”选项区域的“样式”下拉列表框中选择相应的选项，如右图所示，即可设置实例的颜色样式。

在“样式”下拉列表中包含了 5 个选项，各选项的含义分别如下。

（1）无：选择该选项，不设置颜色效果。

（2）亮度：用于调整实例的明暗对比度，度量范围是从黑（-100%）到白（100%）。可直接输入数值，也可以拖动右侧的滑块来设置数值。如为“星星”实例设置“亮度”值为 0 和 80%，其效果如下图所示。

（3）色调：用相同的色相为实例着色。要设置色调百分比从透明（0%）到完全饱和（100%），可使用“属性”面板中的色调滑块。若要调整色调，可拖动滑块或在文本框中输入一个值。如果要选择颜色，可在各自的框中输入红、绿和蓝色的值；或者单击“颜色”控件，然后从颜色调板中选择一种颜色。如为文本实例设置“色调”的“着色”为“蓝色”，其效果如下右图所示。

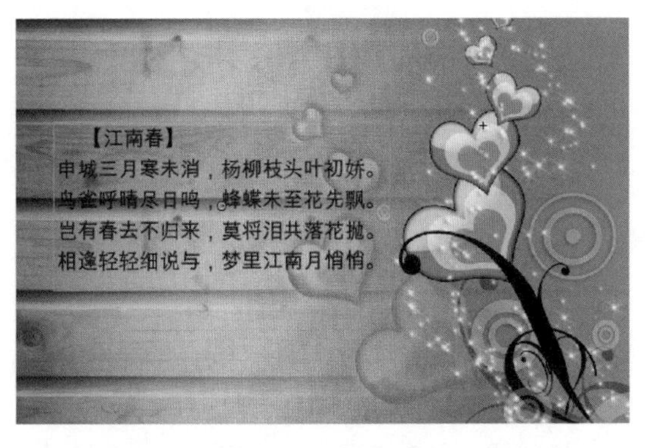

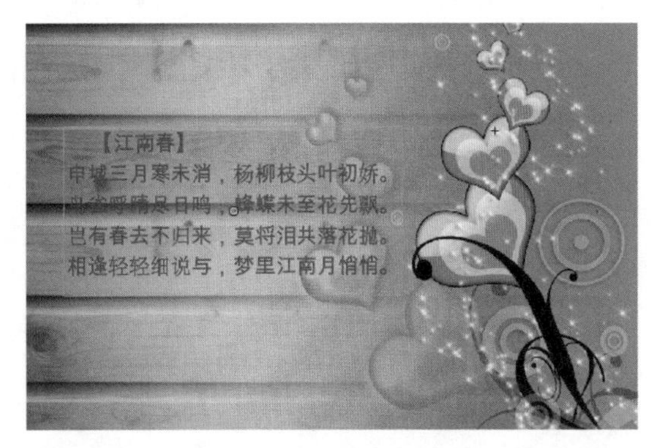

（4）高级：用于调节实例的红色、绿色、蓝色和透明度值。对于在位图这样的对象上创建和制作具有微妙色彩效果的动画，该选项非常有用。左侧的控件使用户可以按指定的百分比降低颜色或透明度的值。右侧的控件使用户可以按常数值降低或增大颜色或透明度的值。如为树叶实例设置“高级”颜色样式，并设置相应的高级参数，其效果如下右图所示。

（5）Alpha：用于调节实例的透明度，调节范围是从透明（0%）到完全饱和（100%）。如果要调整Alpha值，可拖动滑块或者在文本框中输入一个值。如为荷花图设置Alpha值，其效果如下右图所示。

7.6.4 改变实例的类型

在Flash中，实例的类型是可以相互转换的。通过改变实例的类型可以重新定义它在动画中的行为。在“属性”面板的“实例行为”下拉列表框中提供了3个选项，分别是“影片剪辑”、“按钮”和“图形”，如下图所示。当改变实例的类型后，“属性”面板中的参数也将进行相应的变化。

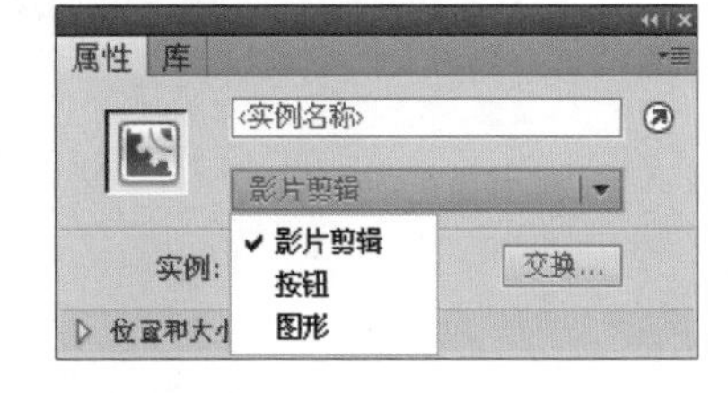

7.6.5 分离实例

要断开实例与元件之间的链接，并把实例放入未组合形状和线条的集合中，可以“分离”该实例。这对于充分地改变实例而不影响其他实例非常有用。如果在分离实例之后修改该元件，则不会用所做的更改来更新该实例。

7.6.6 调用其他影片中的元件

在 Flash 中，可以打开其他文件中的“库”面板，从而调用该文档中“库”面板里的元件，这样就可以利用更多已有的素材。

在 Flash CS5 中，执行“文件 > 导入 > 打开外部库”命令，打开外部库面板。选择外部库中的元件，将其直接拖曳到当前文档所对应的“库”面板或舞台中，释放鼠标即可将外部库中的元件添加到当前文档中。

此外，还可以执行“文件 > 导入 > 导入到库”命令，将其他素材直接添加到“库”中，应用于当前的文档中。

7.6.7 交换实例

在 Flash 中，要在舞台上显示不同的实例，并保留所有的原始实例属性（如色彩效果或按钮动作），可为实例分配不同的元件。通过“属性”面板，可以为实例分配不同的元件。

如果制作的是几个具有细微差别的元件，通过单击“修改 > 元件 > 交换元件”命令，弹出“交换元件”对话框。单击“直接复制元件”按钮，可以使用户在库中现有元件的基础上创建一个新元件，并将复制工作减到最少，如下图所示。

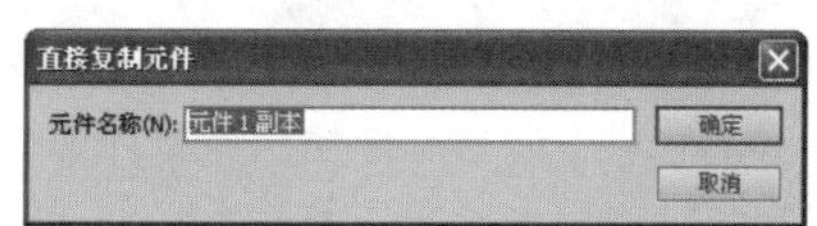

7.6.8 查看实例信息

在 Flash 中，“属性”面板和“信息”面板用于显示在舞台上选定实例的相关信息，如下图所示。

在“属性”面板中，用户可以查看实例的行为和设置。对于所有实例类型，均可以查看色彩效果设置、位置和大小；对于图形，还可以查看循环模式和包含该图形的第一帧；对于按钮，还可以查看实例名称（如果已分配）和跟踪选项；对于影片剪辑，还可以查看实例名称（如果已分配）。对于位置，“属性”面板显示元件注册点或元件左上角的 X 和 Y 坐标，具体取决于在“信息”面板上选择的选项。

在“信息”面板上，查看实例的大小和位置、实例注册点的位置、实例的红色值（R）、绿色值（G）、蓝色值（B）和 Alpha（A）值（如果实例有实心填充）；以及指针的位置。“信息”面板还显示元件注册点或元件左上角的 X 和 Y 坐标，具体取决于选择了哪个选项。要显示注册点的坐标，单击“信息”面板内坐标网格中的中心方框。要显示左上角的坐标，单击坐标网格中的左上角方框。

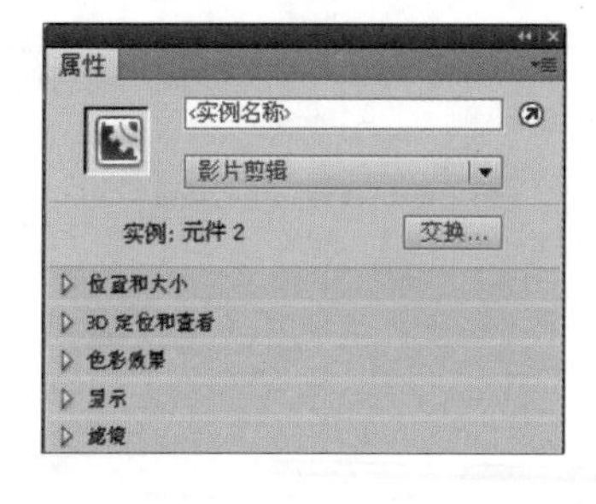

7.7 “库”面板的常用操作

Flash 文档中的“库”面板存储的是在 Flash 环境中创建或在文档中导入的媒体资源。在 Flash 中可以直接创建矢量插图或文本，导入矢量插图、位图、视频和声音及创建元件。

库还包含已添加到文档中的所有组件。组件在库中显示为编译剪辑。在 Flash 中工作时，可以打开任意 Flash 文档的库，将该文件的库项目用于当前文档。用户可以在 Flash 应用程序中创建永久的库，只要启动 Flash 就可以使用这些库。Flash 还提供了几个含按钮、图形、影片剪辑和声音的范例库。

此外，还可以将库资源作为 SWF 文件导出到一个 URL 上，从而创建运行时的共享库。这样即可从 Flash 文档链接到这些库资源，而这些文档用运行时共享导入元件。

在 Flash CS5 中，选择“窗口 > 库”命令，或按下【Ctrl + L】组合键，即可打开“库”面板，如右图所示。

“库”面板中各按钮的作用如下。

（1）、按钮：用于改变各元件的排列顺序。

（2）按钮：单击该按钮，可以新建库面板。

（3）按钮：用于新建元件，并弹出“创建新元件”对话框。

（4）按钮：用于新建文件夹。

（5）按钮：用于打开相应的元件属性对话框。

（6）按钮：用于删除元件或文件夹。

7.7.1 在“库”面板中创建元件

若要在“库”面板中创建元件，单击按钮，打开“创建新元件”对话框，可以在其中命名元件的名称、选择元件的类型，还可以设置其高级选项。

7.7.2 重命名库元素

若要更改导入文件的库项目名称，并不会更改该文件名。在 Flash CS5 中，对“库”面板中的项目重命名有以下 3 种方法。

（1）双击项目名称。

（2）选择项目，从“库”面板的“面板”菜单中选择“重命名”命令。

（3）选择项目并右击，在弹出的快捷菜单中选择“重命名”命令。

执行以上任意一种方法，然后在文本框中输入新名称，按下【Enter】键或在“库”面板的其他空白区单击，即可完成项目的重命名操作。

7.7.3 创建库文件夹

在前面元件的创建中讲到，利用“库”面板中的文件夹管理元件，可以解决库冲突。如果要新建一个“库”文件夹，只需在“库”面板中单击“新建文件夹”按钮，在其后显示的文本框中输入文件夹的名称即可。

7.7.4 调用库元素

公用库是 Flash 自带的一个素材库。使用 Flash 附带的公用库可以向文档添加按钮或声音。还可以创建自定义公用库，然后与创建的任何文档一起使用。不能在公用库中编辑元件，只有当调用到当前动画后才能进行编辑。公用库共分为 3 种类型，分别是声音、按钮和类。

1. 声音库

选择“窗口 > 公用库 > 声音”命令，打开声音库，如下左图所示。在该库中包含了多种类型的声音，用户可以根据自己的具体需要在声音库中选择合适的声音。

2. 按钮库

选择“窗口 > 公用库 > 按钮”命令，打开按钮库，如下中图所示。在该库中提供了内容丰富且形式各异的按钮标本。用户可以根据自己的具体需要在按钮库中选择合适的按钮。

3. 类库

选择“窗口 > 公用库 > 类”命令，打开类库，如下右图所示。在该库中共有 3 个元件，分别是数据绑定组件、应用组件和网络服务组件。

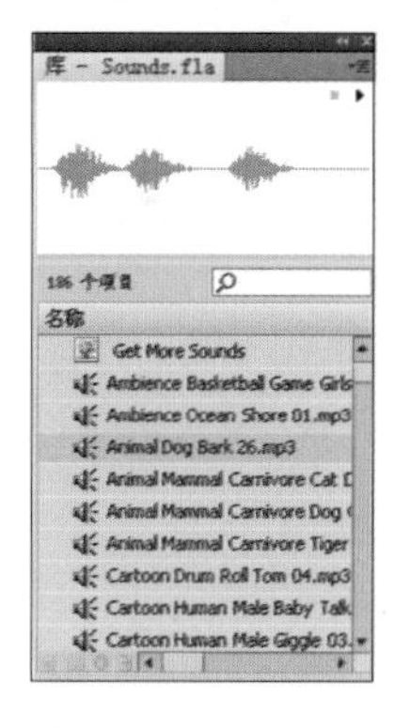

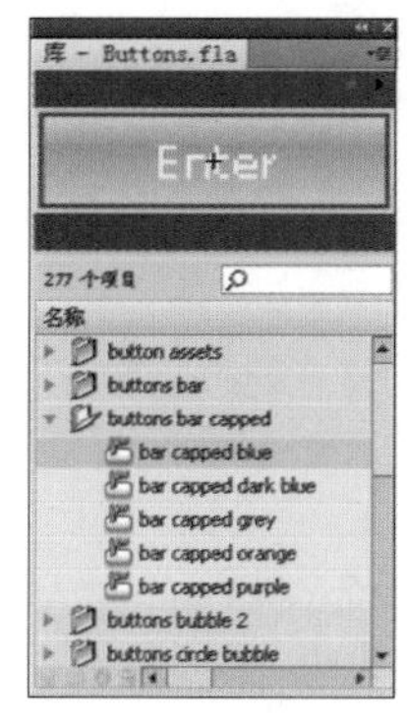

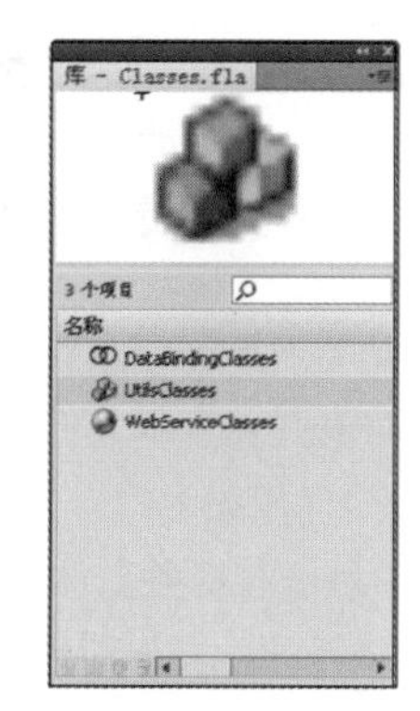

7.8 应用并共享库资源

共享库资料可以在多个目标文档中使用源文档的资源，并可以通过各种方式优化影片资源管理。下面将介绍库资源的共享与应用。

7.8.1 复制库资源

在文档之间复制库资源，可以用各种方法将库从源文档复制到目标文档中。在创作期间或在运行时，用户还可以将元件作为共享库资源在文档之间共享。

1. 通过复制和粘贴来复制库资源

首先在源文档的舞台上选择资源，然后选择“编辑 > 复制”命令，使目标文档成为活动文档。若要将资源粘贴到可见剪贴板的中心位置，将指针放在舞台上并选择“编辑 > 粘贴到中心位置”命令。若要将资源放置在与源文档中相同的位置，选择“编辑 > 粘贴到当前位置”命令。

2. 通过拖动来复制库资源

在目标文档打开的情况下，在源文档的“库”面板中选择该资源，并将其拖曳至目标文档的“库”面板中。

3. 通过在目标文档中打开源文档库来复制库资源

当目标文档处于活动状态时，选择“文件 > 导入 > 打开外部库”命令。在弹出的“作为库打开”对话框中选择源文档并单击“打开”按钮。之后将资源从源文档库拖曳到舞台上或拖入目标文档的库中即可。

7.8.2 实时共享库中的资源

对于运行时共享资源，源文档的资源是以外部文件的形式链接到目标文档中的。运行时资源在文档回放期间（即在运行时）加载到目标文档中。在创作目标文档时，包含共享资源的源文档并不需要在本地网络上。为了让共享资源在运行时可供目标文档使用，源文档必须发布到 URL 上。

7.8.3 在创作时共享库中的资源

对于创作期间的共享资源，可以用本地网络上任何可用元件来更新或替换正在创作的文档中的任何元件。在创建文档时更新目标文档中的元件后，目标文档中的元件保留了原始名称和属性，但其内容会被更新或替换为所选元件的内容。

7.8.4 解决库资源之间的冲突

如果将一个库资源导入或复制到已经含有同名的不同资源的文档中，则可以选择是否用新项目替换现有项目。此选项适用于所有用于导入或复制库资源的方法。

如果在将库资源导入或复制到文档中时出现“解决库冲突”对话框，如右图所示，可通过重命名的方法解决冲突。

解决库冲突
文档中已存在一个或多个库项目：
不替换现有项目
替换现有项目
确定 取消

在“解决库冲突”对话框中可执行以下操作之一。

（1）若要保留目标文档中的现有资源，可选中“不替换现有项目”单选按钮。

（2）若要用同名的新项目替换现有资源及其实例，可选中“替换现有项目”单选按钮。

7.9 课堂练习——“库”面板的使用

原始文件	无
最终文件	第7章\7.9\纸飞机\纸飞机.fla
注意事项	在库中保存元件时，一定要为其准确定义名称，以便以后的使用
核心知识	熟练掌握“库”面板的使用方法与技巧

下面将通过实例的制作介绍“库”面板的使用。“库”面板中储存着动画文档所需要的所有元件与素材，在制作动画的过程中，可以随时进行调用。此外，也可以通过“库”面板对元件进行简单的操作。

01 新建一个 Flash 文档，然后设置其尺寸为 650 像素 ×400 像素，帧频为 24。

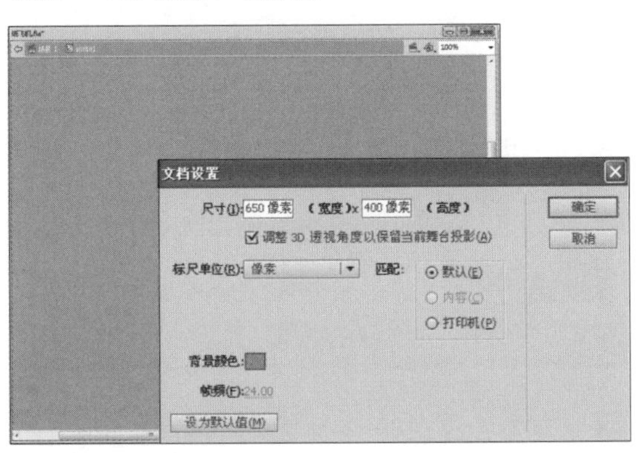

02 然后将素材导入到库中。

03 单击“库”面板底部的“新建元件”按钮，创建一个名称为 zhifeiji 的影片剪辑。之后，将库中的元件 shape1 拖曳至编辑区域的合适位置。

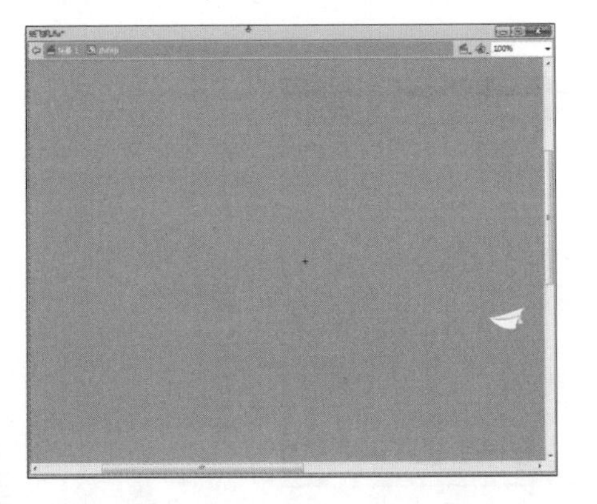

04 在第 75 帧处插入关键帧。利用选择工具将元件 shape1 拖曳至编辑区域的左上角。

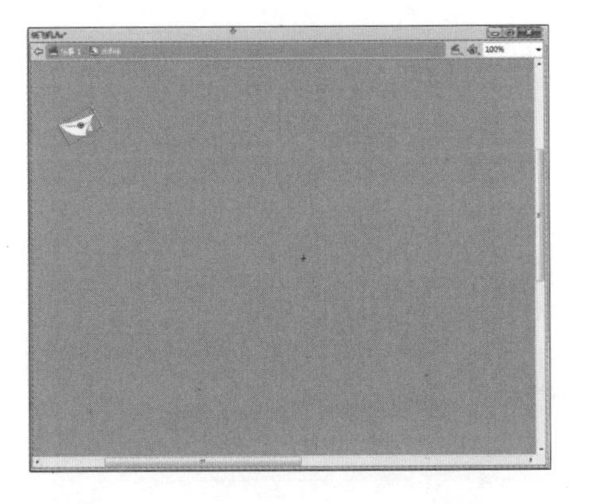

05 利用任意变形工具将元件 shape1 顺时针旋转数个单位，并在第 1 ～ 75 帧之间创建传统补间动画。

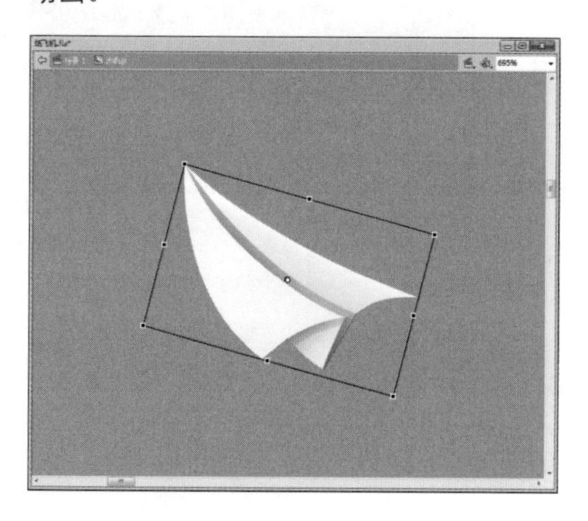

06 返回主场景。打开“库”面板，将元件 fenjing 拖曳至编辑区域，并调整其位置及大小。

07 新建图层 2，将库中的影片剪辑元件 zhifeiji 拖曳至舞台的右下角位置。

08 新建图层 3，将库中的影片剪辑元件 sprite1 拖曳至舞台合适位置，用于制作闪光效果，增加动感效果。

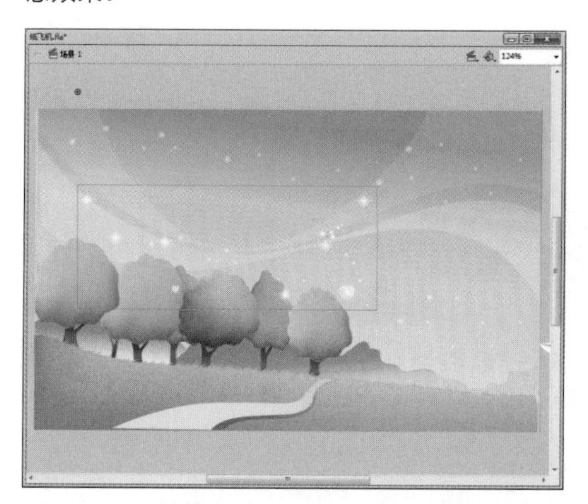

09 新建图层 4，打开“库”面板，再次将影片剪辑元件 sprite1 拖曳至编辑区域，并将其放置在合适位置。

10 新建图层 5，打开库面板，将声音 sound.mp3 文件拖曳至编辑区域。打开其“属性”面板，设置同步为事件、循环。最后保存该动画即可。

拓展项目练习

本章着重介绍了元件和库的应用，通过本章的学习，读者可掌握元件和库的相关知识。为了进一步巩固所学知识，下面对本章中的一些重点内容进行考察。

一、选择题

（1）可以反复取出使用的一段小动画，并可独立于主动画进行播放的是（ ）。

A. 图形元件　　B. 按钮元件

C. 影片剪辑元件　　D. 字体元件

（2）按钮元件时间轴上的每一帧都有一个特定的功能，其中第 1 帧是（ ）。

A.“弹起”状态　　B.“指针经过”状态

C.“按下”状态　　D.“点击”状态

（3）在（ ）中可以查看实例注册点的位置。

A.“属性”面板　　B.“信息”面板

C. 影片浏览器　　D.“动作”面板

（4）要将外部 JPG 文件加载舞台中，应使用（ ）行为。

A. 加载图像　　B. 导入到舞台

C. 插入场景　　D. 导入到库

二、填空题

（1）____________是在 Flash 8 中创建的图形、按钮或影片剪辑。

（2）____________是指位于舞台上或嵌套在另一个元件内的元件副本。

（3）在创作时或在运行时，可以将元件作为____________在文档之间共享。

（4）在舞台上选择实例，然后从“属性”面板左上角的____________下拉列表框中选择“影片剪辑”、“按钮”或“图形”，即可更改该实例的元件类型。

（5）当在文档中放置与现有项目冲突的项目时，就会出现____________对话框。

三、操作题

（1）创建一个新的空元件。

（2）创建一个按钮并对其进行测试。

（3）通过“库”面板复制一个元件。

（4）创建一个元件的实例并更改其颜色和透明度，如下图所示。

Chapter 08 Flash时间轴动画设计

设计师指导

制作动画是Flash最主要的功能。Flash时间轴基础动画的制作包括逐帧动画、形状补间动画、补间动画和传统补间动画。前面已经介绍了时间轴、帧和图层等基础知识，本章将介绍这几种时间轴基础动画的特点及制作方法。

核心知识点

❶ 了解逐帧动画的特点并掌握其创建方法
❷ 了解形状补间动画的特点并掌握其创建方法
❸ 了解补间动画和传统补间动画的差异
❹ 熟练掌握补间动画和传统补间动画的创建

8.1 逐帧动画

逐帧动画在每一帧中都会更改舞台内容，它最适合于图像在每一帧中都在变化而不仅是在舞台上移动的复杂动画。逐帧动画增加文件大小的速度比补间动画快得多。在逐帧动画中，Flash 会存储每个完整帧的值。逐帧动画具有非常大的灵活性，几乎可以表现出任何想表现的内容。

若要创建逐帧动画，需将每个帧都定义为关键帧，然后为每个帧创建不同的图像。每个新关键帧最初包含的内容和它前面的关键帧是一样的，因此可以递增地修改动画中的帧。

逐帧动画由位于同一图层的许多单个的关键帧组合而成，在每个帧上都有关键性变化的动画，适合制作相邻关键帧中对象变化不大的动画。在播放动画时，Flash 就会逐帧地显示每一帧中的内容。

8.1.1 逐帧动画的特点

逐帧动画具有如下几个特点。

（1）逐帧动画会占用较大的内存，因此文件很大。

（2）逐帧动画由许多单个的关键帧组合而成，每个关键帧均可独立编辑，且相邻关键帧中的对象变化不大。

（3）逐帧动画中的每一帧都是关键帧，每个帧的内容都要进行手动编辑，工作量很大，因此如果不是特别需要，建议不要采用逐帧动画的方式。

8.1.2 导入逐帧动画

在 Flash CS5 中，可以通过导入 JPEG 格式的连续图像、导入 GIF 格式的图像创建逐帧动画，也可以自己动手绘制图形创建逐帧动画。导入 GIF 格式的位图与导入同一序列的 JPEG 格式的位图类似，只需将 GIF 格式的图像直接导入到舞台，即可在舞台直接生成动画，如下图所示。

8.1.3 制作逐帧动画

制作逐帧动画主要是在制作动画中创建逐帧动画中每一帧的内容，这项工作是在 Flash 内部完成的。制作好每一帧的内容后，执行“控制 > 播放”命令即可看到动画效果，如下图所示。

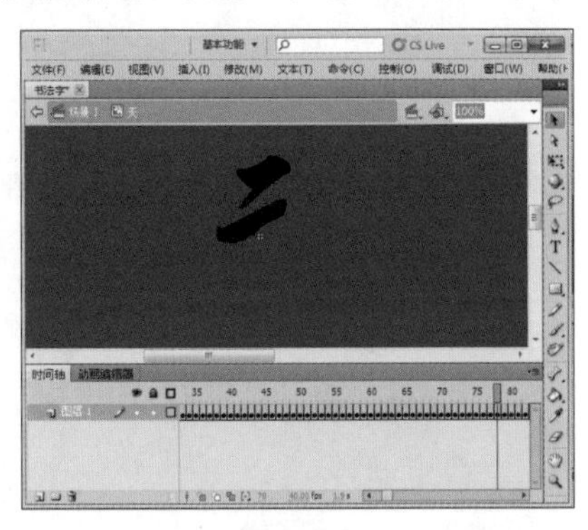

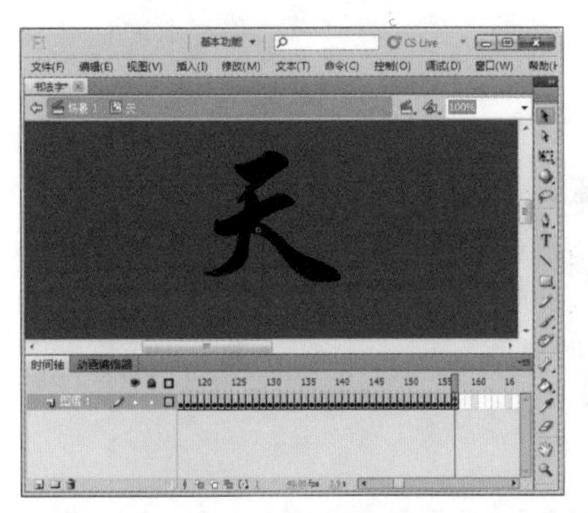

8.2 课堂练习——奔跑的马

原始文件	无
最终文件	第8章\8.2\奔跑的马\奔跑的马.fla
注意事项	在创建逐帧动画的时候，要保证相邻帧都是关键帧
核心知识	了解并熟悉逐帧动画的创建过程，掌握其应用范围

下面将以实例来介绍逐帧动画的制作过程。它与电影的播放模式类似，很适合演示细腻的动画。

01 新建一个 Flash 文档，并设置其属性。接着将所有素材文件导入到库中。

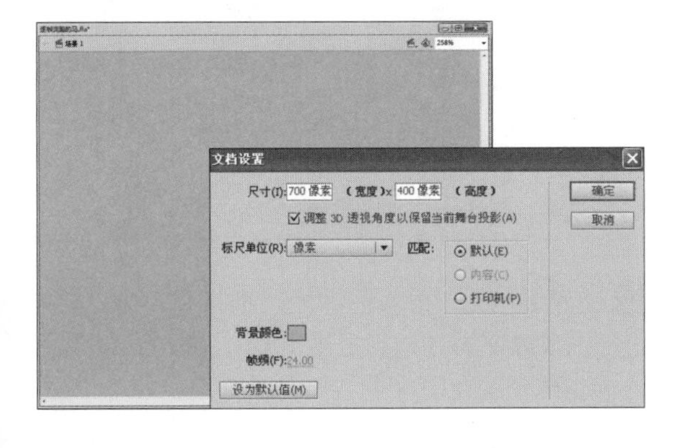

02 新建影片剪辑 house。在编辑区域绘制下列形态的马，并为其填充颜色为棕红色和暗红色。

03 在第 3 帧处插入空白关键帧。在编辑区域再绘制马的一种形态。

04 在第 5 帧处插入空白关键帧。同样，在编辑区绘制奔跑中的马的一种形态。

05 在第 7 帧处插入空白关键帧。在编辑区域绘制奔跑中马的形态。

06 在第 9 帧处插入空白关键帧。在编辑区域绘制另外一种马的形态。

07 在第 11 帧处插入空白关键帧。在编辑区域绘制马的形态。在第 12 帧处插入普通帧。

08 新建影片剪辑 beijing。将元件 shape1 拖曳至编辑区域。在第 80 帧处插入关键帧。将元件 shape1 向左移动数个单位。最后在第 1 ～ 80 帧之间创建传统补间动画。

09 新建图层 2，复制图层 1 中的第 1 帧，选择图层 2 的第 1 帧并右击，在弹出的快捷菜单中选择“粘贴帧”命令。选中元件 shape1，然后将其向右适当移动。

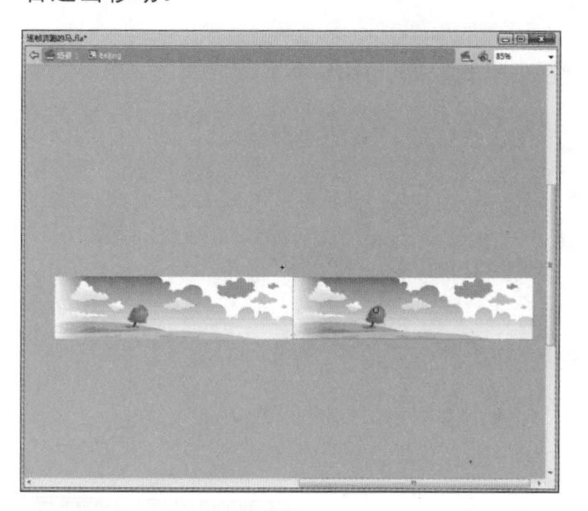

10 在第 80 帧处插入关键帧。选择元件 shape1 并将其左水平移动适当距离位置。在第 1 ～ 80 帧之间创建传统补间动画。

11 新建影片剪辑 hua。将素材元件 caocong 拖至编辑区域合适位置。在第 5 帧处插入关键帧，选中元件 caocong 向左移动数个单位。在第 1 ～ 5 帧之间创建传统补间动画。

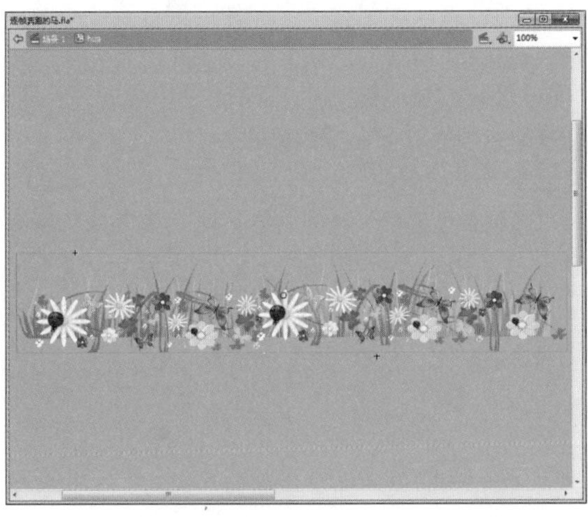

12 返回主场景。将各个所需元件拖曳至舞台，并通过“属性”面板调整其位置及大小。最后按下【Ctrl ＋ S】组合键，以“奔跑的马”为名称保存文件。

8.3 补间动画

补间是通过为一个帧中的对象属性指定一个值，并为另一个帧中的该相同属性指定另一个值创建的动画，由 Flash 计算这两个帧之间该属性的值。

8.3.1 运动补间动画

运动补间是根据同一对象在两个关键帧中大小、位置、旋转、倾斜、透明度等属性的差别计算生成的，主要用于组、图形元件、按钮、影片剪辑及位图等，但是不能用于矢量图形。

1. 创建运动补间动画

补间的对象类型包括影片剪辑、图形和按钮元件及文本字段。可补间的对象属性包括：

（1）2D X 和 Y 位置。

（2）3D Z 位置。

（3）2D 旋转（绕 z 轴）。

（4）3D X、Y 和 Z 旋转。

（5）3D 动画要求 FLA 文件在发布设置中面向 ActionScript 3.0 和 Flash Player 10。

（6）倾斜 X 和 Y。

（7）缩放 X 和 Y。

（8）颜色效果，其中包括 Alpha（透明度）、亮度、色调和高级颜色设置。只能在元件上补间颜色效果，如果要在文本上补间颜色效果，应将文本转换为元件。

选择补间动画两关键帧间的任意一帧，即可在“属性”面板对补间动画进行更加细致的设置，该面板如右图所示。其中各主要选项的含义分别如下。

（1）实例名称：用于为实例命名。

（2）缓动：用于设置动画缓的时间。

（3）旋转：在该列表区中，可以设置旋转的次数、角度、旋转的方向（无、顺时针或逆时针），以及是否调整到路径。

（4）路径：可以设置运动路径 X 和 Y 的位置。

（5）选项：在该列表区中，可以设置是否同步元件。

补间应用于元件实例和文本字段时，只能补间元件实例和文本字段。在将补间应用于其他对象类型时，这些对象将包装在元件中。元件实例可包含嵌套元件，这些元件可在自己的时间轴上进行补间。

补间图层中的最小构造块是补间范围。补间图层中的补间范围只能包含一个元件实例。元件实例称为补间范围的目标实例。将第二个元件添加到补间范围将会替换补间中的原始元件。将其他元件从库中拖曳到时间轴中的补间范围上，可更改补间的目标对象。可从补间图层删除元件，而不必删除或断开补间。这样以后可以将其他元件实例添加到补间中，也可以更改补间范围的目标元件的类型。

与逐帧动画相比，运动补间动画和形状补间动画具有以下几个特点。

（1）由于补间动画并不需手动地创建每个帧的内容，只需要创建两个帧的内容，两个帧之间的所有动画都由 Flash 创建，因此其制作方法简单方便。

（2）由于补间动画除了两个关键帧用手工控制外，中间的帧都由 Flash 自动生成，技术含量更高，因此过渡更自然，渐变过程更连贯。

（3）渐变动画的画文件更小，占用内存少。

2. 编辑运动补间动画

可以在舞台、属性检查器或动画编辑器中编辑各属性关键帧。通过“动画编辑器”面板，可以查看所有补间属性及其属性关键帧。它还提供了向补间添加精度和详细信息的工具。“动画编辑器”面板显示了当前选定的补间属性。在时间轴中创建补间后，“动画编辑器”允许用户以多种不同的方式来控制补间。

在 Flash CS5 中，选择“窗口 > 动画编辑器”命令，打开“动画编辑器”面板，如右图所示。

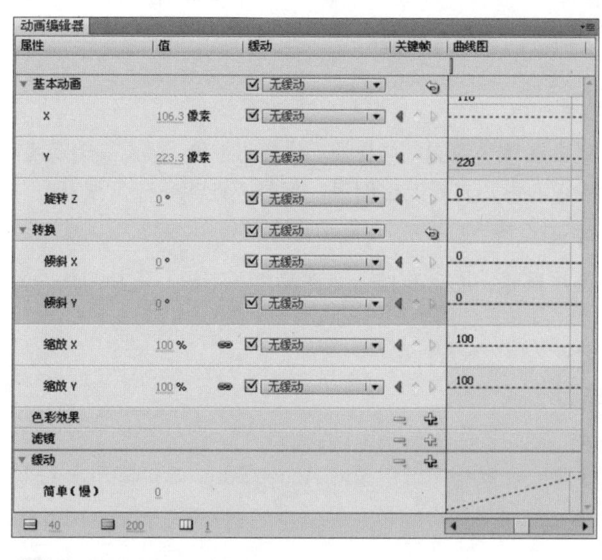

使用“动画编辑器”命令可以进行以下操作。

（1）设置各属性关键帧的值。

（2）添加或删除各个属性的属性关键帧。

（3）将属性关键帧移动到补间内的其他帧。

（4）将属性曲线从一个属性复制并粘贴到另一个属性中。

（5）翻转各属性的关键帧。

（6）重置各属性或属性类别。

（7）使用贝赛尔控件对大多数单个属性的补间曲线的形状进行微调（X、Y 和 Z 属性没有贝赛尔控件）。

（8）添加或删除滤镜或色彩效果并调整其设置。

（9）向各个属性和属性类别添加不同的预设缓动。

（10）创建自定义缓动曲线。

（11）将自定义缓动添加到各个补间属性和属性组中。

（12）对 X、Y 和 Z 属性的各个属性关键帧启用浮动。通过浮动，可以将属性关键帧移动到不同的帧或在各个帧之间移动以创建流畅的动画。

8.3.2 形状补间动画

形状补间动画适用于图形对象。在两个关键帧之间可以制作出图形变形效果，使一种形状可以随时变化成另一种形状，还可以使形状的位置、大小和颜色进行渐变。

在形状补间中，在时间轴中的一个特定帧上绘制一个矢量形状然后更改该形状，或在另一个特定帧上绘制另一个形状。Flash 将内插中间帧的中间形状，创建一个形状变形为另一个形状的动画。对于形状补间动画，要为一个关键帧中的形状指定属性，然后在后续关键帧中修改形状或者绘制另一个形状。正如补间动画一样，Flash 在关键帧之间创建补间动画。

在 Flash CS5 中，选择图层中形状间中的帧，在“属性”面板的“补间”区中有两个设置形状补间属性的选项，如右图所示，其含义分别如下。

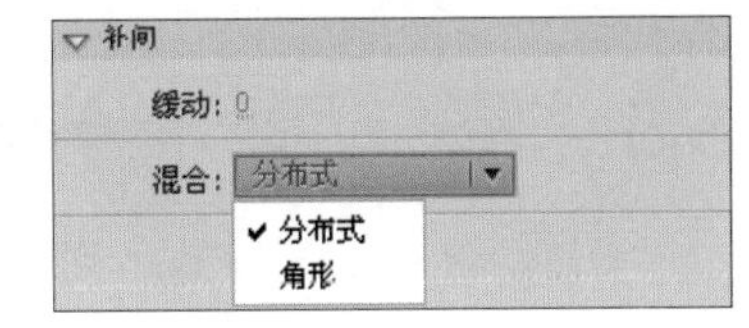

（1）缓动：在该数值框中，如果输入一个负值，则在补间开始处缓动；如果输入一个正值，则在补间结束处缓动。

（2）混合：用于设置形状补间动画的混合属性。在该下拉列表框中，包含了“分布式”和“角形”两个选项，如果设置为“分布式”，可以建立平滑插入的图形；如果设置为“角形”，可以以角和直线建立插入的图形。

8.4 运动引导动画

在制作运动引导动画时，必须要创建引导层，引导层是 Flash 中的一种特殊的图层，在影片中起辅助作用。引导层不会导出，因此不会显示在发布的 SWF 文件中。任何图层都可以作为引导层。

8.4.1 制作运动引导动画（单个）

引导动画主要通过引导层创建，它是一种特殊图层，在这个图层中有一条线，可以让某个对象沿着这条线运动，从而制作出沿曲线运动的动画，如下图所示。

8.4.2 制作运动引导动画（多个）

多个对象的引导动画是指将多个被引导层中的对象链接到引导层中，从而引导多个对象的动画。如可以制作物体相撞的动画效果，如下图所示。

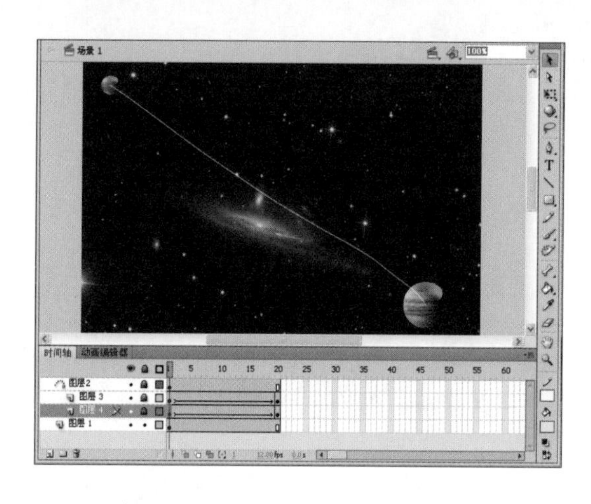

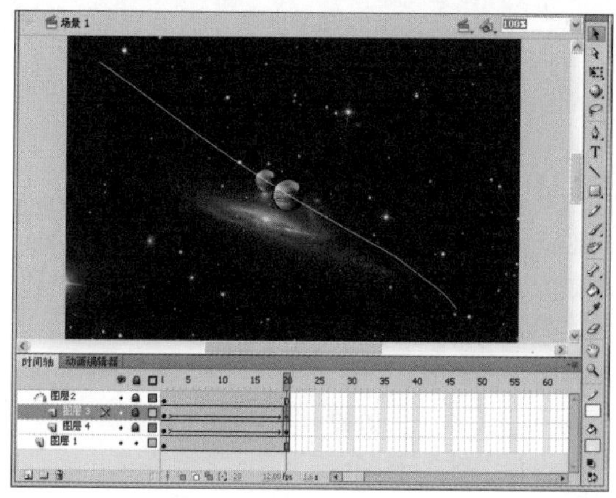

8.5 遮罩动画

遮罩动画指的是在 Flash 动画中至少会使用的一种遮罩效果的动画。遮罩效果在 Flash 中有广泛的应用。遮罩动画是 Flash 设计中对元件或影片剪辑控制的一个重要的部分，在设计动画时，首先要分清楚哪些元件需要运用遮罩，在什么时候运用遮罩。合理地运用遮罩效果会使动画看起来更流畅，元件与元件之间的衔接时间很准确，具有丰富的层次感和立体感。

在制作遮罩层动画时，应注意以下 3 点。

（1）若要获得聚光灯效果和过渡效果，可以使用遮罩层创建一个孔，通过这个孔可以看到下面的图层。遮罩项目可以是填充的形状、文字对象、图形元件的实例或影片剪辑。将多个图层组织在一个遮罩层下可创建复杂的效果。

（2）若要创建动态效果，可以让遮罩层动起来。

（3）若要创建遮罩层，需将遮罩项目放在要用作遮罩的图层上。

8.5.1 在遮罩层制作动画

在制作遮罩动画中，共分为 3 个图层，分别是背景层、遮罩层和被遮罩层。在背景层和被遮罩层中分别放置不同的图像，在遮罩层中制作一个与舞台相同大小的长方形动画。这样当动画播放时，被遮罩层中的图像逐渐显露出来，将背景层中的图像遮住，形成一个转场效果，其效果如下图所示。

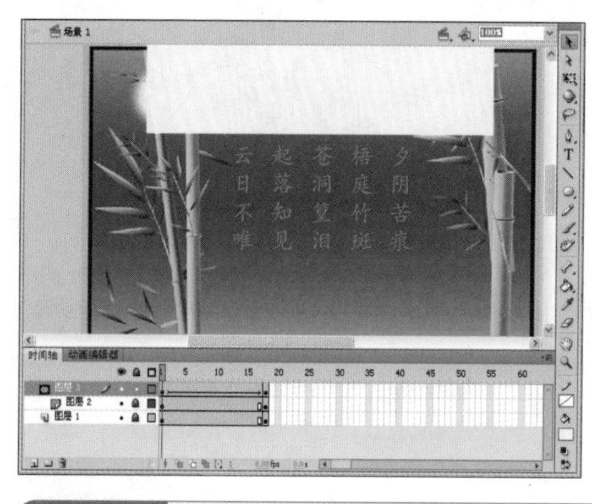

提示

只有遮罩层与被遮罩层同时处于锁定状态时，才会显示遮罩效果。如果需要对两个图层中的内容进行编辑，可将其解除锁定，编辑结束后再将其锁定。

8.5.2 在被遮罩层制作动画

在被遮罩层中制作动画，是指遮罩层中的对象不发生变化，而是通过改变被遮罩层中的对象来制作动画。如做探照灯效果，如下图所示。

8.6 滤镜动画

使用 Flash CS5 滤镜（图形效果），可以为文本、按钮和影片剪辑增添有趣的视觉效果。Flash 所独有的一个功能是可以使用补间动画让应用的滤镜动起来。

8.6.1 滤镜效果

用户可以直接从“属性”面板中的“滤镜”选项区域中为对象添加滤镜。选择要添加滤镜的对象，在“属性”面板中展开“滤镜”选项区域，在面板底部单击“添加滤镜”按钮，在弹出的快捷菜单中选择一种滤镜，然后设置相应的参数即可。滤镜效果包括“投影”、“模糊”、“发光”、“斜角”、“渐变发光”、“渐变斜角”和“调整颜色”效果。

1. “投影”滤镜

“投影”滤镜用于模拟对象投影到一个表面的效果，如下图所示。

2. “模糊”滤镜

“模糊”滤镜可以柔化对象的边缘和细节，如下图所示。将“模糊”滤镜应用于对象，可以让它看起来像位于其他对象的后面一样，或者使对象看起来像是运动的。

3. “发光”滤镜

“发光”滤镜可以使对象的边缘产生光线投射效果，既可以使对象的内部发光，也可以使对象的外部发光，如下图所示。

4. “斜角”滤镜

应用“斜角”滤镜就是向对象应用加亮效果，使其看起来凸出于背景表面。“斜角”滤镜可以使对象产生一种浮雕效果，如果将其阴影色与加亮色设置的对比非常强烈，则其浮雕效果更加明显，如下图所示。

5. “渐变发光”滤镜

应用“渐变发光”滤镜，可以在发光表面产生带渐变颜色的发光效果，如下图所示。“渐变发光”滤镜要求渐变开始处颜色的 Alpha 值为 0。不能移动此颜色的位置，但可以改变该颜色。

6. “渐变斜角”滤镜

“渐变斜角”滤镜效果与“斜角”滤镜效果相似，只是“斜角”滤镜效果只能更改其阴影色和加亮色两种颜色，而“渐变斜角”滤镜效果可以添加多种颜色，如下图所示。

7. “调整颜色”滤镜

使用“调整颜色”滤镜可以改变对象的各颜色属性，主要改变对象的亮度、对比度、饱和度和色相属性，使用户更方便为对象着色，如下图所示。

8.6.2 滤镜动画的应用

为了防止在补间一端缺少某个滤镜或者滤镜在每一端以不同的顺序应用时，补间动画不能正常运行，Flash 会执行以下操作。

（1）如果将补间动画应用于已应用了滤镜的影片剪辑，则在补间的另一端插入关键帧时，该影片剪辑在补间的最后一帧上自动具有它在补间开头所具有的滤镜，并且层叠顺序相同。

（2）如果将影片剪辑放在两个不同的帧上，并且对于每个影片剪辑应用不同的滤镜，此外，两帧之间又应用了补间动画，则 Flash 首先处理带滤镜最多的影片剪辑。然后，Flash 会比较应用于第一个影片剪辑和第二个影片剪辑的滤镜。如果在第二个影片剪辑中找不到匹配的滤镜，Flash 会生成一个不带参数并具有现有滤镜颜色的虚拟滤镜。

（3）如果两个关键帧之间存在补间动画并且向其中一个关键帧中的对象添加了滤镜，则 Flash 会在到达补间另一端的关键帧时自动将一个虚拟滤镜添加到影片剪辑。

（4）如果两个关键帧之间存在补间动画并且从其中一个关键帧中的对象上删除了滤镜，则 Flash 会在到达补间另一端的关键帧时自动从影片剪辑中删除匹配的滤镜。

（5）如果补间动画起始处和结束处的滤镜参数设置不一致，Flash 会将起始帧的滤镜设置应用于插补帧。以下参数在补间起始和结束处设置不同时会出现不一致的设置：挖空、内侧阴影、内侧发光及渐变发光的类型和渐变斜角的类型。

8.7 课堂练习——望远镜效果的制作

原始文件	无
最终文件	第8章\8.7\望远镜\望远镜.fla
注意事项	遮罩层动画的准确创建十分关键，因为它能保证动画效果更自然流畅
核心知识	了解并掌握遮罩动画的创建方法与技巧

下面将以望远镜效果的制作过程来介绍遮罩动画的创建。在案例中整个画面是模糊的，鼠标变成了一个瞄准镜，鼠标所到之处会变得十分清晰。

01 新建 Flash 文档，并将素材文件导入至库中。然后新建影片剪辑“瞄准镜”，绘制一个直径为 150 的圆形。

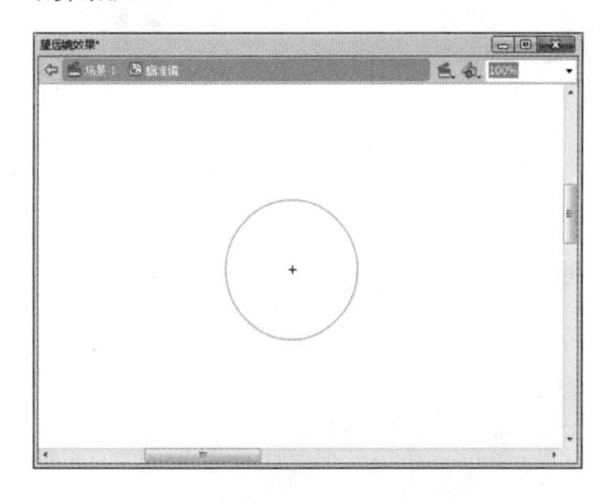

02 新建图层 2，执行“视图 > 标尺”命令，调出标尺。以舞台中心为交点绘制一个宽度为 1，颜色为黑色的十字线。

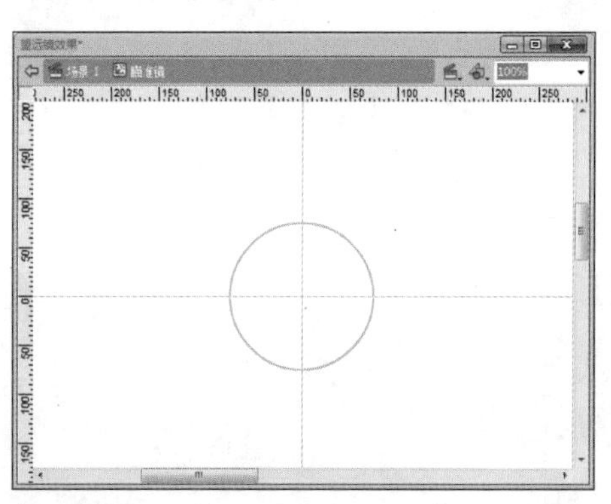

03 选中十字线将其打散，保留十字线位于圆心和圆内靠近边缘的部分，其他部分都删除，形成瞄准器形状。

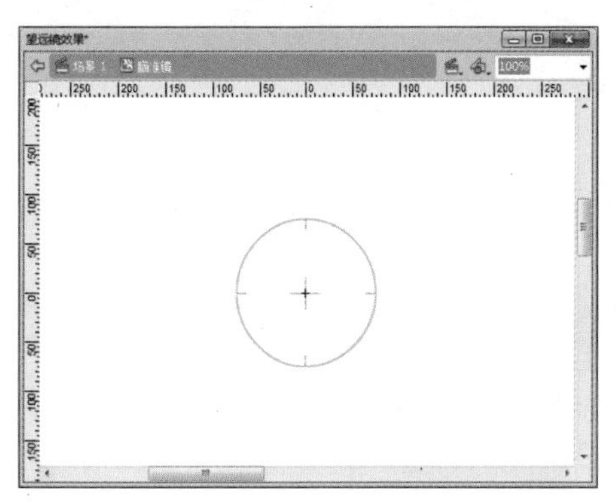

04 新建影片剪辑“遮罩”，绘制一个直径为 150，无边框的灰色圆形，并将其置于舞台中央。

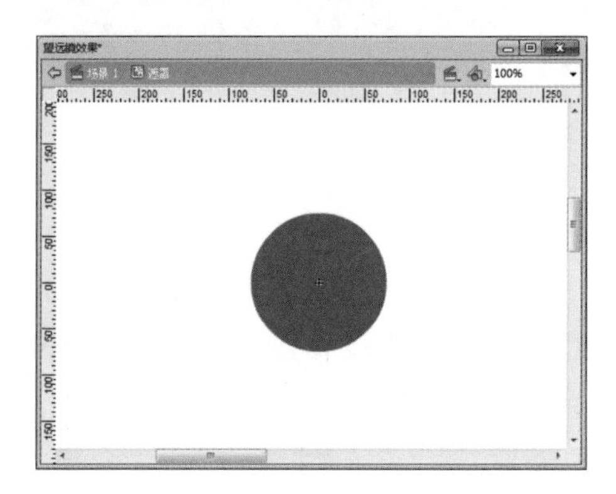

05 返回主场景，将图层 1 改名为“模糊背景”，并将“模糊背景”图形元件拖曳至舞台中央，在第 2 帧处插入帧。

06 新建“清晰背景”图层，将图形元件“清晰背景”拖曳至舞台上，并设置其水平中齐和垂直居中分布。

07 新建“遮罩”图层，选中第 1 帧，然后将“遮罩”剪辑拖入舞台，并设置其实例名称为 masking。

08 右击“遮罩”层，在弹出的快捷菜单中执行“遮罩层”命令，然后在该层第 1 帧处添加相应代码，以实现鼠标的隐藏和实例的拖动。

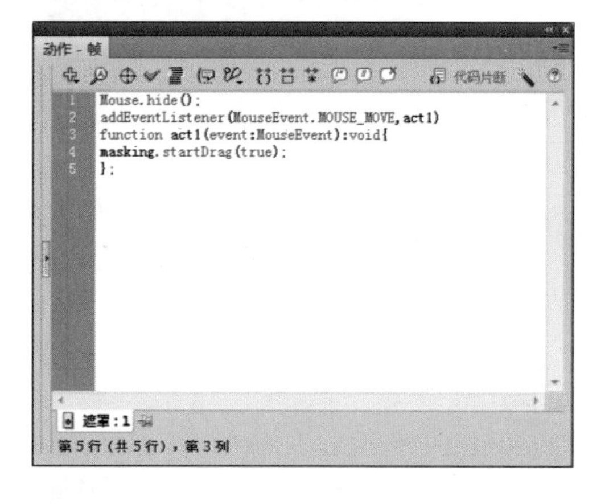

09 返回主场景，新建“瞄准镜”图层。选中第 1 帧，然后将“瞄准镜”元件拖入舞台，并设置其实例名称为 focus。在第 2 帧处插入关键帧，再打开动作面板从中添加相应的代码，以实现跟随效果。

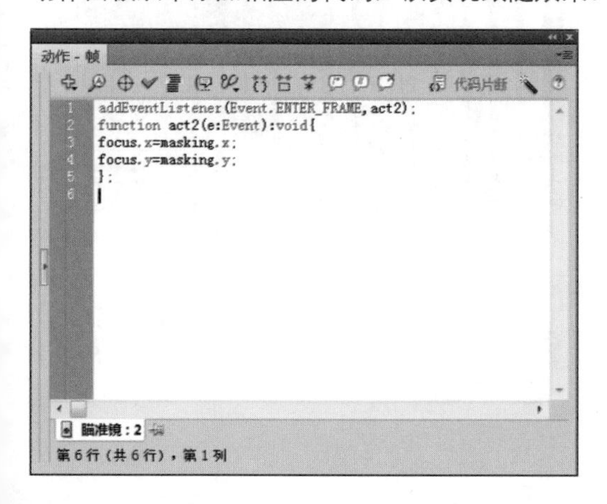

10 按下【Ctrl + S】组合键，以“望远镜”为名称保存文件。按下【Ctrl + Enter】组合键，对该动画效果进行测试。

拓展项目练习

本章介绍了补间动画的应用，通过本章的学习，读者可掌握补间动画的相关知识，为了进一步巩固所学知识，下面对本章中的一些重点内容进行考察。

一、选择题

（1）按住（　）键，使用椭圆工具可以在舞台上绘制出正圆。

A. Tab　　B. Shift　　C. Ctrl　　D. Alt

（2）将实例的（　）值设置为 0%，实例可以达到完全透明的效果。

A. 颜色　　B. 亮度　　C. 色调　　D. Alpha 值

（3）“写黑板字”是一个综合性比较强的实例，综合运用了多个知识点，下列（　）知识点未涉及到。

A. 时间轴特效　　B. 补间动画　　C. 逐帧动画　　D. 运动引导层

E. 遮罩效果

二、填空题

（1）如右图所示的放大镜效果中用到了动画中的__________功能。

（2）要想对长方形进行线性渐变填充，那么应按__________组合键，打开“颜色”面板，再从其“填充样式”下拉列表中选择__________选项，编辑欲填充的线性效果，最后使用__________工具，在长方形内单击即可。

（3）在“变形”面板中可以设置选中实例的__________、__________和__________属性，并且可以__________。

三、操作题

（1）根据 8.1 节所学知识，制作一个逐帧动画，如书法字的制作。

（2）根据 8.3 节所学知识，制作一个补间动画，如 Loading 效果。

（3）根据 8.4 节所学知识，制作一个引导动画，如游动的金鱼。

（4）根据 8.5 节所学知识，制作一个遮罩动画，如百叶窗效果。

动画设计锦囊

Flash 中的传统补间动画与补间动画类似，但在某种程度上，其创建过程更为复杂，也不那么灵活。但是，传统补间动画所具有的某些类型的动画控制功能是补间动画所不具备的。通过补间动画命令可对补间的动画进行最大程度的控制。传统补间动画（包括在早期版本的 Flash 中创建的所有补间）的创建过程更为复杂。补间动画提供了更多的补间控制功能，而传统补间动画提供了一些用户可能希望使用的某些特定功能。下面将介绍二者之间的区别。

传统补间动画和补间动画之间的差异有以下几点。

（1）传统补间动画使用关键帧。关键帧是其中显示对象的新实例的帧。补间动画只能具有一个与之关联的对象实例，并使用属性关键帧而不是关键帧。

（2）补间动画在整个补间范围上由一个目标对象组成。

（3）补间动画和传统补间动画都只允许对特定类型的对象进行补间。若要应用补间动画，则在创建补间时会将所有不允许的对象类型转换为影片剪辑。而应用传统补间动画会将这些对象类型转换为图形元件。

（4）在补间动画范围上不允许帧脚本，而传统补间动画允许帧脚本。

（5）补间目标上的任何对象脚本都无法在补间动画范围的过程中更改。

（6）可以在时间轴中对补间动画范围进行拉伸和调整大小，并将它们视为单个对象。传统补间动画包括时间轴中可分别选择的帧的组。

（7）若要在补间动画范围中选择单个帧，必须按住【Ctrl】键单击帧。

（8）对于传统补间动画，缓动可应用于补间内关键帧之间的帧组。对于补间动画，缓动可应用于补间动画范围的整个长度。若要仅对补间动画的特定帧应用缓动，则需要创建自定义缓动曲线。

（9）利用传统补间动画，可以在两种不同的色彩效果（如色调和 Alpha 透明度）之间创建动画。补间动画可以对每个补间应用一种色彩效果。

（10）只能使用补间动画来为 3D 对象创建动画效果。无法使用传统补间动画为 3D 对象创建动画效果。

（11）只有补间动画才能保存为动画预设。

（12）对于补间动画，无法交换元件或设置属性关键帧中显示的图形元件的帧数。应用了这些技术的动画要求使用传统补间动画。

Chapter 09 音频与视频动画的应用

设计师指导

在制作Flash动画时，往往需要添加声音，如制作贺卡所需要的背景音乐；制作卡通短片时角色的对白及其他卡通音效；制作MV时的主题音乐等。本章主要介绍声音的基础知识、在Flash中导入和编辑声音、优化和输出声音及导入视频等内容。

核心知识点

❶ 了解并熟悉声音的格式、采样率、位深和声道等概念
❷ 掌握在动画中导入并编辑声音的方法
❸ 掌握视频格式的转换和导入视频
❹ 了解视频的编辑等操作
❺ 了解声音的优化与输出

9.1 声音的基础知识

Flash 支持多种格式的音频文件，共有两种声音类型，分别是事件声音和数据流声音。事件声音必须在影片完全下载后才能开始播放，而数据流声音则是在影片下载足够的数据后即可开始播放，且声音的播放可以与时间轴上的动画保持同步，用户可以使用数据流音乐制作 Flash MV。

9.1.1 声音的格式

在 Flash CS5 中，可以导入影片的声音格式有 WAV、MP3 和 ATFF（仅限苹果机）格式。下面将对适合 Flash CS5 引用的最常用的音频格式进行介绍。

1. MP3格式

MP3 是使用最为广泛的一种数字音频格式。对于追求体积小、音质好的 Flash MV 来说，MP3 是最理想的格式。其经过压缩，体积很小，取样与编码技术优异，虽然经过了破坏性的压缩，但是其音质仍然大体接近 CD 的水平。

2. WAV格式

WAV 是微软公司和 IBM 公司共同开发的 PC 标准声音格式。它直接保存对声音波形的采样数据，没有压缩数据，所以音质一流。但由于其体积大，占用磁盘空间多、因此，在 Flash MV 中并没有得到广泛的应用。在制作 MV 或游戏时，调用声音文件需要占用一定数量的磁盘空间和随机存取储存器空间，所以可以使用比 WAV 或 AIFF 格式压缩率高的 MP3 格式声音文件，这样可以减小作品体积，提高作品下载的传输速率。

9.1.2 声音的采样率

声音的采样率就是采集声音样本的频率，即在 1 秒的声音中采集了多少样本。它与图像中的分辨率相似。

声音的原始信号如果以波形的形式表示出来，应该是一条光滑的曲线，但要把声音储存成数字信号，就要把声音分解成一个一个的样本信息。可见，在一定时间内采集的声音样本越多，声音就与原始声音越接近。在声音学中，在 1 秒钟时间内采集的样本的数量，称为声音的采样率。在 1 秒钟的声音中，采样的声音样本越多，则声音就会越清晰、越丰富、越细腻。

几乎所有声卡内置的采样率都是 44.1kHz，所以在 Flash 上播放的声音的采样率应该是 44.1 的倍数，如 22.05、11.025 等。如果使用其他采样率的声音，虽然在 Flash 中可以播放，但 Flash 会对它进行重新采样，最终播放出来的声音可能会比原始声音的声调偏高或偏低，这样就会背离原来的创作意图，影响 Flash 作品的整体效果。有关声音的采样率与声音的品质关系，如下表所示。

采样率	声音品质	用　途
48 kHz	录音棚效果	用于制作广播类的母带
44.1 kHz	CD 效果	高保真声音或音乐
32 kHz	接近 CD 效果	专业、消费类数字摄录机
22.05 kHz	FM 收音机效果	对要求不高的音乐剪辑
11.025 kHz	作为声效可以接受	演讲等人声、按钮等声音效果
5 kHz	简单的人声可以接受	单调的演讲

9.1.3 声音的位深

在 Flash 中，决定样本质量的因素是“位深”。所谓“声音的位深”，就是指录制每一个声音样本的精确程度。如果以级数来表示，则级数越多，样本的精确程度就越高，声音的质量就越好。

“位深”即位的数量，之所以称为“位深”而不是“位数”，其中一个原因是为了避免与数学中的“位数”混淆；另一个原因则是因为电脑都是以二进制来记录数字的，如果以 256 级的精度来录制声音样本，就称记录下来的声音为 8 位。自然界的声音是非常丰富的，用 256 级的精度来录制声音样本，这种声音简直糟透了。普通 CD 音乐的声音位深是 16 位，即每个声音样本有 65536 级，因此，其声音非常丰富。

如下表所示列出了各种不同声音位深与声音品质的关系。

位　深	声音品质	用　途
24 位	专业录音棚效果	用于制作音频母带
16 位	CD 效果	高保真声音或音乐
12 位	接近 CD 效果	用于效果好的音乐片段
10 位	FM 收音机效果	用于音乐片段
8 位	演讲等人声可以接受	用于人声或音效

9.1.4 声道

声道也就是声音的通道，是把一个声音分解成多个声音通道，再分别进行播放，各个通道的声音在空间进行混合，为耳朵模拟声音的立体效果。

通常所说的立体声，其实就是双声道，即左声道和右声道。现在已经有四声道、五声道，甚至更多的数字声道了。每个声道的信息量几乎是一样的，所以多一个声道，就会多一倍的信息量，声音文件就会大一倍，这对 Flash 的作品发布很重要。在 Flash 作品中，通常用单声道就可以了。

9.2 声音在Flash中的应用

声音是多媒体作品中不可或缺的一种媒介手段。在动画设计中，为了追求丰富的、具有感染力的动画效果，恰当地使用声音是十分必要的。优美的背景音乐、动感的按钮音效及适当的旁白可以更加贴切地表达作品的深层内涵，使影片的意境表现得更加充分。

下面将介绍声音的类型、导入音频文件的方法，以及为按钮和影片导入声音的方法。

9.2.1 了解声音的两种类型

在 Flash 中，有事件声音和流声音两种类型，下面分别介绍这两种声音的特点及应用。

1. 事件声音

事件声音在播放之前必须下载完全，它可以持续播放，直到被明确命令停止。它也可以播放一个音符作为单击按钮的声音，也可以把它放在任意想要放置的地方。

在 Flash 中，关于事件声音需注意以下 3 点。

（1）事件声音在播放之前必须完整下载。所以有的动画下载时间很长，可能是因为其声音文件过大而导致的。如果要重复播放声音，则不必再次下载。

（2）事件声音不论动画是否发生变化，它都会独立地把声音播放完毕，与动画的运行不发生关系。如果到播放另一声音时，它也不会因此停止播放，所以有时会干扰动画的播放质量，不能实现与动画同步播放。

（3）事件声音不论长短，都只能插入到一个帧中。

2. 流声音

流声音在下载若干帧后，只要数据足够，就可以开始播放，它还可以做到和网络上播放的时间轴同步。在 Flash 中，关于流声音需要注意以下两点。

（1）流声音可以边下载边播放，所以不必担心出现因声音文件过大而导致下载过长的现象。因此，可以把流声音与动画中的可视元素同步播放。

（2）流声音只能在它所在的帧中播放。

9.2.2 可导入的音频格式

在 Flash 动画中可以在适当的时候添加声音，以增强 Flash 作品的吸引力。Flash CS5 支持多种格式的音频文件，如 WAV、MP3、ASND、AIF 等。

在 Flash 中，选择“文件 > 导入 > 导入到舞台”命令，可直接将音频文件导入到当前所选择的图层中。执行“导入到库”命令，打开“导入到库”对话框。在其中选择音频文件，单击“打开”按钮，将音频文件导入到“库”面板中，并以一个“喇叭”的图标来标识。

9.2.3 在Flash中编辑声音

Flash 提供了编辑声音的功能，可以对导入的声音进行编辑、剪裁和改变音量等操作，还可以使用 Flash 预置的多种声效对声音进行设置。

对于导入的音频文件，可以通过“声音属性”对话框、“属性”面板和“编辑封套”对话框处理声音效果。

1. 设置声音属性

在“声音属性”对话框中可以对导入的声音进行属性设置。在 Flash 中，打开“声音属性”对话框有以下 3 种方法。

（1）在“库”面板中选择音频文件，在“喇叭”图标上双击。

（2）在“库”面板中选择音频文件，右击，在弹出的快捷菜单中选择“属性”命令。

（3）在“库”面板中选择音频文件，单击面板底部的“属性”按钮。

在打开的“声音属性”对话框中，可以对当前声音的压缩方式进行调整，也可以更换音频文件的名称，还可以查看音频文件的属性等，如右图所示。

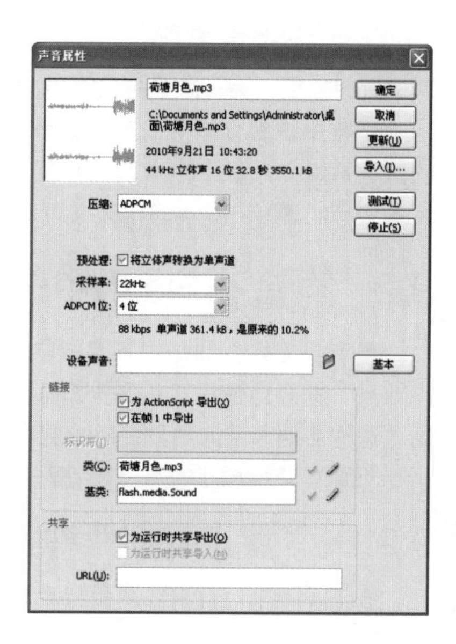

2. 设置声音的重复播放

如果要使声音在影片中重复播放，可以在“属性”面板“声音”选项区域的“声音循环”下拉列表框中，控制声音的重复播放。在“声音循环”下拉列表框中有两个选项，如右图所示，含义如下。

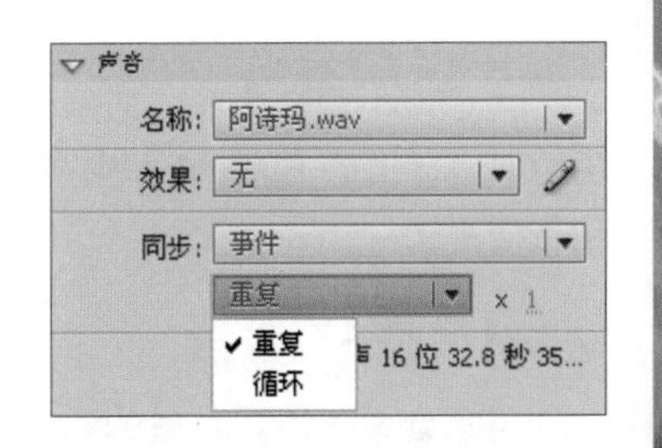

（1）重复：选择该选项，在右侧的文本框中可以设置播放的次数，默认播放一次。

（2）循环：选择该选项，声音可以一直不停地循环播放。

3. 设置声音的同步方式

同步是指影片和声音的配合方式。在“属性”面板“声音”选项区域的“同步”下拉列表框中，可以为当前关键帧中的声音进行播放同步的类型设置，并对声音在输出影片中的播放进行控制，如右图所示。

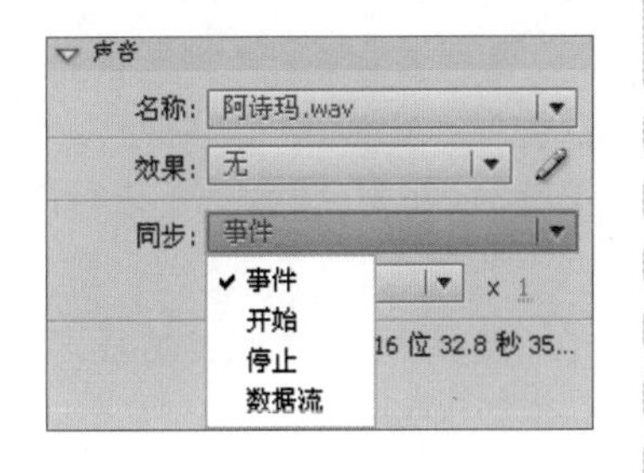

在“同步”下拉列表框中，各个选项的含义分别如下。

（1）事件：选择该选项，必须等声音全部下载完毕后才能播放动画。

（2）开始：若选择的声音实例已在时间轴上的其他地方播放过了，Flash 将不会再播放该实例。

（3）停止：可以使正在播放的声音文件停止。

（4）数据流：将使动画与声音同步，以便在 Web 站点上播放。Flash 强制动画和音频流同步，将声音完全附加到动画上。

4. 设置声音的效果

同一种声音可以做出多种效果，在“效果”下拉列表框中进行选择，可以让声音发生变化，还可以让左、右声道产生各种不同的变化。在“属性”面板“声音”选项区域的“效果”下拉列表框中，提供了多种播放声音的效果选项，如右图所示。

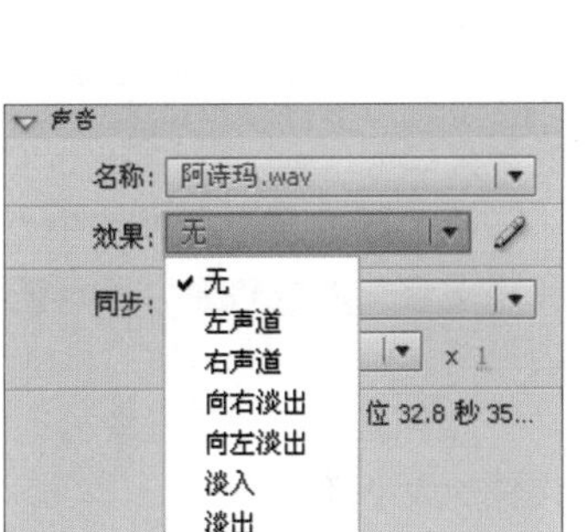

在“效果”下拉列表框中各个选项的含义分别如下。

（1）无：不使用任何效果。

（2）左声道：只在左声道播放音频。

（3）右声道：只在右声道播放音频。

（4）向右淡出：声音从左声道传到右声道。

（5）向左淡出：声音从右声道传到左声道。

（6）淡入：表示逐渐增大声强。

（7）淡出：表示逐渐减小声强。

（8）自定义：自己创建声音效果，并可利用音频编辑对话框编辑音频，如右图所示。

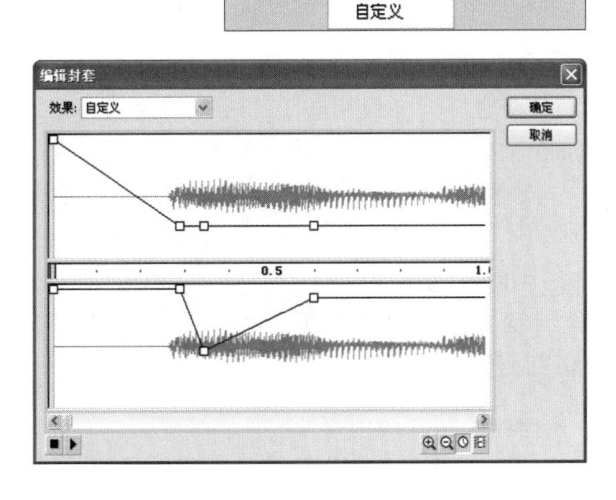

在“编辑封套”对话框中，分为上、下两个编辑区，上方代表左声道波形编辑区，下方代表右声道编辑区，在每一个编辑区的上方都有一条左侧带有小方块的控制线，可以通过控制线调整声音的大小、淡出和淡入等。

在“编辑封套”对话框中，各选项的含义如下。

（1）效果：在该下拉列表框中可以设置声音的播放效果。

（2）播放声音：单击该按钮，可以播放编辑后的声音。

（3）放大和缩小：单击这两个按钮，可以使声音波形显示窗口内的声音波形，在水平方向放大或缩小。

（4）帧：单击该按钮，可以使声音波编辑窗口内水平轴为帧数。

（5）灰色控制条：拖动上下声音波形之间刻度栏内的左右两个灰色控制条，可以截取声音片断。

9.3 Flash中声音的优化与输出

为了减小动画文件，通常要对声音文件进行优化与压缩，然后再设置导出声音。采样比例和压缩程度会影响导出的 SWF 文件中声音的品质和大小，所以应当通过对声音优化来调节声音品质和文件大小达到最佳平衡。

9.3.1 优化声音

当声音较长时，生成的动画文件就会很大，需要在导出动画时压缩声音，获得较小的动画文件，便于在网上发布。

在“声音属性”对话框的“压缩”下拉列表框中，包含“默认值”、“ADPCM”、“MP3”、“原始”和“语音”5 个选项，如右图所示，下面分别对它们进行介绍。

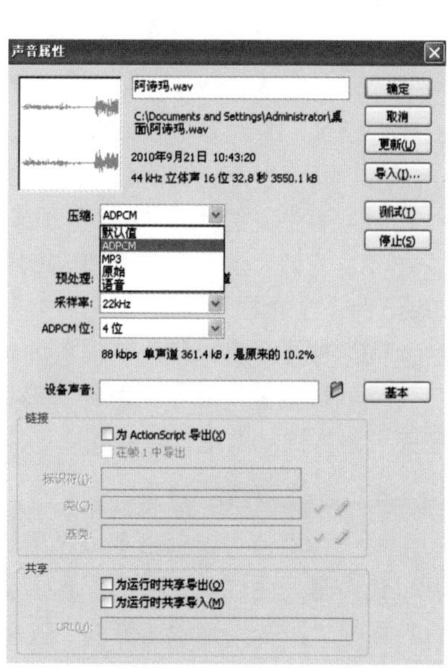

1. 默认

选择“默认”压缩方式，将使用“发布设置”对话框中的默认声音压缩设置。

2. ADPCM

ADPCM 压缩适用于对较短的事件声音进行压缩。选择该选项后，会在“压缩”下拉列表框的下方出现有关 ADPCM 压缩的设置选项，如右图所示。

设置“压缩”类型为“ADPCM”方式后，对话框中主要选项的含义如下。

（1）预处理：如果选中“将立体声转换成单声道”复选框，会将混合立体声转换为单声道，而原始声音为单声道则不受此选项影响。

（2）采样率：采样率的大小关系到音频文件的大小，适当调整采样率既能增强音频效果，又能减少文件的大小。

（3）ADPCM 位：可以从下拉列表框中选择 2 ～ 5 位的选项，据此可以调整文件的大小。

3. MP3

MP3 压缩一般用于压缩较长的流式声音。选择该选项时，会在“压缩”下拉列表框的下方出现与 MP3 压缩有关的设置选项，如下左图所示。

设置“压缩”类型为“MP3”方式后，对话框中主要选项的含义如下。

（1）比特率：在其下拉列表框中选择一个适当的传输速率，调整音乐的效果，比特率的范围为 8 ～ 160kbit/s。

（2）品质：可以根据压缩文件的需求，进行适当的选择。在该下拉列表框中包含“快速”、“中等”和“最佳”3 个选项。

4. 原始

如果选择“原始”选项，则在导出动画时不会压缩声音。选择该选项后，会在“压缩”下拉列表框的下方出现与原始压缩有关的设置选项，如下中图所示。

设置“压缩”类型为“原始”方式后，只需要设置采样率和预处理，具体设置与 ADPCM 压缩设置相同。

5. 语音

“语音”选项使用一种特别适合于语音的压缩算法导出声音，选择该选项后，会在“压缩”下拉列表框的下方出现与语音压缩有关的设置选项，如下右图所示。

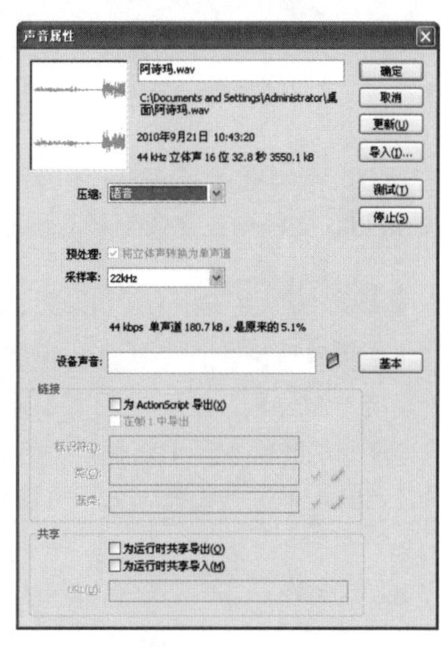

9.3.2 输出声音

音频的采样率、压缩率对输出动画的声音质量和文件大小起决定性作用。要得到更好的声音质量，必须对动画声音进行多次编辑。压缩率越大，采样率越低，文件的体积就会越小，但是质量也更差，用户可以根据实际需要对其进行更改。

9.4 在Flash中导入视频

在 Flash CS5 中不仅可以导入图像素材，还可以导入视频。在功能的支持下，动画制作的素材来源将更为广阔，内容和形式将更丰富。

将视频导入为嵌入文件时，可以在导入之前编辑视频，也可以应用自定义压缩设置，包括带宽或品质设置及颜色纠正、裁切或其他选项的高级设置。在“视频导入”向导中可以选择编辑和编码选项。导入视频剪辑后将无法对它进行编辑。

9.4.1 可导入的视频格式

Flash CS5 是一种功能非常强大的工具，可以将视频镜头融入基于 Web 的演示文稿。FLV 和 F4V（H.264）视频格式具备技术和创意优势，允许将视频、数据、图形、声音和交互式控制融为一体。FLV 或 F4V 视频可以轻松地将视频以几乎是任何人都可以查看的格式放在网页上。

若要将视频导入到 Flash 中，必须使用以 FLV 或 H.264 格式编码的视频。选择“文件 > 导入 > 导入视频”命令，打开“视频导入”对话框，检查用户选择导入的视频文件；如果视频不是 Flash 可以播放的格式，则会提醒用户。如果视频不是 FLV 或 F4V 格式，则可以使用 Adobe Media Encoder 以适当的格式对视频进行编码。

9.4.2 导入视频文件

在 Flash CS5 中，可以将现有的视频文件导入到当前文档中，通过指导用户完成选择现有视频文件的过程，并导入该文件以供在 3 个不同的视频回放方案之一中使用，视频导入向导简化了将视频导入到 Flash 文档中的操作。视频导入向导为所选的导入和回放方法提供了基本级别的配置，之后用户可以进行修改以满足特定的要求。

“视频导入”对话框提供了 3 个视频导入选项，各选项的含义分别介绍如下。

（1）使用回放组件加载外部视频：导入视频并创建 FLVPlayback 组件的实例以控制视频回放。可以将 Flash 文档作为 SWF 发布并将其上传到 Web 服务器时，还必须将视频文件上传到 Web 服务器或 Flash Media Server，并按照已上传视频文件的位置配置 FLVPlayback 组件。

（2）在 SWF 中嵌入 FLV 并在时间轴中播放：将 FLV 嵌入到 Flash 文档中。这样导入视频时，该视频放置于时间轴中可以看到时间轴帧所表示的各个视频帧的位置。嵌入的 FLV 视频文件成为 Flash 文档的一部分。

（3）作为捆绑在 SWF 中的移动设备视频导入：与在 Flash 文档中嵌入视频类似，将视频绑定到 Flash Lite 文档中以部署到移动设备。

9.4.3 处理导入的视频文件

选择舞台上嵌入或链接的视频剪辑后，在“属性”面板中就可以查看视频符号的名称、在舞台上的像素尺寸和位置，如下左图所示。使用“属性”面板可以为视频剪辑指定一个新的名称，也可以使用当前影片中的其他视频剪辑替换被选视频。同时，用户还可以通过“属性”面板中的“组件参数”选项区域，对导入的视频进行设置，如下右图所示。

9.5 课堂练习——视频的导入与播放

原始文件	无
最终文件	视频文件的播放.fla
注意事项	要对导入的AVI格式的视频文件进行编码转换，否则无法正常播放
核心知识	熟悉在FLASH中导入并播放视频文件的操作方法

若要将视频导入到 Flash 中，必须使用一个 FLV 或 H.264 格式编码的视频。如果视频不是 Flash 可以播放的格式，则需使用 Adobe Media Encoder 以适当的格式对视频进行编码。下面通过导入 AVI 格式的视频文件，向用户介绍导入并播放视频的方法。

01 新建Flash文档，设置“宽度”和“高度”分别为600像素和500像素。

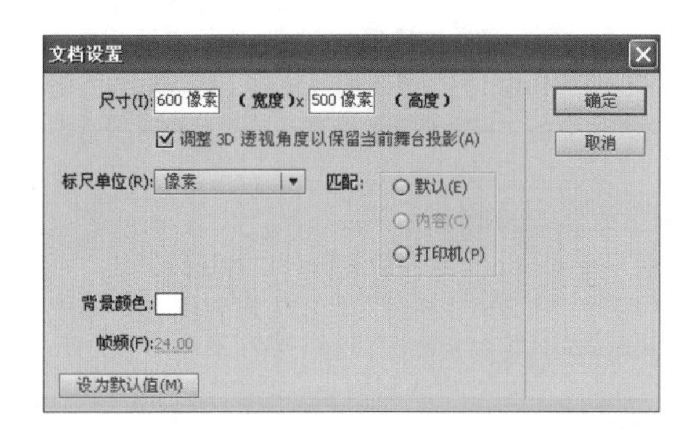

02 选择“文件>导入>导入视频”命令，弹出“选择视频”对话框。

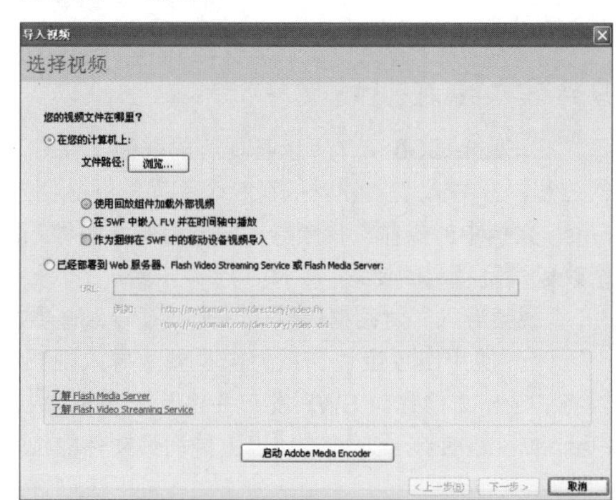

03 单击“启动Adobe Media Encoder”按钮，打开视频格式转换对话框。

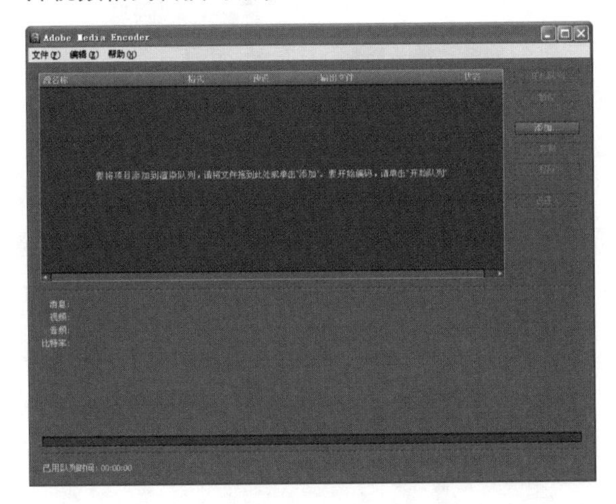

04 单击“添加”按钮，选择要进行格式转换的视频。

05 单击“开始队列”按钮，对视频进行编码，格式转换。

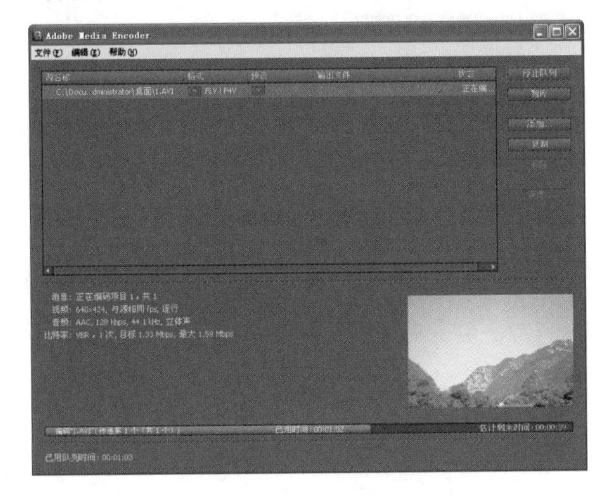

06 视频编码完成后，在“状态”栏中会显示一个“√”符号。

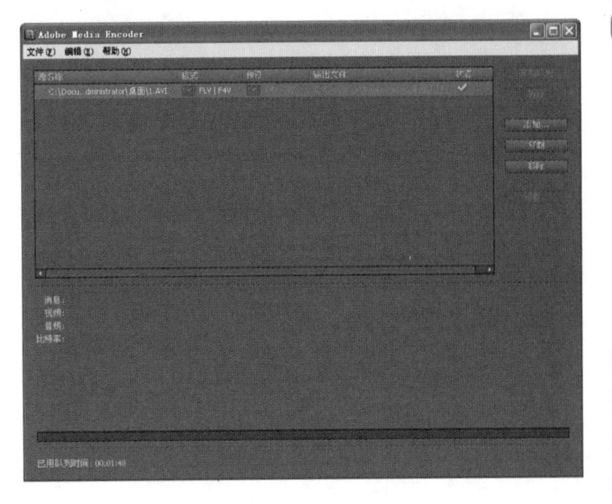

07 返回到“选择视频”对话框。单击“浏览”按钮，选择刚才编码过的视频文件，单击“打开”按钮。

08 此时选择的视频路径会显示在对话框中，单击“下一步”按钮。

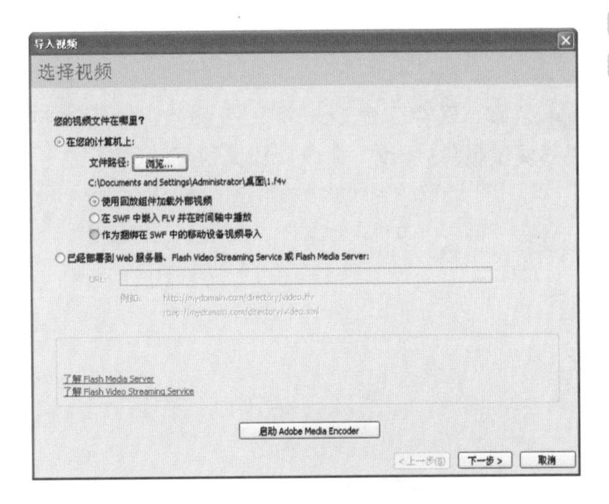

09 在“外观”对话框中设置视频的外观和播放器的颜色。单击“下一步”按钮。

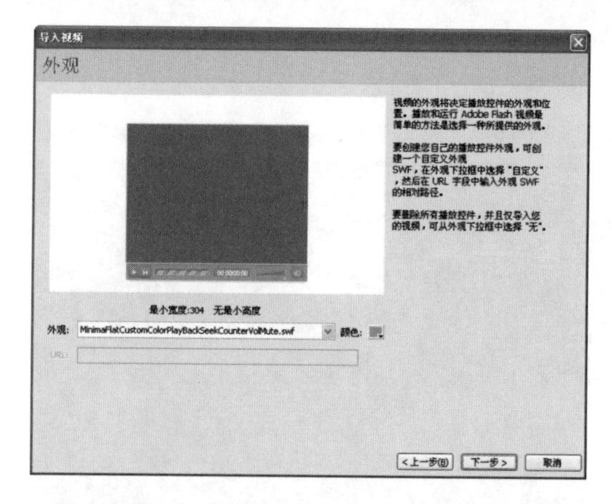

10 进入“完成视频导入”对话框，在其中将会显示视频的位置及其他信息。

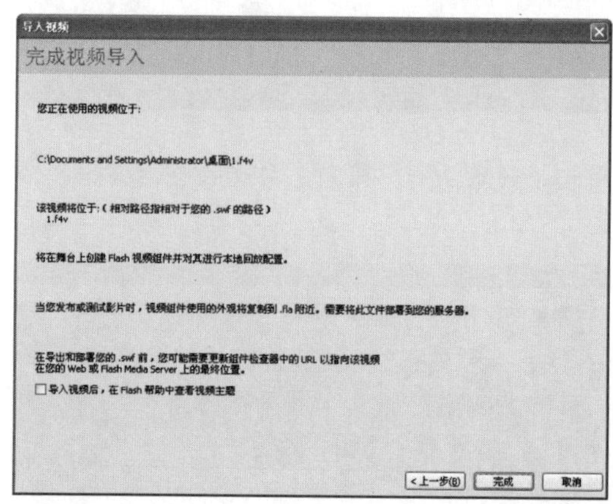

11 单击“完成”按钮，显示获取元数据的进度条。

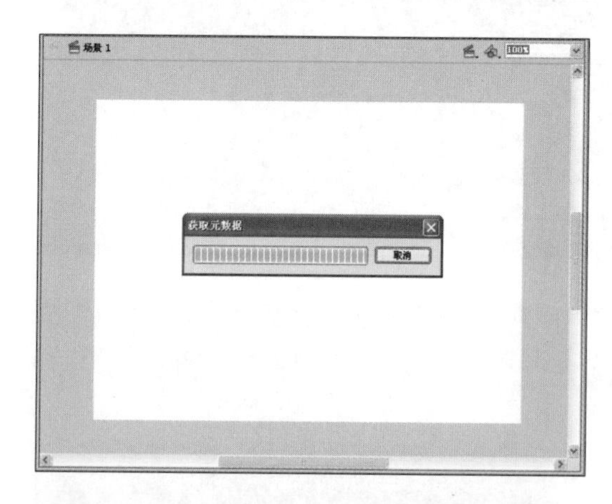

12 选择“保存”命令，将文件保存。执行“控制>测试影片>测试”命令，预览视频。

拓展项目练习

在制作 Flash 动画时，如果仅仅只有漂亮的造型和精彩的动画情节是不够的。要使影片更加完善和引人入胜，就有必要为 Flash 影片中的动画添加音频或视频，来丰富动画效果，从而有助于主题的表现。

一、选择题

（1）声音的采样率就是采集声音样本的频率，即在（　）的声音中采集了多少样本。

A. 一秒钟　　B. 三秒钟　　C. 四秒钟　　D. 一分钟

（2）Flash CS5 支持多种格式的音频文件，如（　）等。

A. WAV　　B. MP3　　C. ASND　　D. AIF

（3）（　）也就是声音的通道，是把一个声音分解成多个声音通道。

A. 声道　　B. 位深　　C. 采样率　　D. MP3

（4）可以将（　）格式的视频剪辑直接导入到 Flash 中。

A. FLV　　B. AVI　　C. MOV　　D. MPEG

（5）若要为音频设置标识符，应在“库”中右击此音频，然后选择快捷菜单中的（　）。

A.“编辑方式”命令　　B.“属性”命令

C.“链接”命令　　D.“导出设置”命令

二、填空题

（1）Flash 支持多种格式的音频文件，共有两种声音类型，分别是__________声音和__________声音。

（2）__________的大小关系到音频文件的大小，适当调整它既可以增强音频效果，又可以减少文件的大小。

（3）__________或__________格式的视频放在网页上几乎可以被任何人查看。

（4）单击__________命令，可以将音频文件导入到库中。

（5）在__________对话框中可以对音频进行编辑。

三、操作题

（1）试对导入的音频进行编辑。

（2）为按钮添加声音。要求：选择已有的按钮元件双击鼠标，进入元件的编辑区。新建图层，选择“指针”帧，在“属性”面板中设置声音名称为“click.wav”。

（3）制作一个具有声音的按钮特效，如下左图所示。

（4）为动画导入一个视频，并对该视频进行设置，如下右图所示。

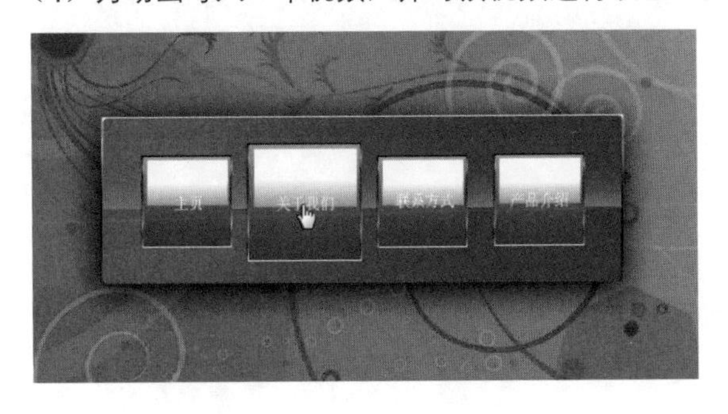

Chapter 10 ActionScript 特效动画设计

设计师指导

Flash中提供了动作脚本语言ActionScript，通过调用相应语句可实现一些特殊的功能。Flash中控制动画的播放和停止、指定鼠标动作、实现网页的链接、制作精彩游戏及创建交互的网页等操作，都需要用这些语言来实现。ActionScript现已是Flash强大交互功能的核心。

核心知识点

❶ 了解ActionScript的功能
❷ 熟悉ActionScript 3.0的特点
❸ 掌握“动作”面板的使用方法
❹ 掌握ActionScript的编程环境
❺ 掌握ActionScript的语法规则和基本语句
❻ 熟练应用ActionScript的交互操作

10.1 ActionScript的简介

Flash 动画不仅可以根据不同的要求动态地调整动画播放的顺序或者内容，也可以接收用户反馈的信息实现互动操作，这一切都是利用 Flash 中的编程语言 ActionScript 来实现的。下面将对其相关知识进行简单介绍。

10.1.1 ActionScript的概述

ActionScript 语句是 Flash 提供的一种动作脚本语言，与 JavaScript 相似，它是一种编程语言，新出的 ActionScript 3.0 使用 OOP（面对对象编程），增加更强的报错能力，指定类型也更明确。ActionScript 使 Flash 具备了强大的交互功能，提高了动画与用户之间的交互性，并使得用户对动画的控制得到加强。通过对其中相应语句的调用，使 Flash 能实现一些特殊的功能，如网页的链接、鼠标动作的指定、动画中音效发热控制、控制动画的播放和停止、游戏的键位控制等。

ActionScript 是在 Flash 影片中实现互动的重要组成部分，也是 Flash 优越于其他动画制作软件的主要因素。ActionScript 3.0 的脚本编写功能超越了其早期版本，主要目的在方便创建拥有大型数据集和面向对象的可重用代码库的高度复杂应用程序。

10.1.2 ActionScript 3.0的特点

ActionScript 3.0 提供了可靠的编程模型，它包含了 ActionScript 编程人员所熟悉的许多类和功能。相对于早期 ActionScript 版本改进的一些重要功能包括如下几个方面。

（1）一个新增的 ActionScript 虚拟机，称为 AVM2，它使用全新的字节代码指令集，可使性能显著提高。

（2）一个更为先进的编译器代码库，可执行比早期编译器版本更深入的优化。

（3）一个扩展并改进的应用程序编程接口（API），拥有对对象的低级控制和真正意义上的面向对象的模型。

（4）一个基于 ECMAScript for XML（E4X）规范的 XML API。E4X 是 ECMAScript 的一种语言扩展，它将 XML 添加为语言的本机数据类型。

（5）一个基于文档对象模型（DOM）第 3 级事件规范的事件模型。

10.1.3 ActionScript 3.0的新增功能

虽然 ActionScript 3.0 包含 ActionScript 的许多类和功能，但是 ActionScript 3.0 在架构和概念上是区别于早期的 ActionScript 版本的。ActionScript 3.0 中的改进部分包括新增的核心语言功能，以及能够更好地控制对象改进后的 Flash Player API。

1. 核心语言功能

核心语言定义编程语言的基本构造块，如语句、表达式、条件、循环和类型。ActionScript 3.0 包含许多加速开发过程的新功能，新功能具体介绍如下。

（1）运行时异常。ActionScript 3.0 报告的错误情形比早期的 ActionScript 版本多。运行时异常用于常见的错误情形，可改善调试体验并使用户能够开发可以可靠地处理错误的应用程序。运行时错误可提供带有源文件和行号信息注释的堆栈跟踪，以帮助用户快速定位错误。

（2）运行时类型。在 ActionScript 2.0 中，类型注释主要是为开发人员提供帮助；在运行时，所有值的类型都是动态指定的。在 ActionScript 3.0 中，类型信息在运行时保留，并可用于多种目的。Flash Player 和 Adobe AIR 执行运行时类型检查，从而改善了系统的类型安全性。类型信息还可用于以本机形式表示变量，从而提高了性能并减少了内存使用量。

（3）密封类。ActionScript 3.0 引入了密封类的概念。密封类只能拥有在编译时定义的固定的一组属性和方法，不能添加其他属性和方法。这使得编译时的检查更为严格，从而导致程序更可靠。

（4）闭包方法。ActionScript 3.0 使闭包方法可以自动记起它的原始对象实例。此功能对于事件处理非常有用。在 ActionScript 2.0 中，闭包方法无法记起它是从哪个对象实例提取的，所以在调用闭包方法时将导致意外的行为。

（5）ECMAScript for XML（E4X）。ActionScript 3.0 实现了 ECMAScript for XML（E4X），后者最近被标准化为 ECMA-357。E4X 提供一组用于操作 XML 的自然流畅的语言构造。与传统的 XML 分析 API 不同，使用 E4X 的 XML 就像该语言的本机数据类型一样执行。E4X 通过大大减少所需代码的数量来简化操作 XML 应用程序的开发。

（6）正则表达式。ActionScript 3.0 包括对正则表达式的固有支持，因此可以快速搜索并操作字符串。由于在 ECMAScript（ECMA-262）第 3 版语言规范中对正则表达式进行了定义，因此 ActionScript 3.0 实现了对正则表达式的支持。

（7）命名空间。命名空间与用于控制声明（public、private、protected）的可见性的传统访问说明符类似。它们的工作方式与名称与用户指定的自定义访问说明符类似。命名空间使用统一资源标识符（URI）以避免冲突，而且在用户使用 E4X 时还用于表示 XML 命名空间。

（8）新基元类型。ActionScript 2.0 拥有单一数值类型 Number，它是一种双精度浮点数。ActionScript 3.0 包含 int 和 uint 类型。int 类型是一个带符号的 32 位整数，它使 ActionScript 代码可充分利用 CPU 快速处理整数数学运算的能力。int 类型对使用整数的循环计数器和变量都非常有用。uint 类型是无符号的 32 位整数类型，可用于 RGB 颜色值、字节计数和其他方面。

2. Flash Player API功能

ActionScript 3.0 中的 Flash Player API 包含许多用于在低级别控制对象的类。语言体系结构的设计比早期版本更为直观，新功能具体介绍如下。

（1）DOM3 事件模型。DOM3 事件模型即文档对象模型第 3 级事件模型（DOM3），提供的一种生成并处理事件消息的标准方法，以使应用程序中的对象可以进行交互和通信，同时保持自身的状态并响应更改。通过采用万维网联盟 DOM 第 3 级事件规范，该模型提供了一种比早期的 ActionScript 版本中所用的事件系统更清楚、更有效的机制。

（2）显示列表 API。用于访问 Flash Player 和 Adobe AIR 显示列表（包含应用程序中所有可视元素的树）的 API 由处理可视基元的类组成。新增的 Sprite 类是一个轻型构造块，类似于 MovieClip 类，但更适合作为 UI 组件的基类。新增的 Shape 类表示原始的矢量形状。可以使用 new 运算符很自然地实例化这些类，并可随时动态地重新指定其父类。现在，深度管理是自动执行的并且已内置于 Flash Player 和 Adobe AIR 中，因此不需要指定深度编号，因其提供了用于指定和管理对象的 z 顺序的新方法。

（3）处理动态数据和内容。ActionScript 3.0 包含用于加载和处理应用程序中的资源和数据的机制，这些机制在 API 中是直观的并且是一致的。新增的 Loader 类提供了一种加载 SWF 文件和图像资源的单一机制，并提供了一种访问已加载内容的详细信息的方法。URLLoader 类提供了一种单独的机制，用于在数据驱动的应用程序中加载文本和二进制数据。Socket 类提供了一种以任意格式从 / 向服务器套接字中读取 / 写入二进制数据的方式。

（4）低级数据访问。各种 API 提供了对数据的低级访问，而这种访问以前在 ActionScript 中是不可能的。对于正在下载的数据而言，可使用 URLStream 类（由 URLLoader 实现）在下载数据的同时访问原始二进制数据。使用 ByteArray 类可优化二进制数据的读取、写入及处理。使用新增的 Sound API，可以通过 SoundChannel 类和 SoundMixer 类对声音进行精细控制。新增的处理安全性的 API 可提供有关 SWF 文件或加载内容安全权限的信息，从而使用户能够更好地处理安全错误。

（5）使用文本。ActionScript 3.0 包含一个用于所有与文本相关的 API 的 flash.text 包。TextLineMetrics 类为文本字段中的一行文本提供精确度量；该类取代了 ActionScript 2.0 中的 TextFormat.getTextExtent() 方法。TextField 类包含许多有趣的新低级方法，这些方法可以提供有关文本字段中的一行文本或单个字符的特定信息。这些方法包括 getCharBoundaries()（返回一个表示字符边框的矩形）、getCharIndexAtPoint()（返回指定点处字符的索引）及 getFirstCharInParagraph()（返回段落中第一个字符的索引）。行级方法包括 getLineLength()（返回指定文本行中的字符数）和 getLineText()（返回指定行的文本）。新增的 Font 类提供了一种管理 SWF 文件中的嵌入字体的方法。

10.2 “动作”面板

在 Flash 中，如果要使用动画中的关键帧、按钮、动画片段等具有交互性的特殊效果，就必须为其添加相应的脚本语言。这里的脚本语言是指实现某一具体功能的命令语句或实现一系列功能的命令语句组合。在 Flash 中，脚本语言是通过“动作”面板实现的。

10.2.1 “动作”面板的组成

在 Flash CS5 中，选择“窗口 > 动作”命令，或按下【F9】快捷键，即可打开“动作”面板，如下左图所示。

“动作”面板由动作工具箱、脚本导航器和脚本窗口 3 个部分组成，各部分的功能分别如下。

（1）动作工具箱：动作工具箱位于“动作”面板左上方，可以在下拉列表框中选择不同的 ActionScript 版本类别显示不同的脚本命令，如下右图所示。

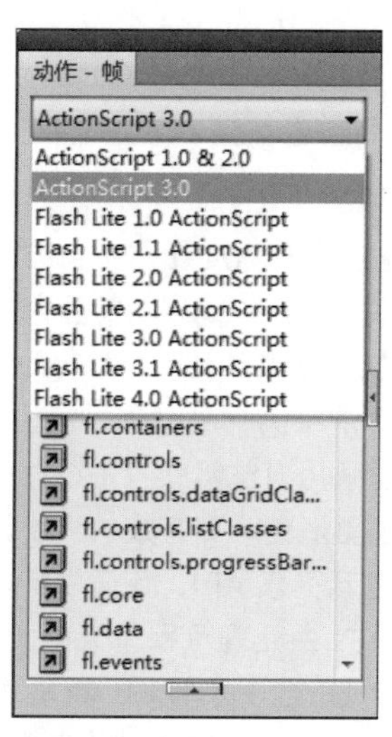

（2）脚本导航器：脚本导航器位于“动作”面板的左下方，其中列出了当前选中对象的具体信息，如名称、位置等。通过脚本导航器可以快速地在 Flash 文档中的脚本间导航，如下左图所示。

（3）脚本窗口：脚本窗口可以创建导入应用程序的外部脚本文件。脚本可以是 ActionScript、Flash Communication 或 Flash JavaScript 文件，如下右图所示。

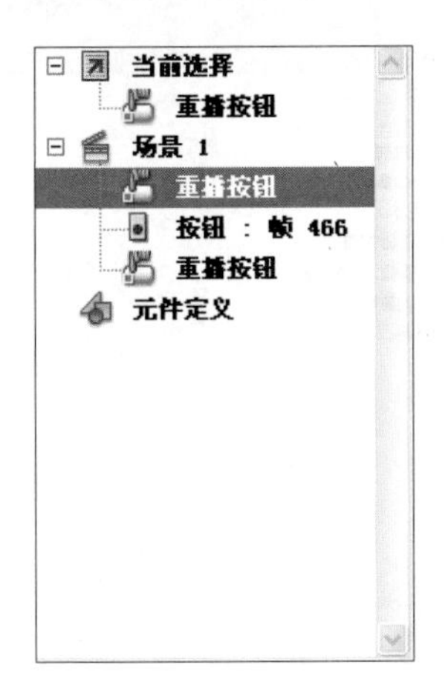

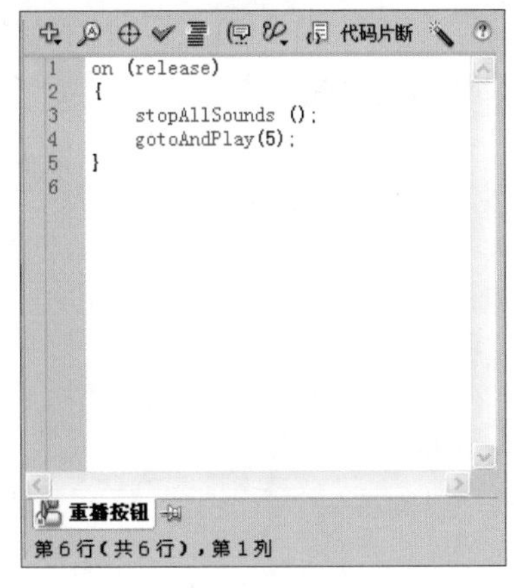

10.2.2 “动作”面板中的工具

在脚本窗口上方可以看到面板上方的一排按钮工具，这些按钮在输入脚本语句之后会被激活，各按钮的功能分别如下。

（1）“将新项目添加到脚本中”按钮：单击该按钮，在弹出的下拉菜单中显示需要添加的脚本命令，如下左图所示。选择相应的命令，即可将脚本添加到脚本窗口中。

（2）“查找”按钮：单击该按钮，打开“查找和替换”对话框，如右下图所示。可以查找或替换脚本中的文本或者字符串。

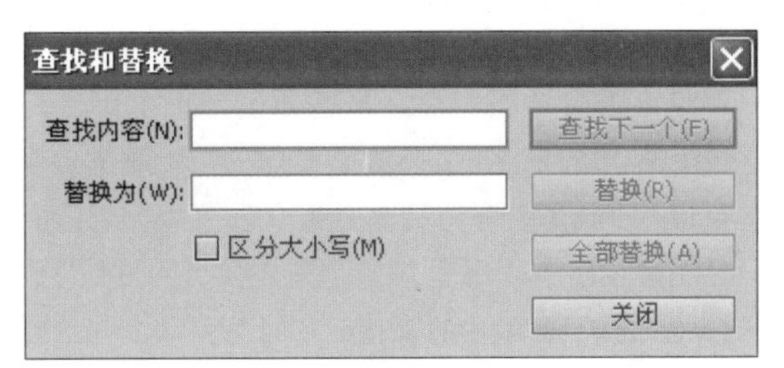

（3）“插入目标路径”按钮：单击该按钮，打开“插入目标路径”对话框，如下左图所示。在此可为脚本中的某个动作设置绝对或相对路径。

（4）“语法检查”按钮：单击该按钮，检查当前脚本中的语法错误。如果出现错误，将自动打开“编译器错误”面板，在该面板中显示错误报告。

（5）“自动套用格式”按钮：单击该按钮，可以设置脚本为实现编码语法的正确性和可读性，在“首选参数”对话框中设置自动套用格式首先参数。

（6）“显示代码提示”按钮：单击该按钮，用于显示或关闭自动代码提示，显示正在处理的代码提示。

（7）“调试选项”按钮：单击该按钮，即可在打开的下拉菜单中切换或删除断点，以便在调试时可以逐行执行脚本。调试选项只适用于 ActionScript 文件使用，对 Flash Communication 或 Flash JavaScript 文件不能使用此选项。

（8）“折叠成对大括号”按钮：单击该按钮，可以对出现在当前包含插入点的成对大括号或小括号间的代码进行折叠。

（9）在“动作”面板中选择“脚本助手”命令将打开脚本助手模式，如下右图所示。

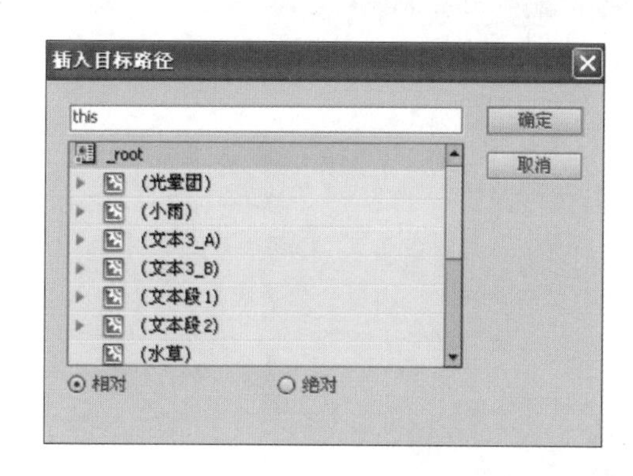

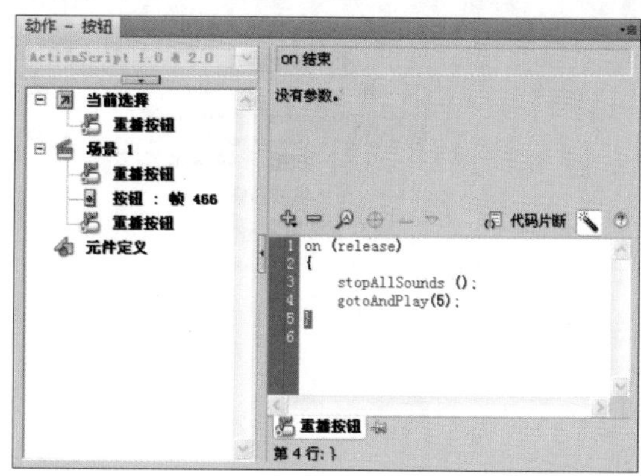

10.3 ActionScript的语法基础

ActionScript 3.0 既包含 ActionScript 核心语言，同时也包含了 Adobe Flash Player 应用程序编程接口（API）。核心语言是定义语言语法及顶级数据类型的 ActionScript 部分。ActionScript 3.0 提供对 Flash Player 的编程访问。

下面将简要介绍 ActionScript 核心语言及其语法，使读者能够对如何处理数据类型和变量、如何使用正确的语法及如何控制程序中的数据流等方面有一个基本的了解。

10.3.1 对象和类

对象是 ActionScript 3.0 语言的核心，也是 ActionScript 3.0 语言的基本构造块。可将类视为某一类对象的模板或蓝图。类定义中可以包括变量、常量及方法，前者用于保存数据值，后者是封装绑定到类的行为函数。存储在属性中的值可以是基元值，也可以是其他对象。基元值是指数字、字符串或布尔值。

ActionScript 中包含许多属于核心语言的内置类。其中的某些内置类（如 Number、Boolean 和 String）表示 ActionScript 中可用的基元值。其他类（如 Array、Math 和 XML）定义更加复杂的对象。

在 ActionScript 3.0 中，每个对象都是由类定义的。所有的类（无论是内置类还是用户定义的类）都是从 Object 类派生的。在 ActionScript 方面有开发经验的程序员一定要注意，Object 数据类型不再是默认的数据类型，尽管其他所有类仍从它派生。

在 Flash CS5 中，可以使用 class 关键字来定义自己的类。在方法声明中，可通过以下 3 种方法来声明类属性（property）。

（1）使用 const 关键字定义常量。

（2）使用 var 关键字定义变量。

（3）使用 get 和 set 属性（attribute）定义 getter 和 setter 属性（property）。

可使用 new 运算符创建类的实例。下面的示例代码便创建了 Date 类的一个名为 myBirthday 的实例。

```
var myBirthday:Date = new Date();
```

10.3.2 变量与常量

下面将对 ActionScript 3.0 中的变量和常量两个概念进行详细介绍。

1. 变量

变量可用来存储程序中使用的值。要声明变量，必须将 var 语句和变量名结合使用。在 ActionScript 2.0 中，只有当用户使用类型注释时，才需要使用 var 语句。在 ActionScript 3.0 中，var 语句不能省略使用。如要声明一个名为“a”的变量，ActionScript 代码的格式如下：

```
var a;
```

若在声明变量时省略了 var 语句，则在严格模式下会出现编译器错误，在标准模式下会出现运行时错误。若未定义变量 y，则下面的代码行将产生错误。

```
a; //error if a was not previously defined
```

在 ActionScript 3.0 中，一个变量实际上包含以下 3 个不同部分。

（1）变量的名称。

（2）可以存储在变量中的数据类型，如 String（文本型）、Boolean（布尔型）等。

（3）存储在计算机内存中的实际值。

要将变量与一个数据类型相关联，则必须在声明变量时进行此操作。在声明变量时不指定变量的类型是合法的，但这样在严格模式下会产生编译器警告。可通过在变量名后追加一个后跟变量类型的冒号（:）来指定变量类型。如下面的代码为声明一个 int 类型的变量 a。

```
var a : int;
```

可以使用赋值运算符（=）为变量赋值。例如，下面的代码声明一个变量 a 并将值 20 赋给它。

```
var a:int;
a = 20;
```

用户可能会发现在声明变量的同时为变量赋值可能更加方便，如下面的示例代码所示。

```
var a:int = 20;
```

通常，在声明变量的同时为变量赋值的方法不仅在赋予基元值（如整数和字符串）时很常用，而且在创建数组或实例化类的实例时也很常用。下面的示例显示了一个使用一行代码声明和赋值的数组。

```
var numArray:Array = ["one", "two","three"];
```

可以使用 new 运算符来创建类的实例。下面的示例创建一个名为 CustomClass 的实例，并向名为 customItem 的变量赋予对该实例的引用。

```
var customItem:CustomClass = new CustomClass();
```

如果要声明多个变量，则可以使用逗号运算符（,）来分隔变量，从而在一行代码中声明这些变量。如下面的代码在一行代码中声明 3 个变量。

```
var a:int, b:int, c:int;
```

也可以在同一行代码中为其中的每个变量赋值。如下面的代码声明 3 个变量（x、y 和 z）并为每个变量赋值。

```
var x:int = 15, y:int = 18, z:int = 36;
```

2. 常量

常量是相对于变量来说的，它是使用指定的数据类型表示计算机内存中的值的名称。其区别在于，在 ActionScript 应用程序运行期间只能为常量赋值一次。一旦为某个常量赋值之后，该常量的值在整个应用程序运行期间都保持不变。声明常量需要使用关键字 const，如下示例代码所示。

```
const SALES _ TAX _ RATE:Number = 0.12;
```

若需要定义在整个项目中多个位置使用且正常情况下不会更改的值，则定义常量非常有用。使用常量而不是字面值可提高代码的可读性。例如，一个用 SALES_TAX_RATE 与价格相乘，另一个则用 0.12

与价格相乘，则使用 SALES_TAX_RATE 常量的版本较易理解。另外，假设用常量定义的值确实需要更改，在整个项目中若使用常量表示特定值，则可以在一处位置更改此值即可（常量声明）。相反，若使用硬编码的字面值，则必须在各个位置更改此值。

10.3.3 数据类型

在 ActionScript 中，常见的数据类型包括如下几种。

（1）String：文本类型。

（2）Numeric：对于 numeric 型数据，ActionScript 3.0 包含 3 种特定的数据类型，分别如下。

- Number：任何数值，包括有小数部分或没有小数部分的值。
- Int：一个整数（不带小数部分的整数）。
- Uint：一个“无符号”整数，即不能为负数的整数。

（3）Boolean：布尔类型，其属性值为 true 或 false。

通常，数据类型可以归纳为“简单”或“基础”两种。简单数据类型表示单条信息，如单个数字或单个文本序列。在 ActionScript 中定义的大多数数据类型可能是复杂数据类型，它们表示单一容器中的一组值。如数据类型为 Date 的变量表示单一值（某个时刻）。然而，该日期值以多个值表示，即天、月、年、小时、分钟、秒等，这些值都为单独的数字。人们往往将日期认为单一值，但是在计算机内部，计算机认为它是共同定义一个日期的一组值。

大部分内置数据类型及编程人员定义的数据类型都是复杂数据类型。常见的复杂数据类型列举如下。

（1）MovieClip：影片剪辑元件。

（2）TextField：动态文本字段或输入文本字段。

（3）SimpleButton：按钮元件。

（4）Date：有关时间中的某个片刻的信息（日期和时间）。

提 示

经常用于数据类型的同义词是类和对象。类只是数据类型的定义。它像一个适用于某数据类型的所有对象的模板，就好像说“示例数据类型的所有变量都具有以下特性：A、B 和 C”。另一方面，对象只是类的实际实例。如数据类型为 MovieClip 的变量可以被描述为 MovieClip 对象。

10.3.4 语法

在编写 ActionScript 语言脚本时，其语法定义了一组在编写可执行代码时必须遵循的规则，具体介绍如下。

（1）区分大小写。ActionScript 3.0 是一种区分大小写的语言，大小写不同的标识符会被视为不同。

（2）点语法。点运算符（.）提供对对象属性和方法的访问。使用点语法，可以使用后跟点运算符和属性名或方法名的实例名来引用类的属性或方法。

（3）斜杠语法。ActionScript 3.0 不支持斜杠语法。在早期的 ActionScript 版本中，斜杠语法用于指示影片剪辑或变量的路径。

（4）字面值。字面值可以组合起来构成复合字面值。数组文本括在中括号字符 ([]) 中，各数组元素之间用逗号隔开。

（5）分号。可以使用分号字符（;）来终止语句。如果省略分号字符，则编译器将假设每一行代码代表一条语句。由于很多程序员都习惯使用分号来表示语句结束，因此，如果坚持使用分号来终止语句，则代码会更易于阅读。

（6）小括号。在 ActionScript 3.0 中，可以通过 3 种方式使用小括号（()），分别是：使用小括号来更改表达式中的运算顺序；可以结合使用小括号和逗号运算符（,）来计算一系列表达式并返回最后一个表达式的结果；可以使用小括号来向函数或方法传递一个或多个参数。

（7）注释。ActionScript 3.0 代码支持两种类型的注释：单行注释和多行注释。这些注释机制与 C++ 和 Java 中的注释机制类似。编译器将忽略标记为注释的文本。

（8）关键字和保留字。保留字是一些单词，因为这些单词是保留给 ActionScript 使用的，所以不能在代码中将它们用为标识符。保留字包括词汇关键字，编译器将词汇关键字从程序的命名空间中移除。如果用户将词汇关键字用为标识符，则编译器会报告一个错误。

（9）常数。ActionScript 3.0 支持 const 语句，该语句可用于定义常量。常量即指具有无法改变的固定值的属性。只能为常量赋值一次，而且必须在最接近常量声明的位置赋值。如果将常量声明为类的成员，则只能在声明过程中或者在类构造函数中为常量赋值。

10.3.5 运算符

运算符是一种特殊的函数，它们具有一个或多个操作数并返回相应的值。操作数是运算符用于输入的值（通常为字面值、变量或表达式）。如在下面的代码中，将加法运算符（+）和乘法运算符（*）与 3 个字面值操作数（5、4 和 9）结合使用来返回一个值。赋值运算符（=）随后使用此值将返回值 41 赋给变量 sumNumber。

```
var sumNumber:uint = 5 + 4 * 9;   //uint = 41
```

运算符可以是一元、二元或三元的。一元运算符采用 1 个操作数，如递增运算符 (++) 就是一元运算符，因为它只有一个操作数。二元运算符采用 2 个操作数，如除法运算符（/）有 2 个操作数。三元运算符采用 3 个操作数，如条件运算符（?:）采用 3 个操作数。

有些运算符是重载的，这意味着其行为因传递给它们的操作数的类型或数量而异。如加法运算符（+）就是一个重载运算符，其行为因操作数的数据类型而异。如果两个操作数都是数字，则加法运算符会返回这些值的和。如果两个操作数都是字符串，则加法运算符会返回这两个操作数连接后的结果。下面的示例代码说明了运算符的行为如何因操作数而异。

```
trace(6 + 8);                      //14
trace("6" + "8");                  //68
```

运算符的行为还可能因所提供的操作数的数量而异。减法运算符(-)既是一元运算符又是二元运算符。对于减法运算符，如果只提供一个操作数，则该运算符会对操作数求反并返回结果；如果提供两个操作数，则减法运算符返回这两个操作数的差。下面的示例代码说明了首先将减法运算符用作为一元运算符，然后再将其用作为二元运算符。

```
trace(-9);                         //-9
trace(8 - 5);                      //3
```

10.3.6 条件语句

ActionScript 3.0 提供了 3 个可用来控制程序流的基本条件语句，分别是 if…else、if…else if 和 switch。下面分别介绍这 3 种条件控制语句的特点和应用。

1. if…else语句

使用 if…else 条件语句可以测试一个条件，如果该条件存在，则执行一个代码块，如果该条件不存在，则执行替代代码块。如下面的代码测试 x 的值是否超过 10，如果是，则生成一个 trace() 函数，如果不是，则生成另一个 trace() 函数。

```
if (x > 10)
{
    trace("x is > 10");
```

```
}
else
{
    trace("x is <= 10");
}
```

如果不想执行替代代码块，则可以只使用 if 语句，而不用 else 语句。

2. if…else if语句

可以使用 if…else if 条件语句测试多个条件。如下面的代码不仅测试 x 的值是否超过 10，而且还测试 x 的值是否为负数。

```
if (x > 10)
{
    trace("x is > 10");
}
else if (x < 0)
{
    trace("x is negative");
}
```

如果 if 或 else 语句后面只有一条语句，则无须用大括号括起该语句。如下面的代码不使用大括号。

```
if (x > 0)
    trace("x is positive");
else if (x < 0)
    trace("x is negative");
else
    trace("x is 0");
```

但是，ADOBE 建议用户始终使用大括号，因为以后在缺少大括号的条件语句中添加语句时，可能会出现意外的行为。如在下面的代码中，无论条件的计算结果是否为 true，positiveNums 的值总是按 1 递增。

```
var x:int;
var positiveNums:int = 0;

if (x > 0)
    trace("x is positive");
    positiveNums++;

trace(positiveNums); //1
```

3. switch语句

如果多个执行路径依赖于同一个条件表达式，则 switch 语句非常有用。该语句的功能与一长段 if…else if 系列语句类似，但是其更易于阅读。switch 语句不是对条件进行测试以获得布尔值，而是对表达式进行求值并使用计算结果来确定要执行的代码块。代码块以 case 语句开头，以 break 语句结尾。

如下所示为 switch 语句基于由 Date.getDay() 方法返回的日期值输出月份日期。

```
var someDate:Date = new Date();
var dayNum:uint = someDate.getDay();
switch(dayNum)
```

```
{
    case 0:
        trace("January ");
        break;
    case 1:
        trace("February ");
        break;
    case 2:
        trace("March ");
        break;
    case 3:
        trace("April ");
        break;
    case 4:
        trace("May ");
        break;
    case 5:
        trace("June ");
        break;
    case 6:
        trace("July ");
        break;
    case 7:
        trace("August ");
        break;
    case 8:
        trace("September ");
        break;
    case 9:
        trace("October ");
        break;
    case 10:
        trace("November ");
        break;
    case 11:
        trace("December ");
        break;
    default:
        trace("Out of range");
        break;
}
```

10.3.7 循环语句

循环语句允许用户使用一系列值或变量来反复执行一个特定的代码块。常见的循环语句包括 for 循环、for…in 循环、for each…in 循环、while 循环、do…while 循环 5 种。

1. for循环

使用 for 循环可以循环访问某个变量以获得特定范围的值。在 for 语句中包括 3 个表达式：一个用于设置初始值的变量，一个用于确定循环何时结束的条件语句，一个用于在每次循环中都更改变量值的表达式。

下面的示例代码中，变量 i 的值从 36 开始到 40 结束，其输出结果为 36、37、38、39 这 4 个数字，每个数字各占 1 行。

```
var i:int;
for (i = 36; i < 40; i++)
{
    trace(i);
}
```

2. while循环

while 循环与 if 语句相似，只要条件为 true，就会反复执行。如下面的代码与 for 循环示例生成的输出结果相同。

```
var i:int = 36;
while (i < 40)
{
    trace(i);
    i++;
}
```

使用 while 循环的一个缺点是，编写 while 循环更容易导致无限循环。若遗漏递增计数器变量的表达式，则 for 循环示例代码将无法编译；而 while 循环示例代码将能够正常编译。若没有用来递增 i 的表达式，则循环将成为无限循环。

3. do…while循环

do…while 循环是一种 while 循环，其保证至少执行一次代码块，这是因为其在执行代码块后才会检查条件。如下代码为 do…while 循环的一个简单示例，该示例在条件不满足时也会生成输出结果。

```
var i:int = 36;
do
{
    trace(i);
    i++;
} while (i < 36);
// 输出：36
```

4. for…in

for…in 循环可访问对象属性或数组元素。如使用 for…in 循环可以循环访问通用对象的属性。它并不需要明确地更新语句，因为循环重复数是由对象属性的数目决定的。

```
var myObj:Object = {x:10, y:12};
for (var i:String in myObj)
{
    trace(i + «: « + myObj[i]);
}
// 输出：
//x: 10
//y: 12
```

for…in 循环还可以循环访问数组中的元素。

```
var myArray:Array = ["one", "two", "three"];
for (var i:String in myArray)
```

```
{
    trace(myArray[i]);
}
//output:
//one
//two
//three
```

如果对象是自定义类的一个实例，则除非该类是动态类，否则将无法循环访问该对象的属性。即便对于动态类的实例，也只能循环访问动态添加的属性。

5. for each…in循环

for each…in 循环用于循环访问集合中的项，这些项可以是 XML 或 XMLList 对象中的标签、对象属性保存的值或数组元素。如下面这段摘录的代码所示，可以使用 for each…in 循环来循环访问通用对象的属性，但是与 for…in 循环不同的是，for each…in 循环中的迭代变量包含属性所保存的值，而不包含属性的名称。

```
var myObj:Object = {x:10, y:12};
for each (var num in myObj)
{
    trace(num);
}
//output:
//10
//12
```

用户可以循环访问 XML 或 XMLList 对象，如下面的示例代码所示。

```
var myXML:XML = <users>
    <fname>Jane</fname>
    <fname>Susan</fname>
    <fname>John</fname>
</users>;

for each (var item in myXML.fname)
{
    trace(item);
}
/* output
Jane
Susan
John
*/
```

还可以循环访问数组中的元素，如下面的示例代码所示。

```
var myArray:Array = ["one", "two", "three"];
for each (var item in myArray)
{
    trace(item);
}
```

```
//output:
//one
//two
//three
```

如果对象是密封类的实例，则用户将无法循环访问该对象的属性。即使对于动态类的实例，也无法循环访问任何固定属性（即作为类定义的一部分定义的属性）。

提 示

在循环语句中，虽然可以在代码块中只包含一条语句时省略大括号，但建议不要这样做。这是因为这样做会增加无意中将以后添加的语句从代码块中排除的可能性。若用户以后添加一条语句，并希望将它包括在代码块中，但是忘了加必要的大括号，则该语句将不会在循环过程中执行。

10.3.8 函数

函数是执行特定任务并可以在程序中重用的代码块，它在 ActionScript 中扮演着极为重要的角色。在 ActionScript 3.0 中可以通过两种方法来定义函数：使用函数语句和使用函数表达式。用户可以根据自己的编程风格来选择相应的方法。若倾向于静态或严格模式的编程，则应使用函数语句来定义函数；若有特定的需求，则需要用函数表达式来定义函数。函数表达式更多地用在动态编程或标准模式编程中。

1. 函数语句

函数语句是在严格模式下定义函数的首选方法。函数语句以 function 关键字开头，其后跟：

（1）函数名。

（2）用小括号括起来的逗号分隔参数列表。

（3）用大括号括起来的函数体，即在调用函数时要执行的 ActionScript 代码。

例如，下面的示例代码创建了一个定义一个参数的函数，然后将字符串“hello”用于参数值来调用该函数。

```
function traceParameter(aParam:String)
{
    trace(aParam);
}

traceParameter("hello"); //hello
```

2. 函数表达式

声明函数的第二种方法就是结合使用赋值语句和函数表达式，函数表达式有时也称为函数字面值或匿名函数。这是一种较为繁琐的方法，在早期的 ActionScript 版本中广为使用。

带有函数表达式的赋值语句以 var 关键字开头，其后可以跟以下 7 种类型。

（1）函数名。

（2）冒号运算符（:）。

（3）指示数据类型的 Function 类。

（4）赋值运算符（=）。

（5）function 关键字。

（6）用小括号括起来的逗号分隔参数列表。

（7）用大括号括起来的函数体——即在调用函数时要执行的 ActionScript 代码。

如下面的代码使用函数表达式声明 traceParameter( ) 函数。

```
var traceParameter:Function = function (aParam:String)
{
    trace(aParam);
};
traceParameter("hello"); //hello
```

函数表达式和函数语句的另一个重要区别是：函数表达式是表达式，而不是语句。这意味着函数表达式不能独立存在，而函数语句则可以。函数表达式只能用为语句（通常是赋值语句）的一部分。下面的示例代码为一个赋予数组元素的函数表达式。

```
var traceArray:Array = new Array();
traceArray[0] = function (aParam:String)
{
    trace(aParam);
};
traceArray[0]("hello");
```

原则上，除非在特殊情况下要求使用表达式，否则应使用函数语句。函数语句较为简洁，而且与函数表达式相比，更有助于保持严格模式和标准模式的一致性。函数语句比包含函数表达式的赋值语句更便于阅读。与函数表达式相比，函数语句使代码更为简洁而且不容易引起混淆，因为函数表达式既需要 var 关键字又需要 function 关键字。

提示

ActionScript 3.0中包括方法和函数闭包两种函数类型。将函数称为方法还是函数闭包取决于定义函数的上下文。如果用户将函数定义为类定义的一部分或者将它附加到对象的实例，则该函数称为方法。如果用户以其他任何方式定义函数，则该函数称为函数闭包。

10.4 ActionScript的控制与调试

在 Flash 中，使用 ActionScript 可以在运行时控制元件，也可以在 FLA 文件中创建交互和其他功能，仅使用时间轴是不能创建它们的。Flash 包括一个单独的 ActionScript 3.0 调试器，它与 ActionScript 2.0 调试器的操作稍有不同。下面将具体介绍 ActionScript 的控制与调试。

10.4.1 控制ActionScript

若要控制影片剪辑和按钮实例，则需要使用 ActionScript，且影片剪辑或按钮实例必须具有惟一的实例名称。用户可以自己编写 ActionScript 代码，或使用 Flash 所包含的预定义行为。

在 ActionScript 发布设置设定为 ActionScript 2.0 的 FLA 文件中，可以使用行为来控制文档中的影片剪辑和图形实例，无须编写 ActionScript 代码。行为是预先编写的 ActionScript 脚本，允许用户向文档添加 ActionScript 代码，无须自己创建 ActionScript 代码。行为在 ActionScript 3.0 中不可用。

用户可以对实例使用行为以便将其排列在帧上的堆叠顺序中，以及执行加载、卸载、播放、停止、直接复制或拖动影片剪辑，或者链接到 URL 上的操作。

此外，还可以使用行为将外部图形或动画遮罩加载到影片剪辑中。

10.4.2 调试ActionScript

ActionScript 3.0 调试器仅用于 ActionScript 3.0 FLA 和 ActionScript 文件。启动一个 ActionScript 3.0 调试会话时，Flash 将启动独立的 Flash Player 调试版来播放 SWF 文件。调试版 Flash 播放器从 Flash 创作应用程序窗口的单独窗口中播放 SWF。

ActionScript 3.0 调试器将 Flash 工作区转换为显示调试所用面板的调试工作区，包括“动作”面板、“调试控制台”和“变量”面板。调试控制台显示调用堆栈并包含用于跟踪脚本的工具。“变量”面板显示了当前范围内的变量及其值，并允许用户自行更新这些值。

1. 进入调试模式

开始调试会话的方式取决于正在处理的文件类型。如从 FLA 文件开始调试，则选择“调试 > 调试影片 > 调试”命令即可。调试会话期间，Flash 遇到断点或运行时错误时将中断执行 ActionScript。

Flash 启动调试会话时，将在为会话导出的 SWF 文件中添加特定信息。此信息允许调试器提供代码中遇到错误的特定行号。用户可以将此特殊调试信息包含在所有从发布设置中，通过特定 FLA 文件创建的 SWF 文件中。这将允许用户调试 SWF 文件，即使并未显式启动调试会话。

向所有通过 FLA 文件创建的 SWF 文件添加调试信息的操作为：当 FLA 文件打开时，选择“文件 > 发布设置”命令，打开“发布设置”对话框。选择“Flash”选项卡，从中选择“允许调试”复选框，如右图所示。需要说明的是，包括调试信息后 SWF 文件将会变大一些。

2. 调试远程ActionScript 3.0 SWF文件

利用 ActionScript 3.0，可以通过使用 Debug Flash Player 的独立版本、ActiveX 版本或者插件版本调试远程 SWF 文件。但是，在 ActionScript 3.0 调试器中，远程调试限制和 Flash 创作应用程序位于同一本地主机上，并且正在独立调试播放器、ActiveX 控件或插件中播放的文件。

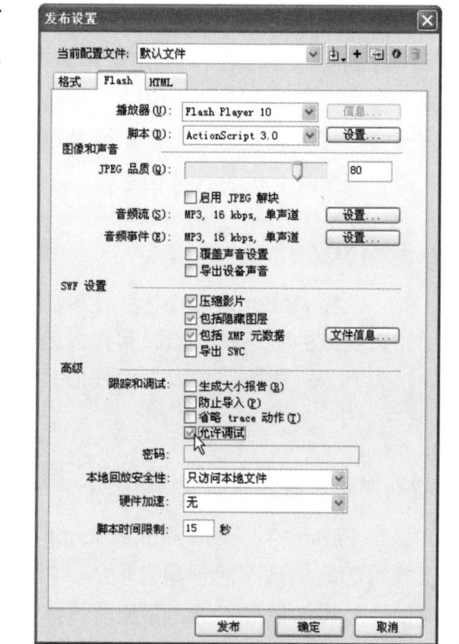

若要允许远程调试文件，需在“发布设置”对话框中启用“允许调试”复选框。也可以发布带有调试密码的文件以确保只有可信用户才能调试。

在 JavaScript 或 HTML 中时，用户可以在 ActionScript 中查看客户端变量。若要安全地存储变量，需将它们发送到服务器端应用程序，而不是将它们存储在文件中。

启用 SWF 文件的远程调试并设置调试密码的操作方法如下。

（1）打开 FLA 文件，在“发布设置”对话框中启用“允许调试”复选框。

（2）选择“文件 > 导出 > 导出影片”命令。接着将 SWF 文件保留在本地计算机中，以在本地主机上执行远程调试会话。

（3）选择“调试 > 开始远程调试会话 >ActionScript 3.0”命令，打开 ActionScript 3.0 调试器，等待播放器连接。

（4）在调试版本的 Flash Player 插件或 ActiveX 控件中打开 SWF 文件。当调试播放器连接到 Flash ActionScript 3.0 调试器面板时，调试会话开始。

提 示

在ActionScript 3.0 FLA文件中，不能调试帧脚本中的代码。只有外部ActionScript文件中的代码可以使用ActionScript 3.0调试器调试。

10.5 课堂练习——烟花特效

原始文件	无
最终文件	第10章\10.5\烟花特效\烟花特效.fla
注意事项	控制脚本一定要编写正确，否则将会出现错误
核心知识	了解并熟悉控制脚本的添加方法及设置技巧

下面将以烟花特效的制作为例对 ActionScript 3.0 的应用展开介绍。在漫天繁星的夜晚，夜空中礼花绽放，这一切都是多么美妙啊。在欣赏烟花的同时，还伴有动听的歌曲，从而构造出了一幅浪漫的夜景图。

01 新建一个Flash文档，并设置其尺寸为550像素×400像素，帧频为24。

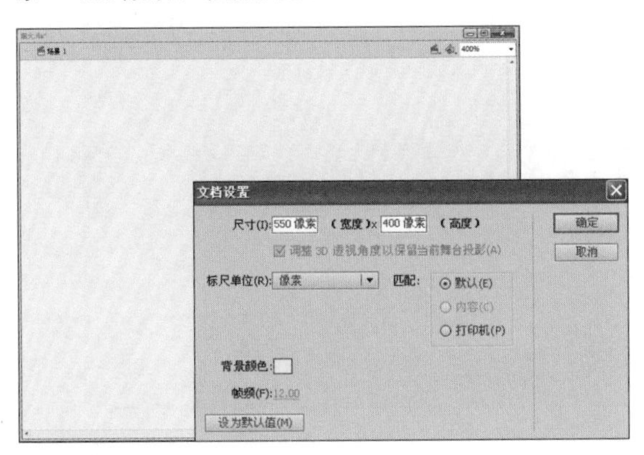

02 新建图形元件shape1，利用矩形工具、钢笔工具绘制一个图形。

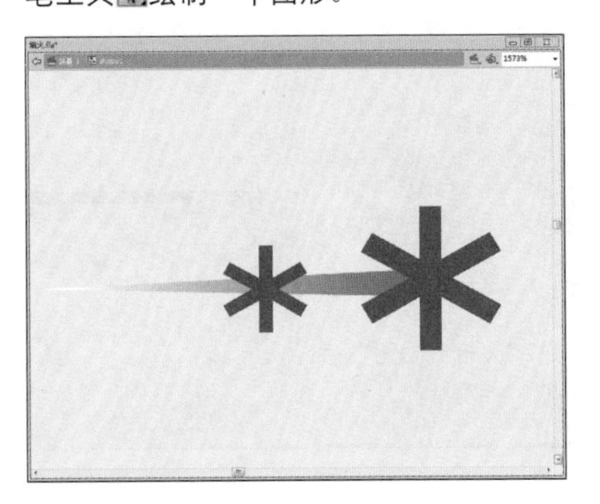

03 新建图形元件shape2，利用钢笔工具绘制如下图形。然后复制元件shape2中的图形。

04 新建图形元件shape3，执行3次粘贴操作，并对粘贴之后的3个图形进行编辑，使其呈现出不同的颜色效果。

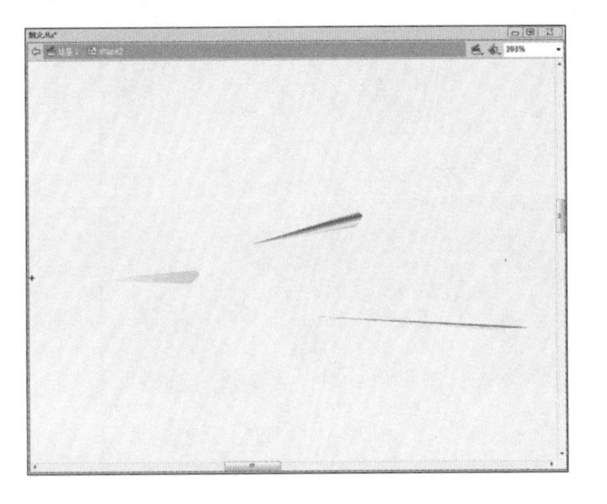

05 新建名称为sprite1的影片剪辑，打开其高级选项，选中“为ActionScript导出”复选框（“在第1帧中导出”会自动勾选），在“类”文本框中输入Spark。

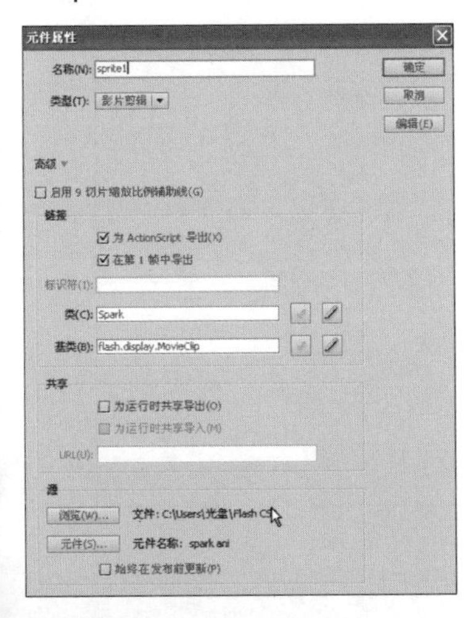

06 设置完成后，单击“确认”按钮进入影片剪辑sprite1编辑区，然后将元件shape1拖曳至编辑区域合适位置。

07 在第10帧处插入关键帧，将元件shape1移动至中心位置。打开属性面板，将其色调颜色设为黄色。

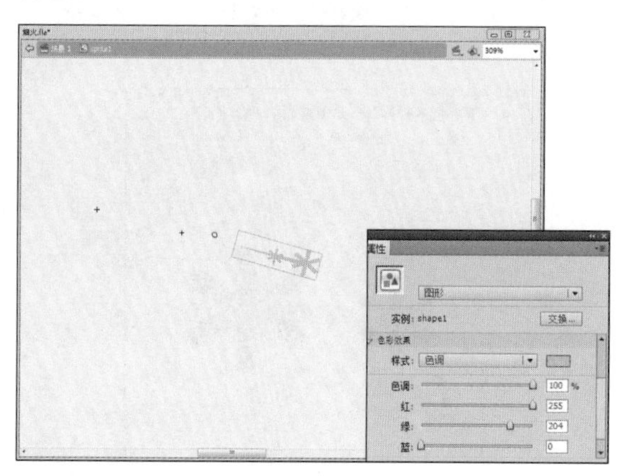

08 在第23、24、25帧处插入关键帧，将23、25帧处元件shape1的Alpha值设为0%。选择24帧，将该帧处元件shape1色彩样式为无。

09 在26帧处插入空白关键帧，将元件shape2拖曳至编辑区域。对第26～50帧进行编辑，其制作方法参考第1～25帧。

10 在第51帧处插入空白关键帧，然后将元件shape3拖曳至编辑区域，并调整其位置。

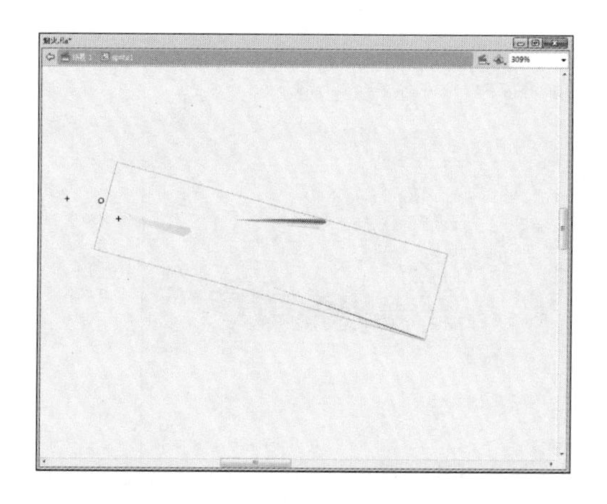

11 在第60帧处插入关键帧。选中元件shape3，将其向右移动适当距离。在第73帧处插入关键帧。将该帧处元件shape3的Alpha值设为0%。

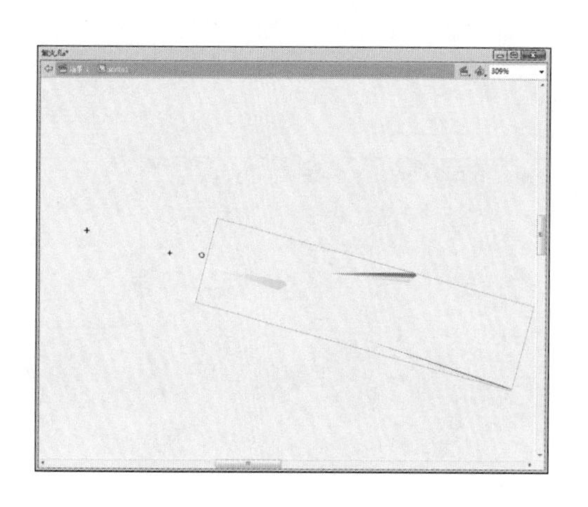

12 复制第1～10帧，选择第74帧并右击，在弹出的快捷菜单中选择“粘贴帧”选项。选择120帧，改变该帧处元件shape1的位置并将其的Alpha值设为0%。在该层的各关键帧间创建传统补间动画。

13 新建图层2～4，参照图层1的制作方法进行编辑，以实现烟花绽放位置及颜色有所不同。

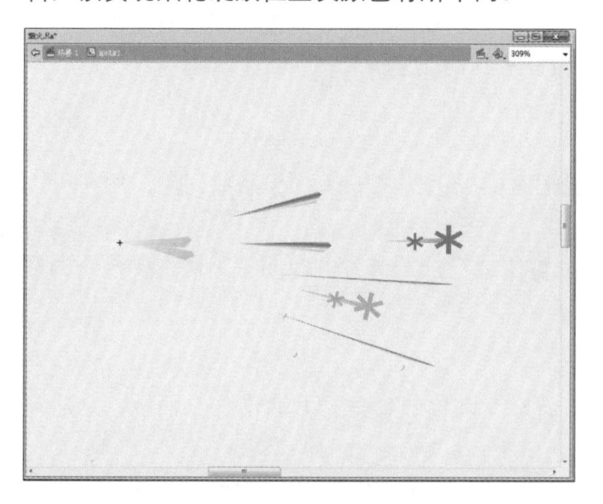

14 新建图层5，将声音元件sound拖曳至编辑区域。打开“属性”面板，将同步声音设为数据流、重复。

15 复制第1帧依次粘贴至第26、51、74、91。新建图层6，在第120帧处插入关键帧帧，打开“动作”面板输入脚本stop();。

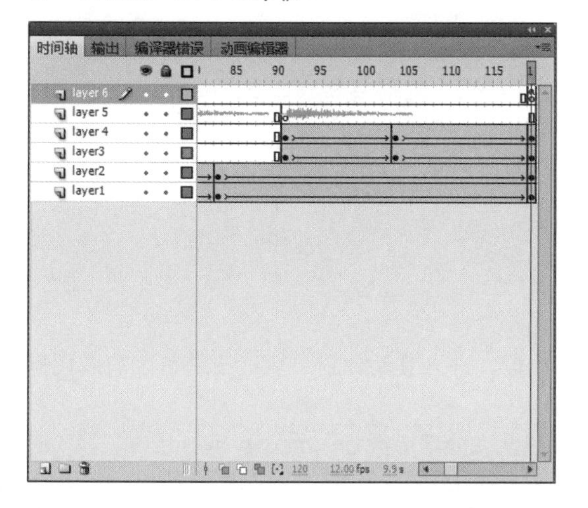

16 新建影片剪辑sprite2，选择第1帧并打开其动作面板，从中输入相应的控制脚本，以实现鼠标的单击事件及烟花特效的设置。

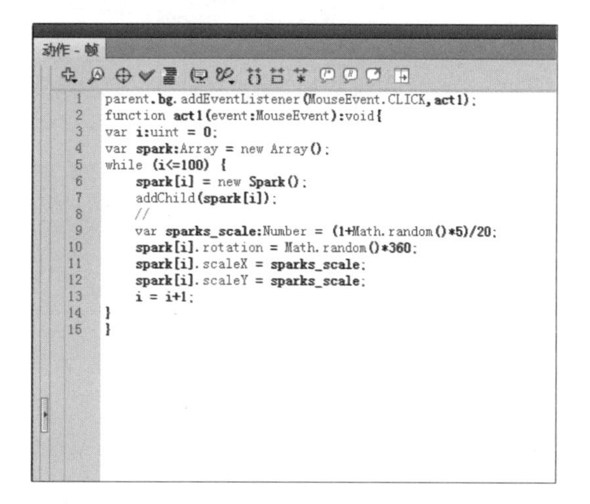

17 返回舞台。将背景素材元件image拖曳至编辑区域。打开“属性”面板，实例名称设为bg。新建图层2，将元件sprite2多次拖曳至编辑区域。

18 新建图层3，将声音元件sound2拖曳至编辑区域。打开其属性面板，将声音的同步选项设为事件、循环。最后保存并预览动画效果。

10.6 ActionScript中的交互操作

在简单的动画中，Flash 按顺序播放影片中的场景和帧。在交互式影片中，观众可以用键盘和鼠标跳到影片中的不同部分、移动对象、在表单中输入信息及执行许多其他交互操作。

10.6.1 播放和停止播放动画

除非另有命令指示，否则影片一旦开始播放，它就要把时间轴上的每一帧从头播放到尾。用户可以通过使用 play 和 stop 动作来开始或停止播放影片。

可以使用 play 和 stop 动作来控制主时间轴或任意影片剪辑或已加载影片的时间轴。用户要控制的影片剪辑必须有一个实例名称，而且必须显示在时间轴上。

1. 播放动画

选择要为其指定动作的帧、按钮或影片剪辑。选择“窗口 > 动作”命令打开“动作”面板，之后在脚本编辑区中输入代码 play(); 即可。

如果该动作附加到某一个按钮上，那么该动作会被自动包含在处理函数 on (mouse event) 内，其代码如下所示。

```
on (release) {
play();
}
```

如果动作附加到某一个影片剪辑中，那么该动作会被自动包含在处理函数 onClipEvent () 内，其代码如下所示。

```
onClipEvent (load) {
play();
}
```

2. 停止播放动画

停止播放动画脚本的添加与播放动画脚本的添加相类似，进入其动作窗口后，在编辑区输入代码 stop(); 即可。

如果该动作附加到某一按钮上，那么该动作会被自动包含在处理函数 on (mouse event) 内，其代码如下所示。

```
on (release) {
    stop();
}
```

如果动作附加到某个影片剪辑中，那么该动作会被自动包含在处理函数 onClipEvent() 内，其代码如下所示。

```
onClipEvent (load) {
stop();
}
```

10.6.2 跳到某一帧或场景

要跳到影片中的某一特定帧或场景，可以使用 goto 动作。该动作在“动作”工具箱作为两个动作列出：gotoAndPlay 和 gotoAndStop。当影片跳到某一帧时，可以选择参数来控制是从新的一帧播放影片（默认设置）还是在这一帧停止。

下面的动作将播放头跳到第 80 帧，然后从那里继续播放。

```
gotoAndPlay(80);
```

下面的动作将播放头跳到该动作所在的帧之前的第 10 帧。

```
gotoAndStop( _ currentframe+10);
```

下面的动作表示，当单击指定的元件实例后，会将播放头移动到时间轴中的下一场景并在此场景中继续回放。

```
button _ 1.addEventListener(MouseEvent.CLICK, fl _ ClickToGoToNextScene);
function fl _ ClickToGoToNextScene(event:MouseEvent):void
{
      MovieClip(this.root).nextScene();
}
```

10.6.3 跳到不同的URL地址

要在浏览器窗口中打开网页，或将数据传递到所定义 URL 处的另一个应用程序，可以使用 getURL 动作。如可以有一个链接到新 Web 站点的按钮，或者可以将数据发送到 CGI 脚本，以便像在 HTML 表单中一样处理数据。

如下代码片段表示单击指定的元件实例会在新浏览器窗口中加载 URL，即单击后跳转到相应 Web 页面。

```
button _ 1.addEventListener(MouseEvent.CLICK, fl _ ClickToGoToWebPage);
function fl _ ClickToGoToWebPage(event:MouseEvent):void
{
      navigateToURL(new URLRequest("http://www.baidu.com"), " _ blank");
}
```

对于窗口来讲，可以指定要在其中加载文档的窗口或 HTML 帧。

（1）_self 用于指定当前窗口中的当前帧。

（2）_blank 用于指定一个新窗口。

（3）_parent 用于指定当前帧的父级。

（4）_top 用于指定当前窗口中的顶级帧。

10.6.4 获取鼠标位置

跟踪鼠标位置可以了解用户在影片中移动的信息。这些信息能够把用户行为和影片事件联系起来。可以使用 _xmouse 和 _ymouse 属性找到影片中鼠标指针（光标）的位置。每个时间轴都有一个 _xmouse 和 _ymouse 属性，这些属性返回的是鼠标在其坐标系统内的位置。该位置始终是相对于注册点而言的。对于主时间轴（_level0），注册点就位于左上角。下面将对获取鼠标位置的两种方式进行详细介绍。

1. 获取主时间轴内的当前鼠标位置

（1）创建两个动态文本框，然后将它们命名为 x_pos 和 y_pos。

（2）选择“窗口 > 动作”命令，打开“动作”面板。

（3）要返回主时间轴内的鼠标位置，可在 _level0 影片的任意帧中添加如下代码。

```
x _ pos = _ root. _ xmouse;
y _ pos = _ root. _ ymouse;
```

变量 x_pos 和 y_pos 被用作为保留鼠标位置值的容器。可以在用户文档的任何脚本中使用这些变量。在下面的代码中，用户每次移动鼠标时都会更新 x_pos 和 y_pos 的值。

```
onClipEvent(mouseMove){
x _ pos = _ root. _ xmouse;
y _ pos = _ root. _ ymouse;
}
```

2. 获得影片剪辑内的当前鼠标位置

（1）创建影片剪辑。

（2）在舞台上选择该影片剪辑实例，使用属性检查器将其命名为 myMovieClip。

（3）按下【F9】快捷键打开“动作”面板。

（4）使用影片剪辑的实例名称来返回主时间轴内的鼠标位置。如下面的语句可以放置在 _level0 影片中任意时间轴上，从而返回 myMovieClip 实例中的 _ymouse 位置。

```
x _ pos = _ root.myMovieClip. _ xmouse
y _ pos = _ root.myMovieClip. _ ymouse
```

该代码返回鼠标相对于注册点的 _xpos 和 _ypos 值。

（5）按下【Ctrl + Enter】组合键测试影片。

10.6.5 捕获按键

可以使用内置的 Key 对象的方法来检测上次按下的键。Key 对象不需要构造器函数；要使用它的方法，只需调用该对象自身即可，其代码如下所示。

```
Key.getCode();
```

10.6.6 设置颜色

可以使用内置 Color 对象的方法来调节影片剪辑的颜色。SetRGB 方法为该对象指定十六进制 RGB（红、绿、蓝）值。

10.6.7 设置声音控制

在 Flash 中，可以使用内置的 Sound 对象控制影片中的声音。要使用 Sound 对象的方法，必须先创建一个新的 Sound 对象。可以使用 attachSound() 方法将库中的声音在影片运行时插入到影片中。

10.6.8 冲突检测

影片剪辑对象的 hitTest() 方法可检测影片中的冲突。它检查某个对象是否与影片剪辑有冲突，然后返回一个布尔值（true 或 false）。有两种情况，用户可以知道是否已经发生了冲突：一种情况是测试用户是否已经到达舞台上的某个特定静态区域，另一种情况是确定影片剪辑何时接触到另一个影片剪辑。利用 hitTest() 方法，可以确定这些结果。

通常，可以使用 hitTest() 方法的参数来指定舞台上某个点击区域的 *x*、*y* 坐标，或者使用另一个影片剪辑的目标路径作为点击区域。在指定 *x* 和 *y* 时，如果由 (*x*,*y*) 标识的这一点是非透明点，那么 hitTest 返回 true。当目标传递给 hitTest() 时，会对两个影片剪辑的边框进行比较。如果它们重叠，hitTest() 返回 true。如果两个边框没有相交，hitTest() 返回 false。

10.7 课堂练习——雪花特效

最终文件	第10章\10.7\雪花特效\雪花特效.fla
注意事项	控制脚本的添加，否则将不能实现预期的动画效果
核心知识	了解并熟悉ActionScript语法及代码的编写

下面将以雪花特效的制作为例对 ActionScript 语句的应用展开介绍。

01 新建一个Flash文档，设置其尺寸为650像素×400像素，帧频为12。新建名称为snow的影片剪辑元件，接着打开该元件的属性面板。

02 展开“高级”选项栏从中选中“为ActionScript导出”复选框。然后在类选项中输入Snowxuehua。

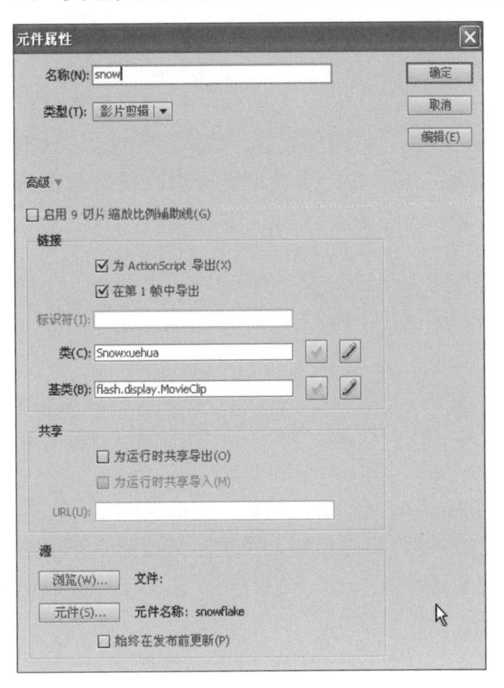

03 设置完成后单击“确认”按钮进入元件编辑环境。选择椭圆工具，在按住【Shift】键的同时在编辑区域绘制正圆。

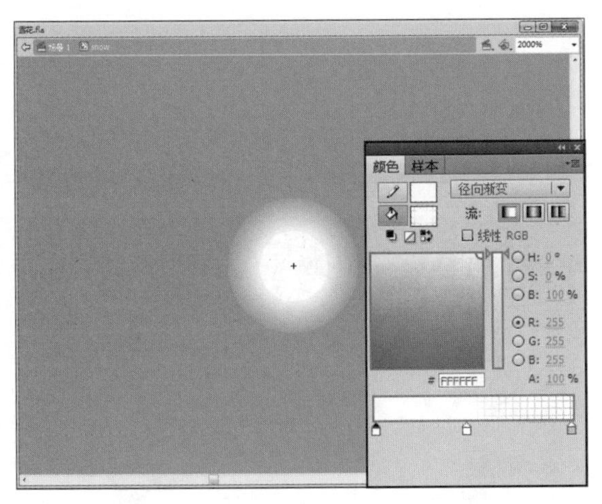

04 返回主场景，将素材图片image拖曳至编辑区域。在第3帧处插入普通帧。

05 新建图层2，将素材元件qiqiu拖至编辑区域。在第3帧处插入普通帧。

06 新建图层3，打开库面板，将声音元件sound拖曳至编辑区域。在“属性”面板中，将声音设为事件、循环。在第3帧处插入普通帧。

07 新建图层4，在第2帧处插入空白关键帧。在第1帧对应的动作面板中输入用于定义控制雪花下落的数量和速度的脚本。在第2帧对应的动作面板中输入相应的控制脚本。

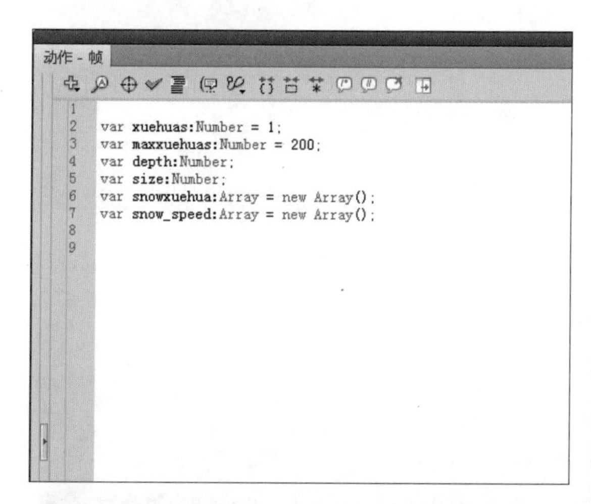

08 在第3帧处插入空白关键帧，并打开其对应的动作面板，从中输入脚本，以实现对雪花过程的控制。最后保存该文件，并对该动画进行测试。

拓展项目练习

通过本章的学习，读者可掌握一些相关的知识，为了进一步巩固所学知识，下面对本章中的一些重点知识进行考察。

一、选择题

（1）无法为（　）添加动作代码。

A. 图形元件　　B. 按钮元件　　C. 影片剪辑　　D. 关键帧

（2）打开“动作”面板后，下列（　）种方法无法给选定的对象添加动作代码。

A. 双击面板左边的树状视图中的命令

B. 直接将命令拖放到命令列表框中

C. 在树状视图中单击要添加的动作命令，单击“添加到脚本”命令

D. 单击控制按钮组中的按钮，从弹出的菜单中单击要添加的命令

（3）为了方便理解代码，可以注释当前行。添加注释时，必须先输入（　）符号。

A. &　　B. //　　C. @　　D. \\

（4）在按钮上按下鼠标左键，然后拖动鼠标，将鼠标指针从按钮上移走，再松开鼠标左键时，触发动作”。这是按钮的（　）触发事件。

A. release　　B. releaseOutside

C. rollout　　D. DragOver

二、填空题

（1）变量是存储信息的容器，________不变，但________常常改变。表达式通过把________和________结合在一起或通过________调用来建立表达式。

（2）Flash 中的变量主要有________、________和________ 3 种类型。

（3）动作脚本的运算法则是先________后________；________中的内容优先计算；除以 0 将会得到字符串________。

（4）字义函数的动作命令是________，用于函数体内的关键字________是对函数所属影片剪辑的引用。

三、操作题

（1）制作一个鼠标跟随的特效，如下图所示。

（2）使用动作脚本给现有动画增加如下功能，一启动就全屏播放动画，单击屏幕左下角的按钮，关闭播放器。

November 2010

Chapter 11 Flash组件的应用

设计师指导

组件是Flash预设的动画，是带有参数的影片剪辑，这些参数可以修改组合的外观和行为，从而可以方便、快捷地创建功能强大且具有相同外观和行为的应用程序。本章主要介绍Flash几种常用的组件。

核心知识点

❶ 了解组件的作用和类型
❷ 掌握预览查看组件的方法
❸ 了解组件的设置
❹ 掌握添加和删除组件的方法
❺ 了解常见的UI组件，并掌握其应用方法

11.1 初识组件

组件是带有参数的影片剪辑，这些参数可以修改组件的外观和行为。组件既可以是简单的用户界面控件，也可以包含内容，还可以是不可见的。用户在浏览网页时，尤其是在填写注册表时，经常会见到Flash 制作的单选按钮、复选框及按钮等元素，这些元素便是 Flash 中的组件。

11.1.1 组件的作用

组件使用户可以将应用程序的设计过程和编码过程分开。通过使用组件，开发人员可以创建设计人员在应用程序中能用到的功能。开发人员可以将常用功能封装到组件中，而设计人员可以通过更改组件的参数来自定义组件的大小、位置和行为。通过编辑组件的图形元素或外观，还可以更改组件的外观。

组件之间共享核心功能，如样式、外观和焦点管理。将第一个组件添加至应用程序时，此核心功能大约占用 20 千字节的大小。当用户添加其他组件时，添加的组件会共享初始分配的内存，降低应用程序大小的增长。

11.1.2 组件的类型

在 Flash 中，常用的组件分为以下 5 种类型。

（1）选择类组件：为了方便用户，在 Flash 中预置了 Button、CheckBox、RadioButton 和 Numerir Stepper 这 4 种常用的选择类组件。

（2）文本类组件：虽然 Flash 具有功能强大的文本工具，但是利用文本类组件可以更加快捷、方便地创建文本框，并且可以载入文档数据信息。在 Flash 中预置了 Lable、TextArea 和 TextInput 这 3 种常用的文本类组件。

（3）列表类组件：为了直观地组织同类信息数据，方便用户选择，Flash 预置了 ComboBox、Data Grid 和 List 这 3 种列表类组件。

（4）文件管理类组件：文件管理类组件可以对 Flash 中的多种信息数据进行有效的归类管理，其中包括 Accordion、Menu、MenuBar 和 Tree 这 4 种。

（5）窗口类组件：使用窗口类组件可以制作类似于 Windows 操作系统的窗口界面，如带有标题栏和滚动条资源管理器及执行某一操作时弹出的警告提示对话框等。窗口类组件包括 Alert、Loader、ScrollPane、Windows、UIScrollBar 和 ProgressBar。

11.2 组件的基本操作

Flash 中的组件是向 Flash 文档添加特定功能的可重用打包模块。组件可以包括图形及代码，因此它们是用户可以轻松包括在 Flash 项目中的预置功能。如组件可以是单选按钮、对话框、预加载栏，或者是根本没有图形的某个项，如定时器、服务器连接实用程序或自定义 XML 分析器。

11.2.1 预览并查看组件

动态预览模式使动画制作者在制作时能够观察到组件发布后的外观，并反映出不同组件的不同参数。在 Flash CS5 中，使用默认启用的“实时预览”功能，可以在舞台上查看组件将在发布的 Flash 内容中出现的近似大小和外观。

在 Flash CS5 中，选择“控制 > 启用动态预览”命令。“实时预览”中的组件不可操作，若要测试功能，必须执行“控制 > 测试影片”命令。

11.2.2 设置组件实例的大小

在 Flash CS5 中，组件不会自动调整大小以适合其标签。如果添加到文档中的组件实例不够大，而无法显示其标签，就会将标签文本剪切掉。此时，用户必须调整组件大小以适合其标签。

如果使用任意变形工具或动作脚本中的“_width”和“_height”属性，来调整组件实例的度宽和高度，则可以调整该组件的大小，但是组件内容的布局依然保持不变，这将导致组件在影片回放时发生扭曲。此时，可以通过使用从任意组件实例中调用 setSize() 方法来调整其大小。如下面的代码为将一个 List 组件实例的大小调整为宽 200 像素、高 300 像素。

```
aList.setSize(200,300);
```

11.3 课堂练习——添加和删除组件

最终文件	第11章\11.3\添加和删除组件\添加和删除组件.fla
注意事项	在制作案例时要正确选择组件，否则将事倍功半
核心知识	熟悉并掌握组件的添加操作

在 Flash 中，通过“组件”面板可以将选定的组件添加到文档中，通过“组件检查器”面板可以设置组件实例的名称和属性。

首次将组件添加到文档时，Flash 会将其作为影片剪辑导入到“库”面板中。还可以将组件从“组件”面板直接拖曳到“库”面板中，然后将其实例添加到舞台上。下面将向用户介绍添加组件并修改组件实例的方法和技巧，其具体操作如下。

01 选择“窗口 > 组件”命令，弹出“组件”面板。

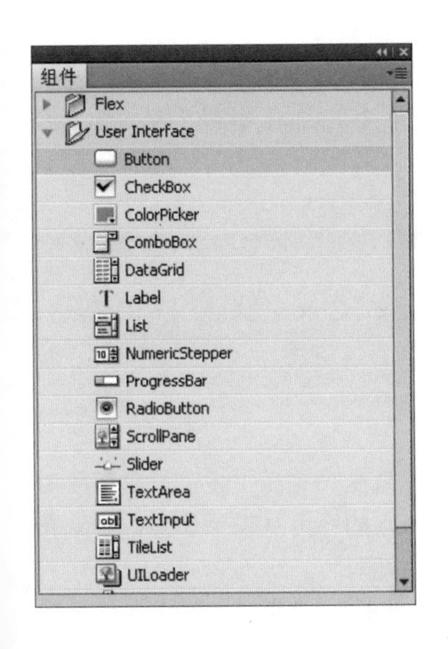

02 在“组件”面板中选择组件类型，将其拖曳至舞台或“库”面板中。

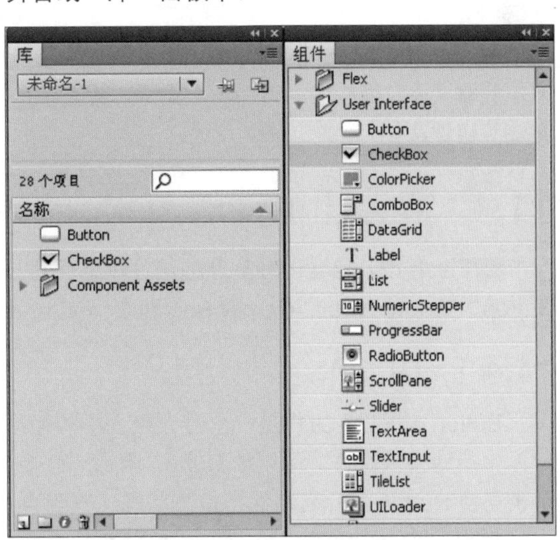

03 将组件添加到“库”面板中后，即可通过“库”面板在舞台上创建多个组件实例。

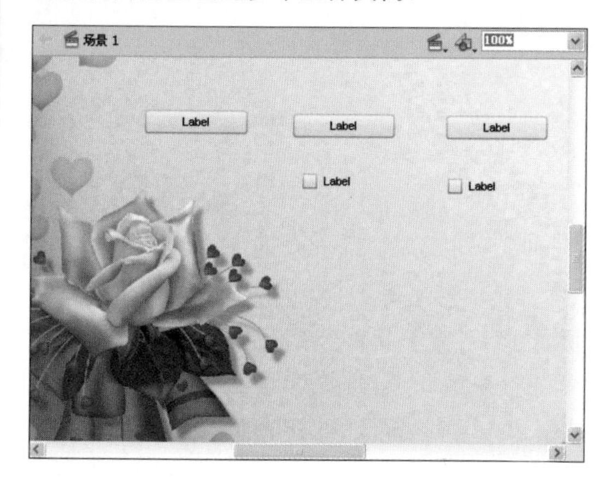

04 选择“窗口 > 组件检查器”命令，弹出“组件检查器”面板。

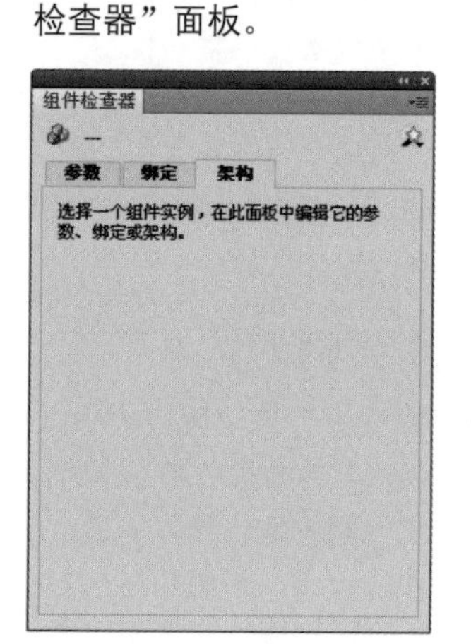

05 使用工具箱中的选择工具，选择舞台中的一个组件实例。

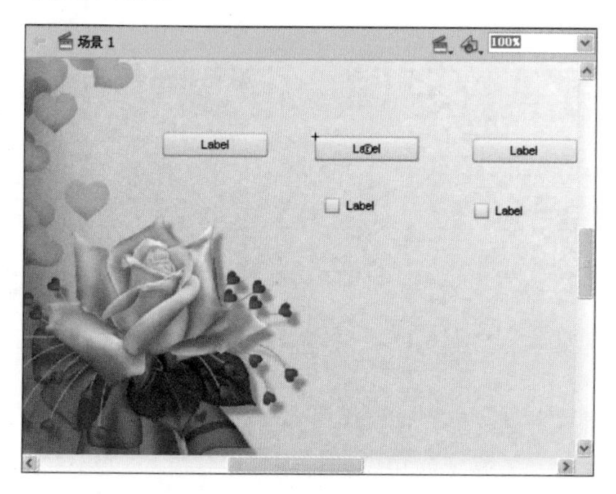

06 在“属性”面板中的“组件参数”选项区域中即可设置组件参数。

在 Flash CS5 中，删除组件有以下两种方法。

（1）在“库”面板中，选择要删除的组件，按下【Delete】键。

（2）选择要删除的组件，单击“库”面板底部的“删除”按钮，或将组件直接拖曳至“删除”按钮上。

使用以上任意一种方法，即可删除组件。要从 Flash 影片中删除已添加的组件实例，可通过以上两种方法删除“库”面板中的组件类型图标，或直接选择舞台中的组件实例，按下【Delete】键或【Backspace】键删除组件实例。

11.4 常见UI组件的应用

在 Flash 中，包含多种类型的组件，下面将分别介绍 Button、CheckBox、ColorPicker、List、Raido Button、ProgressBar、ComboBox 和 ScrollPane 这 8 种常用组件的特点和具体应用。

11.4.1 Button组件的应用

Button（按钮）组件是一个可调整大小的矩形按钮，用户可以通过鼠标或空格键按下该按钮以在应用程序中启动某种操作。可以给 Button 添加一个自定义图标，也可以将 Button 的行为从按下改为切换。在单击切换 Button 后，它将保持按下状态，直到再次单击时才会返回到弹起状态。

按钮是 Flash 组件中较简单、常用的一个组件，利用它可执行所有的鼠标和键盘交互事件。如果需要启动一个事件，可以使用按钮实现，如大多数表单中都有“提交”按钮。也可以给演示文稿添加“上一页”和“下一页”按钮。

打开“组件”面板下的 User Interface（简称 UI）类，在其中选择 Button，然后按住鼠标左键将其拖曳到舞台上即可。如将按钮 Button 拖曳到场景中，效果如下左图所示。

在完成 Button 组件实例的添加后，需要设置其属性。使用选择工具选择舞台中要进行属性设置的 Button 组件实例，在“属性”面板中的“组件参数”选项区域中，可对 Button 组件实例进行属性设置，如下右图所示。

▽ 组件参数

值	属性
☐	emphasized
☑	enabled
按钮	label
right	labelPlacement
☐	selected
☐	toggle
☑	visible

“组件参数”中各选项的含义如下。

（1）emphasized：可以为按钮添加边框，显示边框效果。

（2）enabled：用于控制按钮上显示内容的层次。选择时文字显示在图标的上面，取消选择时，文字显示在图标的下面。

（3）label：它决定按钮上的显示内容，默认值是 Label。

（4）labelPlacement：确定按钮上的标签文本相对于图标的方向。其中包括 left、right、top 和 bottom 这 4 个选项，默认值是 right。

（5）selected：如果选择“toggle”，则该参数指定是按下还是释放按钮。

（6）toggle：将按钮转变为切换开关。

（7）visible：该选项决定对象是否可见。

11.4.2 CheckBox组件的应用

CheckBox（复选框）是一个可以选中或取消选中的方框。在 Flash 一系列选择项目中，利用复选框可以同时选取多个项目。当它被选中后，框中会出现一个复选标记。可以为 CheckBox 添加一个文本标签，并将它放在 CheckBox 的左侧、右侧、上面或下面。

在 Flash CS5 中，可以使用 CheckBox 收集一组不相互排斥的 true 或 false 值。打开“组件”面板下的 User Interface 类，在其中选择 CheckBox 项，然后按住鼠标左键将其拖曳到舞台上即可。如将按钮 Button 拖曳到场景中，效果如下左图所示。

▽ 组件参数

属性	值
enabled	☑
label	Label
labelPlacement	right
selected	☐
visible	☑

在 CheckBox 组件实例所对应的“属性”面板中，“组件参数”选项区域（如下右图所示）中各主要参数的具体含义如下。

（1）enabled：用于控制组件是否可用。

（2）label：确定复选框旁边的显示内容。默认值为 Check Box。

（3）labelPlacement：确定复选框上标签文本的方向。其中包括 left、right、top 和 bottom 这 4 个选项，默认值为 right。

（4）selected：确定复选框的初始状态为选中或取消选中。

（5）visible：该选项决定对象是否可见。

11.4.3 ColorPicker组件的应用

ColorPicker（颜色 #）组件允许用户从样本列表中选择颜色。ColorPicker 的默认模式是在方形按钮中显示单一颜色。用户单击按钮时，“样本”面板中将出现可用的颜色列表，同时出现一个文本字段，显示当前所选颜色的十六进制值。

打开“组件”面板下的 User Interface 类，在其中选择 ColorPicker，然后按住鼠标左键将其拖动到舞台上即可，如下左图所示。在完成 ColorPicker 组件实例的添加后，需要设置其属性。使用选择工具 ，选择舞台中要进行属性设置的 ColorPicker 组件实例，在“属性”面板的“组件参数”选项区域中可对 ColorPicker 组件实例进行属性设置，如下右图所示。

属性	值
enabled	☑
selectedColor	■
showTextField	☑
visible	☑

其中各选项含义如下。

（1）enabled：用于控制颜色 # 是否可用。

（2）selectedColor：它决定组件实例上的显示颜色，默认值是“#000000”。单击右侧的颜色数值框，在弹出的调色板中即可选择颜色值，如右图所示。

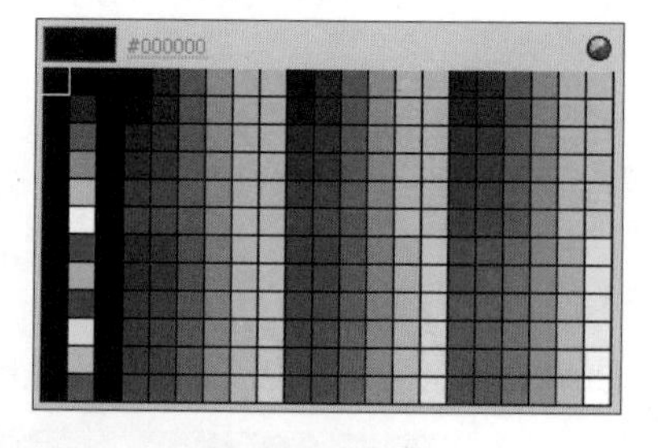

（3）showTextField：用于设置在调色板中是否显示输入颜色的十六进制值的数值框。选择该选项时则显示输入颜色的十六进制值的数值框，如下左图所示；反之，不显示输入颜色的十六进制值的数值框，如下右图所示。

（4）visible：该选项决定对象是否可见。

11.4.4 List组件的应用

List（列表框）组件是一个可滚动的单选或多选列表框。列表还可显示图形及其他组件。在单击标签或数据参数字段时，会出现“值”对话框，可以使用该对话框来添加显示在列表中的项目，也可以使用 List.addItem() 和 List.addItemAt() 方法将项添加到列表。

可以建立一个列表，以便选择一项或多项。如用户访问电子商务 Web 站点时需要选择想要购买的项目。列表中一共有 30 个项目，用户可在列表中上下滚动，并通过单击选择一项。

打开“组件”面板下的 User Interface 类，在其中选择 List，然后按住鼠标左键将其拖曳到舞台上即可，如下左图所示。在“属性”面板中设置“组件参数”，如下右图所示。

列表框的作用是让用户在已有的选项列表中选择需要的选项。在 List 组件实例所对应的“属性”面板中，“组件参数”选项区域中各主要参数的具体含义如下。

（1）allowMultipleSelection：用于确定是否可以选择多个选项。如果可以选择多个选项，则选择，如果不能选择多个选项，则取消选择。

（2）dataProvider：填充列表数据的值数组。它是一个文本字符串数组，为 label 参数中的各项目指定相关联的值。其内容应与 labels 完全相同，单击右边的按钮，将打开“值”对话框，单击“+”按钮，添加文本字符串，如下左图所示。舞台实例效果如下右图所示。

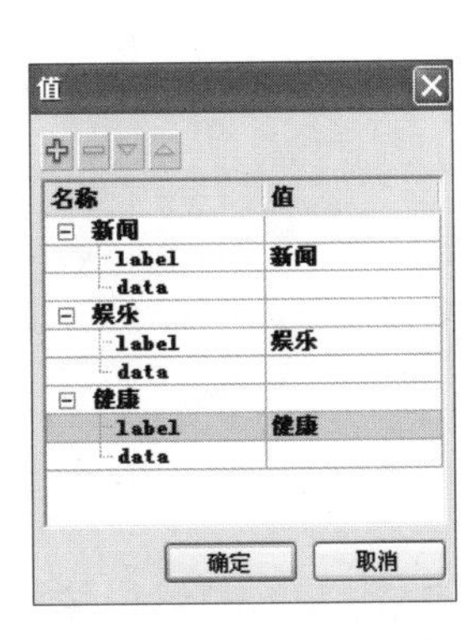

（3）enabled：用于控制组件是否可用。

（4）horizontalLineScrollSize：确定每次按下滚动条两边的箭头按钮时，水平滚动条移动多少个单位，默认值为 4。

（5）horizontalPageScrollSize：指明每次按下轨道时水平滚动条移动多少个单位，默认值为 0。

（6）horizontalScrollPolicy：确定是否显示水平滚动条。该值可以为“on”（显示）、“off”（不显示）或“auto”（自动），默认值为“auto”。

（7）verticalLineScrollSize：指明每次按下滚动条两边的箭头按钮时，垂直滚动条移动多少个单位，默认值为 4。

（8）verticalPageScrollSize：指明每次按下轨道时垂直滚动条移动多少个单位，默认值为 0。

（9）verticalScrollPolicy：确定是否显示垂直滚动条。该值可以为“on”（显示）、“off”（不显示）或“auto”（自动），默认值为“auto”。

（10）visible：该选项决定对象是否可见。

下面的选项用来设置水平滚动条和垂直滚动条，效果如下图所示。

▽ 组件参数

属性	值
allowMultipleSelection	☑
dataProvider	[{label:新闻...
enabled	☑
horizontalLineScrollSize	4
horizontalPageScrollSize	0
horizontalScrollPolicy	on
verticalLineScrollSize	4
verticalPageScrollSize	0
verticalScrollPolicy	on
visible	☑

11.4.5 RadioButton组件的应用

RadioButton（单选按钮）组件强制用户只能选择一组选项中的一项。该组件必须用于至少有两个 RadioButton 实例的组。在任何给定的时刻，都只有一个组成员被选中。选择组中的一个单选按钮将取消选择组内当前选定的单选按钮。

单选按钮是 Web 上许多表单应用程序的基础部分。如果需要让用户从一组选项中做出一个选择，可以使用单选按钮。如在表单上询问客户要使用哪种信用卡时，用户就可以使用单选按钮。

在 Flash 中的单选按钮组件类似于对话框中的单选按钮。利用 UI 组件中的 RadioButton 组件可以创建多个单选按钮，如下左图所示。在“属性”面板中可设置组件的参数，如下右图所示。

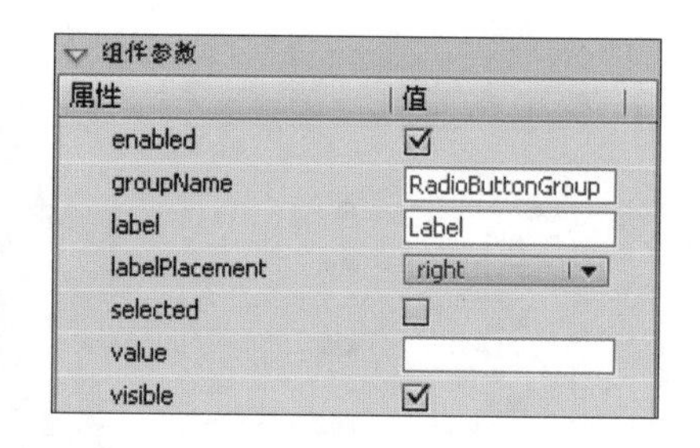

▽ 组件参数

属性	值
enabled	☑
groupName	RadioButtonGroup
label	Label
labelPlacement	right
selected	☐
value	
visible	☑

“组件参数”选项卡中各主要参数的具体含义如下。

（1）enabled：用于控制组件是否可用。

（2）data：它是一个文本字符串数组，为 Label 参数中的各项目指定相关联的值，它没有默认值。

（3）groupName：指定该单选项所属的单选按钮组，该参数相同的单选按钮是一组，而且在一组单选按钮中只能选择一个单选项。

（4）label：设置按钮上的文本值，默认值是“Radio Button”（单选按钮）。

（5）labelPlacement：确定单选项旁边标签文本的方向。其中包括 left、right、top 和 bottom 共 4 个选项，默认值为 right。

（6）selected：确定单选项的初始状态为被选中（true）或取消选中（false），默认值为“false”。被选中的单选按钮中会显示一个圆点。一个组内只有一个单选项可以被选中。

（7）visible：该选项决定对象是否可见。

11.4.6 ProgressBar组件的应用

下面的 ProgressBar（加载进度条）组件用于显示内容的加载进度，当内容较大且可能延迟应用程序的执行时，显示进度可令用户安心。ProgressBar 对于显示图像和部分应用程序的加载进度非常有用。加载进程可以是确定的也可以是不确定的，当要加载的内容量已知时，使用确定的进度栏。确定的进度栏是一段时间内任务进度的线性表示。当要加载的内容量是未知时，使用不确定的进度栏。还可以添加 Label 组件，以将加载进度显示为百分比。

在 Flash CS5 中，可以采用 3 种模式来使用 ProgressBar 组件。最常用的模式是事件模式和轮询模式。这两种模式指定一个发出 progress 和 complete 事件（事件模式和轮询模式）或公开 bytesLoaded 和 bytesTotal 属性（轮询模式）的加载进程。还可以在手动模式下使用 ProgressBar 组件，方法是：设置 maximum、minimum 和 value 属性，并调用 ProgressBar.setProgress() 方法。可以设置不确定的属性，以指示 ProgressBar 是用条纹图案填充并且源的大小未知 (true)，还是用纯色填充并且源的大小已知 (false)。

打开“组件”面板下的 User Interface 类，在其中选择 Progressbar，然后按住鼠标左键将其拖曳到舞台上即可，如下左图所示。其对应的“组件参数”选项区域如下右图所示。

▽ 组件参数

属性	值
direction	right
enabled	☑
mode	event
source	
visible	☑

11.4.7 ComboBox组件的应用

在任何需要从列表中选择一项的表单或应用程序中，用户都可以使用 ComboBox 组件。如用户可以在客户地址表单中提供一个州 / 省的下拉列表框。对于比较复杂的情况，可以使用可编辑的 ComboBox。如在提供驾驶方向的应用程序中，可以使用一个可编辑的 ComboBox 组件以允许用户输入出发地址和目标地址。下拉列表框可以包含用户以前输入过的地址。

Flash 组件中的 ComboBox（下拉列表框）组件与对话框中的下拉列表框类似，单击右边的下拉按钮即可弹出相应的下拉列表，以供选择需要的选项，如下左图所示。

在 ComboBox 组件实例所对应的“属性”面板中，“组件参数”选项区域中（如下右图所示）各主要参数的具体含义如下。

▽ 组件参数

属性	值
dataProvider	[]
editable	☐
enabled	☑
prompt	
restrict	
rowCount	5
visible	☑

（1）dataProvider：将一个数据值与 ComboBox 组件中的每个项目相关联。

（2）editable：决定用户是否可以在下拉列表框中输入文本。若可以输入则选择“true”，若只能选择不能输入则选择“false”，默认值为“false”。

（3）rowCount：确定在不使用滚动条时最多可以显示的项目数。默认值为5。

提示

ComboBox（下拉列表框）组件允许用户从下拉列表框中进行单项选择。ComboBox可以是静态的，也可以是可编辑的。可编辑的ComboBox允许用户在列表框顶端的文本字段中直接输入文本。如果下拉列表框超出文档底部，该列表将会向上打开，而不是向下。ComboBox由3个子组件构成：BaseButton、TextInput和List组件。

11.4.8 ScrollPane组件的应用

可以使用ScrollPane（滚动条）组件来显示对于加载区域而言过大的内容。滚动条是动态文本框与输入文本框的组合，在动态文本框和输入文本框中添加水平和竖直滚动条，可以通过拖动滚动条来显示更多的内容。如果有一幅大图像，而在应用程序中只有很小的空间来显示它，则可以将它加载到ScrollPane中。ScrollPane可以接受影片剪辑、JPEG、PNG、GIF和SWF文件。

打开“组件”面板下的User Interface类，在其中选择ScrollPane，然后按住鼠标左键将其拖动到舞台上即可，如下左图所示。其对应的“组件参数”选项区域如下右图所示。

其中各主要参数的具体含义如下。

（1）enabled：用于设置滚动条中加载的内容是否呈半透明显示。

（2）contentPath：确定要加载到滚动条中的内容所在的位置。

（3）horizontalLineScrollSize：确定每次按下滚动条两边的箭头按钮时水平滚动条移动多少个单位，默认值为5。

（4）horizontalPageScrollSize：指明每次按下轨道时，水平滚动条移动多少个单位，默认值为20。

（5）horizontalScrollPolicy：确定是否显示水平滚动条。该值可以为on（显示）、off（不显示）或auto（自动），默认值为auto。

（6）scrollDrag：它是一个布尔值，用于确定是否允许用户在滚动条中滚动内容，如果允许，则选择true选项；如果不允许则选择false选项，默认值为false。

（7）source：指示要加载到滚动条中的内容。该值可以是本地的SWF或JPG文件的相对路径，也可以是Internet上文件的相对或绝对路径，还可以是设置为“为ActionScript导出”库中影片剪辑元件的链接标识符。

（8）verticalLineScrollSize：指明每次按下滚动条两边的箭头按钮时，垂直滚动条移动多少个单位，默认值为5。

（9）verticalPageScrollSize：指明每次按下轨道时垂直滚动条移动多少个单位，默认值为20。

（10）verticalScrollPolicy：确定是否显示垂直滚动条。该值可以为on（显示）、off（不显示）或auto（自动），默认值为auto。

11.5 课堂练习——制作桌面日历

原始文件	无
最终文件	第11章\11.5\桌面日历\桌面日历.fla
注意事项	利用DateChooser组件可以方便地制作出精美的桌面日历，省去了编写语句的麻烦
核心知识	了解并熟悉DateChooser组件的应用

下面将以桌面日历的制作过程为例，对 Flash 组件的应用进行介绍。

01 新建一个Flash文档，设置其尺寸为600像素×500像素，帧频为12。

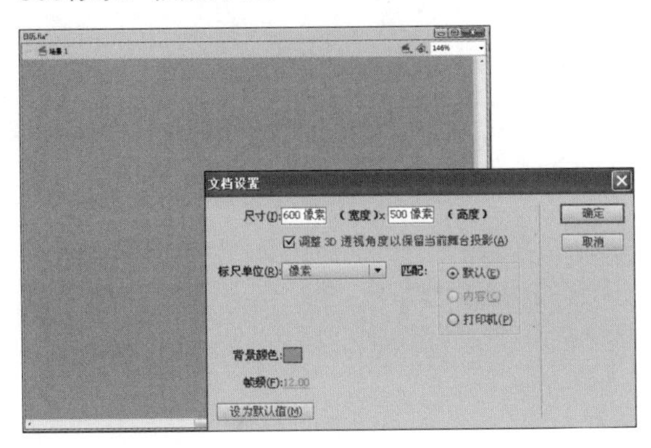

02 新建影片剪辑sprite。选择“窗口>组件”命令，打开“组件”面板。

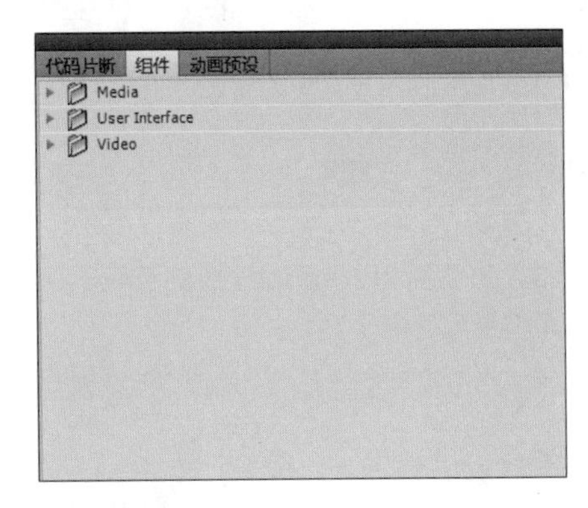

03 打开User Interface文件夹，从中选择Date Chooser选项。

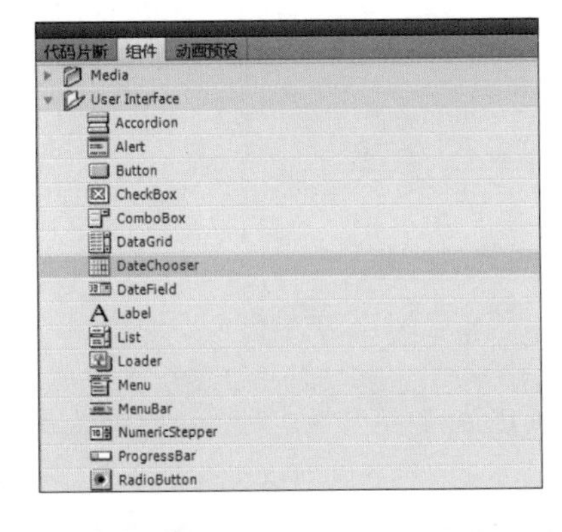

04 将组件“DateChooser”拖曳至编辑区域，即可得到日历列表。

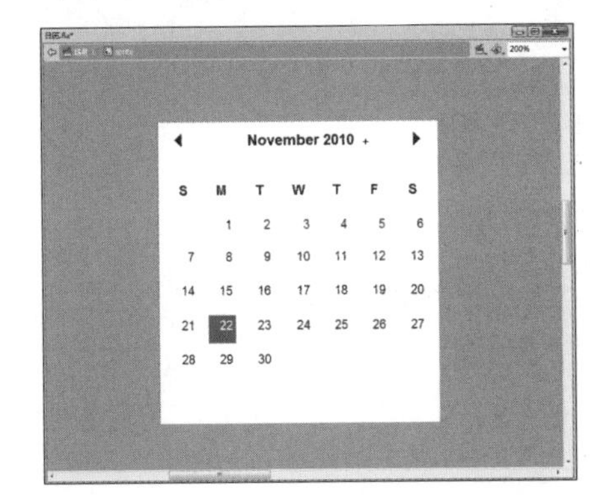

05 返回舞台。将素材图片image1拖曳至编辑区域，并调整其位置与大小。

06 新建图层2，将影片剪辑元件sprite拖曳至编辑区域合适位置。

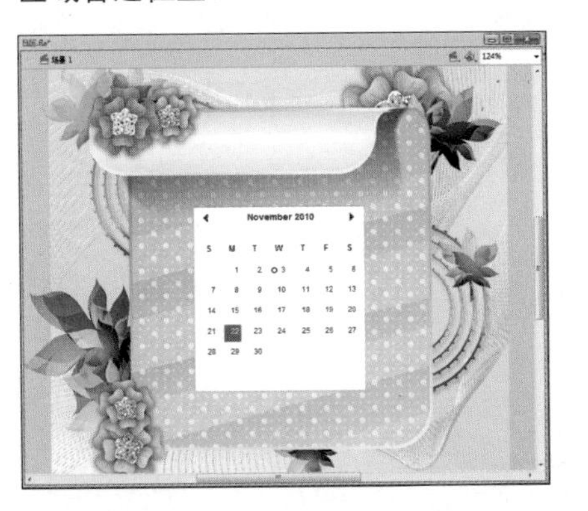

07 选择任意变形工具，将影片剪辑元件sprite适当放大。

08 选中影片剪辑元件sprite，打开属性面板，打开“色彩效果”栏，将其Alpha值设为50%。

09 新建图层3，将素材图片image2拖曳至编辑区域，然后将其放至舞台右下角。

10 新建图层4，打开“库”面板，选择声音元件sound拖曳至编辑区域。打开其对应的“属性”面板，将声音设置为事件、循环。

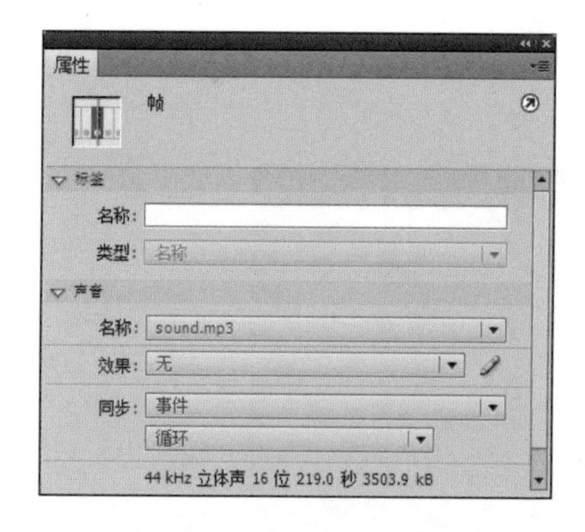

11 按下【Ctrl+S】组合键，以“日历”为名称保存文件。

12 按下【Ctrl+Enter】组合键，对该动画效果进行预览。

拓展项目练习

通过本章的学习，可以对 Flash 中的组件有一定的了解，为了巩固所学的知识，下面对本章中的一些重点知识进行考察。

一、选择题

（1）下面（ ）不是 Flash 8 提供的组件。

A. Button　　B. ScrollBar

C. CheckBox　　D. List

（2）按下（ ）组合键，可打开“组件检查器”面板。

A. Ctrl + F7　　B. Alt + F7

C. Ctrl + J　　D. Ctrl + F3

（3）用（ ）参数可以设置 Button 组件实例的标签。

A. icon　　B. selected

C. abelPlacement　　D. label

（4）（ ）参数不可以在 CheckBox 组件实例的“属性”面板中设置。

A. 复选框的标签　　B. 复选框上标签文本的方向

C. 复选框的大小　　D. 复选框的实例名称

二、填空题

（1）按下__________组合键或单击__________命令可打开“组件”面板。

（2）利用__________面板或__________面板可为相应的组件设置参数。

（3）利用__________组件可以创建滚动窗格。

（4）ScrollPane 组件实例的__________参数用于决定能否用鼠标拖动滚动窗格中的内容。

三、操作题

（1）利用动作脚本制作不带滚动条的滚动窗格，当鼠标指针在图片显示区域内显示为手的形状时，可以用“手”拖动显示图形。

（2）利用 UI 组件制作一个留言板。

（3）利用 UI 组件制作一个滚动文本，如下左图所示。

（4）综合利用多种组件制作一个数据提交页，以提交一些个人数据信息，如下右图所示。

ppy Birthday

Chapter 12 影片后期处理全程设计

设计师指导

当动画制作完成后，就可以将动画作为文件导出，供其他的应用程序使用，或将动画作为作品发布出来供人们观看，但在发布和导出动画之前必须进行测试和发布。测试是为了检查动画是否能正常播放；优化是为了减小文件的大小、加快动画的下载速度。

核心知识点

❶ 熟悉影片测试及优化影片的方法
❷ 掌握影片的发布设置
❸ 掌握发布影片的方法
❹ 掌握导出图像文件的方法
❺ 掌握导出声音文件的方法
❻ 掌握导出动画文件的方法

12.1 测试影片的两种环境

通常情况下，在制作好 Flash 动画后，可以测试 Flash 作品，并且可以使用播放器预览影片效果。如果测试没有问题，则可以按要求发布影片，或者将影片导出为可供其他应用程序处理的数据。

12.1.1 在编辑模式中测试

由于测试项目任务繁重，Flash 编辑环境中可能不是用户的首选测试环境，但在编辑环境中却能进行一些简单的测试，主要包括以下两点。

1. 可测试的内容

在 Flash CS5 中，在编辑环境中可以测试以下 4 种内容。

（1）按钮状态：可以测试按钮在弹起、按下、触模和单击状态下的外观。

（2）主时间轴上的声音：播放时间轴时，可以试听放置在主时间轴上的声音（包括那些与舞台动画同步的声音）。

（3）主时间轴上的帧动作：任何附在帧或按钮上的 goto、Play 和 Stop 动作都将在主时间轴上起作用。

（4）主时间轴的动画：主时间轴上的动画（包括形状和动画过渡）起作用。这里说的是主时间轴，不包括影片剪辑或按钮元件所所对应的时间轴。

2. 不可测试的内容

在 Flash CS5 中，在编辑环境中不可以测试以下 4 种内容。

（1）影片剪辑：影片剪辑中的声音、动画和动作将不可见或不起作用。只有影片剪辑的第一帧才会出现在编辑环境中。

（2）动作：goto、Play 和 Stop 动作是唯一可以在编辑环境中操作的动作。也就是说，用户无法测试交互作用、鼠标事件或依赖其他动作的功能。

（3）动画速度：Flash 编辑环境中的重放速度比最终优化和导出的动画慢。

（4）下载性能：无法在编辑环境中测试动画在 Web 上的流动或下载性能。

12.1.2 在测试环境中测试

在编辑环境中的测试是有限的。要评估影片、动作脚本或其他重要的动画元素，必须在测试环境下进行测试。可以执行“控制 > 测试影片”命令或者按下【Ctrl + Enter】组合键进行测试。

在 Flash 中，通过测试影片，可以将影片完整地播放一次，通过直观地观看影片的效果，来检测动画是否达到了设计的要求。

12.2 优化影片

由于 Flash 影片可以通过网络进行发布，所以用户在将影片发布到网络上时，应尽量减少影片所占用的空间，在输出动画时使影片的下载时间缩短。

要优化影片，可以使用以下 8 种操作进行优化。

（1）如果某个对象在影片中被多次使用，用户就可以将其制作为元件，然后在影片中调用该元件的实例，使文档的体积减少。

（2）尽量使用补间来制作动画，因为补间动画所需要的关键帧比逐帧动画少得多，其体积也会相应地变小。

（3）可以限制使用特殊的线条类型，如虚线、点线等，以使用实线来代替。而使用铅笔工具绘制的对象比使用刷子工具绘制的对象占用的空间少。

（4）在动画播放的过程中使用图层将发生变化的对象与没有发生变化的对象分开。

（5）执行“修改 > 形状 > 优化”命令，可以使对象在不失真的情况下，最大限度地减少用于描述图形轮廓的线条。

（6）如果有音频文件，则应尽量使用压缩效果最好的 MP3 文件格式。

（7）应尽量少使用位图图像来制作动画，一般可以将其作为背景图像或是静态对象来使用。

（8）用户可以将对象变成组合对象，以减少文档的空间。

12.2.1 优化动画

在 Flash 中，优化动画时需要注意以下 6 点。

（1）如果某元素在影片中多次使用，将其转换为元件，然后在文档中调用该元件的实例，这样在网上浏览时下载的数据就会变少。

（2）只要有可能，在动画中尽量避免使用逐帧动画，而使用补间动画代替逐帧动画，因为补间动画的数据量大大少于逐帧动画，动画帧数越多差别越明显。

（3）尽量避免使用位图做动画。

（4）用层将动画播放过程中发生的元素同那些没有任何变化的元素分开。

（5）制作动画序列时，将其制作为影片剪辑元件，而不要制作为图形元件。

（6）如有音频文件，尽可能多地使用压缩效果最好的 MP3 格式的文件。

12.2.2 优化元素和线条

在 Flash 中，优化元素和线条时需要注意以下 4 点。

（1）使用矢量线代替矢量色块图形，因为前者的数据量要少于后者。

（2）限制使用特殊类型的线条数量，如短划线、虚线和波浪线等。使用实线将使文件更小。

（3）减少矢量图形的形状复杂程度，如减少矢量色块图形边数或矢量曲线的折线数量。

（4）避免过多地使用位图等外部导入对象，否则动画中的位图素材会迅速使文件增大。

12.2.3 优化文本

在 Flash 中，优化文本时需要注意以下两点。

（1）限制字体和字体样式的使用，过多地使用字体或字体样式，不但会增大文件的数据量，而且不利于作品风格的统一。

（2）在嵌入字体选项中，选择嵌入所需的字符，而不要选择嵌入整个字体。

12.2.4 优化色彩

在 Flash 中，优化色彩时需要注意以下 3 点。

（1）在对作品影响不大的情况下，减少渐变色的使用，而代之以单色。

（2）限制使用透明效果，因为它会降低影片播放时的速度。

（3）在创建实例的各种颜色效果时，应多使用实例的“颜色样式”功能。

动画的输出就很简单了，可以直接按下【Ctrl + Enter】组合键对动画进行实时发布输出。相对其他动画制作软件来讲，Flash 这一功能确实是很有优势的。

12.3 发布及预览影片

发布是 Flash 影片的一个独特的功能，一个影片文件出版后，在网络上就有了版权保护，不论浏览者如何操作，都不会出现“下载”字样。因此，为了 Flash 作品的推广和传播，还需要将制作的 Flash 动画文件进行发布。

12.3.1 发布为Flash文件

选择“文件”>“发布设置”命令，然后选择“Flash”选项卡，如右图所示。

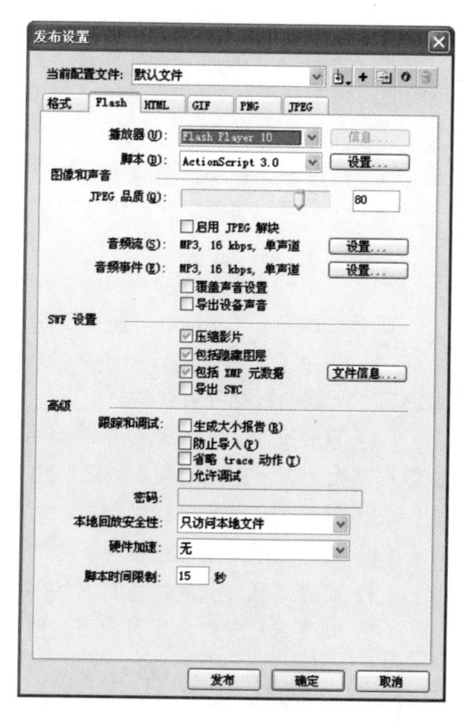

从“播放器”下拉列表框中选择播放器版本。并非所有 Adobe Flash Professional CS5 功能，都能在针对低于 Flash Player 10 的 Flash Player 版本的已发布的 SWF 文件中起作用。若要指定 Flash Player 检测，选择“HTML”选项卡，然后选择“检测 Flash 版本”复选框并输入要检测的 Flash Player 版本即可。

从“脚本”下拉列表框中选择 ActionScript 版本。如果选择 ActionScript 2.0 或 ActionScript3.0 并创建了类，则单击“设置”按钮设置类文件的相对类路径，该路径与在“首选参数”中设置的默认目录的路径不同。

1. 图像和声音

若要控制位图压缩，可调整“JPEG 品质”滑块或输入一个值。图像品质越低，生成的文件就越小；图像品质越高，生成的文件就越大。尝试不同的设置，以便确定在文件大小和图像品质之间的最佳平衡点；值为 100 时图像品质最佳，压缩比最小。

若要使高度压缩的 JPEG 图像显得更加平滑，可选择“启用 JPEG 解块”。此选项可减少由于 JPEG 压缩导致的典型失真。

若要为 SWF 文件中的所有声音流或事件声音设置采样率和压缩，可单击“音频流”或“音频事件”右边的“设置”按钮，然后根据需要选择相应的选项。

若要覆盖在属性检查器的“声音”部分中为个别声音指定的设置，可选择“覆盖声音设置”复选框。

若要导出适合于设备（包括移动设备）的声音而不是原始库声音，可选择“导出设备声音”复选框。

2. SWF设置

若要设置 SWF 设置，可选择下列任一选项。

（1）压缩影片：（默认）压缩 SWF 文件以减小文件大小和缩短下载时间。当文件包含大量文本或 ActionScript 时，使用此选项十分有益。经过压缩的文件只能在 Flash Player 6 或更高版本中播放。

（2）包括隐藏图层：（默认）导出 Flash 文档中所有隐藏的图层。取消选择“导出隐藏的图层”将阻止把生成的 SWF 文件中标记为隐藏的所有图层（包括嵌套在影片剪辑内的图层）导出。这样，就可以通过使图层不可见来轻松测试不同版本的 Flash 文档。

（3）包括 XMP 元数据：默认情况下，将在“文件信息”对话框中导出输入的所有元数据。单击“文件信息”按钮打开此对话框。也可以通过选择“文件 > 文件信息”命令打开“文件信息”对话框。

（4）导出 SWC：导出 .swc 文件，该文件用于分发组件。.swc 文件包含一个编译剪辑、组件的 ActionScript 类文件，以及描述组件的其他文件。

3. 高级

若要使用“高级”设置或启用对已发布 Flash SWF 文件的调试操作，可选择下列任一选项。

（1）生成大小报告：生成一个报告，按文件列出最终 Flash 内容中的数据量。

（2）防止导入：防止其他人导入 SWF 文件并将其转换回 FLA 文档。可使用密码来保护 Flash SWF 文件。

（3）省略 trace 动作：使 Flash 忽略当前 SWF 文件中的 ActionScript trace 语句。如果选择此选项，trace 语句的信息将不会显示在“输出”面板中。

（4）允许调试：激活调试器并允许远程调试 Flash SWF 文件。可让用户使用密码来保护 SWF 文件。如果使用的是 ActionScript 2.0，并且选择了“允许调试”或“防止导入”复选框，则在“密码”文本框中输入密码。如果添加了密码，则其他用户必须输入该密码才能调试或导入 SWF 文件。若要删除密码，可清除“密码”文本字段。

从“本地回放安全性”下拉列表框中，选择要使用的 Flash 安全模型，指定是授予已发布的 SWF 文件本地安全性访问权，还是网络安全性访问权。“只访问本地”文件选项可使已发布的 SWF 文件与本地系统上的文件和资源交互，但不能与网络上的文件和资源交互。“只访问网络”可使已发布的 SWF 文件与网络上的文件和资源交互，但不能与本地系统上的文件和资源交互。

（5）硬件加速：若要使 SWF 文件能够使用硬件加速，从“硬件加速”下拉列表框中选择下列选项之一。

- 第 1 级—直接：“直接”模式通过允许 Flash Player 在屏幕上直接绘制，而不是让浏览器进行绘制，从而改善播放性能。
- 第 2 级—GPU：在“GPU”模式中，Flash Player 利用图形卡的可计算能力执行视频播放并对图层化图形进行复合。根据用户的图形硬件的不同，这将提供更高一级的性能优势。

如果播放系统的硬件能力不足以启用加速，则 Flash Player 会自动恢复为正常绘制模式。若要使包含多个 SWF 文件的网页发挥最佳性能，则只对其中的一个 SWF 文件启用硬件加速。在测试影片模式下不使用硬件加速。

在发布 SWF 文件时，嵌入该文件的 HTML 文件包含一个 wmode HTML 参数。选择级别 1 或级别 2 硬件加速会将 wmode HTML 参数分别设置为“direct”或“gpu”。打开硬件加速会覆盖在“发布设置”对话框“HTML”选项卡中选择的“窗口模式”设置，因为该设置也存储在 HTML 文件中的 wmode 参数中。

（6）脚本时间限制：若要设置脚本在 SWF 文件中执行时可占用的最大时间量，在“脚本时间限制”文本框中输入一个数值。Flash Player 将取消执行超出此限制的任何脚本。

12.3.2 发布为HTML文件

在 Web 浏览器中播放 Flash 内容需要一个能激活 SWF 文件并指定浏览器设置的 HTML 文档。“发布”命令会根据模板文档中的 HTML 参数自动生成此文档。

模板文档可以是包含适当模板变量的任意文本文件，包括纯 HTML 文件、含有特殊解释程序代码的文件或是 Flash 附带的模板。若要手动输入 Flash 的 HTML 参数或自定义内置模板，使用 HTML 编辑器。HTML 参数确定内容出现在窗口中的位置、背景颜色、SWF 文件大小等，并设置 object 和 embed 标记的属性。可以在“发布设置”对话框的“HTML”选项卡中更改这些设置和其他设置。更改这些设置会覆盖已在 SWF 文件中设置的选项。

选择“文件”>“发布设置”命令，弹出“发布设置”对话框。选择“格式”选项卡，默认情况下选中 HTML 文件类型，如右图所示。

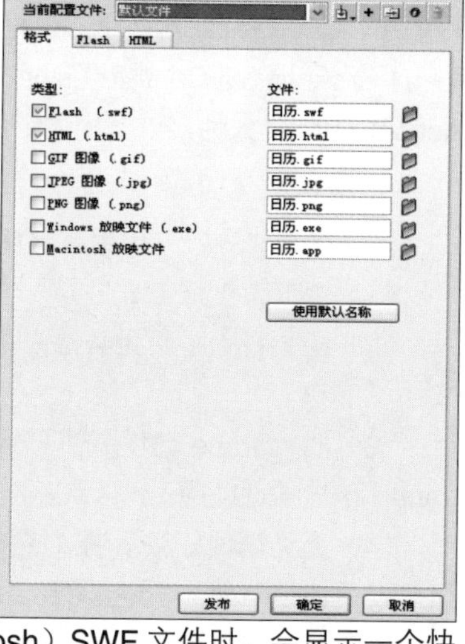

1. 尺寸

（1）匹配影片：使用 SWF 文件的大小。

（2）像素：输入宽度和高度的像素数量。

（3）百分比：指定 SWF 文件所占浏览器窗口的百分比。

2. 回放

（1）开始时暂停：一直暂停播放 SWF 文件，直到用户单击按钮或从快捷菜单中选择“播放”后才开始播放。（默认）不选中此选项，即加载内容后就立即开始播放（PLAY 参数设置为 true）。

（2）循环：内容到达最后一帧后再重复播放。取消选择此选项会使内容在到达最后一帧后停止播放。（默认）LOOP 参数处于启用状态。

（3）显示菜单：右击（Windows）或按住 Control 并单击（Macintosh）SWF 文件时，会显示一个快捷菜单。若要在快捷菜单中只显示“关于 Flash”，取消选择此选项。默认情况下，会选中此选项（MENU 参数设置为 true）。

（4）设备字体：（仅限 Windows）会用消除锯齿（边缘平滑）的系统字体替换用户系统上未安装的字体。使用设备字体可使小号字体清晰易辨，并能减小 SWF 文件的大小。此选项只影响那些包含静态文本（创作 SWF 文件时创建且在内容显示时不会发生更改的文本），且文本设置为用设备字体显示的 SWF 文件。

3. 品质

（1）低：使回放速度优先于外观，并且不使用消除锯齿功能。

（2）自动降低：优先考虑速度，但是也会尽可能改善外观。回放开始时，消除锯齿功能处于关闭状态。如果 Flash Player 检测到处理器可以处理消除锯齿功能，就会自动打开该功能。

（3）自动升高：在开始时是回放速度和外观两者并重，但在必要时会牺牲外观来保证回放速度。回放开始时，消除锯齿功能处于打开状态。如果实际帧频降到指定帧频之下，就会关闭消除锯齿功能以提高回放速度。若要模拟“视图”>“消除锯齿”设置，使用此设置。

（4）中：会应用一些消除锯齿功能，但并不会平滑位图。“中”选项生成的图像品质要高于“低”设置生成的图像品质，但低于“高”设置生成的图像品质。

（5）高：（默认）使外观优先于回放速度，并始终使用消除锯齿功能。如果 SWF 文件不包含动画，则会对位图进行平滑处理；如果 SWF 文件包含动画，则不会对位图进行平滑处理。

（6）最佳：提供最佳的显示品质，而不考虑回放速度。 所有的输出都已消除锯齿，而且始终对位图进行光滑处理。

4. 窗口模式

（1）窗口：（默认情况下）不会在 object 和 embed 标签中嵌入任何窗口相关的属性。内容的背景不透明并使用 HTML 背景颜色。HTML 代码无法呈现在 Flash 内容的上方或下方。

（2）不透明无窗口：将 Flash 内容的背景设置为不透明，并遮蔽该内容下的所有内容。使 HTML 内容显示在该内容的上方或上面。

（3）透明无窗口：将 Flash 内容的背景设置为透明，使 HTML 内容显示在该内容的上方和下方。

5. HTML对齐

（1）默认：使内容在浏览器窗口内居中显示，如果浏览器窗口小于应用程序，则会裁剪边缘。

（2）左对齐、右对齐或顶部、底部：将 SWF 文件与浏览器窗口的相应边缘对齐，并根据需要裁剪其余的三边。

6. 缩放

（1）默认（显示全部）：在指定的区域显示整个文档，并且保持 SWF 文件的原始高宽比，而不发生扭曲。应用程序的两侧可能会显示边框。

（2）无边框：对文档进行缩放以填充指定的区域，并保持 SWF 文件的原始高宽比，同时不会发生扭曲，并根据需要裁剪 SWF 文件边缘。

（3）精确匹配：在指定区域显示整个文档，但不保持原始高宽比，因此可能会发生扭曲。

（4）无缩放：禁止文档在调整 Flash Player 窗口大小时进行缩放。

12.3.3 发布为GIF文件

使用 GIF 文件可以导出绘画和简单动画，以供在网页中使用。标准 GIF 文件是一种压缩位图。GIF 动画文件中提供了一种简单的方法来导出简短的动画序列。Flash 可以优化 GIF 动画文件，并且只存储逐帧更改。

选择“文件 > 发布设置”命令，弹出“发布设置”对话框。在“格式”选项卡中选择“GIF 图像”复选框，然后切换到“GIF”选项卡，如右图所示。其中各选项的含义介绍如下。

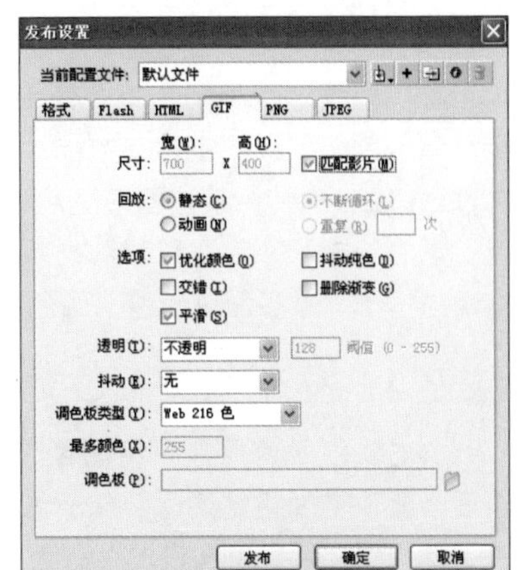

1. 尺寸

输入导出的位图图像的宽度和高度值（以像素为单位），或者选择“匹配影片”使 GIF 和 SWF 文件大小相同并保持原始图像的高宽比。

2. 回放

确定 Flash 创建的是静止（“静态”）图像还是 GIF 动画（“动画”）。如果选择“动画”单选按钮，可选择“不断循环”单选按钮或输入重复次数。

3. 选项

（1）优化颜色：从 GIF 文件的颜色表中删除任何未使用的颜色。该选项可减小文件大小，而不会影响图像质量，只是稍稍提高了内存要求。该选项不影响最适色彩调色板。最适色彩调色板会分析图像中的颜色，并为选定的 GIF 文件创建一个唯一的颜色表。

（2）交错：下载导出的 GIF 文件时，在浏览器中逐步显示该文件，使用户在文件完全下载之前就能看到基本的图形内容，并能在较慢的网络连接中以更快的速度下载文件。

（3）平滑：消除导出位图的锯齿，从而生成较高品质的位图图像，并改善文本的显示品质。但是，平滑可能导致彩色背景上已消除锯齿的图像周围出现灰色像素的光晕，并且会增加 GIF 文件的大小。如果出现光晕，或者如果要将透明的 GIF 放置在彩色背景上，则在导出图像时不要使用平滑操作。

（4）抖动纯色：将抖动应用于纯色和渐变色。

（5）删除渐变色：（默认为关闭）用渐变色中的第一种颜色，将 SWF 文件中的所有渐变填充转换为纯色。渐变色会增加 GIF 文件的大小，而且通常品质欠佳。为了防止出现意想不到的结果，在使用该选项时慎选渐变色的第一种颜色。

4. 透明

（1）不透明：使背景成为纯色。

（2）透明：使背景透明。

（3）Alpha：设置局部透明度。输入一个介于 0 ～ 255 之间的阈值。 值越低，透明度越高。值 128 对应 50% 的透明度。

5. 抖动

（1）无：关闭抖动，并用基本颜色表中最接近指定颜色的纯色替代该表中没有的颜色。如果关闭抖动，则产生的文件较小，但颜色不能令人满意。

（2）有序：提供高品质的抖动，同时文件大小的增长幅度也最小。

（3）扩散：提供最佳品质的抖动，但会增加文件大小并延长处理时间。只有选择“Web 216 色”时，调色板时才起作用。

6. 调色板类型

（1）Web 216 色：使用标准的 Web 安全 216 色调色板来创建 GIF 图像，这样会获得较好的图像品质，并且在服务器上的处理速度最快。

（2）最合适：分析图像中的颜色，并为所选 GIF 文件创建一个唯一的颜色表。对于显示成千上万种颜色的系统而言是最佳的；它可以创建最精确的图像颜色，但会增加文件大小。若要减小用最适色彩调色板创建的 GIF 文件的大小，可使用“最多颜色”选项减少调色板中的颜色数量。

（3）接近 Web 最适色：与“最适色彩调色板”选项相同，但是会将接近的颜色转换为 Web 216 色调色板。生成的调色板已针对图像进行优化，但 Flash 会尽可能使用 Web 216 色调色板中的颜色。如果在 256 色系统上启用了 Web 216 色调色板，此选项将使图像的颜色更出色。

（4）自定义：指定已针对所选图像进行优化的调色板。自定义调色板的处理速度与“Web 216 色”调色板的处理速度相同。若要使用此选项，先了解如何创建和使用自定义调色板。若要选择自定义调色板，单击“调色板”文件夹图标（显示在“调色板”文本字段末尾的文件夹图标），然后选择一个调色板文件。Flash 支持由某些图形应用程序导出的以 ACT 格式保存的调色板。

若在选择了“最适色彩”或“接近 Web 最适色”调色板的情况下，设置 GIF 图像中使用的颜色数量，需输入一个“最多颜色”值。颜色数量越少，生成的文件也越小，但可能会降低图像的颜色品质。

12.3.4 发布为JPEG文件

JPEG 格式使用户可将图像保存为高压缩比的 24 位位图。通常，GIF 格式对于导出线条绘画效果较好，而 JPEG 格式更适合显示包含连续色调（如照片、渐变色或嵌入位图）的图像。

选择“文件 > 发布设置”命令，在“格式”选项卡中选择“JPEG 图像”复选框，然后切换到“JPEG”选项卡，如右图所示。其中各选项的含义介绍如下。

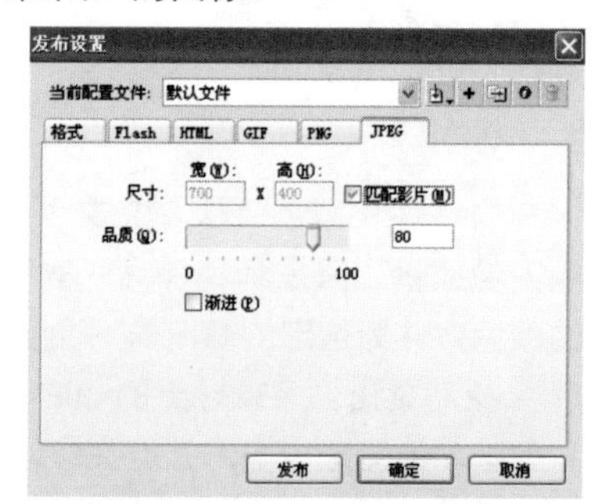

1. 尺寸

输入导出的位图图像的宽度和高度值（以像素为单位），或者选择“匹配影片”复选框使 JPEG 图像和舞台大小相同并保持原始图像的高宽比。

2. 品质

拖动滑块或输入一个值，可控制 JPEG 文件的压缩量。图像品质越低则文件越小，反之亦然。若要确定文件大小和图像品质之间的最佳平衡点，尝试使用不同的设置。

若要更改对象的压缩设置，可在“位图属性”对话框中设置每个对象的位图导出品质。“位图属性”对话框中的默认压缩选项是“发布设置”对话框“JPEG”选项卡中的“品质”选项。

3. 渐进

在 Web 浏览器中，增量显示渐进式 JEPG 图像，从而可在低速网络连接上以较快的速度显示加载的图像。类似于 GIF 和 PNG 图像中的交错选项。

12.3.5 发布为PNG文件

PNG 是唯一支持透明度（Alpha 通道）的跨平台位图格式。

选择“文件”>“发布设置”命令，在“格式”选项卡中选择“PNG 图像”复选框，然后切换到“PNG”选项卡，如右图所示。其中各主要选项的含义介绍如下。

1. 尺寸

设置输入导出的位图图像的宽度和高度值（以像素为单位），或者选择“匹配影片”复选框使 PNG 图像和 SWF 文件大小相同并保持原始图像的高宽比。

2. 位深度

设置创建图像时要使用的每个像素的位数和颜色数。位深度越高，文件就越大。

（1）8 位：用于 256 色图像。

（2）24 位：用于数千种颜色的图像。

（3）24 位 Alpha：用于数千种颜色并带有透明度（32 位）的图像。

3. 选项

（1）优化颜色：从 PNG 文件的颜色表中删除任何未使用的颜色，在不影响图像品质的情况下将文件大小减少 1000 ～ 1500 个字节，但会稍稍提高内存要求。不影响最适色彩调色板。

（2）交错：下载导出的 PNG 文件时，在浏览器中逐步显示该文件。使用户可以在文件完全下载之前就能看到基本的图形内容，并能在较慢的网络连接中以更快的速度下载文件。不要交错 PNG 动画文件。

（3）平滑：消除导出位图的锯齿，从而生成较高品质的位图图像，并改善文本的显示品质。但是，平滑可能导致彩色背景上已消除锯齿的图像周围出现灰色像素的光晕，并且会增加 PNG 文件的大小。如果出现光晕，或者如果要将透明的 PNG 放置在彩色背景上，则在导出图像时不要使用平滑操作。

（4）抖动纯色：将抖动应用于纯色和渐变色。

（5）删除渐变色：（默认为关闭）用渐变色中的第一种颜色将应用程序中的所有渐变填充转换为纯色。渐变色会增加 PNG 文件的大小，而且通常品质欠佳。为了防止出现意想不到的结果，使用该选项时慎选渐变色的第一种颜色。

4. 抖动

如果将“位深度”选为 8 位，选择一个“抖动”选项来指定如何组合可用颜色的像素来模拟当前调色板中没有的颜色。抖动可以改善颜色品质，但是也会增加文件大小。

（1）无：关闭抖动，并用基本颜色表中最接近指定颜色的纯色替代该表中没有的颜色。如果关闭抖动，则产生的文件较小，但颜色不能令人满意。

（2）有序：提供高品质的抖动，同时文件大小的增长幅度也最小。

（3）扩散：提供最佳品质的抖动，但会增加文件大小并延长处理时间。而且，只有选定 Web 216 色调色板时才起作用。

5. 调色板类型

（1）Web 216 色：使用标准的 Web 安全 216 色调色板来创建 PNG 图像，这样会获得较好的图像品质，并且在服务器上的处理速度最快。

（2）最合适：分析图像中的颜色，并为所选 PNG 文件创建一个唯一的颜色表，对于显示成千上万种颜色的系统而言是最佳的。它可以创建最精确的图像颜色，但所生成的文件要比用 Web 安全 216 色调色板创建的 PNG 文件大。

（3）接近 Web 最适色：与“最适色彩调色板”选项相同，但是会将接近的颜色转换为 Web 安全 216 色调色板。生成的调色板已针对图像进行优化，但 Flash 会尽可能使用 Web 安全 216 色调色板中的颜色。如果在 256 色系统上启用了 Web 安全 216 色调色板，此选项将使图像的颜色更出色。若要减小用最适色彩调色板创建的 PNG 文件的大小，可使用“最大颜色数”选项来减少调色板中的颜色数量。

（4）自定义：指定已针对所选图像进行优化的调色板。自定义调色板的处理速度与 Web 安全 216 色调色板的处理速度相同。若要使用此选项，先了解如何创建和使用自定义调色板。若要选择自定义调色板，单击“调色板”文件夹图标（显示在“调色板”文本字段末尾的文件夹图标），然后选择一个调色板文件。Flash 支持由主要图形应用程序导出的以 ACT 格式保存的调色板。

6. 过滤器选项

（1）无：关闭过滤功能。

（2）下：传递每个字节和前一个像素相应字节的值之间的差。

（3）上：传递每个字节和它上面相邻像素的相应字节的值之间的差。

（4）平均：使用两个相邻像素（左侧像素和上方像素）的平均值来预测该像素的值。

（5）线性函数：计算三个相邻像素（左侧、上方、左上方）的简单线性函数，然后选择最接近计算值的相邻像素作为颜色的预测值。

（6）最合适：分析图像中的颜色，并为所选 PNG 文件创建一个唯一的颜色表，对于显示成千上万种颜色的系统而言是最佳的。它可以创建最精确的图像颜色，但所生成的文件要比用“Web 216 色”调色板创建的 PNG 文件大。通过减少最适色彩调色板的颜色数量，可减小用该调色板创建的 PNG 的大小。

12.3.6 发布为QuickTime文件

用计算机上安装的 QuickTime 格式，创建带有 Flash 轨道的应用程序。这允许用户在一个 QuickTime 4 影片中结合 Flash 的交互功能与 QuickTime 的多媒体和视频功能，从而使得使用 QuickTime 4 或其更高版本的人都可以观看这样的影片。

如果将视频剪辑作为嵌入文件导入到文档中，则可以将该文档发布为 QuickTime 影片。如果将 QuickTime 格式的视频剪辑作为链接文件导入到文档中，还可以将该文档发布为 QuickTime 影片。

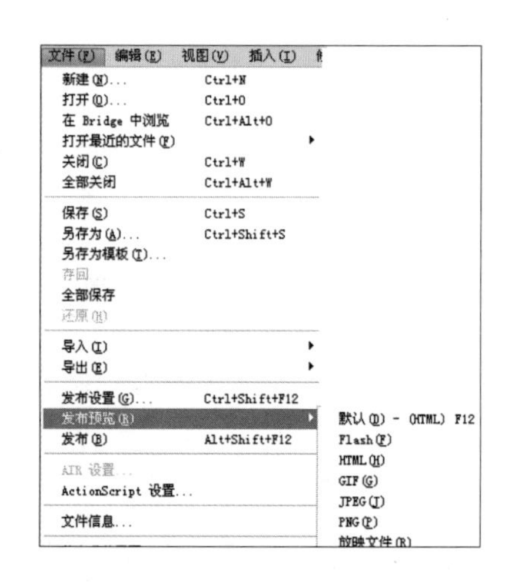

12.3.7 发布预览

对动画的发布格式进行设置后，还需要对动画格式进行预览。在 Flash CS5 中，选择“文件 > 发布预览”命令，在弹出的子菜单（如右图所示）中选择一种要预览的文件格式即可在动画预览界面中看到该动画发布后的效果。

12.4 课堂练习——发布动画

原始文件	第12章\12.4\生日贺卡\生日贺卡.fla
最终文件	第12章\12.4\生日贺卡\生日贺卡.exe
注意事项	注意文件的发布设置，这直接影响发布文件的最终格式
核心知识	掌握将Flash影片发布为EXE放映文件的方法

在 Flash 中，通过发布影片，可以使用户的影片在没有安装 Flash 应用程序的计算机上也能够播放。下面就以将“生日贺卡 .fla”文件发布为 EXE 放映文件为例，介绍发布动画的方法。

01 选择“文件>打开”命令，打开“生日贺卡.fla”文件。

02 执行“文件>发布设置”命令，打开“发布设置”对话框，进入“格式”选项卡。

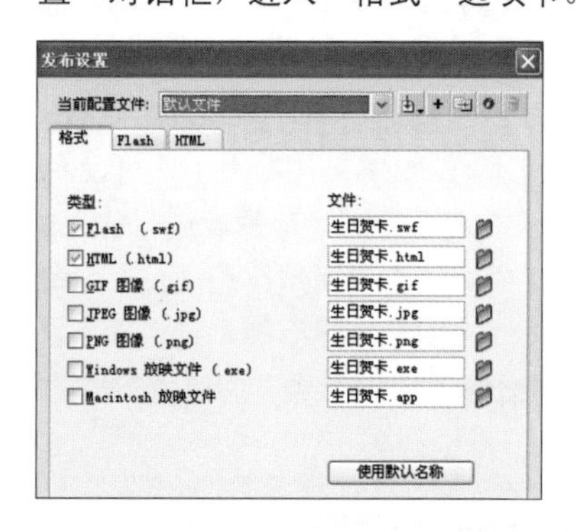

03 在“类型”选项区域中，取消选中“HTML（.html）”复选框，选中“Windows放映文件”复选框，并单击“选择发布目标”按钮。

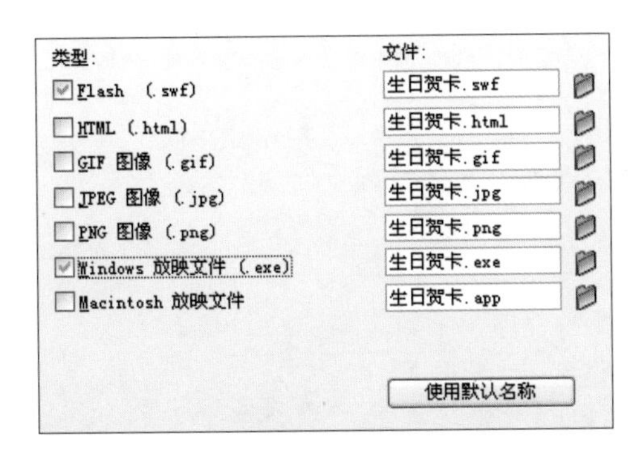

05 执行“另存为”命令，将文件另存。选择“文件>发布”命令即可。

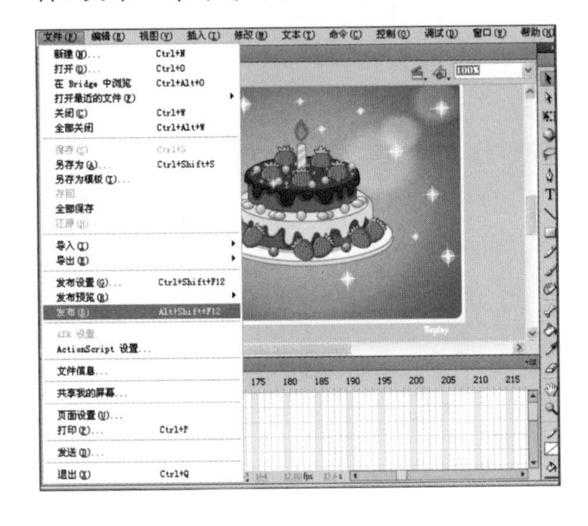

04 打开“选择发布目标”对话框。从中进行相应的设置后单击“保存”按钮。返回“发布设置”对话框，单击“确定”按钮完成设置。

06 按照发布路径打开所在的文件夹，从中选择EXE文件并双击即可播放。

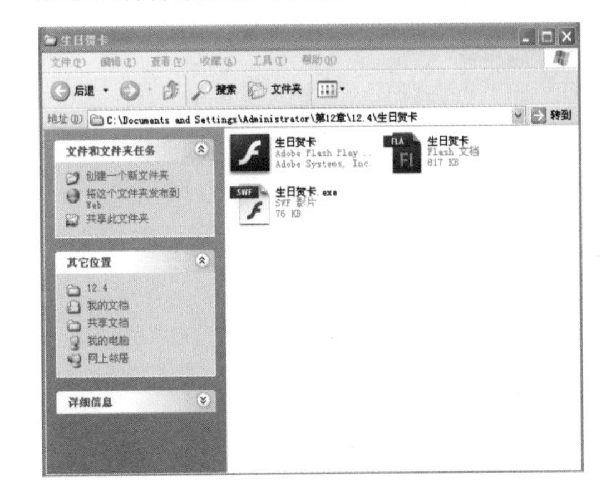

12.5 导出影片

对动画进行测试后，即可导出动画了，在Flash中既可以导出整个影片的内容，也可以导出图像、声音文件。下面分别对其进行讲解。

12.5.1 导出动画文件

在Flash中，可以将动画输出为包含动作和声音等全部内容的动画文件，其中SWF格式是在浏览网页时常见的具有交互功能的动画，而AVI格式是Windows的视频文件格式。用户可以执行“文件>导出>导出影片”命令。

12.5.2 导出动画图像文件

在Flash中，有时需要将动画中的某个图像导出来存储为图像文件的格式，作为其他动画的素材。选择舞台中要导出的图像对象，选择“文件>导出>导出图像”命令，在打开的“导出图像”对话框中设置导出图像的格式，单击“保存”按钮，即可将图像导出到相应的位置。

将Flash图像保存为位图GIF、JPEG、PICT（Macintosh）或BMP（Windows）文件时，图像会丢失其矢量信息，仅以像素信息保存。可以在图像编辑器中编辑导出为位图的Flash图像，但是不能再在基于矢量的绘画程序中编辑它们了。

拓展项目练习

通过本章的学习，读者对 Flash 影片后期处理有了一定的了解，为了巩固所学的知识，下面对本章中的一些重点知识进行考查。

一、选择题

（1）按下（ ）快捷键可以按默认的格式（HTML 文件）预览动画。

A. F9 键　　B. F10 键

C. Ctrl + F12 组合键　　D. F12 键

（2）利用下面的（ ）应用程序可以将 Flash 动画生成为可执行程序。

A. SAFlashPlayer 应用程序　　B. Flash 应用程序

C. FlashPlayer 应用程序　　D. Player 应用程序

（3）通常（ ）文件适合于导出线条图形，（ ）文件适合于导出含有大量渐变色和位图的图像。

A. PNG　JPEG　　B. GIF　PNG

C. GIF　JPEG　　D. JPEG　GIF

二、填空题

（1）单击＿＿＿＿＿＿命令或按下＿＿＿＿＿＿组合键可以打开“发布设置”对话框。

（2）在导出文件时，＿＿＿＿＿＿文件格式是唯一的一种可跨平台支持透明度的图像格式。

（3）按下＿＿＿＿＿＿组合键可以导出影片。

（4）单击＿＿＿＿＿＿命令，可将当前帧的内容导出为某种格式的图形文件。

三、判断题

（1）Flash 发布的文件，无法在没有安装 Flash 插件的浏览器中播放。（ ）

（2）为了精简 Flash 文件，应慎用嵌入的字体。（ ）

（3）用户可以创建一个发布配置文件来保存发布设置。（ ）

（4）按下【Ctrl + F12】组合键可以直接发布动画。（ ）

四、简答题

（1）简述 3 种可导出的文件类型。

（2）简述为 Flash 动画创建可执行程序的方法。

五、操作题

（1）将动画中的某一帧导出为 .gif 图片，如下图所示。

（2）试将某一动画发布为 .swf 文件，并为该文件设置保护密码。

（3）试将某一动画发布为 HTML 网页，使动画反复进行播放。

PART

02

行业应用篇

本篇导引

基础知识篇分为6章，汇总了所有Illustrator软件常用知识点。为帮助读者更顺利进行学习，右侧展示了相关板块的重点知识，以及运用该重点知识对应的关键技术所涉及的案例（即“动手操作”）。

行业案例	项目拓展
软件界面	启动和关闭软件
文档窗口	设置画板大小
对象视图	变换处理对象
辅助功能	调整参考线
基本形状路径	添加光晕效果
画笔工具	新建画笔并绘制图形
路径	变形和填充路径
网格填充工具	为路径上色
颜色透明度	设置图形透明度
创建与编辑图层	使用模板描摹图像
蒙版	绘制图形
文字	创建路径和区域文字
符号	载入并绘制符号
图表	绘制图表
矢量滤镜	调整对象
位图滤镜	为图像添加特殊质感
为 Web 创建矢量图形	存储文件为 SWF 动画
切片	创建 Web 切片

※ **重点知识**：精粹软件相关的重点难点知识。

※ **动手操作**：运用软件关键技术的实战案例。

Chapter 13 节日贺卡设计

行业应用

与传统的贺卡相比，电子具有更多的优点：既环保经济，又可以在网络之间快捷传送，并且表达效果丰富多彩，制作起来也容易。因此，在节日即将来临之际，很多网友开始选择自己动手制作电子贺卡或到专业的网站下载喜欢的贺卡，发送给好友们，以此来表达自己独特的问候。

核心知识点

❶ 贺卡的设计理念
❷ 素材的选取与导入
❸ 动画的合成

13.1 行业知识导航

在制作贺卡类广告动画前，首先需要了解贺卡类广告的设计特点和设计要求。这样才能在制作贺卡类广告动画时，针对目标网站，充分地展现网站的风格和传播价值。下面对贺卡类广告动画的特点、设计要求向读者做一个全面的介绍，并展示4类精彩的贺卡类广告动画。

13.1.1 贺卡类广告的特点

电子贺卡就是利用网络电子邮件进行传递的贺卡，它通过传递一张贺卡的网页链接，使收卡人单击收到的这个链接地址即可打开贺卡画面。该贺卡画面不仅是动画形式，而且带有美妙的音乐。

温馨和祝福是Flash电子贺卡的主要特点，对于不同类型的贺卡，其特点也不相同。根据Flash电子贺卡的分类，其特点分别介绍如下。

（1）节日贺卡

一般用于各种节日中，画面一般较为炫目，色彩较为鲜明，突出节日的气氛。如春节贺卡、中秋节贺卡、圣诞贺卡等。

（2）生日贺卡

一般用于祝贺生日，其中包括针对个人或者对企业的，制作上要突出个人特征，也可以制作得较为个性。

（3）爱情贺卡

该类贺卡为特用贺卡，只有在需要表达爱情的时候才会使用，所以制作时要突出爱情的元素。

（4）温馨贺卡

该类贺卡并没有应用于特定时间，一般是为了表达个人的各种情感，制作上要求尽量简洁，不要有特别重的节日气氛。

（5）祝福贺卡

一般是为了祝贺时所使用的贺卡，所以在制作上要突出喜庆的特点，在色彩和动画类型上都可以相对丰富。

13.1.2 贺卡类广告的设计要求

在设计电子贺卡动画时，有以下4点设计要求，具体如下。

（1）创意

一个成功的 Flash 贺卡最重要的是创意而不是技术。标新立异、和谐统一、震撼心灵，同时应注意国家、民族和宗教等禁忌。

（2）技法

制作贺卡有很多技法，可以使用通用的元素表达主题，也可以极端的对比法、变异法和取代替换法及富于创造性的设计和构思，逆向思维，大胆突破传统的束缚，想象中一切皆有可能。

（3）色彩

贺卡画面的色彩要符合节日的气氛，对于祝福类贺卡，应使用温暖干净的配色，红色加黄色、白色加蓝色等；对于追求简洁明快的风格，应使用大块的纯色做背景，特征鲜明，令人印象深刻。

（4）动画

动画制作中，不必采用过于复杂的动画类型，简单的文本动画即可突出主题。动画中的造型尽量卡通化，要活泼、可爱。

要在很有限的时间内表达出主题，并烘托出气氛。建议读者多看看成功的作品，多从创作者的角度思考问题，这样才能快速地提高设计制作水平。

13.1.3 精彩贺卡类广告欣赏

贺卡类广告在网络上随处可见，下面介绍新年贺卡、情人节贺卡、愚人节贺卡和端午节贺卡 4 类精彩贺卡动画。

1. 新年贺卡

新年贺卡属于节日贺卡，新年是中国传统的节日，祝福的话语、节奏明快的画面、轻脆的鞭炮声，将新年喜庆快乐的气氛营造得非常浓烈，如下图所示。

2. 情人节贺卡

情人节贺卡属于爱情贺卡，如下图所示的“甜蜜的思念”情人节贺卡中主要是体现出情人之间的甜蜜思念之情。通过 3 个镜头，将甜蜜的祝福在特殊的日子中送给亲爱的人，轻快的音乐如以精美的画面，营造出情人节浪漫的氛围。

3. 愚人节贺卡

愚人节贺卡属于趣味性贺卡，主要用于好朋友之间相互娱乐，增加感情。如下图所示的画面中，人物形象卡通，语言诙谐，配上轻快的音乐，使贺卡非常完美。

4. 端午节贺卡

端午节贺卡是在特定时间，表达个人情感、祝福的一种贺卡。如下图所示为端午节贺卡。其画面简洁，由竹子、粽叶及音乐等元素组成，从而将节日的气氛表现得淋漓尽致。

13.2 制作生日贺卡动画

原始文件：第13章\13.2\生日贺卡\元件素材.fla
最终文件：第13章\13.2\生日贺卡\生日贺卡动画.fla
注意事项：为实例添加不同颜色和深度的色调、滤镜
核心知识：通过时间轴，合成动画
流程导引：①合成背景纱窗 ②合成礼物阴影 ③合成蛋糕文本 ④保存并输出贺卡

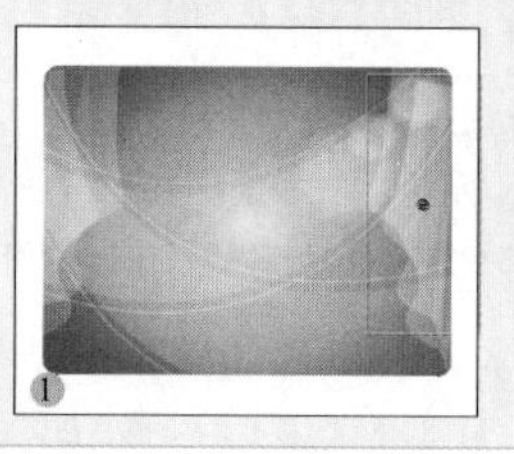

13.2.1 创意风格解析

1. 设计思想

本实例的电子贺卡动画是按客户的要求而设计的生日贺卡。客户要求动画轻快、画面明亮活泼，包含代表生日的基本元素，如蛋糕、礼物及祝福的音乐等。除了具有浓浓的生日气氛，还要有非常生动的动画。

2. 实践目标

生日贺卡制作过程中，个性的元素非常多，在突出生日的主题下，使用丰富的道具和动画技巧来制作，并且可以加入背景音乐，以烘托气氛。使用 Flash 制作生日贺卡时，要选择适合的颜色，比如粉红色、红色和黄色，这些颜色既效果明显，又可以体现生日的气氛。

13.2.2 新建文件并导入素材

新建文档并导入准备好的素材元件，具体操作步骤如下。

01 执行“文件>新建”命令，创建一个新的空白的Flash文件。单击“新建图层”按钮，创建15个图层，并依次命名。

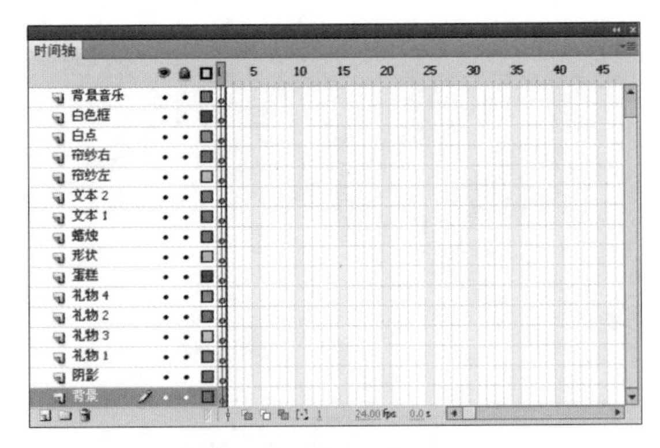

02 执行“文件>导入>打开外部库”命令，将“元件素材”文件作为外部库打开。选中所有元件，将其直接拖曳至当前文档所对应的“库”中。

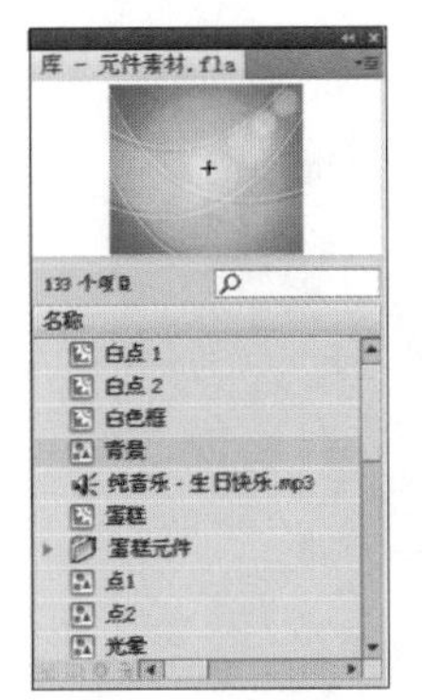

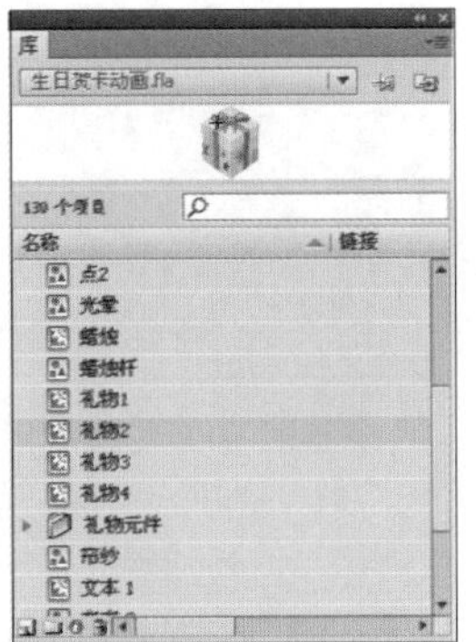

13.2.3 合成背景纱窗动画

合成背景纱窗动画的具体操作步骤如下。

01 选择“背景”图层，将“库”面板中的“背景”元件拖曳至舞台，设置“宽”、“高”、X和Y值分别为550、400、275和200。

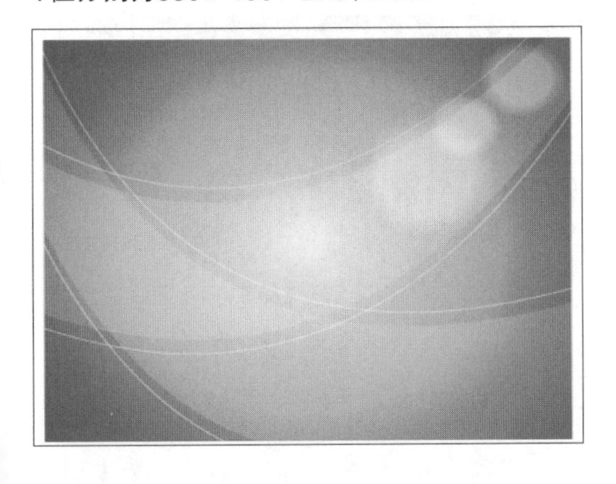

02 选择“白色框”图层，将“白色框”元件拖曳至舞台，设置其“宽”、“高”、X和Y值分别为590、480、275 、200。

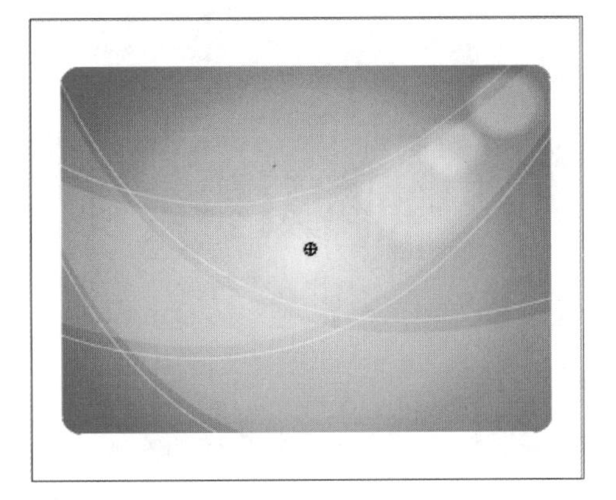

03 选择“帘纱左”图层，将库中“帘纱”元件拖至舞台。在“变形”面板中设置其“宽度”和“高度”值均为92.3%、“旋转”值为-7.8度，然后放置在舞台的左侧。

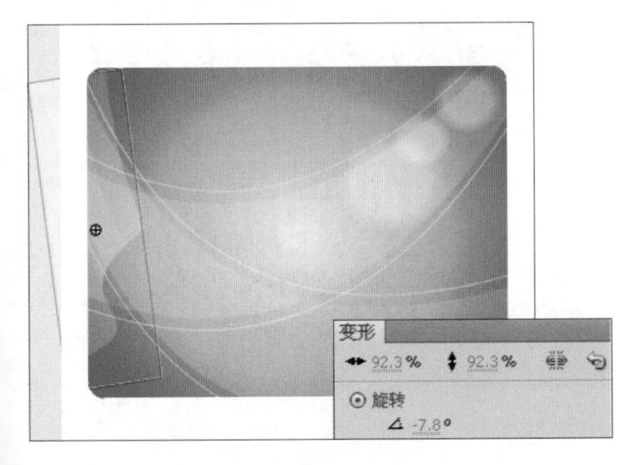

04 选择“帘纱”实例，按下【Ctrl+D】组合键，再制实例。保持再制实例为选择状态，在“变形”面板中设置其“宽度”和“高度”值均为87%、“旋转”值为4.8度，放置在舞台的左侧。

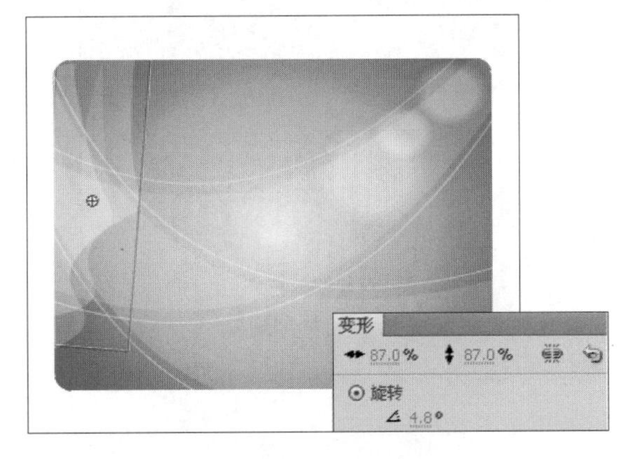

05 选择“帘纱右”图层，将“帘纱”元件拖曳至舞台，在“变形”面板设置其“宽度”和“高度”值均为92.3%、“水平倾斜”和“垂直倾斜”值分别为7.8度和-172.2度，放置在舞台的右侧。

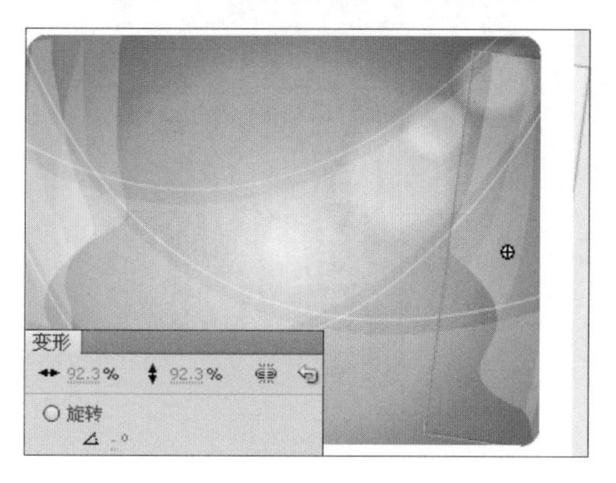

06 选择“帘纱”实例，按下【Ctrl+D】组合键，再制实例，并设置其“宽度”和“高度”值均为87%、“水平倾斜”和“垂直倾斜”值分别为3.6度和-176.4度，放置在舞台的右侧。

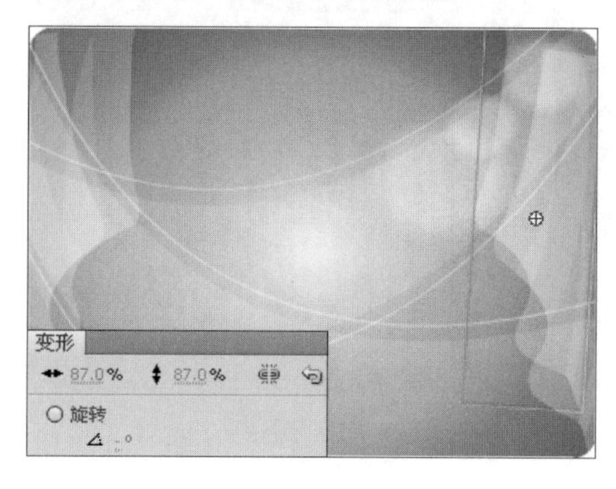

07 选择“白点”图层，将“库”面板中的“白点1”元件拖曳至舞台，放置在左窗纱上。其“宽”、“高”、X和Y值分别为69.2、294.05、10.5和173.7。

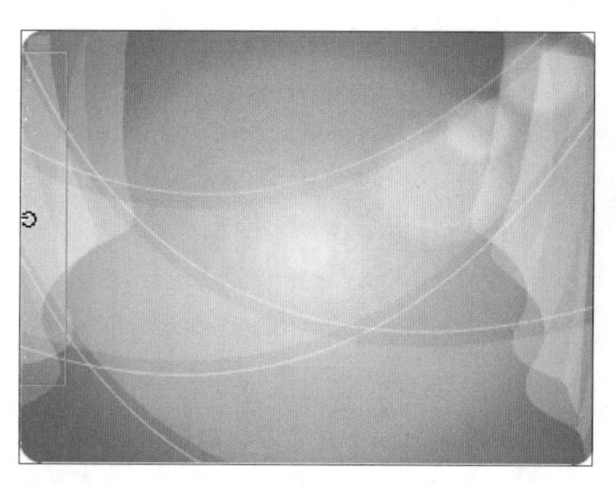

08 选择“白点1”实例，然后按下【Ctrl+D】组合键将其再制，并将再制实例放置在窗纱的右侧。其X和Y值分别为466.6和152.75。

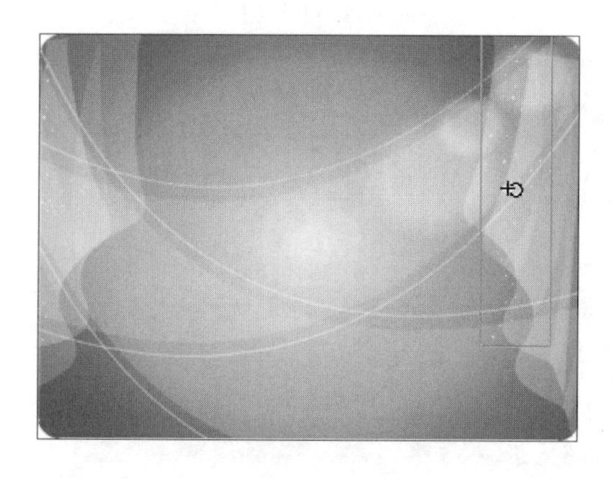

09 选择“白点”图层，将“库”面板中的“白点2”元件拖曳至舞台，放置在左窗纱上。其“宽”、“高”、X和Y值分别为150、318.5、47.4和161.7

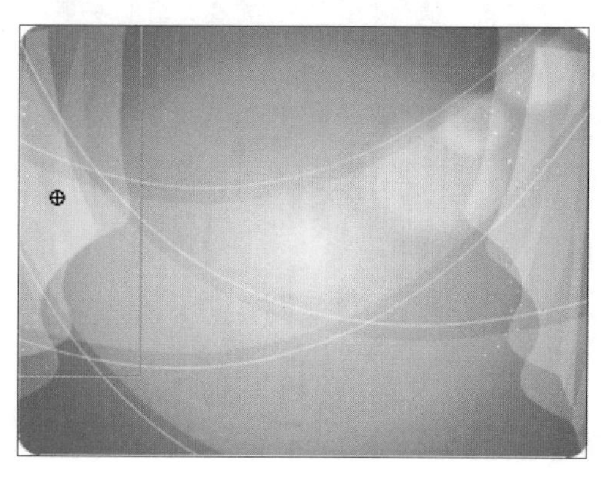

10 选择“白点2”实例，按下【Ctrl+D】组合键，再制实例。然后将再制实例放置在窗纱的右侧。其X和Y值分别为497.9和177.4。

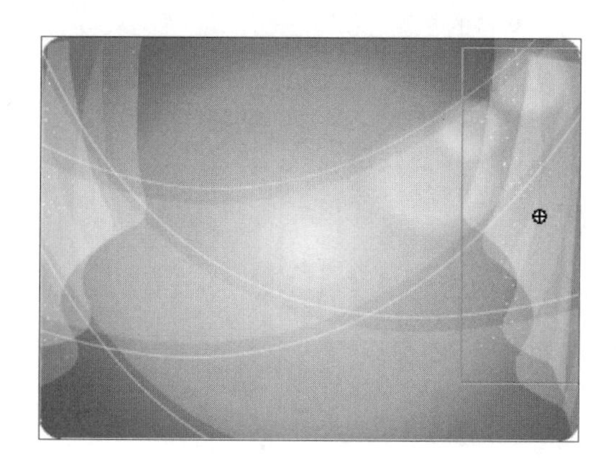

13.2.4 合成礼物阴影动画

合成礼物阴影动画的具体操作步骤如下。

01 选择“礼物1”图层，将“库”面板中的“礼物1”元件拖曳至舞台，设置其“宽”、“高”、X和Y值分别为140、167.2、117.05和166.8。

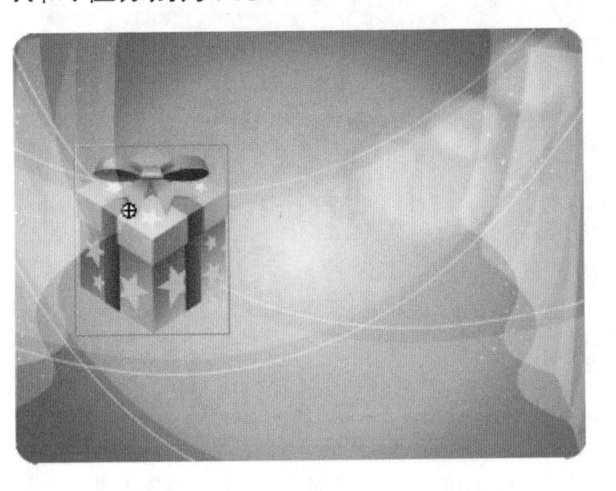

02 在“属性”面板的“滤镜”参数区，为“礼物1”实例添加“发光”滤镜和“调整颜色”滤镜。

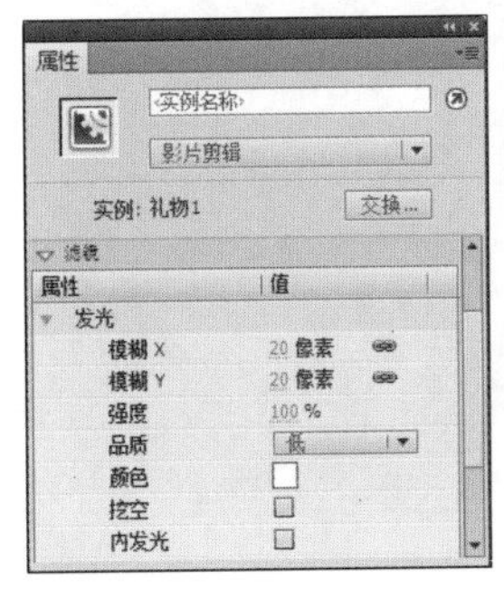

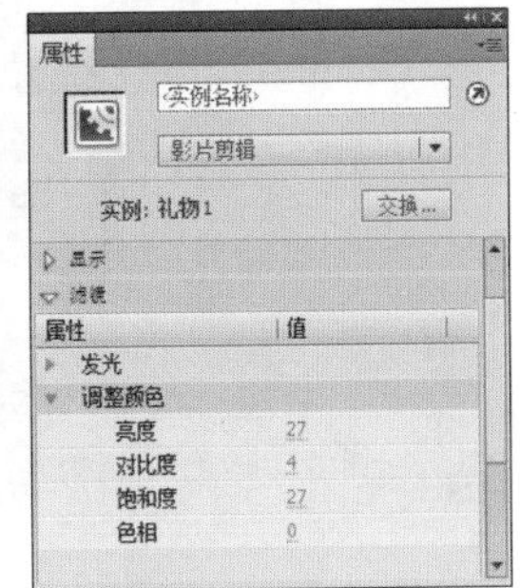

03 在“礼物1”图层的第7、55、57、65帧处插入关键帧，在各关键帧间创建运动补间动画。在所有图层的第226帧插入帧。

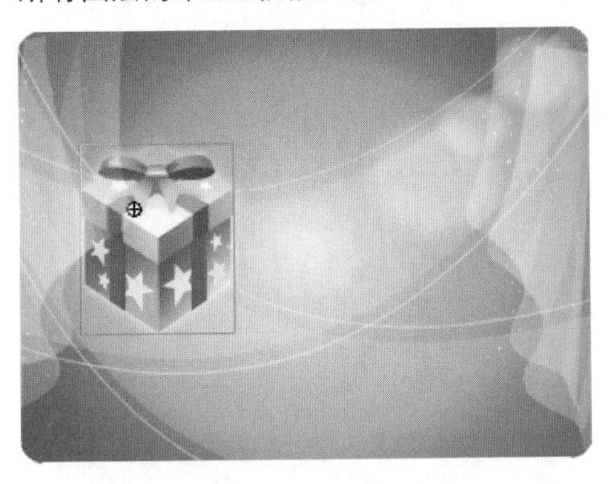

04 选择“礼物1”图层中第1帧所对应的实例，在“属性”面板中设置其Y值为128.8、“颜色样式”为Alpha、Alpha值为0%。

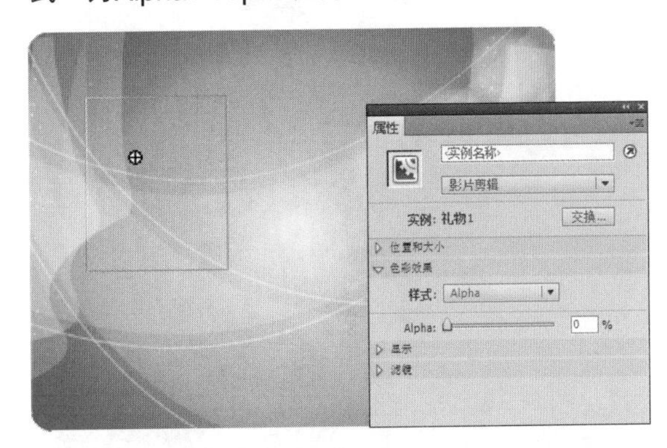

05 选择“礼物1”图层中第57帧所对应的实例，在“属性”面板中设置“颜色样式”为“色调”、“色调颜色”为“玫瑰色”（#FF2A8C）、“色彩数量”为20%。同理，对第65帧所对应的实例进行相应的设置。

06 选择“礼物2”图层中的第9帧，按下【F7】键插入空白关键帧，将“库”面板中的“礼物2”元件拖曳至舞台，设置其“宽”、“高”、X和Y值分别为100、119.5、229.9和162。

07 为“礼物2”实例添加与“礼物1”实例相同的“发光”滤镜，以及“调整颜色”滤镜。参照“礼物1”图层中的动画的制作过程，创建“礼物2”图层中的动画。

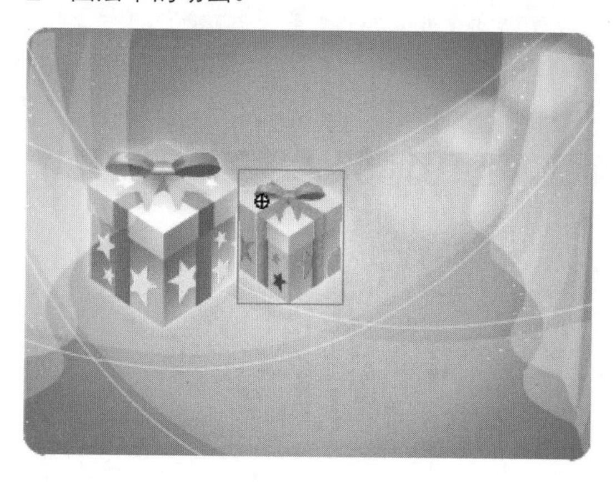

08 在“礼物3”图层中的第18帧插入空白关键帧，将“库”面板中的“礼物3”元件拖曳至舞台，设置其X和Y值分别为368.7和150.2。

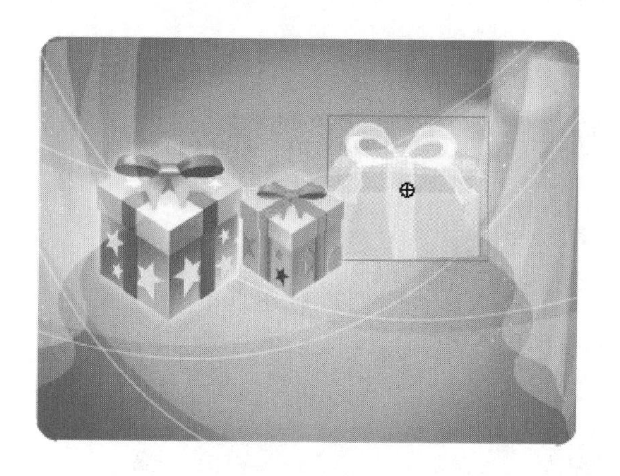

09 选择“礼物4”图层中的第27帧，然后插入空白关键帧，并将库中的“礼物4”元件拖曳至舞台，设置其X和Y值分别为406和231.9。用同样的方法创建“礼物4”图层中的动画。

10 将已创建好动画的图层锁定，在“阴影”图层的第36帧处插入空白关键帧。将“库”面板中的“阴影”元件拖曳至舞台，设置其X和Y值分别为291和235.4。在第44、45、55、57、65帧处插入关键帧。

11 在第36～44帧、第55～57帧、第57～65帧之间创建运动补间动画。选择第36帧所对应的实例，设置其Y值为203.45、“颜色样式”为Alpha、Alpha值为0%。同理，对第44帧中的实例的进行相应的设置。

12 选择“阴影”图层中第57、65帧所对应的实例，设置其“颜色样式”为“高级”，并分别设置相应的参数。至此，完成了该图层的动画制作。

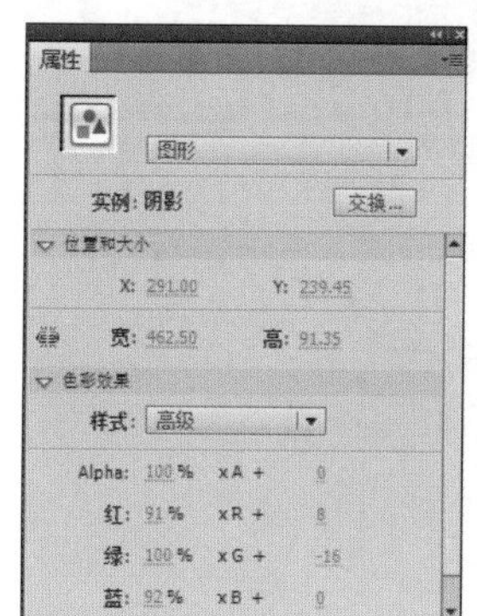

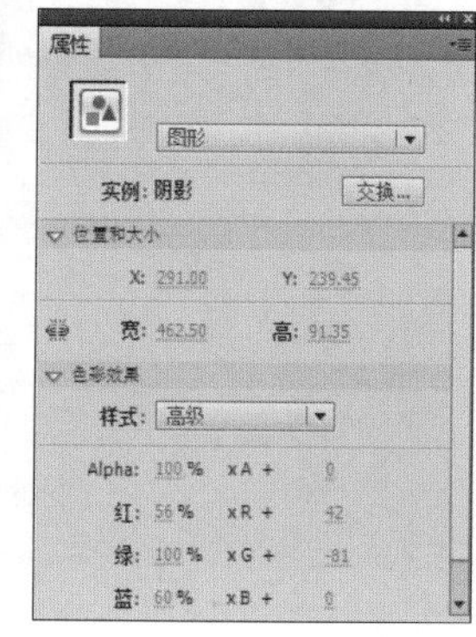

13.2.5 合成蛋糕文本动画

合成蛋糕文本动画的具体操作步骤如下。

01 在“蛋糕”图层的第68帧处插入空白关键帧，将库中的“蛋糕”元件拖曳至舞台，设置其X和Y值为181.2和292.9。

02 在“形状”图层的第68帧处插入空白关键帧，将库中的“形状1”元件拖曳至舞台，设置其X和Y值分别为137.7和270.1.。

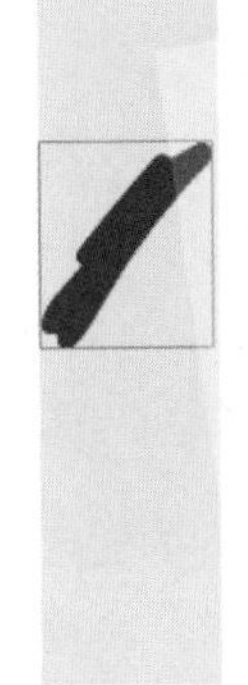

03 在“形状”图层的第68～130帧间每隔2帧插入空白关键帧。将库中的“形状元件”文件夹中的“形状2～32”元件分别添加到相应的关键帧中，并创建遮罩动画。

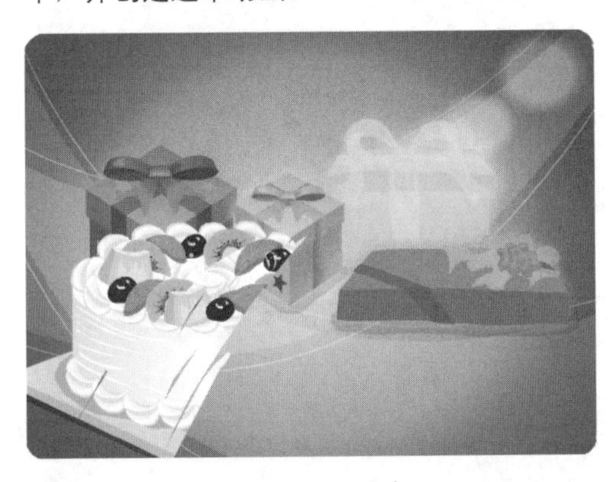

04 在“蜡烛”图层的第133帧处插入空白关键帧。将库中的“蜡烛”元件拖曳至舞台，设置其“宽”、“高”、X和Y值分别为88、140.7、360.9和280.6。

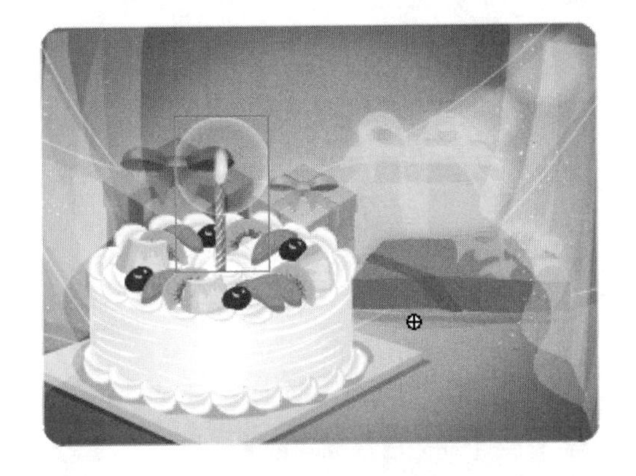

05 在“蜡烛”图层的第145、146帧处插入关键帧，并在第133～145帧间创建运动补间动画。选择第133帧的实例，设置其Y值为230.6、“颜色样式”为Alpha、Alpha值为0%。

06 选择“蜡烛”图层中第145帧的实例，设置其“颜色样式”为Alpha、Alpha值为92%。

07 在“文本1”图层的第146帧处插入空白关键帧，将库中的“文本1”元件拖曳至舞台，设置其X和Y值分别为275和46。

08 在“文本2”图层的第186帧处插入空白关键帧，将库中的“文本2”元件拖曳至舞台，设置其X和Y值分别为412.3和277.3。

09 选择“背景音乐”图层第1～226帧之间的任意一帧，在“属性”面板“声音”栏的“名称”下拉列表框中选择“纯音乐 - 生日快乐”，添加音乐。新建“按钮”图层，在第226帧添加重播实例。

10 将重播实例放置在舞台的右下角，并为其添加“投影”滤镜，然后设置其实例名称为replay。在动作面板中为第226帧处添加停止且重播功能的脚本，接着为“背景音乐”图层的第1帧添加start帧标签。

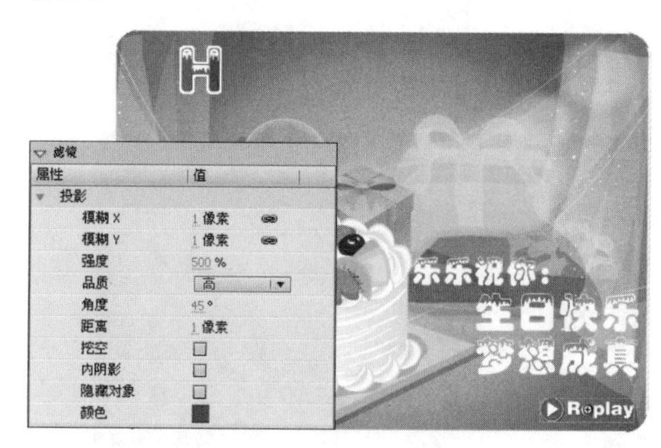

13.2.6 保存并测试动画

至此，整个动画已经成功创建，接下来将其保存并测试即可。

01 选择“文件>另存为”命令，设置文件名和保存路径，保存影片文件。

02 选择“控制>测试影片”命令，测试制作好的生日贺卡动画，效果如下图所示。

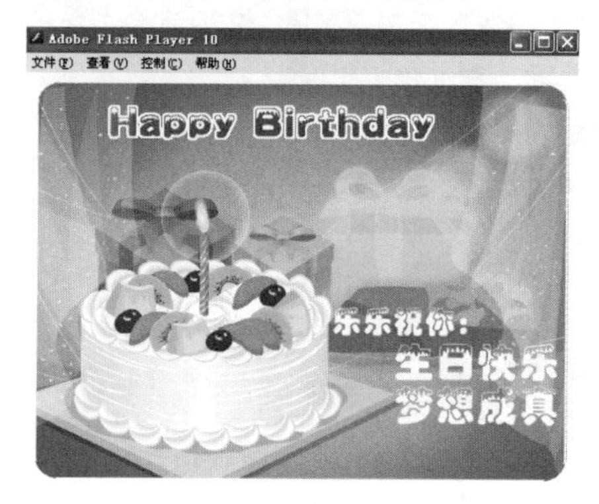

拓展项目实训

本章从贺卡类广告的特点讲起，其间分别介绍了贺卡类广告动画的设计要求及精彩贺卡类广告的欣赏，力求让读者对贺卡类广告的基础知识有所了解。在这个基础上再进行动画案例的演练，才能真正做到有的放矢，心中有数。

制作爱情贺卡动画

设计点评：

该动画中随处可闻到浪漫的气息，如漂亮的鲜花、透明的轻纱、闪烁的满天星。

制作教师节贺卡动画

设计点评：

该动画的主要元素为向日葵，寓意欣欣向荣。用极少的文字表达了对老师的敬意。

制作母亲节贺卡动画

设计点评：

该动画通过播种、浇水、发芽、开花的过程，描述了伟大母亲的爱意。

制作新婚贺卡动画

设计点评：

该动画逐一展示了新郎、新娘及其合影。加之音乐的点缀，使整个婚礼显得十分隆重。

制作友情贺卡动画

设计点评：

该动画的转场效果做得非常自然，加上音乐的点缀，更增添了友好的氛围。

制作祝福贺卡动画

设计点评：

该贺卡以绿色为主色调，各场景间的转换自然和谐，祝福声通过音乐传递给了老朋友。

Chapter 14 动画短片设计

行业应用

随着动画技术的不断发展，很多Flash动画爱好者都在追求着自己的动画梦想。由于动画短片制作简单、文件体积小、图像质量高，以及易于传播等特性，因此受到了很多人的追捧。

核心知识点

❶ 故事情节的编排
❷ 画面间转场特效的制作
❸ 交互按钮的设计

珍爱生命，驾车需系安全带

Replay

14.1 行业知识导航

在制 Flash 动画短片前，需要明确目的，了解短片的设计原则，熟悉短片的创作流程。这样才能够设计出优秀、有创意的短片。下面将对 Flash 动画短片的相关基础知识进行简单介绍。

14.1.1 动画短片的设计原则

目前，动画短片深受广大用户所喜爱，人们将各种故事都制作成为了短片，借助这种形式来抒发自己的情感。优秀的作品一般都遵循以下几条设计原则。

（1）短片主题突出鲜明，情节简洁明了，图片清晰美观。

（2）整个短片作品中构图有序、布局合理，动画场景生动有趣，引人入胜。

（3）动画短片要具有片头或片尾，以完整的形式表现整个动画作品。

（4）动画短片中将文字、图像、声音、视频等多媒体元素很好地融合在一起，就如同一个整体，在播放过程中表现得非常自然。

（5）动画短片中的每一个页面都应表现为丰富而不繁琐，简单而不空洞。

（6）动画短片中的主体动画播放流畅，转场画面自然和谐，文字描述言简意赅。

（7）动画短片的时间不宜过久，一般时长为 3 ～ 5 分钟。

14.1.2 动画短片的创作流程

Flash 动画短片的创作流程大致包括前期的准备阶段、中期的绘制阶段、后期的合成输出阶段。

（1）准备阶段

该阶段的主要工作包括情景构思、画面设计、人员安排、人物脚本及其他脚本的制作等。

（2）绘制阶段

该阶段的主要工作包括场景的绘制、人物的绘制、人物动作的设计与绘制等。

（3）合成阶段

该阶段的主要工作是根据故事情节，创建主动画并对其进行测试，待确认无误后输出。

14.1.3 优秀动画短片欣赏

在网络中，随处可见 Flash 动画短片的影子，这也验证了它的超高人气。下面将列举一些优秀的短片作品，供大家欣赏。

1. 公益宣传短片

公益宣传短片精彩片段如下图所示。

2. 寓言故事短片

寓言故事短片精彩片段如下图所示。

3. 情景描述短片

情景描述短片精彩片段如下图所示。

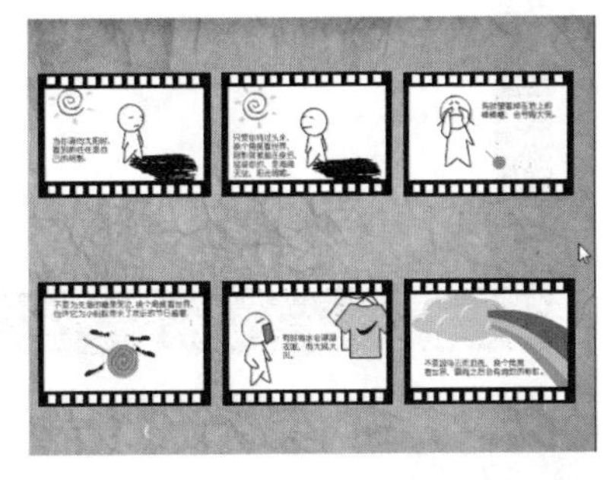

14.2 制作动画

下面将以“生命的安全带”动画短片为例，对短片的制作过程展开介绍。

原始文件：第14章\14.2\生命的安全带\生命的安全带素材.fla
最终文件：第14章\14.2\生命的安全带\生命的安全带.fla
注意事项：元件的创建及各补间动画的正确制作，否则将会影响动画的效果
核心知识：熟练元件的制作方法，掌握补间动画、逐帧动画的制作
流程导引：①开车兜风画面的制作 ②撞车画面的制作 ③撞车后换面的制作

14.2.1 创意风格解析

1. 设计思想

该案例制作的是一个安全教育类短片，其中以“安全行驶”为主题，以撞车前后的一系列事件为主线，从而教育人们在驾车出行的过程中要系紧安全带。整个动画切换了 3 个画面，通过不同的背景说明不同处境。在短片播放结束后，又一次直击主题，提醒人们要牢记血的教训，增强安全意识。

2. 制作过程

该案例的制作过程大致如下。

（1）画面 1 的制作，其主要表现的是开车出行时的愉快情景。

（2）画面 2 的制作，其主要表现的是撞车那一瞬间的情景。

（3）画面 3 的制作，其主要表现的是撞车后人类脆弱生命溜走的情景。

14.2.2 画面1的设计与制作

下面将对画面 1 的制作过程展开详细的介绍，其中主要应用了传统补间动画的效果。

01 打开“生命的安全带素材.fla”文件。将“图层1”重命名为“框”，使用矩形工具绘制边框，并填充黑色。在第314帧处插入普通帧。

02 在“框”层下新建“底图”层，将库中图片“底”拖曳至舞台，并调整位置与大小。将图片转换为图形元件“底”。

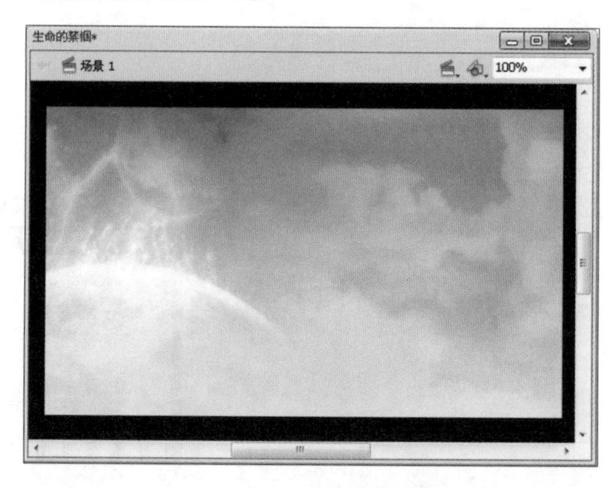

03 在“底图”层上新建“文字”层，使用文本工具在舞台上输入文字。然后选择在第11帧并插入空白关键帧。

04 在“底图”层第11、24帧处并插入关键帧。选择第11帧利用任意变形工具改变元件的大小与位置。

05 选择第24帧，再次利用任意变形工具改变元件的大小与位置。在第11～24帧间创建传统补间动画。

06 在第63帧处插入关键帧，将元件向右移动。在第24～63帧间创建传统补间动画。

07 在“底图”层上新建“后景”层。在第 11 帧处插入关键帧，将库中图片“后景”拖曳至舞台并调整其位置与大小。

08 在第24帧处插入关键帧，调整所对应元件的位置与大小。在第11～24帧间创建传统补间动画。

09 在第 63 帧处插入关键帧，将元件向右移动。在第 24 ～ 63 帧间创建传统补间动画。

10 在“后景”层上新建“车”图层。在第11帧处插入关键帧，将库中图片“车1”拖曳至舞台，并调整其位置与大小。

11 在第24帧处插入关键帧，调整元件位置与大小。在第11~24帧间创建传统补间动画。

12 在“车”层上新建“前景”层，在第24帧并插入关键帧，将库中图片“前景”拖曳至舞台合适位置。

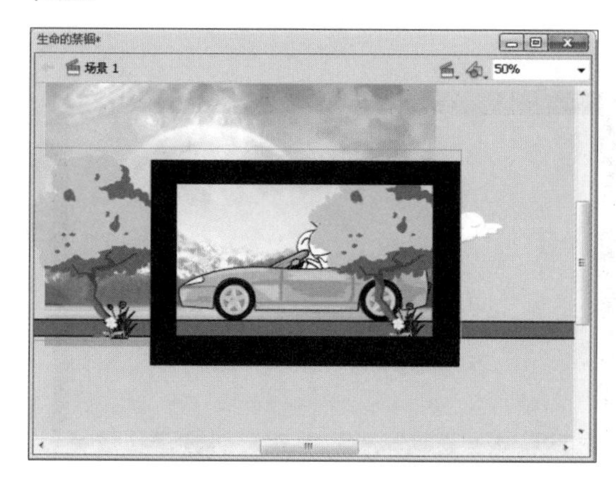

13 在第63帧处插入关键帧，将元件向右移动。在第24～63帧间创建传统补间动画。选择第64帧处插入空白关键帧。

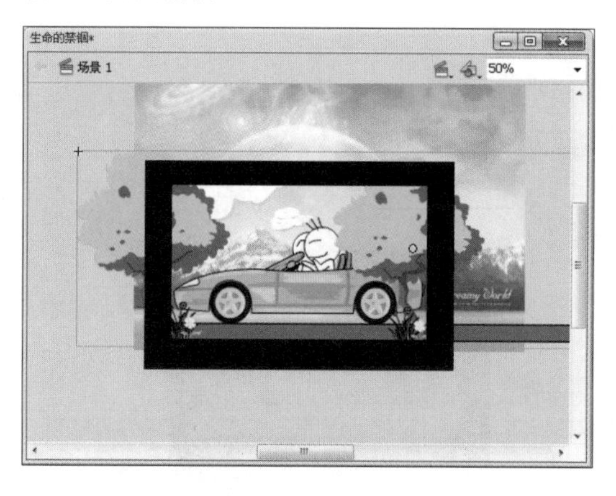

14 在“后景”层的第64帧处插入空白关键帧。将元件“后景2”拖曳至舞台，并调整其位置及大小。

14.2.3 画面2的设计与制作

下面将对画面2的制作过程展开详细的介绍，其中主要用到了任意变形工具。

01 在“车”图层的第64帧处插入空白关键帧。将元件“车2”拖至舞台，并调整其位置。

02 在第90帧处插入关键帧，然后改变元件的位置并使其水平倾斜。在第64～90帧间创建传统补间动画。

03 在第80帧处插入关键帧，使用任意变形工具对元件进行水平倾斜调整。

04 在第84、88帧处插入关键帧，然后利用任意变形工具依次对其中的元件执行水平倾斜操作。

05 在第91帧处插入空白关键帧，将元件“车3”拖曳至舞台，并调整其位置与大小。

06 在“底图”层第109帧处插入关键帧，然后使用任意变形工具调整所对应元件的大小与位置。

07 在“后景”图层的第109帧处并插入空白关键帧，然后将元件“后景3”拖曳至舞台合适位置。

08 在第136、141帧处插入关键帧。选择第141帧，设置元件Alpha值为0。在第136～141帧间创建传统补间动画。在第142帧处插入空白关键帧。

09 选择“车”图层的第109帧并插入空白关键帧。将图形元件“车4”拖曳至舞台，然后使用任意变形工具调整其位置与大小。

10 分别在第118、124帧处插入关键帧。然后选择第124帧，并利用任意变形工具将元件放大，在第118~124帧间创建传统补间动画。

11 在第127、134帧处插入关键帧。选择第134帧上的元件，将其放大，并设置其Alpha值为80%。在第127～134帧之间创建传统补间动画。

12 在第141帧处插入关键帧，设置元件Alpha值为10。在第134～141帧间创建传统补间动画。

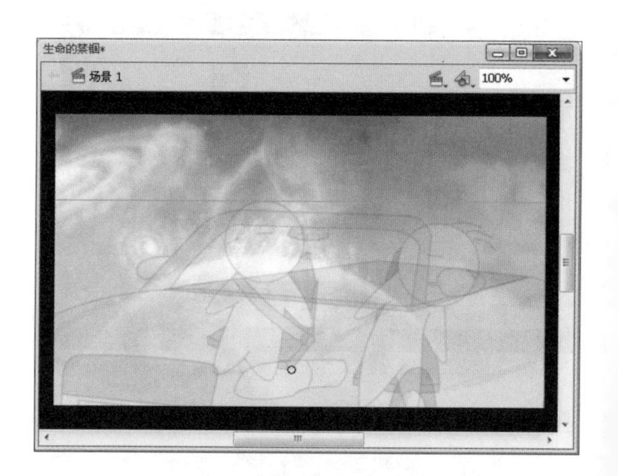

13 选择“前景”层的第109帧插入关键帧，然后将“前景2”拖曳至舞台，并调整位置与大小。

14 在第118、124帧处插入关键帧，然后选择第124帧上的元件，将其根据“车4”调整放大。在第118～124帧间创建传统补间动画。

14.2.4 画面3的设计与制作

下面将对画面 3 的制作过程展开详细的介绍，其中主要应用了逐帧动画来表现生命的脆弱性。

01 在第127、134帧处插入关键帧，选择134帧上的元件，将其根据库中图片“车4”调整放大，并设置其Alpha值为80%。在第127～134帧间创建传统补间动画。

02 在第141帧处插入关键帧，设置其Alpha值为0。在第134～141帧间创建传统补间动画。在第142帧处插入空白关键帧。

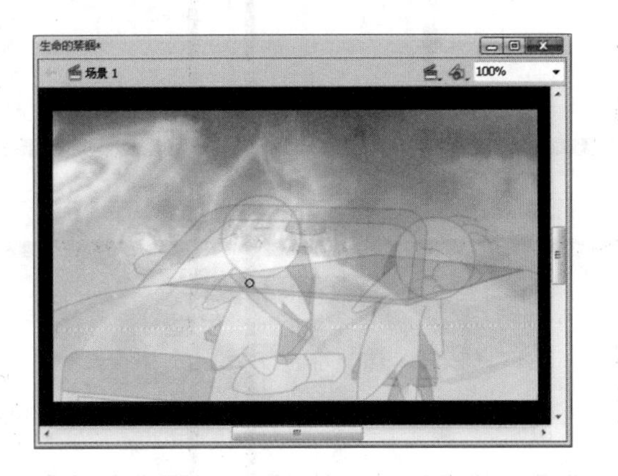

03 在“车”层上新建“2人”层。在第134帧处插入关键帧，将“2人”拖曳至舞台，对应“车4”的图案调整位置。

04 在“车”层第142、282帧处插入空白关键帧。选择142帧，将“车5”拖曳至舞台，并调整其位置和大小，使之与对齐“车4”。

05 在“2人”层上新建“右人”层，在第150帧处插入关键帧。使用绘图工具绘制右边的人物，将边线与填充色都设置成透明色。

06 在第150帧中绘制右边人物撞车后生命脆弱的表现。

07 在第151～205帧间，使用逐帧动画来制作右边人物从起身到向上飘走的动画（大致情况如以下图所示）。在制作过程中，可以使用选择工具对图形进行调整。制作完成后，在第206帧处插入空白关键帧。

08 在“右人”层上新建“左人”层。在第158帧处插入关键帧，绘制左边的人物，将边线与填充色设置为透明色。

09 在第158～235帧间，使用逐帧制作左边人物，从醒来后拽安全带到睡过去的动画。制作过程中，使用选择工具对图形进行调整。

提示

第159～235帧间，人物形象的绘制结果大致如以下图所示。

10 在第236帧处插入空白关键帧，然后绘制与元件“2人”相同的左边人物。在第236～267帧间使用逐帧，制作人物转头、低头摸安全带的动画。制作过程中，使用选择工具对图形进行调整。在第282帧处插入空白关键帧。

11 在“2人”层第236帧处插入空白关键帧。将元件“1人”拖曳至舞台，单击“绘图纸外观”按钮，参照上一帧图案，使之与其对齐。

12 在“前景”层上新建“手”层。分别复制“左人”层第185~228、259~263帧，粘贴至“手”层第185~228、259~263帧。然后分别选择每帧，将人物手部以外的图形删除。制作过程中，使用选择工具进行调整。选择第229、282帧插入空白关键帧。在“手”层下新建“安全带”层，选择第158、282帧插入空白关键帧。在158帧上绘制一个和元件“2人”对应的安全带图形。

14.2.5 按钮及音效的制作

下面将对按钮及音效的制作过程展开详细的介绍，其中主要用到了文本工具。

01 在“框”层上新建“按钮”层。使用文本工具T在舞台右下角输入play字样，为其添加“投影”滤镜，并转换为按钮元件“play”。

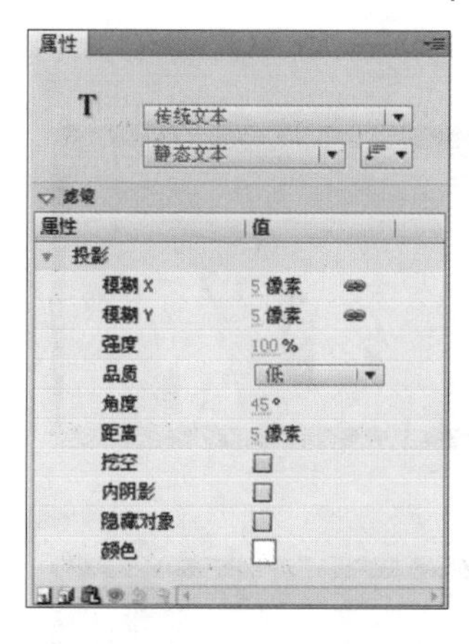

02 进入“play”元件编辑状态，在“图层1”下新建“图层2”，使用矩形工具绘制图形，设置其Alpha值为0。

03 返回场景1，为按钮“play”添加控制脚本，然后在该层第2帧处插入空白关键帧。

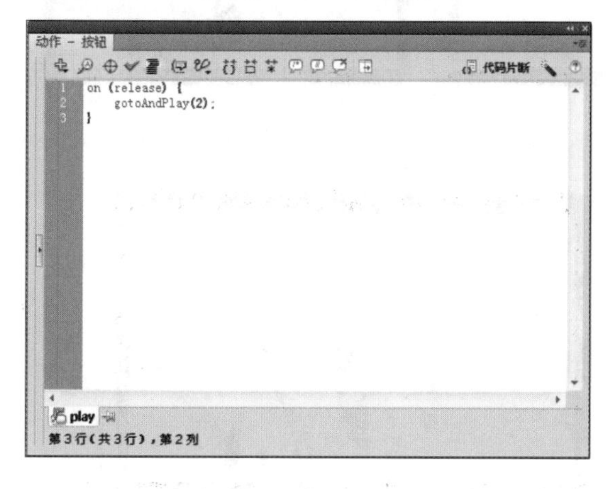

04 在“文字”层第282帧处插入关键帧，使用文本工具T在舞台上输入文字。

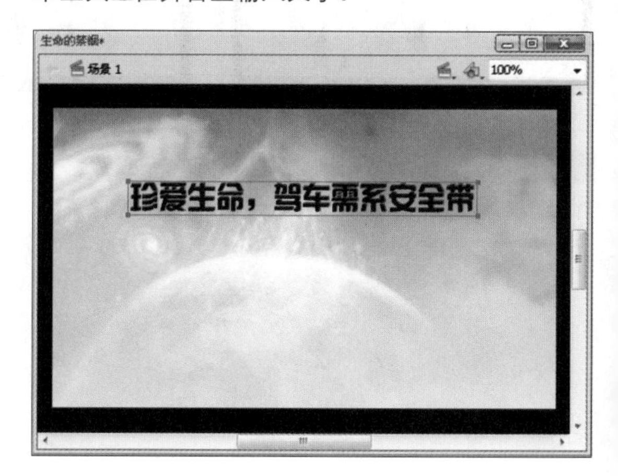

05 在“按钮”层上新建“声音”层，在第31、36、48、53、77、90、100帧处插入关键帧。分别在第31、48帧上添加声音“笛声.wav”。

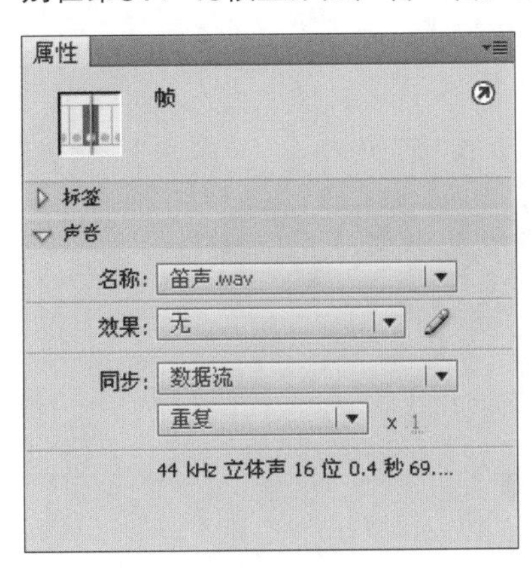

06 在第77帧上添加声音“刹车.wav”，在第90帧上添加声音“碰撞.wav”。

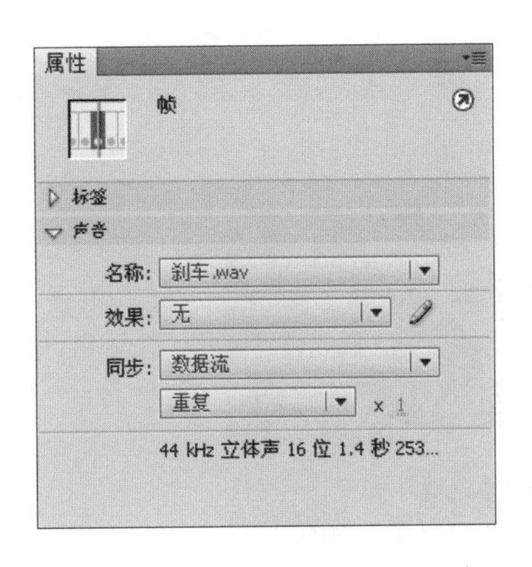

07 在“声音”层上新建“音乐”层，在第11帧处插入关键帧，为其添加声音“音乐.wav”。在第88、109帧处插入空白关键帧，选择第109帧，为其添加声音“音乐2.wav”。

08 在“音乐”层上新建“AS”层，选择第1帧添加脚本“stop();”。

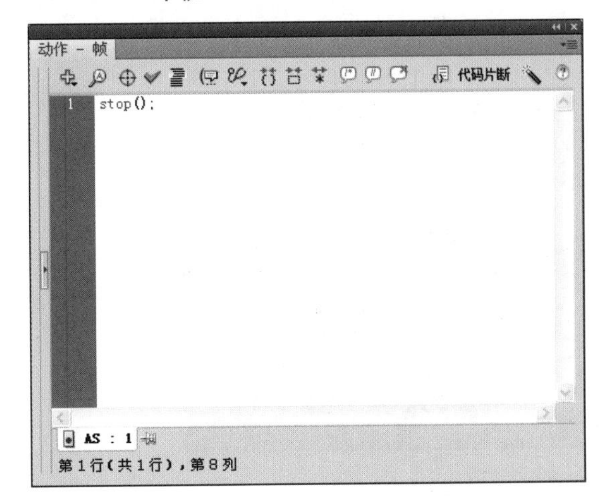

09 选择“文件>另存为”命令，以“生命的安全带”为名称保存文档。

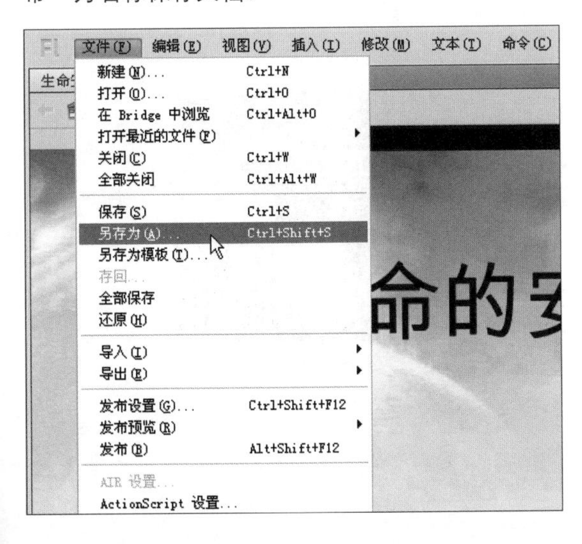

10 按下【Ctrl+Enter】组合键对该影片进行测试。

拓展项目实训

本章从动画短片的设计原则讲起，依次讲述了动画短片的创作流程、设计思想等。此外，还对优秀的短片进行了欣赏，以使读者完全掌握短片的制作过程及方法。在此基础上，读者可以加以练习，在短片的创建过程中不断领悟其精髓，以做到学有所成。

愚公移山动画短片

设计点评：

该短片介绍了愚公移山的神话故事，其中人物形象的制作特别吸引人们的眼球。

冬日友情动画短片

设计点评：

在该短片中，用两个雪人共享一条围巾的动作，形象地说明了朋友间那种珍贵的友谊。

丰收的喜悦动画短片

设计点评：

该短片通过秋收的情景来展现大伙的喜悦心情，其中场景的制作特别逼真。

新年快乐动画短片

设计点评：

该短片采用剪纸形式的图片及四字成语来贺岁，其表现风格确实很难得。

游乐园动画短片

设计点评：

该短片中充分展示了游乐园这个让大朋友和小朋友都向往的娱乐世界。

趣味类动画短片

设计点评：

该短片展示的是X光透视效果，整个动画过程是那么的流畅自然。

动画设计锦囊

在 Flash 动画制作中，除了要掌握时间轴中帧的基本操作外，还要了解有关帧的其他知识。

1. 帧标签

帧标签是动画文件中为关键帧添加命名标记，帧标签在动作脚本中可以起到方便的导航作用。在使用 Flash 创建动画时，有时会调整某些关键帧的位置，如果使用了帧标签，就不必一一修改动作脚本中的相应位置参数。

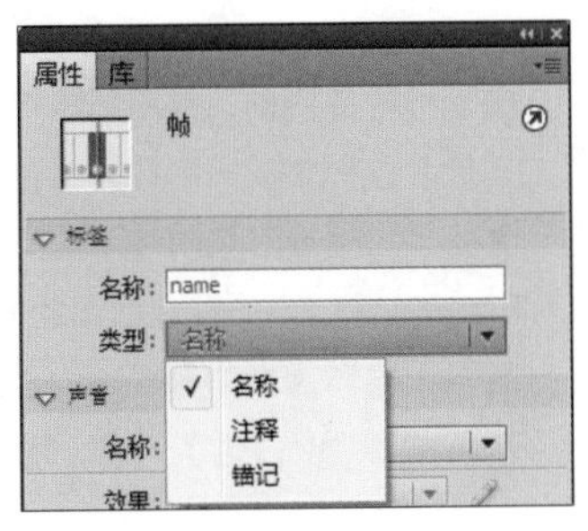

在时间轴中选择需要添加帧标签的关键帧，在“属性”面板“标签”选项区域的“名称”文本框中输入名称，在“类型”下拉列表框中选择相应的类型即可，如右图所示。

在帧“属性”面板“标签”选项区域的“类型”下拉列表框中选择不同的类型，在添加有帧标签的关键帧上会出现相应的标识，标识后面会显示标签名称。

（1）选择“名称”类型后，将会出现小红旗的标识。

（2）选择“注释”类型后，将会出现两道绿色斜杠的标识。

（3）选择“锚记”类型后，将会出现黄色的标识。

2. 使用绘图纸外观

通常情况下，在舞台上仅显示动画序列的一个帧。Flash 为了便于定位和编辑动画，可以通过绘图纸外观按钮在舞台上一次查看两个或更多帧，从而可以改变帧的显示方式，方便动画设计者观察动画的细节。

（1）单击时间轴底部的“帧居中”按钮，可以移动时间轴的水平及垂直滑块，使当前选择的帧移至时间轴控制区的中央，以方便观察和编辑。

（2）当单击“绘图纸外观”按钮时，就会显示当前帧的前后几帧，此时只有当前帧是正常显示的，其他帧显示为比较淡的彩色。单击该按钮，可以调整当前帧的图像，如果要修改其他帧，需要将修改的帧选中。

（3）当单击“绘图纸外观轮廓”按钮时，当前帧以及其他帧都是以轮廓线形式显示。

（4）单击“编辑多个帧”按钮，可以显示绘图纸外观标记之间每个帧的内容，并且不论哪一个帧为当前帧，都可以对其进行编辑。

（5）单击“修改绘图纸标记”按钮，可修改绘图纸外观的显示方式，如下图所示。其中，各命令的含义分别如下。

始终显示标记
锚记绘图纸
绘图纸 2
绘图纸 5
所有绘图纸

- 始终显示标记：选择该命令，不管绘图纸外观是否打开，都会在时间轴标题中显示绘图纸观标记。
- 锚记绘图纸：选择该命令，绘图纸外观标记锁定它们在时间轴标题中的当前位置。通常情况下，绘图纸观范围是和当前帧所指针以及绘图纸外观标记相关。通过锚定绘图纸外观标记，可以防止其随当前帧的变化而移动。
- 绘图纸 2：选择该命令，绘图纸外观标记在当前帧的两边显示 2 个帧。
- 绘图纸 5：选择该命令，绘图纸外观标记在当前帧的两边显示 5 个帧。
- 所有绘图纸：选择该命令，绘图纸外观标记在当前帧的两边显示所有帧。

Chapter 15 线上游戏设计

行业应用

由于各种游戏都能够起到愉悦身心的作用，尤其是游戏平台被搬到计算机上以后，它就更为流行了。随着互联网技术的不断发展，在线玩Flash游戏已成为多数网民的必修课。Flash依靠强大的动画能力和ActionScript语言，在游戏开发工具中占据了一席之地。

核心知识点

❶ 游戏的设计理念
❷ 编写自定义的类控制游戏
❸ 计时功能的设计与制作

15.1 行业知识导航

Flash CS5 具有强大的交互性，其中游戏的设计与制作就是最强有力的体现。本章将对 Flash 游戏制作的基础知识进行讲解，然后结合实例的制作过程进行介绍，从而使读者熟悉并掌握在 Flash CS5 中制作游戏的基本方法和技巧。

15.1.1 Flash游戏的特点

通过 Flash 游戏的实际表现，其特点表现在如下几个方面。

1. 制作相对简单

Flash 游戏制作者在制作过程中，不用过多地考虑内存地址、系统资源分配等一些较底层的因素，这样可以将更多的精力投入到游戏脚本框架和 ActionScript 语句的编制上，因此相对于其他游戏，Flash 游戏的制作相对简单，通常较少人力即可制作出一款品质较高的游戏作品。

2. 适合网络传播

Flash 游戏的文件短小这一特点，使得其非常适合网络传播和发布。制作者可以通过网络下载的方式传播游戏作品，也可通过将游戏内嵌在网页中供网友游玩。

3. 制作方式特殊

Flash 游戏的制作方式与其他编程软件有很大差异，Flash 中的影片剪辑和按钮元件等重要交互元素可以进行内嵌或套用，通过为这些作为游戏元素的影片剪辑和按钮元件添加相应的 ActionScript 语句，结合游戏主控程序，即可制作出游戏。

4. 游戏形式多样

利用 Flash 软件，结合巧妙的构思和编程技巧，不但可以制作动作游戏、益智游戏及射击游戏等多种类型游戏，而且能根据制作者的意图，通过键盘、鼠标或二者相结合的方式对游戏进行控制。

15.1.2 常见的游戏类型

下面对常见的 Flash 游戏类型进行简单的介绍，使读者能对这些基本的游戏类型有大致的认识和了解。

1. 桌面游戏（TAB）

桌面游戏主要以小游戏为主，该类游戏的场景简单，几乎没有剧情。它主要通过特定的游戏规则和玩法，提供给玩家一个锻炼智力的环境。

2. 射击游戏（STG）

射击游戏是由玩家控制游戏主角进行射击，将游戏中的障碍物或敌方角色清除，并躲避敌人的攻击。该类游戏一般都比较刺激，主要强调玩家的反应能力，大大增强了玩家的主动性。同时，其游戏情节也较为简单。

3. 动作游戏（ACT）

动作游戏是由玩家所控制的人物根据周围环境的变化，利用键盘或鼠标做出一定的动作，如移动、跳跃、攻击和躲避等，来达到游戏要求的目标。动作游戏也着重强调玩家的反应能力和手眼的配合，这类游戏一般比较有刺激性，情节紧张，声光效果丰富，操作简单。

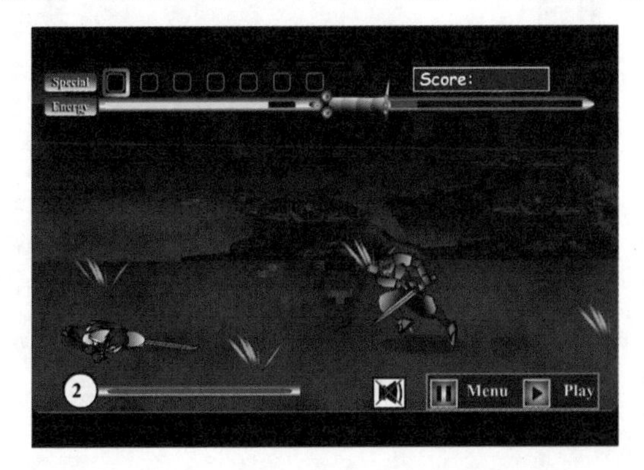

15.2 翻牌游戏的制作

下面对翻牌游戏的制作过程展开介绍。

原始文件： 第15章\15.2\翻牌游戏\素材\翻牌游戏素材.fla
最终文件： 第15章\15.2\翻牌游戏\翻牌游戏.fla
注意事项： 要正确添加链接的类文件，否则将不能实现翻牌功能
核心知识： 熟悉文本属性的设置，掌握ActionScript文件的制作方法
流程导引： ①开始界面的设计　②结束界面的设计　③计时功能的设计　④合成动画

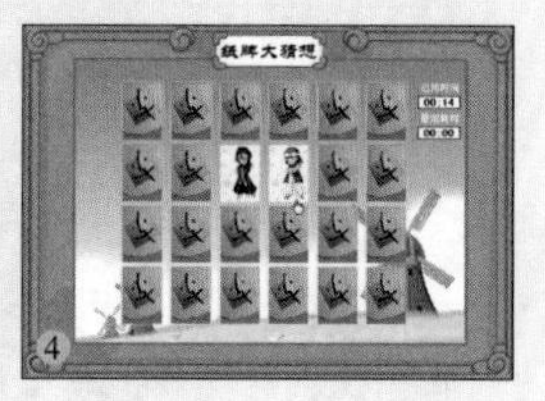

15.2.1 创意风格解析

1. 设计思想

本案例的翻牌游戏主要是锻炼玩家的观察力和记忆力。该游戏的牌面采用生动形象的人物，玩家在翻牌过程中，还能欣赏到这些有趣的人物造型设计。游戏虽然简单但不失趣味性，游戏的一侧还有计时器，玩家可以随时挑战最短耗时记录。因此，它可以激发玩家的昂扬斗志。

2. 制作方法

该游戏在制作时，首先设计并制作游戏的开始页面，接着设计并制作游戏的结束界面，然后对计时功能进行制作，最后编写 ActionScript 语句来合成动画。总体来看，画面设计过程比较简单，重点和难点在于脚本的编写。

15.2.2 开始界面的设计

下面对本游戏开始界面的设计与制作过程进行介绍。

01 打开“翻牌游戏素材.fla”文件，并将文件另存。打开“文档设置”对话框，设置文档的属性参数。

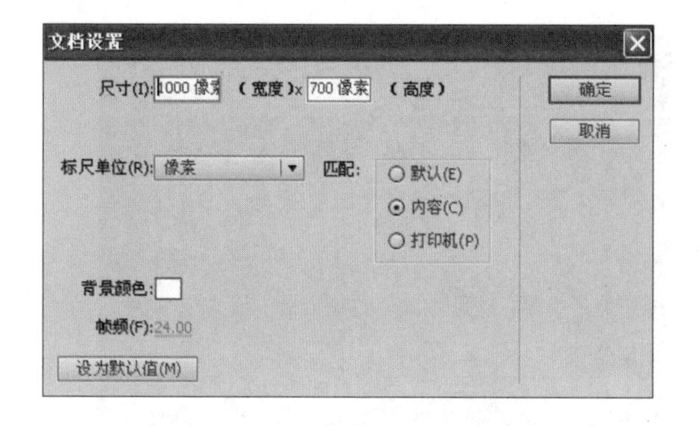

02 将“图层1”重命名为“边框”，将库中元件“边框”、“标题框”分别拖曳至舞台，并调整其位置与大小。

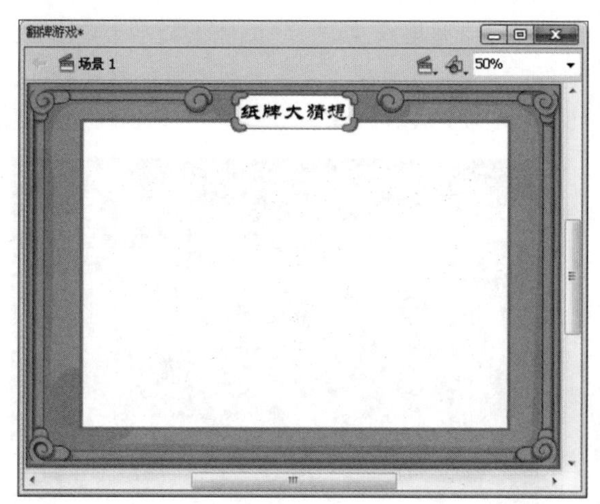

03 在“边框”层下新建“背景”层，将图片“bj.jpg”拖曳至舞台，然后调整其位置。

04 将背景转换为影片剪辑元件Symbol 2，并进入该元件编辑环境。

05 选择第 3 帧插入普通帧，在“图片”层上新建“提示”层。使用矩形工具绘制图形并填充颜色，然后输入文字。

06 选择图形和文字，将其转换为影片剪辑元件“开始”。然后在第2、3帧处插入空白关键帧。

07 按下【Ctrl + L】组合键打开库面板，选择元件“开始”，打开“元件属性”面板，从中添链接的类。

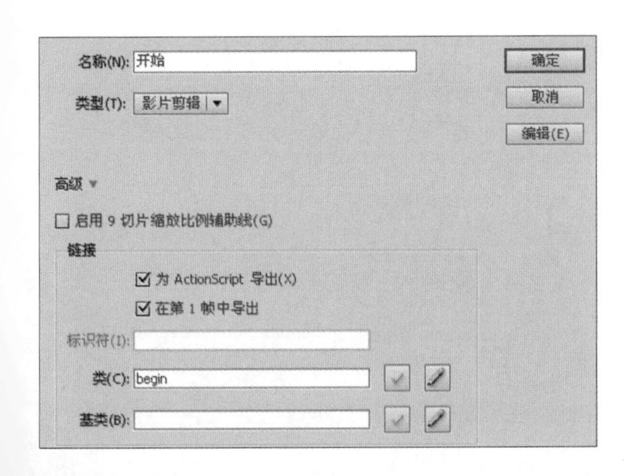

08 新建影片剪辑元件“game”，选择第1帧，打开其动作面板，为其添加相应的控制脚本。

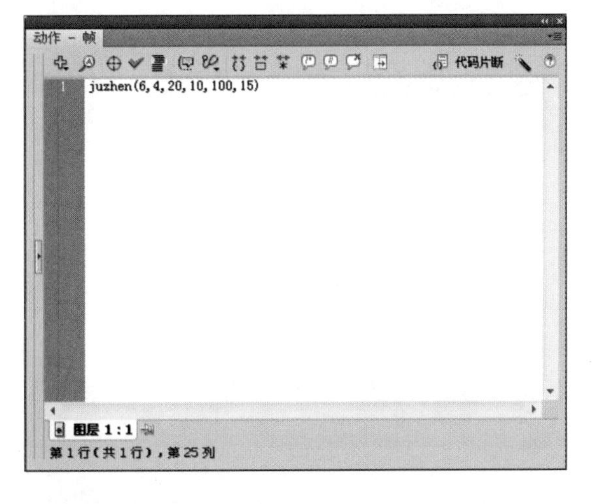

09 进入元件“Symbol 2”编辑状态，选择“提示”层第2帧，将元件“game”拖曳至编辑区。

10 打开“库”面板，选择元件“game”，打开其“元件属性”面板，从中添加链接的类。

15.2.3 结束界面的设计

下面将对本游戏结束界面的设计与制作过程进行介绍，其中文本属性的设置较为关键。

01 选择第3帧，使用矩形工具绘制图形并填充颜色，使用文本工具T输入文字。

02 选择文本工具T，设置文本类型为动态文本，在编辑区单击，使用选择工具对其进行调整。

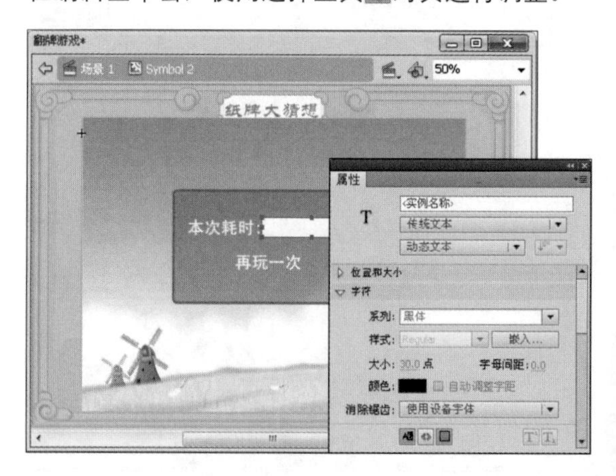

03 选择动态文本框，打开“属性”面板为其添加实例名称。选择第3帧上的内容将其转换为影片剪辑元件“重来”。

04 按下【Ctrl+L】组合键打开“库”面板，选择元件“重来”，打开其“元件属性”面板，为其添链接的类。

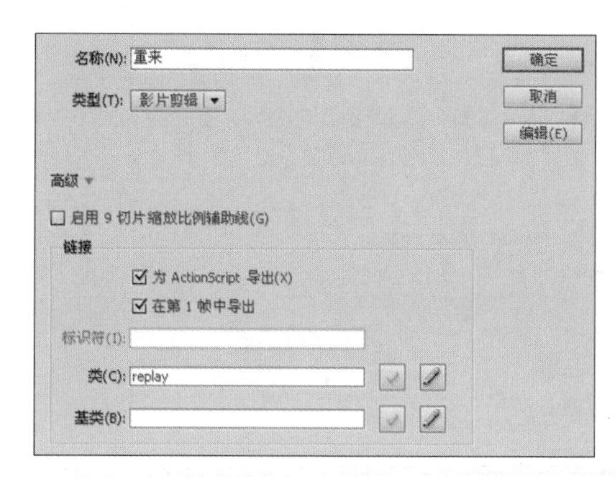

15.2.4 计时功能的制作

下面将对游戏计时功能的设计与制作过程进行介绍，其中主要的操作是链接指定的类。

01 在“提示”层上新建“计时”层，然后在该层第2帧处插入关键帧，选择第2帧并输入文字。

02 选择文本工具T，将其设置为动态文本。然后参照“结束界面”中动态文本的设置方法对此处的动态文本进行设置。

03 使用选择工具对动态文本框进行调整，并为其添加实例名称。

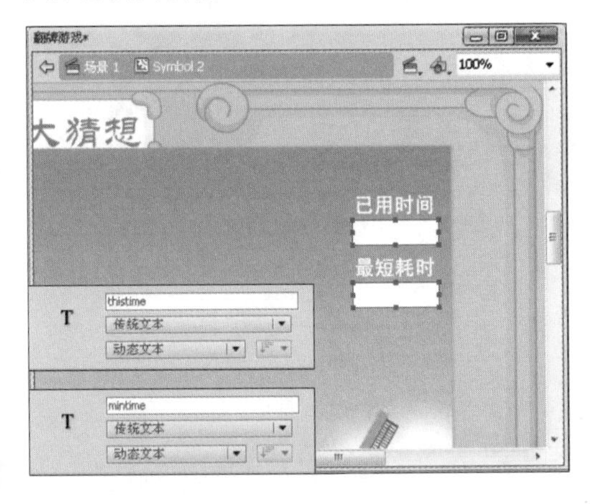

04 选择第2帧上的内容，将其转换为影片剪辑元件“用时”。

05 选择影片剪辑元件，为其添加实例名称。然后在第3帧处插入关键帧。

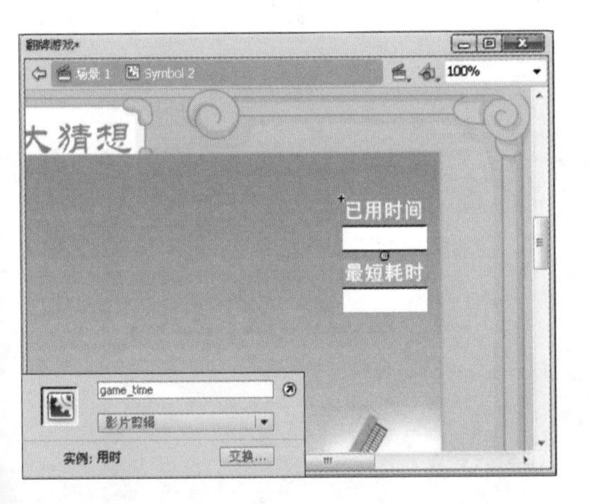

06 打开“库”面板，打开元件“重来”的“元件属性”面板，从中添链接的类。在“计时”层上新建“AS”层，在第2、3帧处插入关键帧。为第1、2、3帧分别添加控制脚本stop();。

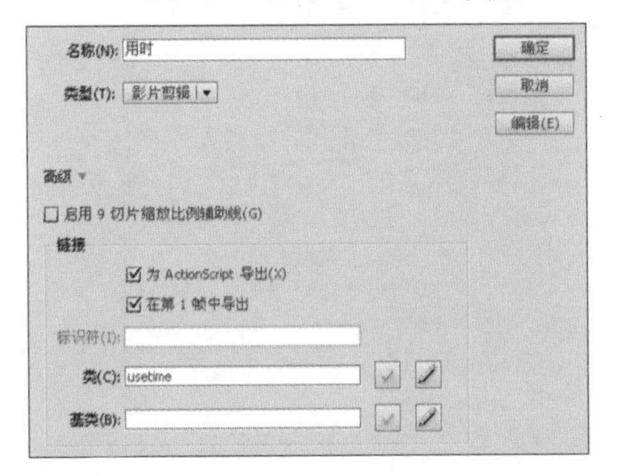

15.2.5 翻牌功能的实现

下面将合成整个动画，其主要工作是进行 ActionScript 语句的编写操作，其次是对文件的发布。

01 执行“文件>新建”命令，在打开的“新建文档”对话框中，选择“ActionScript文件”选项，然后单击“确定”按钮。

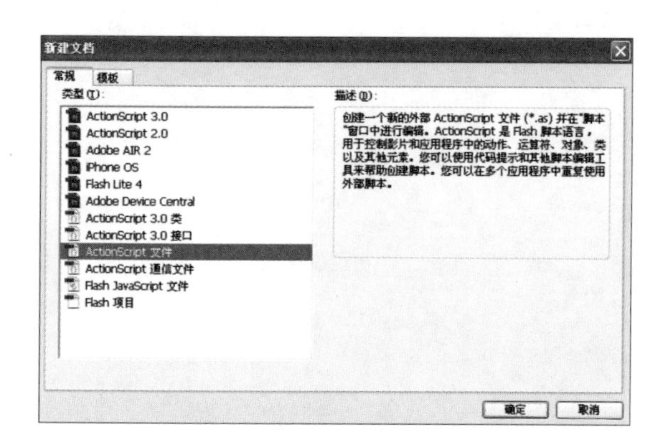

02 执行“文件>另存为”命令，选择和“翻牌游戏.fla”同一路径下的位置保存，并重命名为“begin”。

03 在文档里输入相应控制脚本。输入脚本时要注意输入法保持在英文状态下。

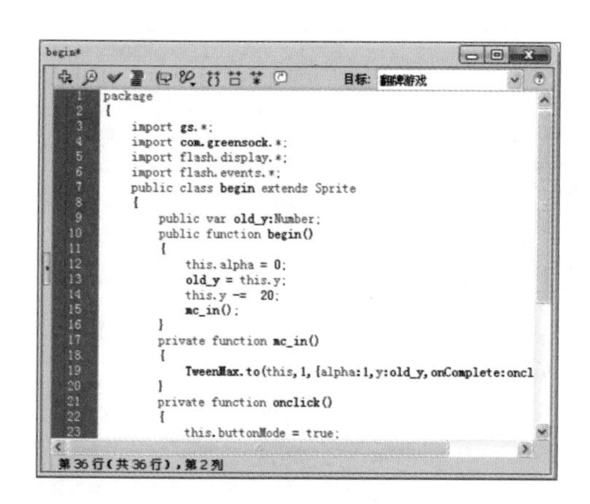

04 新建一个ActionScript文档，保存在和“翻牌游戏.fla”同一路径下，重命名为“fanpai_doc”。然后在文档里输入控制脚本。

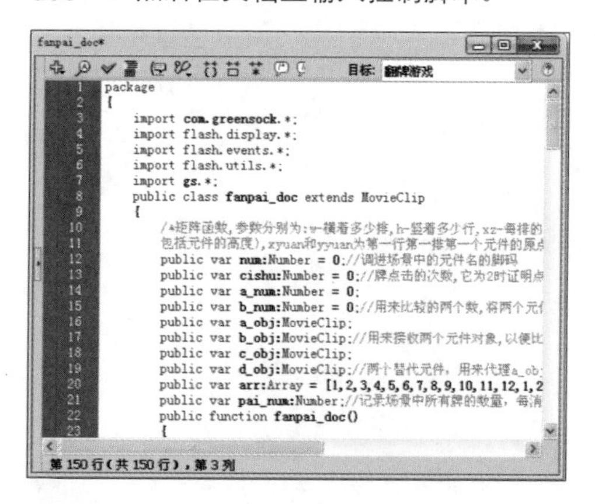

05 新建一个ActionScript文档，保存在和“翻牌游戏.fla”同一路径下，重命名为“pai_ji”。然后在文档里输入相应的控制脚本。

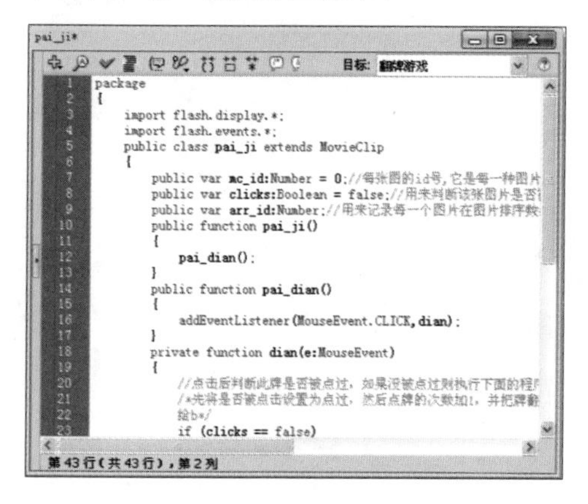

06 新建一个ActionScript文档，保存在和“翻牌游戏.fla”同一路径下，重命名为“replay”。然后在文档里输入相应的控制脚本。

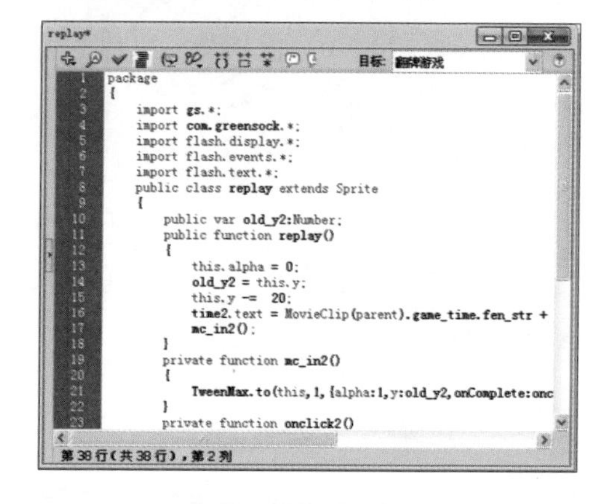

07 新建一个ActionScript文档，保存在和“翻牌游戏.fla”同一路径下，重命名为“usetime”。然后在文档里输入相应的控制脚本。

08 将“素材”文件夹里的两个文件夹“com”、“gs”复制到和“翻牌游戏.fla”同一路径下。

09 执行“文件>发布设置”命令，对该动画文档执行相应的发布设置。

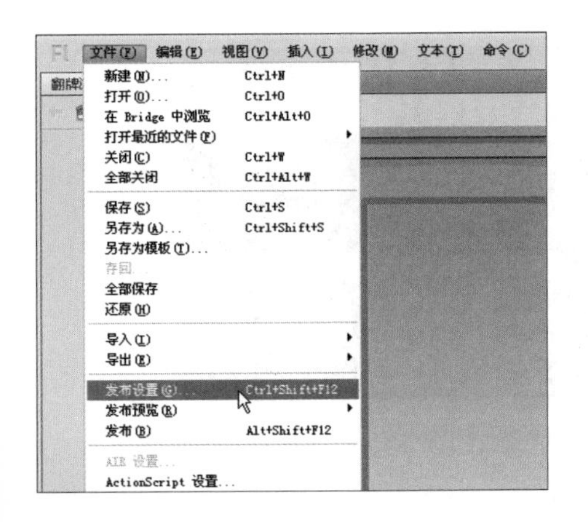

10 打开“发布设置”对话框，从中选择Flash、HTML、Windows放映文件，然后再分别对这些选项进行详细设置。

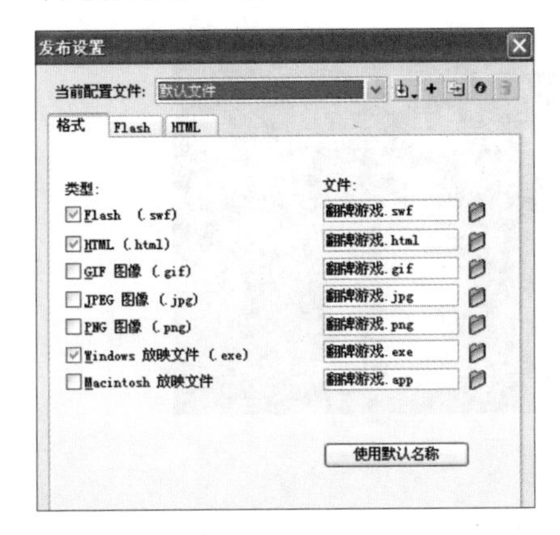

11 设置完成后，单击“发布”按钮。然后打开相应的文件夹，查看发布结果。

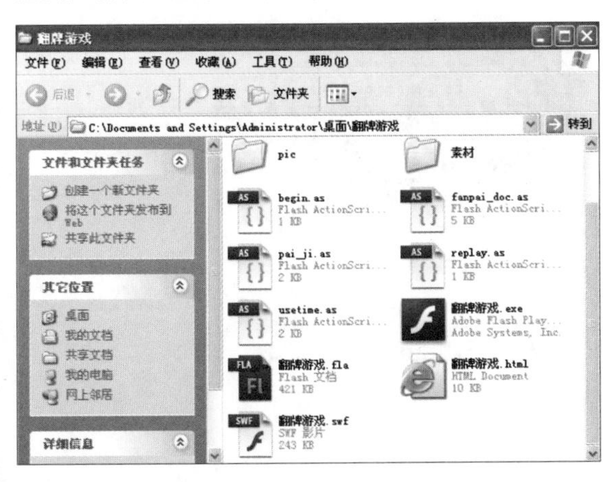

12 双击.swf文件或.exe文件，即可开始玩游戏，如下图所示为第一局结束时的画面。

拓展项目实训

本章从游戏的特点讲起，其间分别介绍了游戏动画的特点和常见的游戏类型，力求使读者对游戏动画的基础知识有所了解，并且在这个基础上再进行动画案例的演练。

吃豆子

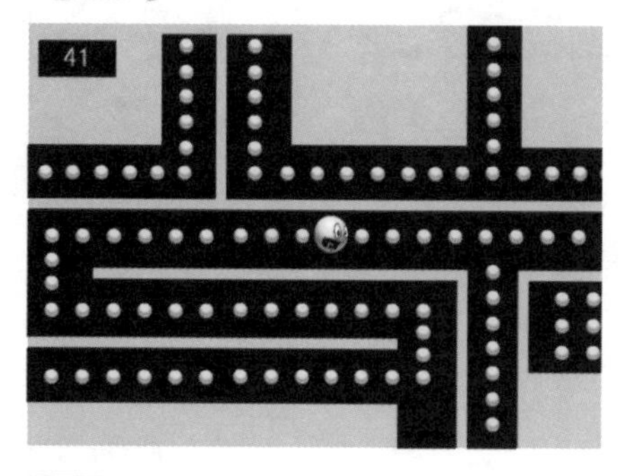

设计点评：

该游戏界面简洁，通过方向键来控制小虫的运动。其功能的实现主要依靠控制脚本。

弹球游戏

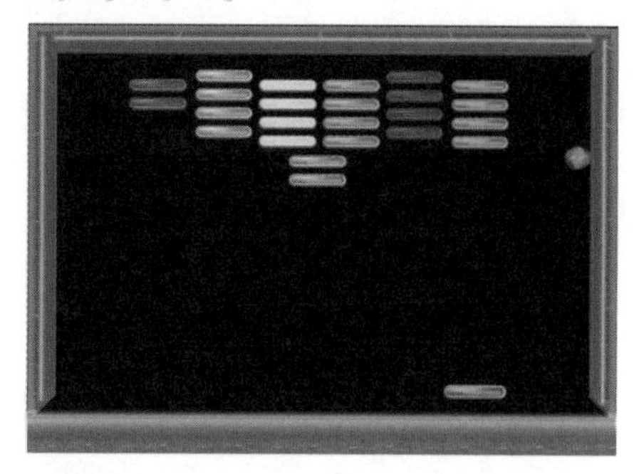

设计点评：

当小球即将落地时，用鼠标控制底部的弹射器，并接住掉落的小球使之再次被反弹。

打气泡

设计点评：

一射手站在地面上，用枪射击从空中掉落的炸弹，以避免炸弹掉到地上。

太鼓达人

设计点评：

该游戏中，飞船将跟随鼠标一同运动，在飞船躲避巨石的过程中还可以对其开炮。

勇闯关卡

设计点评：

该游戏以鼠标作为引导，引导小船向前运动，只要成功闯关便可以进入下一阶段。

五子棋

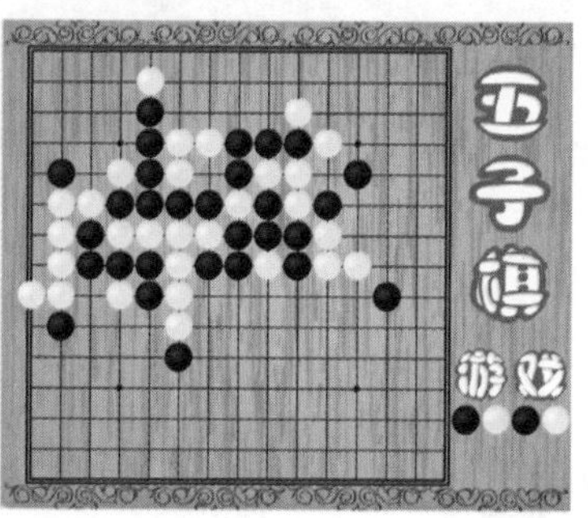

设计点评：

该游戏大家都不陌生，黑白棋子各执一方，只要有五个同色棋子连为直线便算获胜。

动画设计锦囊

在 Flash 动画创作中，元件可以被反复地使用。如果制作了一个不满意的元件，后来又制作了另外一个，前面的那个不满意的元件已经在主场景中制作了一部分动画，现在需要将后来制作的元件替换为前面的，该怎么办呢？若要重新制作，则浪费时间和精力；若要一个一个地替换，也同样浪费时间和精力。有没有更简洁的方法呢？回答是肯定的！下面将具体介绍成批替换元件的方法。

“属性”面板中有一个“交换”按钮，可以替换单个元件。若要成批替换元件，则要用到“查找和替换”功能。

在 Flash CS5 中，执行“编辑 > 查找和替换”命令或者按下【Ctrl + F】组合键，弹出“查找和替换”对话框，如下左图所示。

从“类型”下拉列表框中可以看出，Flash 文档中可替换的元素有文本、字体、颜色、元件、声音、视频和位图。在这里，可以选择类型为“元件”。此时对话框显示如下右图所示。

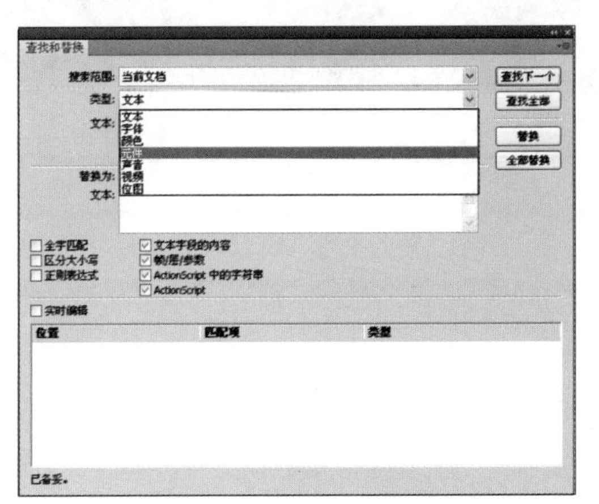

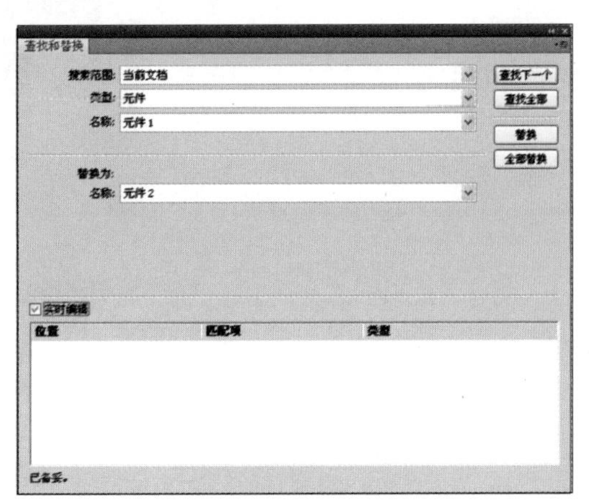

在第一个“名称”后的下拉列表框中，选择被替换的元件，然后在“替换为”中的“名称”下拉列表框中选择替换的元件。在对话框的右侧有 4 个按钮，包括“查找下一个”、“查找全部”、“替换”和“全部替换”。若单击“查找全部”和“全部替换”按钮，则完成对 Flash 文档的元件替换，如下左图所示。若单击“查找下一处”按钮，查到文档结尾时则弹出如下右图所示的对话框。

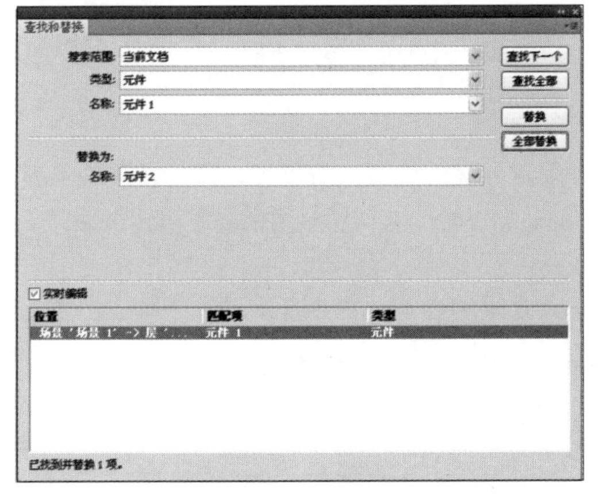

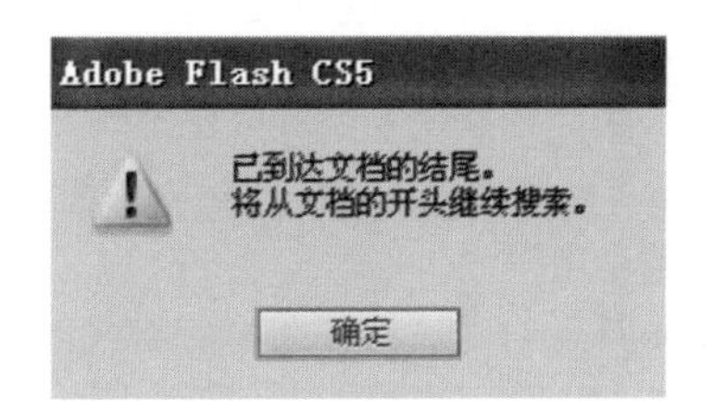

“实时编辑”复选框可以在舞台上直接编辑指定的元素。如果在搜索元件时使用“实时编辑”复选框，则 Flash 将在“在当前位置编辑”模式中打开元件。

Chapter 16 音乐 MV 设计

行业应用

音乐中有美妙动听的旋律，更有多彩多姿的故事。现在的音乐讲究视听结合，音乐MV就利用了画面手段来补充音乐所无法涵盖的信息和内容。人们不只是通过耳朵，更通过眼睛和心来感受音乐世界。一曲流畅的音乐，再配上与之意境切合的画面，让人更容易进入情境去体味音乐背后的故事。

核心知识点

❶ 音乐MV的设计理念
❷ 素材的选取与导入
❸ 动画的合成

16.1 行业知识导航

在制作音乐 MV 动画前，需要了解音乐 MV 的设计特点和设计要求。这样才能在制作音乐 MV 时有的放矢，制作出高品质的 MV。下面对音乐 MV 动画的特点、设计要求向读者做一个全面的介绍，并展示几类精彩的音乐 MV 动画。

16.1.1 音乐MV的特点

音乐 MV 就是为音乐制作动画即用最好的歌曲配以最精美的画面，使原本只是听觉艺术的歌曲，变为视觉和听觉结合的一种崭新的艺术样式。具体地讲，就是把包含在音乐中的故事情节用画面的形式呈现出来，让人们从视觉和听觉两个方面去感受音乐中的世界，达到视听融合的境界。用户听音乐的时候，会感觉好像在看一个故事。

诠释音乐是 Flash 音乐 MV 的一个重要特点，对于不同类型的音乐，其特点也不尽相同。根据 Flash 音乐 MV 的分类，其特点分别介绍如下。

（1）流行音乐

流行音乐是指结构短小、内容通俗、情感真挚，并被广大群众所喜爱、广泛传唱或欣赏，流行一时的甚至流传后世的器乐曲和歌曲。所以制作流行音乐 MV 时，内容要求通俗易懂、形式活泼。

（2）古典音乐

古典音乐是历经岁月考验，久盛不衰，为众人喜爱的音乐。古典音乐是一个独立的流派，艺术手法讲求洗练，追求理性地表达情感。所以创作古典音乐 MV 时要求注重情感的表达。

（3）摇滚音乐

摇滚音乐具有快速、适于跳舞和容易记忆等特点。制作此类 MV 时要求画面能跟得上音乐的节奏，表现手法强烈。

（4）轻音乐

轻音乐可以营造温馨浪漫的情调，带有休闲性质。它节奏明快、旋律优美，所以轻音乐 MV 制作要求结构简单、画面轻快。

（5）儿歌

儿歌是以儿童为主要接受对象的具有民歌风味的简短诗歌。其内容多反映儿童的生活情趣，传播生活、文化知识等。所以在儿歌 MV 制作上，要求内容浅显，思想单纯，篇幅简短，节奏欢快。

16.1.2 音乐MV的设计要求

在设计音乐 MV 动画时，有以下 4 点设计要求，具体如下。

（1）创意

衡量一个 Flash 音乐 MV 的优劣标准是它能否更好地诠释音乐。高质量的音乐 MV 是要以音乐本身为线索创作动画，而不是根据动画创作音乐。

（2）主题

音乐的曲风分类很多，制作音乐 MV 要能抓住音乐所表现的主旨，深刻理解音乐背后所隐含的情节，做到视听和谐。

（3）技法

在制作音乐 MV 时，可以用音乐处理软件处理相关的音乐素材。如 goldwave 软件、系统自带的录音机或千千静听等。

（4）动画

动画制作中，不必采用过于复杂的动画类型，简单的文本动画即可。动画中的造型尽量卡通化，要活泼、可爱。

16.1.3 精彩的音乐MV欣赏

音乐 MV 在网络上随处可见，下面将介绍流行音乐、古典音乐、儿歌和轻音乐 4 种不同的音乐 MV 动画。

1. 流行音乐MV

流行音乐的作品内容通俗易懂，题材多取自于日常生活，以表现爱情主题的为多数，强调个人的心理情感，容易引起人们的情感共鸣。而且流行音乐旋律易记易唱，人们可以主动参与表演，增加了互动的乐趣，得到了放松与享受，如下图所示。

2. 古典音乐MV

古典音乐带给人们的不仅仅是优美的旋律，充满意趣的乐思，还有真挚的情感，或宁静、典雅，或震撼、鼓舞，或欢喜、快乐，或悲伤、惆怅。

3. 儿歌MV

儿歌吟唱中，优美的旋律、和谐的节奏、真挚的情感可以给儿童以美的享受和情感熏陶。MV 可以形象有趣地帮助儿童认识自然界，认识社会生活，开发他们的智力，启迪引发他们的思维和想象力。

4. 轻音乐MV

轻音乐结构小巧简单，节奏明快舒展，旋律优美动听。它没有什么深刻的思想内涵，带给人们的是轻松优美的享受，其主要的特征是轻松活泼。

16.2 音乐MV的制作

本案例将对歌曲“春天在哪里”的制作过程展开介绍。在该歌曲中，随处可见鲜花、绿草、小鸟、蝴蝶、湖水、儿童等元素，这也正说明春天来了。如此美妙的歌曲在这么美丽的景色中荡漾，勾起人们向往自然、向往童年的情怀。

原始文件：第16章\16.2\春天在哪里\春天在哪里素材.fla
最终文件：第16章\16.2\春天在哪里\春天在哪里.fla
注意事项：歌词的控制一定要准确，否则将会出现与画面不同步的现象
核心知识：了解跟随歌词来布置画面情景的方法，熟悉歌词插入的方法
流程导引：①画面1的设计　②画面2的设计　③画面3的设计　④控制按钮的制作

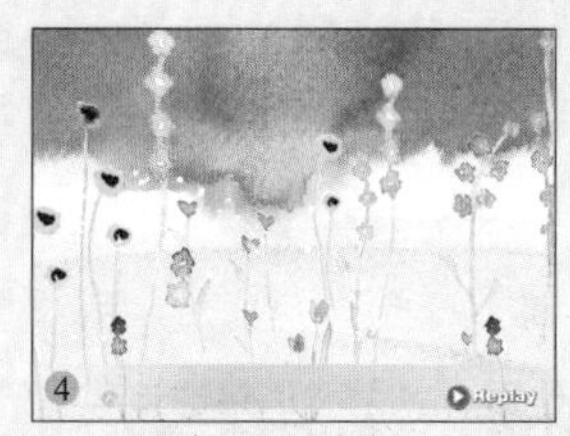

16.2.1 创意风格解析

网络广告多不胜数，只有创意性高的才能让人留下深刻印象，进而打动受众的购买欲望，激发他们的消费需求。下面将对通栏式广告的特点、设计要求等进行介绍。

1. 设计目的

本案例的设计主要是为了带领小朋友们走进自然，观赏春天的景色，从而了解春天的特征，让他们掌握春夏秋冬四季的交替变换。

2. 制作思路

该 MV 是按照歌曲“春天在哪里”的歌词来布置景色，如红花、绿草、小黄鹂等。同时，配合着歌词大意的改变还进行了画面转换。

在整个 MV 制作过程中，按照歌词的分段情况也将整个 MV 大致分为了 3 个画面来介绍。

16.2.2 画面1的设计与制作

下面将对画面 1 的制作过程进行介绍，其中主要应用了传统补间动画的效果。

01 打开素材文件并将其另存。然后将“图层 1”重命名为“框”，使用矩形工具绘制图形并填充颜色。在第 1229 帧处插入普通帧。

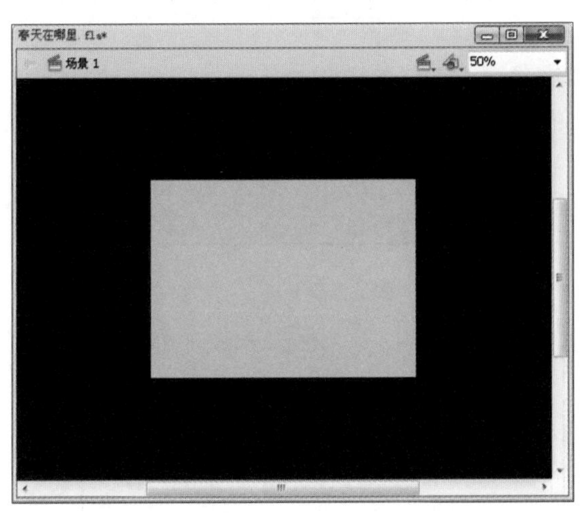

02 在“框”层下新建“1图片”层。打开库面板，将库中元件“图片1”拖曳至舞台，使用任意变形工具调整位置与大小。

03 在第 58 帧处插入关键帧，并将图片向左移动。在第 1 ～ 58 帧间创建传统补间动画。

04 在第205帧处插入关键帧，将图片移动位置。在第58～205帧间创建传统补间动画。

05 在第 194 帧插入关键帧。选择第 205 帧上的元件，在“属性”面板中设置其 Alpha 值为 0。

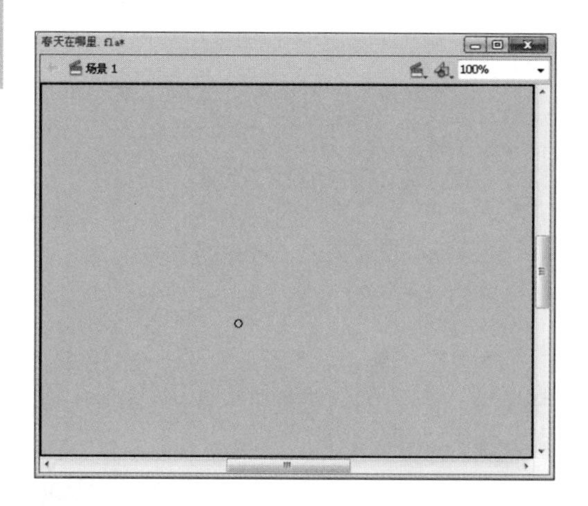

06 在“1图片”层上新建“2图片”层。在第194帧处插入关键帧，将元件“图片2”拖曳至舞台，并调整位置与大小。

07 在第 333 帧处插入关键帧，将图片向右移动。在第 194 ～ 333 帧间创建传统补间动画。

08 选择第194帧上的元件，设置其Alpha值为25。在第205帧处插入关键帧，设置其对应元件的Alpha值为100。

09 在第 435 帧处插入关键帧，将元件向左下移动。在第 333 ～ 435 帧间创建传统补间动画。

10 选择第435帧上的元件，设置其Alpha值为0。在第425帧处插入关键帧，设置其对应元件的Alpha值100。

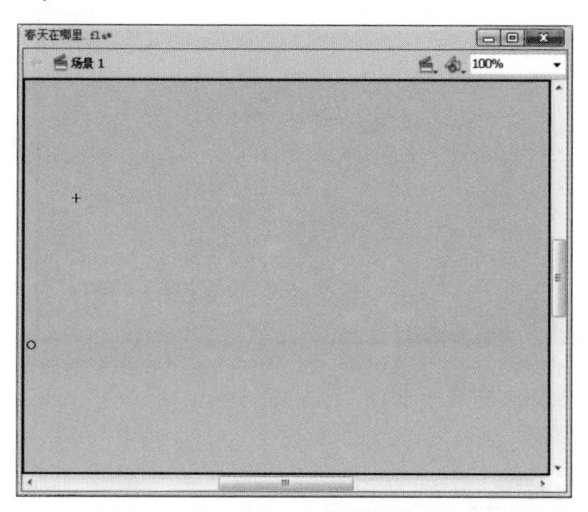

16.2.3 画面2的设计与制作

下面将对画面 2 的制作过程进行介绍。画面 2 的制作主要是结合第二段的歌词内容展开的。

01 将"2图片"层隐藏。在"1图片"的第425帧处插入空白关键帧，将"图片3"拖至舞台。选择在第467帧处插入关键帧，改变元件的位置。在第425～467帧间创建传统补间动画。

02 选择第425帧上的元件，设置其Alpha值为65。在第435帧处插入关键帧，设置其元件Alpha值为100。

03 在第525帧处插入关键帧，使用任意变形工具将元件放大。在第435～525帧间创建传统补间动画。

04 选择第525帧上的元件，设置其Alpha值为0。在第514帧处插入关键帧，设置其元件Alpha值为100。

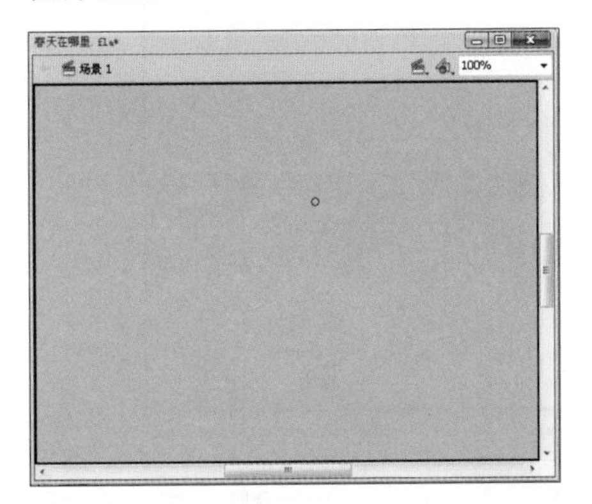

05 显示"2图片"层。选择在"2图片"第514帧处插入空白关键帧，将"图片4"拖曳至舞台。在第620帧处插入关键帧，将元件移动位置。在514～620帧间创建传统补间动画。

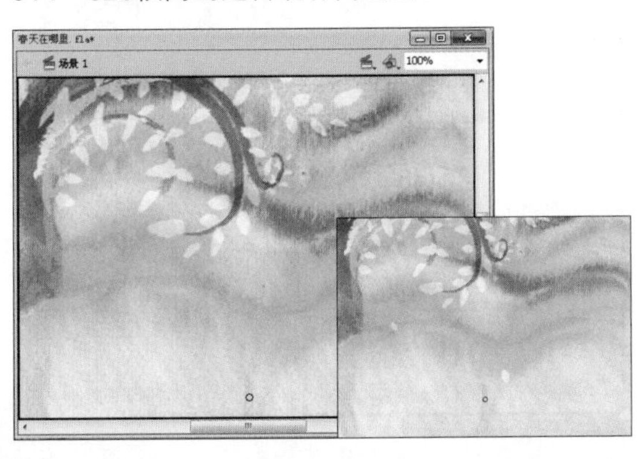

06 选择第514、620帧上的元件，分别设置其Alpha值为25、0。然后选择第525、608帧并插入关键帧，分别设置其对应元件的Alpha 值为100。

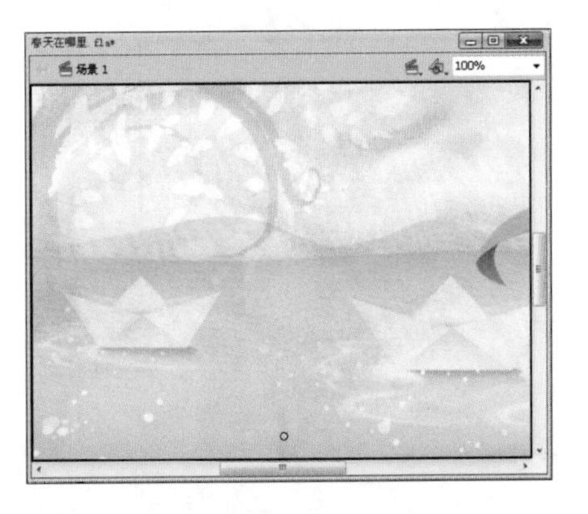

07 将“2图片”层隐藏。在“1图片”的第608帧处插入空白关键帧，将“图片5”拖曳至舞台。在第700帧处插入关键帧，将元件移动位置。在第608～700帧间创建传统补间动画。

08 选择第608帧上的元件，打开“属性”面板，设置其元件Alpha值为65。然后在第620帧处插入关键帧，设置其元件的Alpha值为100。

09 选择第836帧插入关键帧，将元件缩小并移动。在第700～836帧间创建传统补间动画。

10 选择第836帧上的元件，设置其Alpha值为0。在第835帧处插入关键帧，并设置其对应元件的Alpha值为100。

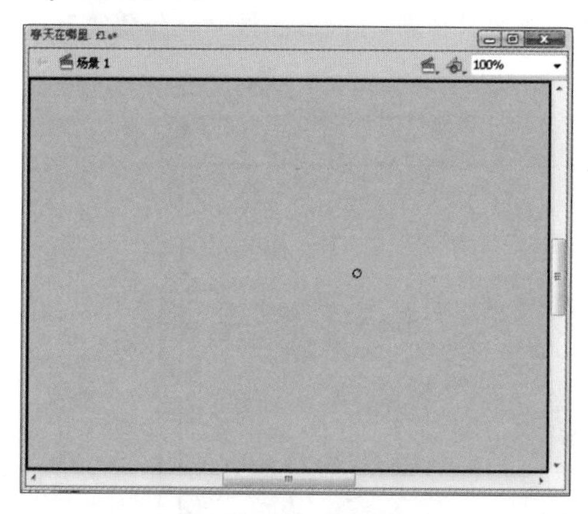

11 显示“2图片”层。选择“2图片”在第825帧处插入空白关键帧，将“图片6”拖曳至舞台。在第885帧处插入关键帧，将元件移动位置。在第825~885帧间创建传统补间动画。

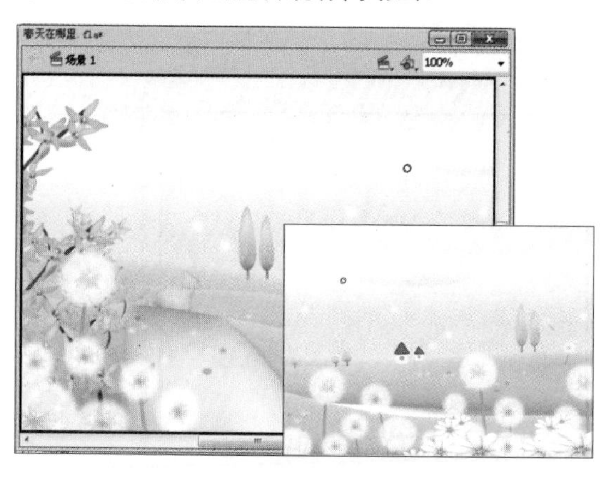

12 选择第825、885帧上的元件，分别设置其Alpha值为25、0。然后在第836、880帧处插入关键帧，分别设置所对应元件的Alpha 值为100。

16.2.4 画面3的设计与制作

下面将对画面 3 的制作过程进行介绍。画面 3 的制作主要是结合第三段的歌词内容展开的。

01 将“2图片”层隐藏。选择“1图片”层，在第880帧处插入空白关键帧，将“图片7”拖曳至舞台。在第935帧处插入关键帧，将元件移动位置。在第880～935帧间创建传统补间动画。

02 选择第880、935帧上的元件，分别设置其Alpha值为65、0。然后在第885、926帧处插入关键帧，并分别设置其对应元件的Alpha 值为100。

03 显示“2图片”层。在“2图片”层第926帧处插入空白关键帧，将“图片8”拖曳至舞台。在第974帧处插入关键帧，将元件移动位置。在第926~974帧间创建传统补间动画。

04 选择第926帧上的元件，打开“属性”面板，设置其元件Alpha值为25。然后在第935帧处键插入关键帧，并设置其对应元件的Alpha值为100。

05 在第1025帧处插入关键帧，将元件位置适当移动。在第926～1025帧间创建传统补间动画。

06 选择第1025帧上的元件，设置其Alpha值为0。在第1015帧处插入关键帧，设置其对应元件的Alpha值为100。

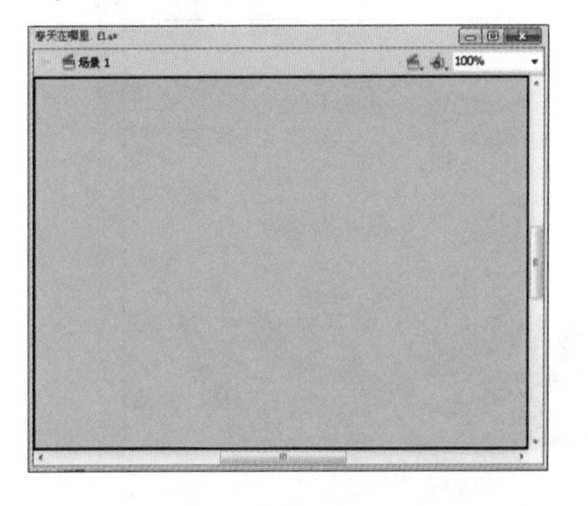

07 将“2图片”层隐藏。选择“1图片”层在第1015帧插入空白关键帧，将“图片9”拖曳至舞台。选择在第1074帧插入关键帧，将元件移动位置。在第1015～1074帧间创建传统补间动画。

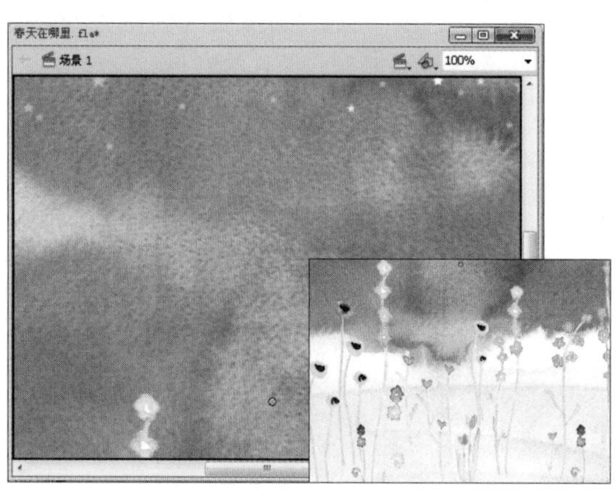

08 选择第1015帧上的元件，设置其Alpha值为65。在第1025帧处插入关键帧，设置其对应元件的Alpha值为100。最后显示“2图片”层。

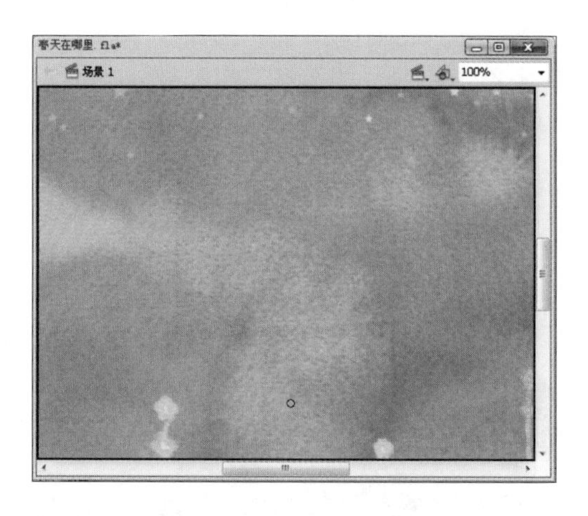

09 在“2图片”层上新建“动画效果”层。在第150帧处插入关键帧，将元件“花草”拖曳至舞台合适位置。

10 在第166帧处插入关键帧，改变元件的位置。选择第150帧上的元件，设置其Alpha值为0。在第150～166帧间创建传统补间动画。

11 在第296帧插入关键帧，然后改变元件的位置。在第166～296帧间创建传统补间动画。

12 在第314帧处插入关键帧，调整元件的位置并设置其Alpha值为0。在第296～314帧间创建传统补间动画。在第315帧处插入空白关键帧。

13 将“框”图层隐藏。在第425帧处插入关键帧，将库中元件“飞絮”拖曳至舞台，并调整其位置。

14 在第514帧处插入关键帧，使用任意变形工具调整其对应元件的位置与角度。

15 在第608帧处插入关键帧，使用任意变形工具调整其位置与角度。

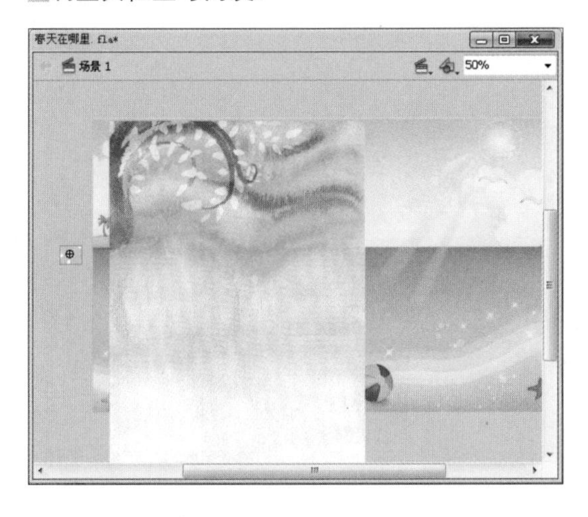

16 在第838帧插入空白关键帧，将库元件“光线”、“动态圆”多次拖曳至舞台，并调整其位置。

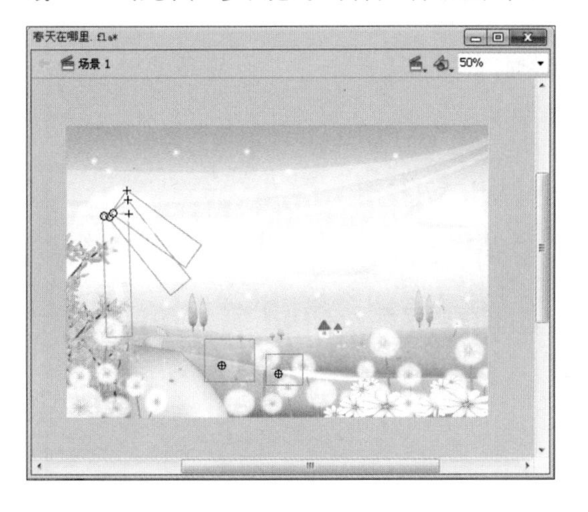

17 在第839、1074帧处插入空白关键帧，选择第1074帧，将元件“飞絮”拖曳至舞台，调整位置并将其水平翻转。

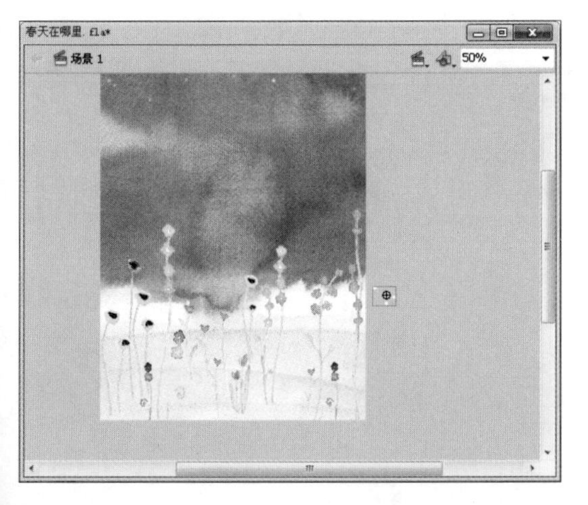

18 在“动画效果”层上新建“黄鹂”层。在第352帧处插入关键帧，将库中元件“黄鹂合”拖曳至舞台，将其水平翻转并调整位置。

19 在第425帧处插入关键帧，将元件“黄鹂合”向右上移动。在第352～425帧间创建传统补间动画。

20 选择第745帧插入空白关键帧，将元件“黄鹂合”拖曳至舞台合适位置。

21 在第793帧处插入关键帧，将元件“黄鹂合”向左上移动。在第745～793帧间创建传统补间动画。

22 在第974帧处插入空白关键帧，将元件“黄鹂合”拖曳至舞台，将其水平翻转并调整位置。

23 在第1020帧处插入关键帧，将元件向右下移动。在第974～1020帧间创建传统补间动画。

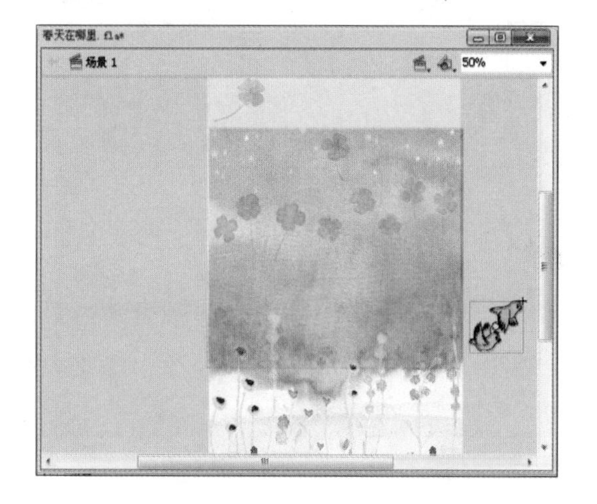

24 选择“黄鹂”层，右击该层，在弹出的快捷菜单中选择“添加传统运动引导层”命令，在第1157帧处插入关键帧。使用铅笔工具绘制线条，使用选择工具对其进行调整。

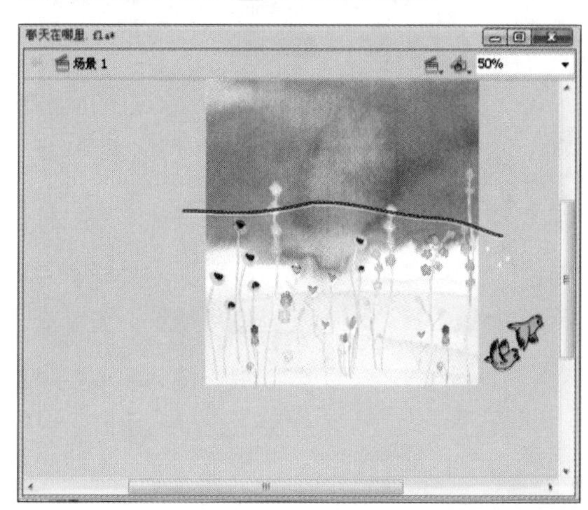

25 在“黄鹂”层的第1157帧处插入空白关键帧，将元件“黄鹂合”拖曳至舞台，使元件中心点对齐线条右端。

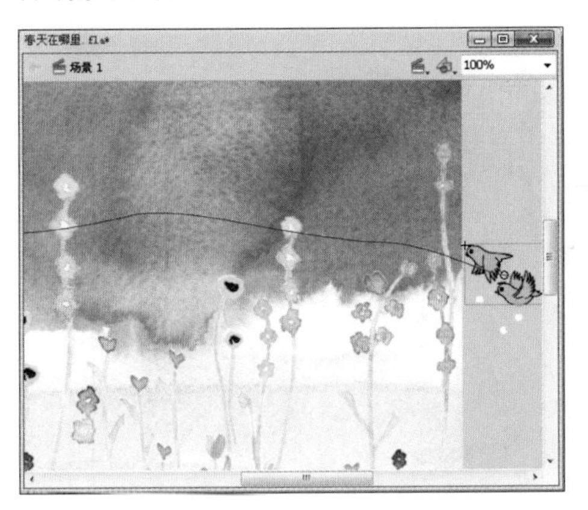

26 在第1229帧处插入关键帧，将元件“黄鹂合”向左移动，使其中心点对齐线条左端。在第1157～1229帧间创建传统补间动画。

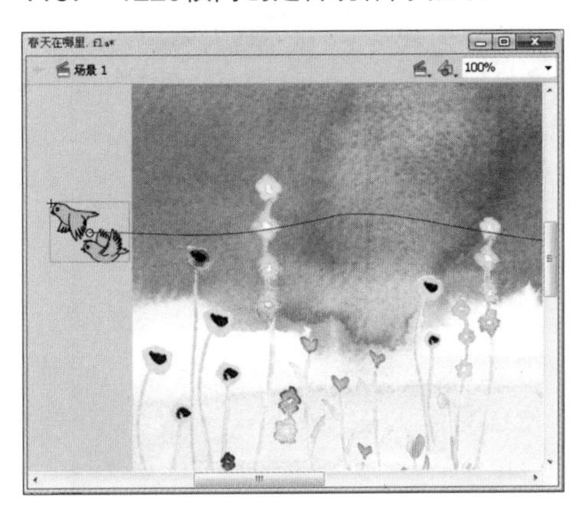

16.2.5 歌词的设计与制作

下面将对歌词的制作过程进行介绍。

01 在“引导层：黄鹂”层上新建“字底”层，在第58帧处插入关键帧。使用矩形工具绘制图形，并调整线性渐变色，然后删除边线。

02 在“字底”层上新建“歌词”层，使用文本工具T输入歌名，然后为每个字设置不同颜色，并为其添加“发光”滤镜。

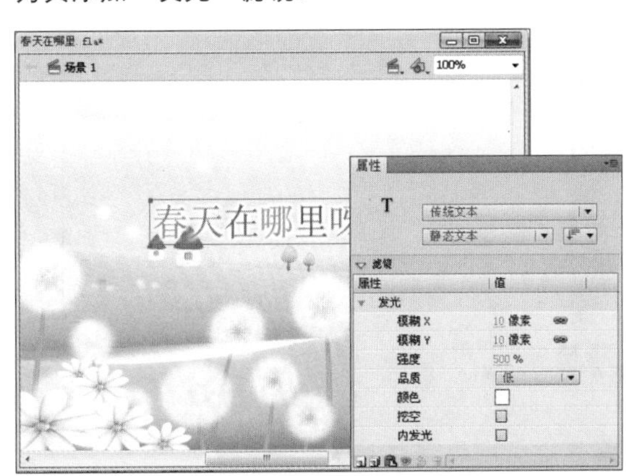

03 在第2、58帧处插入空白关键帧。然后选择第58帧，将库中元件“歌词”拖曳至舞台，并调整位置。

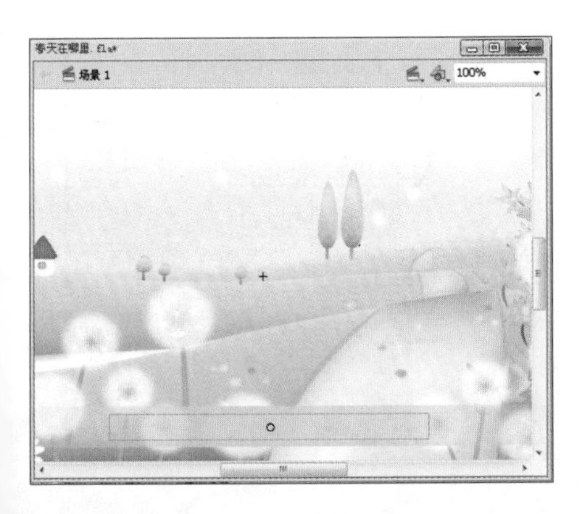

04 在“框”层上新建“按钮”层，将元件“播放”拖曳至舞台，并为其添加“投影”滤镜。随后显示“框”层。

05 选择“播放”按钮，打开“动作”面板，为其添加相应的控制脚本。

06 在第2、1229帧处插入空白关键帧。选择第1229帧，将元件“重播”拖曳至舞台，并为其添加“投影”滤镜。

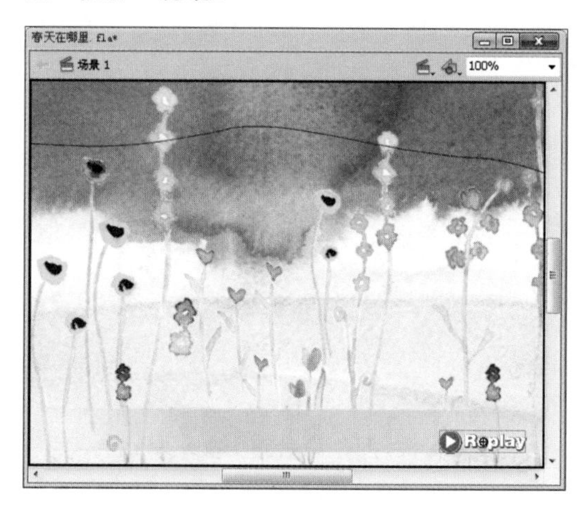

07 选择“重播”按钮，打开“动作”面板，为其添加相应的控制脚本。

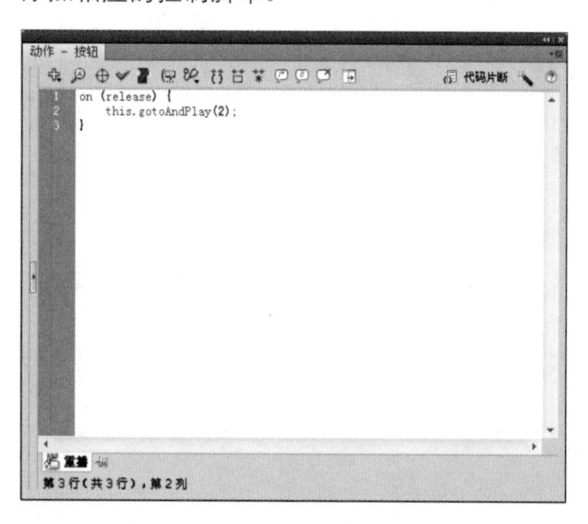

08 在“按钮”层上新建“音乐”层，在第2帧处插入关键帧，并添加声音元件“春天在哪里.mp3”。

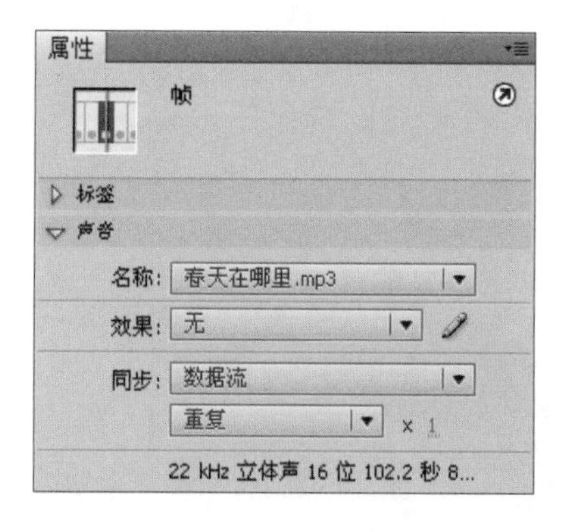

09 在“音乐”层上新建“AS”层，在第1229帧处插入关键帧。分别选择第1、1229帧并为其添加控制脚本。

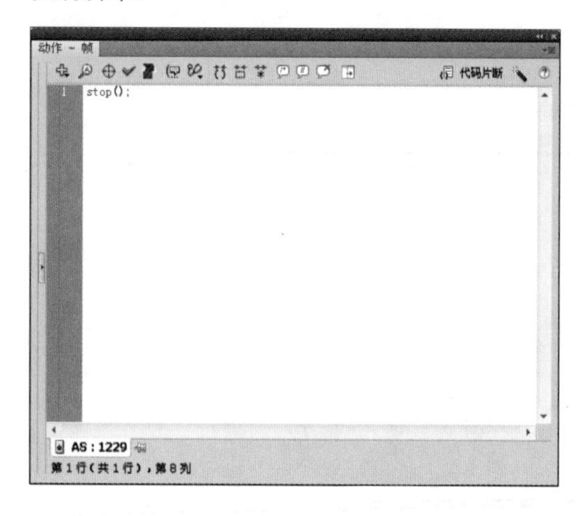

10 按下【Ctrl+S】组合键，将动画文档进行保存。然后按下【Ctrl+Enter】组合键，对该文件进行测试。

拓展项目实训

本章从音乐 MV 的特点讲起，然后介绍了音乐 MV 的设计要求，列举了一些优秀的音乐 MV 以供读者欣赏，最后对歌曲“春天在哪里”的 MV 制作过程展开了详细的介绍。在这个基础上再进行拓展训练，相信广大读者能学有所成。

儿童歌曲

设计点评：

该作品是儿歌“蜗牛与黄鹂鸟”的动画版，其形象生动地将歌词展现在大家面前。

校园歌曲

设计点评：

该作品的名称是“光阴的故事”，其中以绿色为主色，突出表现了对青春的留念。

小小眼睛

设计点评：

该作品画面生动可爱，音乐欢快活泼。一定会深受小朋友们的喜欢。

老鼠爱大米

设计点评：

该作品中的多个元素均为创作者亲自绘制的，可见其绘画功底是多么优秀。

生肖歌

设计点评：

该作品通过对十二生肖的展示，形象生动地描述了歌曲的整个含义。

携手游人间

设计点评：

该作品中场景间的转换自然流畅，歌词与内容设计得都恰到好处。

Chapter 17 网络广告设计

行业应用

网络广告是利用网站上的广告横幅、文本链接、多媒体的方法，在互联网上刊登或发布广告，通过网络传递给互联网用户的一种高科技广告运作方式。本章将以案例的形式对网络广告的设计过程展开介绍。

核心知识点

❶ 整体结构的布局与效果的设想
❷ 各动画元件的制作
❸ 动画的合成操作
❹ 保存并输出动画

17.1 行业知识导航

顾名思义，网络广告即指在网络上所做的广告，它是通过电子信息服务传播给消费者的广告，因此也称为电子广告。本节将对网络广告的分类、设计原则等相关知识进行介绍。

17.1.1 网络广告的分类

网络广告的表现形式丰富多彩，而且正处在发展过程中。目前，在国内外的网站页面上常见的网络广告形式包括横幅式、按钮式、文本式等，下面将对其进行详细介绍。

1. 横幅式广告

横幅式广告也称为“旗帜广告”，其定位在网页中，大多用来表现广告内容，如下图所示。网络媒体在自己网站的页面中分割出一定大小的一个画面进行广告发布，因其像一面旗帜，所以称为旗帜广告。旗帜广告允许客户用极简炼的语言、图片介绍企业的产品或宣传企业形象。

通常，旗帜广告有如下 4 种形式。

（1）全幅，尺寸为 468×60（或 80）像素。

（2）全幅加直式导航条，尺寸为 392×72 像素。

（3）半幅，尺寸为 234×60 像素。

（4）直幅，尺寸为 120×240 像素。

为了吸引更多的浏览者注意并点选，旗帜广告在制作上经历了由静态向动态的演变过程。动态旗帜广告利用多种多样的艺术形式，通过处理制作成动画形式，具有跳动效果或霓虹灯的闪烁效果，非常有吸引力。此种广告重在树立企业的形象，扩大企业的知名度。

2. 按钮式广告

按钮式广告是网络广告最早和最常见的形式，如下图所示。它定位在网页中，由于尺寸偏小，表现手法较简单，因此只用于显示公司名称或产品标志，单击它可以链接到广告主的主页或站点，如下图所示。按钮式广告最常用的按钮广告尺寸有 4 种，分别为：125×125 像素、120×90 像素、120×60 像素、88×31 像素。按钮广告的不足之处在于其被动性和有限性，它要求浏览者只有主动点选，才能了解到有关企业或产品更为详尽的信息。

3. 主页广告

主页广告是指将广告主所要发布的信息内容分门别类地制作成主页，放置在网络服务商的站点或企业自己建立的站点上，如下图所示。这种广告可以详细地介绍广告主的各种信息，如企业营销发展规划、主要产品与技术特点、商品订单、企业联盟、主要经营业绩、售后服务措施、联系办法等，从而使用户全方位地了解企业及企业的产品与服务。

4. 分类广告

分类广告类似于报纸杂志中的分类广告，通过一种专门提供广告信息的站点来发布广告。在站点中提供出按照产品目录或企业名录等方法可以分类检索的深度广告信息，如下图所示。这种类型的广告对于那些想查找广告信息的访问者来说，无疑是一种快捷而有效的途径。

苹果经销商 > 苹果电脑产品及配件

	产品编号	产品名称	产品零售价
MacBook	MB881CH/A	13.3"/2.0GHz/2X1GB/120GB/SD	RMB 8,498
	MB466CH/A	13.3"/2.0GHz/2X1GB/160GB/SD	RMB 10,898
	MB467CH/A	13.3"/2.4GHz/2X1GB/250GB/SD/BL-KB	RMB 13,498
MacBook Air	MB543CH/A	13"/1.6GHz/2GB/120GB	RMB 15,198
	MB940CH/A	13"/1.86GHz/2GB/128GB SSD	RMB 20,898
MacBook Pro	MB470CH/A	15.4"/2.4GHz/2X1GB/250GB/SD/256VRAM	RMB 16,688
	MB471CH/A	15.4"/2.53GHz/2X2GB/320GB/SD/512VRAM	RMB 20,898
	MB604CH/A	17"/2.66GHz/2X2GB/320GB/SD/GLSY	RMB 23,498

5. 文本链接广告

文本链接广告是以一排文字作为一个广告，它采用文字标识的方式，往往放置在热门站点的 Web 页上，一般是企业的名称，单击后链接到广告主的主页上。文本链接广告一般出现在网站的分类栏目中，其标题显示相关的查询字，所以也可称为商业服务专栏目录广告，如下图所示。

文本链接广告是一种对浏览者干扰最少，但却较为有效的网络广告形式。换句话讲，最简单的广告形式其效果最好。

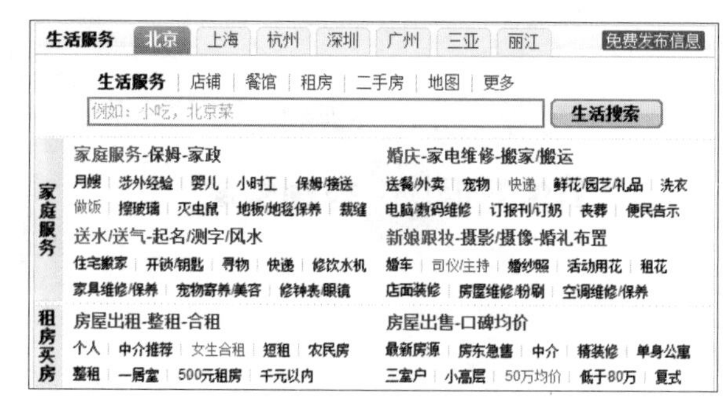

6. 插播式广告

插播式广告也称为“弹出式广告”，即访客在请求登录网页时强制插入一个广告页面或弹出广告窗口，如下图所示。它们有点类似电视广告，都是打断正常的节目播放，强迫观看。插播式广告有各种尺寸，有全屏的也有小窗口的，而且互动的程度也不同，从静态的到全部动态的都有。浏览者可以通过关闭窗口不看广告，但是它们的出现没有任何征兆，而且肯定会被浏览者看到。

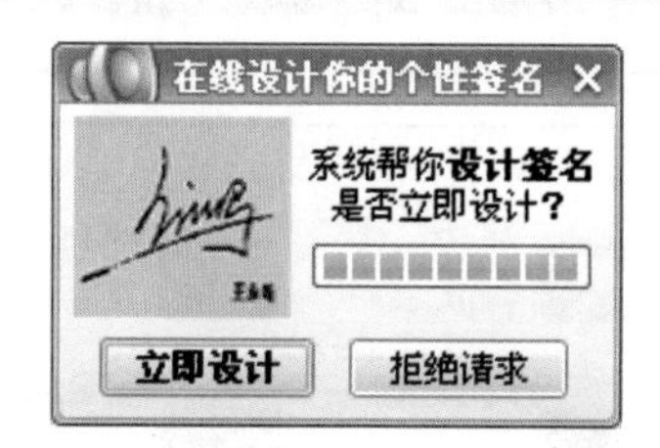

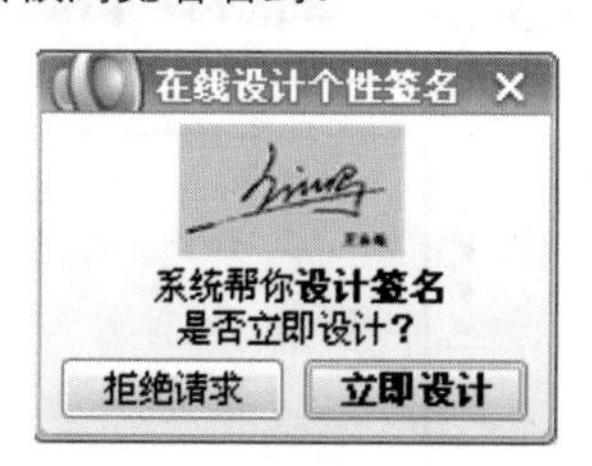

7. 邮件列表广告

邮件列表广告也被称为“直邮广告”，它是利用网站电子刊物服务中的电子邮件列表，将广告加在读者所订阅的刊物中，发放给相应的邮箱所属人。直邮广告的优点是传输速度快，各种电子邮件软件都能接收，其缺点是表现方式较为单调。这种广告还可以将广告主的广告内容连同网站服务商每日更新的信息，一起准确地送到网站注册会员的电子信箱中。

17.1.2 网络广告的设计原则

网络广告有着很强的针对性和可评估性。正因为如此，在设计和应用网络广告时，应遵循以下基本原则。

（1）色彩的设计以清晰、明快为佳。

（2）广告条和内容要清晰简明且具号召力。

（3）建立反馈平台，跟踪信息反馈。

（4）将不同的卖点集中于不同的路径。

（5）页面和路径设计要容易、方便、快捷。

（6）运用人类共同的符号语言、色彩语言，避免不同文化范围忌讳的图形符号。

（7）要讲究时效性、趣味性等。

除此之外，为了使设计出的广告更具吸引力，其表现形式应遵循以下原则。

（1）对比与统一。对比即指将反差很大的两个视觉元素合理地排列在一起，不但使人感到鲜明强烈，还应保持一定的统一感。它能使主题更加鲜明，视觉效果更加活跃。

（2）比例。比例是部分与部分，或部分与全体之间的数量关系，恰当的比例则有一种和谐的美感，成为形式美法则的重要内容。

（3）节奏和韵律。节奏是指以同一视觉要素连续重复时所产生的运动感。单纯的单元组合重复过于单调，由有规则变化的形象以数比、等比处理排列，使之产生音乐诗歌的旋律感，称为韵律。有韵律的广告具有积极的生气，可以加强魅力。

（4）联想与意境。联想是思维的延伸，它由一种事物延伸到另外一种事物上。意境是指通过视觉传达而产生的联想，以达到某种意境。

17.2 网络广告的制作

本实例将以通栏广告的制作为例展开介绍。在整个广告中，蓝色的天空、绿色的草地将整个动画衬托得纯静、空旷。再配上天然树木的绿色，给浏览者带来自然、亲切的感觉。同时，清雅的竹枝、高品质的显示器，使企业的文化和产品得到了充分的展示。

原始文件： 无

最终文件： 第17章\17.2\网络广告\网络广告.fla

注意事项： 各元件应合理布局，否则动画效果将显得非常凌乱

核心知识： 熟悉各类元件的创建方法，掌握色彩效果的设置方法与技巧

流程导引： ①新建文档并布局动画的整体结构　②为动画添加各种效果　③保存并测试动画

17.2.1 创意风格解析

网络广告多不胜数，只有具有创意性才能给人留下深刻印象，进而引发受众的购买欲望，激发他们的消费需求。下面将对通栏式广告的特点、设计要求等进行介绍。

1. 通栏式广告的特点

通栏广告是占据网页主要页面宽度的网络广告，具有极强的视觉效果。

（1）通栏广告一般出现在网页的顶部位置或是某一版面的顶部位置。

（2）通栏广告在网站中具有突出的效果，其作用非常关键，因此其尺寸不能随意设置。

（3）通栏广告一般是概括了整个网站所要宣传的信息，也是整个网站的代表。

2. 通栏式广告的设计要求

通栏式广告以动画的形式全方位地对企业进行生动的展示，并阐述企业产品的形象定位。在设计通栏式广告动画时，有以下3点基本要求。

（1）在制作通栏式广告动画时，通常有很多技法，如遮罩法、变异法和模糊法等。

（2）在制作通栏式广告动画时，应注意色彩与展示内容（产品）是否相符，如化妆品应以清新淡雅的颜色为主，婚纱则以柔美梦幻的颜色为主。

（3）在制作通栏式广告动画时，不必采用过于复杂的动画类型，只要将产品充分展示并配以动态的说明文本即可。

3. 项目规格

通栏广告一般均采用横向式的版面，使画面横向充满整个屏幕，这样具有极强的视觉效果。该通栏类广告的规格设计根据客户的需求，其尺寸设计为886像素×343像素（宽×高）。

17.2.2 准备并布局整个动画

在开始制作网络广告效果时，需要先做一下准备工作，下面将对准备工作及该动画整体效果的布局进行介绍。

01 新建一个Flash文档并设置其，尺寸为886像素×343像素、背景色为“白色”。之后选择“文件 > 导入 > 打开外部库”命令。

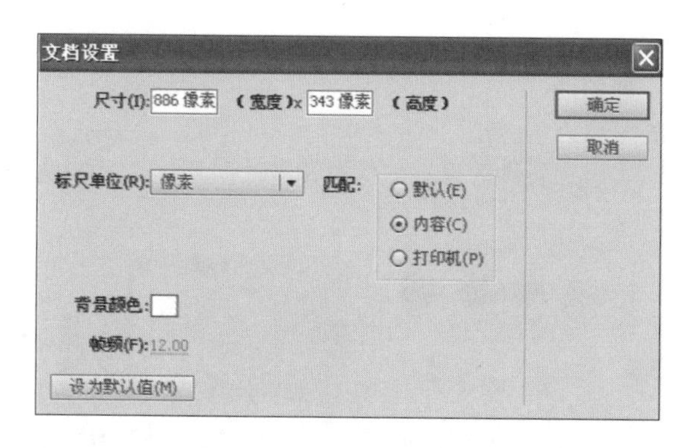

02 打开“作为库打开”对话框。从中选择并打开“库-元件素材”外部库，然后将库中的所有元素直接拖曳至当前文档所对应的“库”面板中。

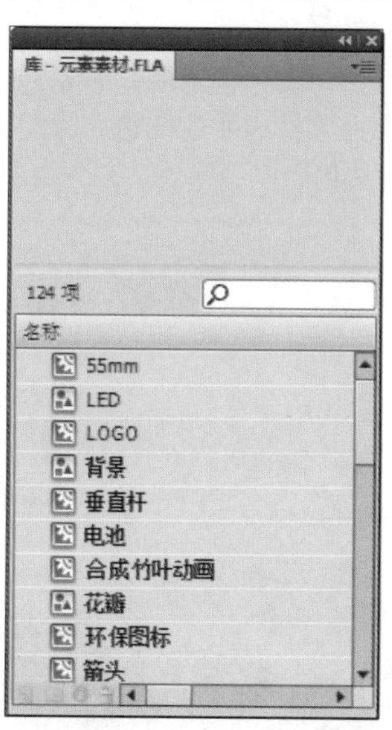

03 将“背景”元件拖曳至舞台，单击“对齐”面板中的“水平中齐”和“垂直中齐”按钮，以调整实例的位置。按下【F8】键将背景实例转换为“总动画”影片剪辑元件，并双击进入该元件的编辑区。

04 将“图层1”重命名为“背景”图层，并在第80帧插入帧。接着创建5个图层，由下至上依次重命名为“特点”、“LED”、“竹子”、“LOGO”和“Action”。选择“LOGO”图层，将库中的LOGO元件拖曳至舞台右上角。

17.2.3 制作LED动画

下面将对 LED 动画的制作过程进行介绍。

01 在“LED”图层的第4帧插入关键帧，将“库”面板中的“LED”元件拖曳至舞台，使用任意变形工具，将变形框的中心点移至实例的中心处，并设置其X和Y值分别为629.45和295.05。

02 保持“LED”实例为选择状态，按下【F8】键，将其转换为“LED动画”影片剪辑元件，双击“LED动画”实例，进入该元件的编辑区。

03 在图层1的第134帧插入帧。新建图层2，并在第30帧插入关键帧，将“阳光照射”影片剪辑元件拖曳至舞台，放置在显示器图像的上方。

04 使用任意变形工具选择“阳光照射”实例，将变形框的中心点移至实例的中心处。新建图层3，在第30帧插入空白关键帧，并为该帧添加脚本stop ();。

05 单击“总动画”影片剪辑元件名称，返回“总动画”影片剪辑元件编辑区。在LED图层的第9～20帧、第22、23帧处插入关键帧，并在各关键帧间创建传统补间动画。

06 选择“LED”图层中第4帧所对应的实例，在“属性”面板中设置其颜色“样式”为“高级”，并设置“红”、“绿”、“蓝”值均为255，Alpha值为0%。

07 选择“LED”图层中第9帧所对应的实例，设置其颜色“样式”为“高级”，并设置“红”、“绿”、“蓝”值均为255，Alpha值为100%。用同样的方法对其他帧进行设置。以制作显示屏从无到有的渐变动画效果。

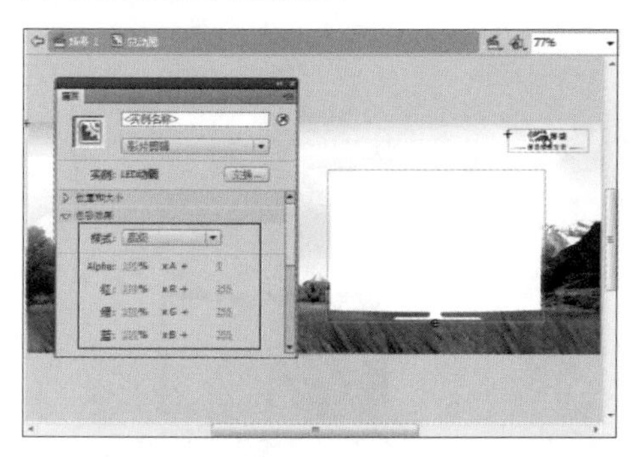

08 分别设置“LED”图层中第10～20帧、第22帧所对应实例的颜色样式，其“高级”参数值依次为220、187、157、130、105、83、64、47、33、21、12和1。

17.2.4 制作功能特点动画

下面将对动画中各功能特点动画的制作过程进行介绍。

01 新建“环保功能”影片剪辑元件，进入该元件的编辑区，将“环保图标”元件拖曳至舞台，设置其X和Y值均为0。使用任意变形工具选择“环保图标”实例，将变形框的中心点移至实例的中心处，并在图层1的第50帧插入帧。

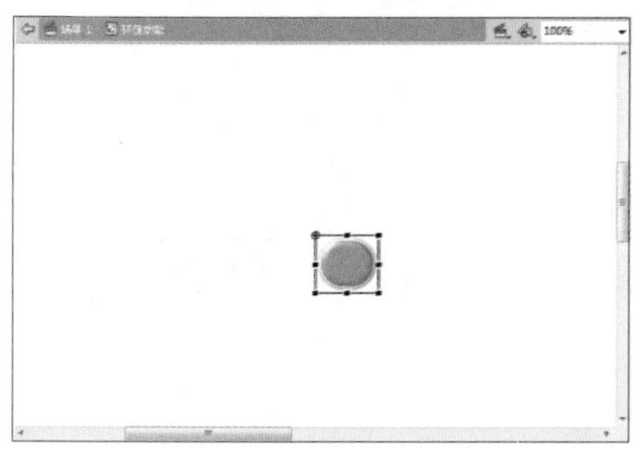

02 新建图层2，在第20帧插入空白关键帧，将“电池”元件拖曳至舞台，设置其X和Y值均为21.5。使用任意变形工具，将变形框的中心点移至实例的中心处。在该图层的第22、24、26、27、30、31、32帧插入关键帧，并在各关键帧间创建传统补间动画。

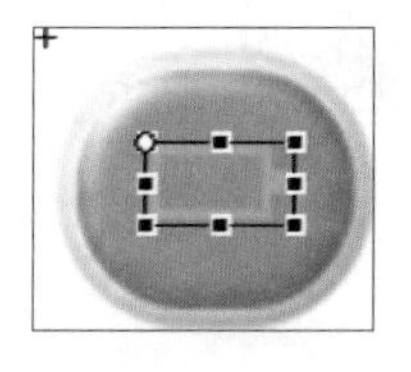

03 依次设置图层2中第22、24、26、27、30、31帧所对应实例的X值为-28、-23.9、-11.5、9.1、22.5、19和20.25，制作出电池从左向右运动的动画。

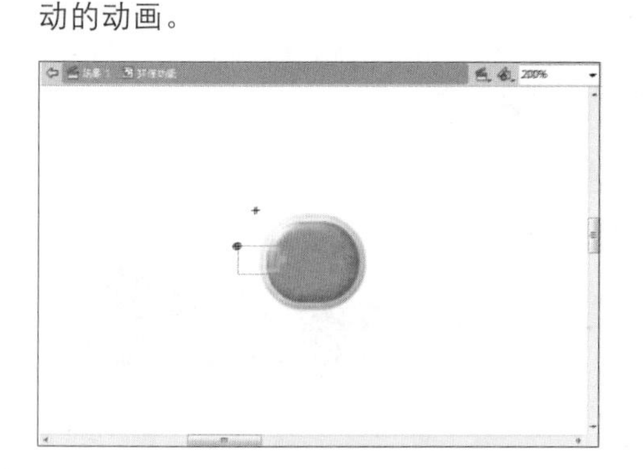

04 新建图层3，在第32帧处插入空白关键帧，将元件“电量动”拖曳至舞台，设置其X和Y值均为25.25。使用任意变形工具，将变形框的中心点移至实例的中心处。在第38、39帧插入关键帧，并在各关键帧间创建传统补间动画。

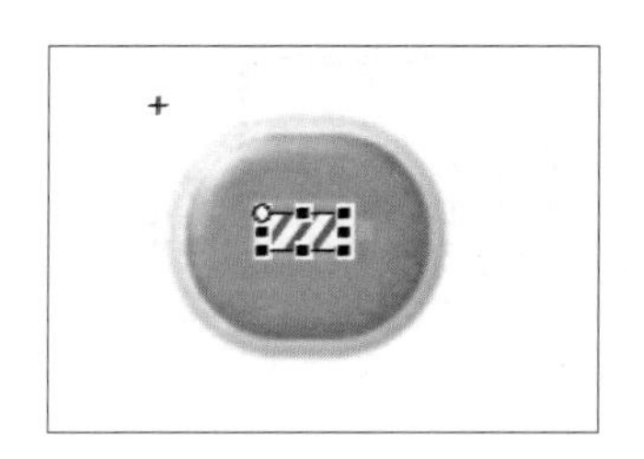

05 选择该图层3中第32帧所对应的实例，设置其Alpha值为0%、X值为23.75。选择第38帧所对应的实例，设置其Alpha值为86%、X值为25.05。

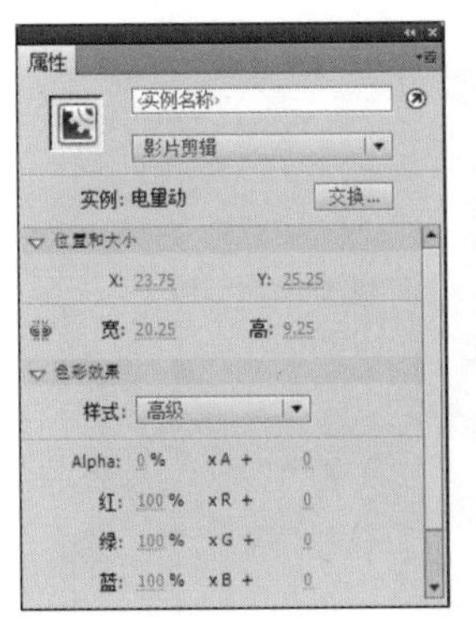

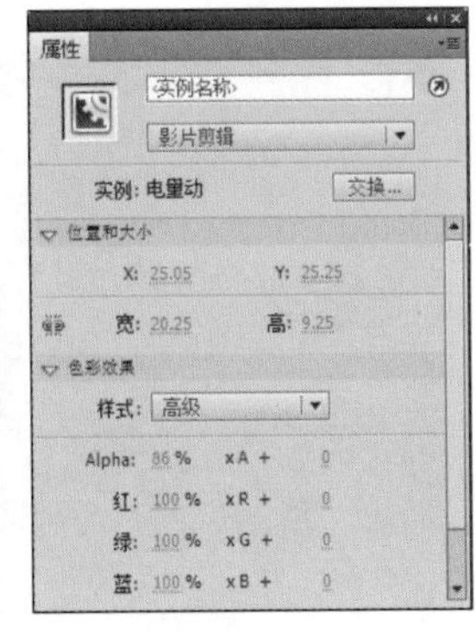

06 新建图层4，在第20帧插入空白关键帧，将“圆角矩形”元件拖曳至舞台，设置其X和Y值分别为0.9和0。使用任意变形工具，将变形框的中心点移至实例的中心处。

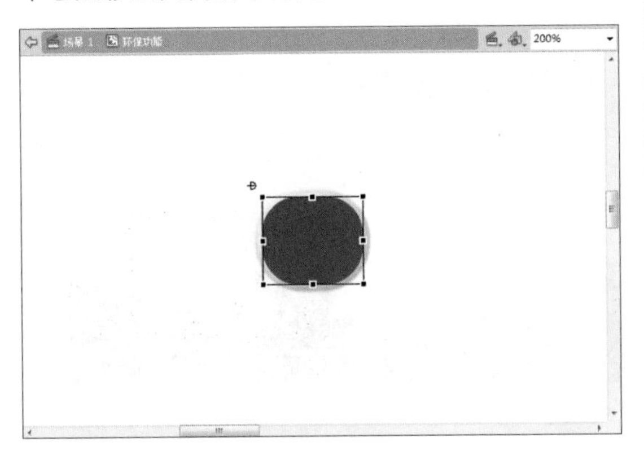

07 选择图层4并右击，在弹出的快捷菜单中选择“遮罩层”命令，创建遮罩动画。新建图层5，在该图层的第50帧插入空白关键帧，并为该帧添加脚本stop ();。

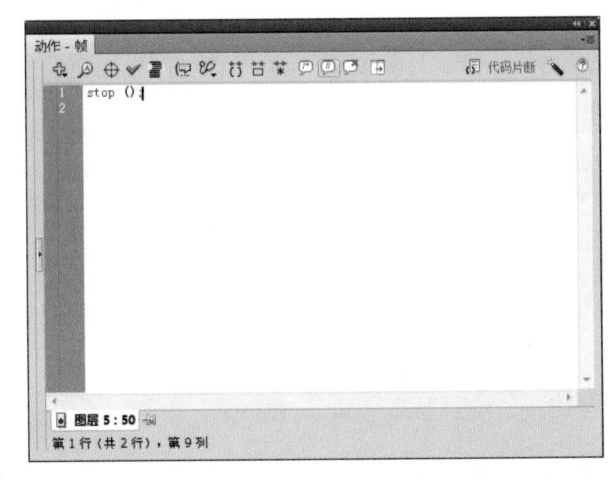

08 参照“环保功能”影片剪辑元件的创建方法，创建“绚丽功能”影片剪辑元件，制作出嫩叶向上、太阳向下运动的动画。

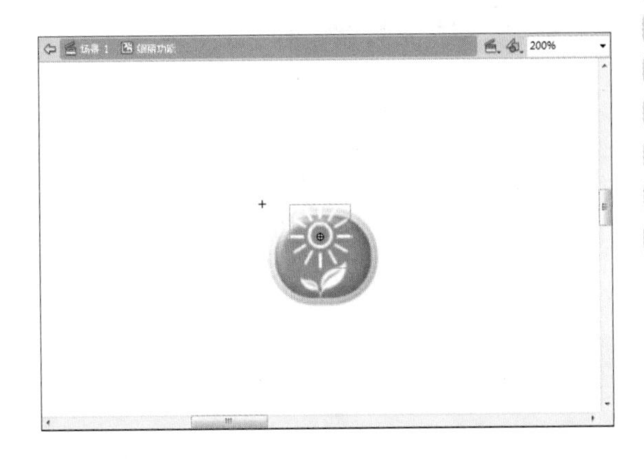

09 参照“环保功能”影片剪辑元件的创建方法，创建“节能功能”影片剪辑元件，制作出小花向下然后向上的动画。

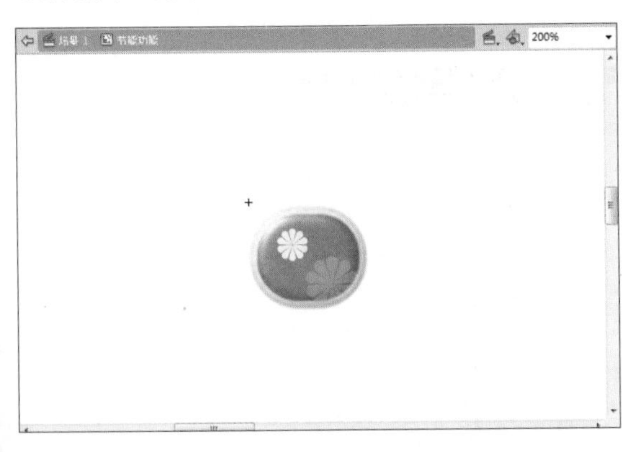

10 参照“环保功能”影片剪辑元件的创建方法，创建“纤薄功能”影片剪辑元件，制作出垂直杆向上、双击箭头向垂直杆运动的动画。

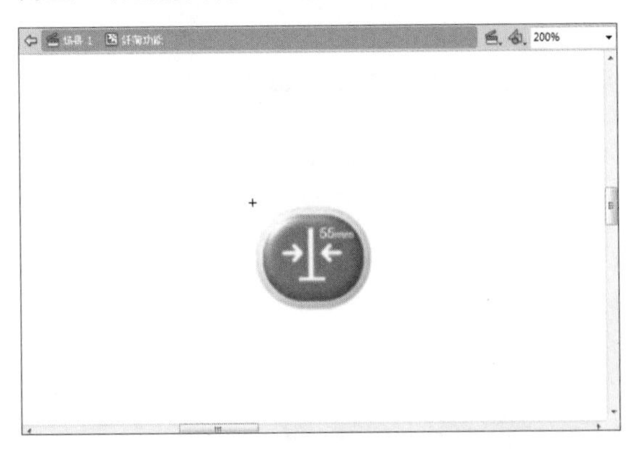

11 返回主场景。双击舞台中的“总动画”实例，进入“总动画”影片剪辑元件编辑区。在“特点”图层的第34帧插入关键帧，将“环保功能”影片剪辑元件拖曳至舞台，设置其X和Y值分别为245.7 和142.5。

12 选择“环保功能”实例，按下【F8】键，将其转换为“总特点动画”影片剪辑元件。双击“总特点动画”实例，进入该元件的编辑区。将图层1更名为“环保”，在第13、14帧插入关键帧、第121帧插入帧。

13 在第1～13帧之间创建传统补间动画。打开“属性”面板，依次设置“环保”图层中第1、13帧所对应实例的Alpha值20%和94%。

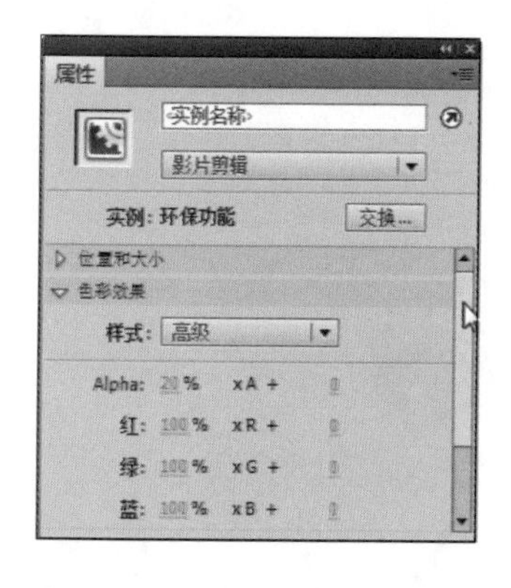

14 参照“环保”图层中动画的创建方法，依次创建“绚丽”、“节能”、“纤薄”图层，所对应的实例分别为“绚丽功能”、“节能功能”和“纤薄功能”。

15 新建“文本1”图层，在第一个功能图标下方创建“环保”文本，并在“属性”面板中设置字体的“系列”、“大小”和“文本填充颜色”分别为“方正大黑简体”、12和“绿色”（#37A64D）。

16 保持文本为选择状态，按下【F8】键，将其转换为“环保”影片剪辑元件。在该图层的第13、14帧插入关键帧，并在第1～13帧间创建传统补间动画。依次设置“文本1”图层中第1帧和第13帧所对应实例的Alpha值0%和90%。

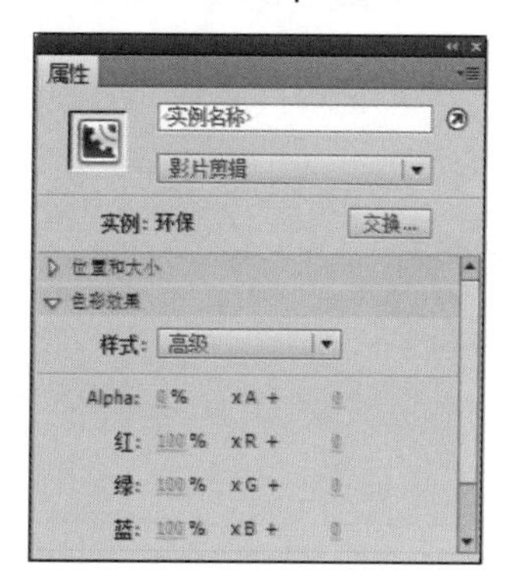

17 参照“文本1”图层中动画的创建方法，依次创建“文本2”、“文本3”、“文本4”图层中的文本动画。

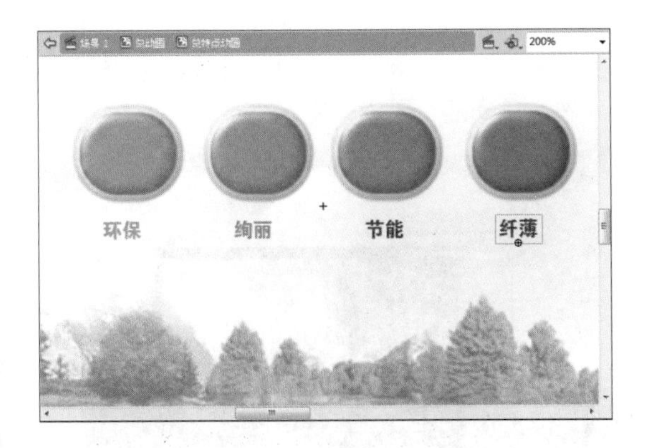

18 新建“海盛”图层，在第77帧插入关键帧，使用文本工具**T**，在第一个功能图标上方创建“海盛LED”文本，保持文本为选择状态，按下【F8】键，将其转换为“海盛”影片剪辑元件。

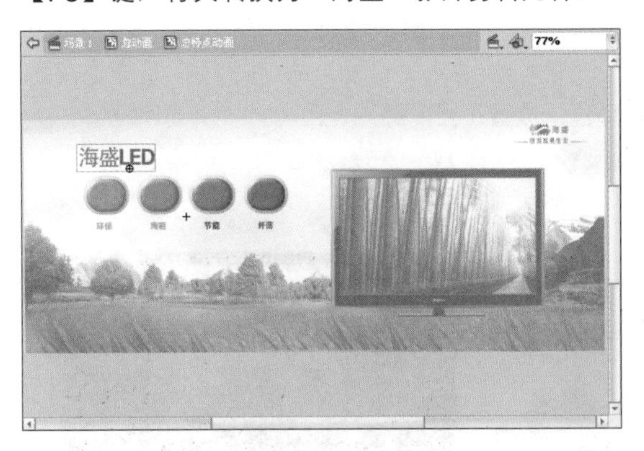

19 新建“广告语”图层，在第77帧插入关键帧。在“海盛LED”文本右侧创建“平板大趋势 畅享海盛LED”文本，并将其转换为“广告语”影片剪辑元件。

20 依次在“海盛”图层的第79、82、83、85、87、88帧插入关键帧，并在各关键帧之间创建传统补间动画。

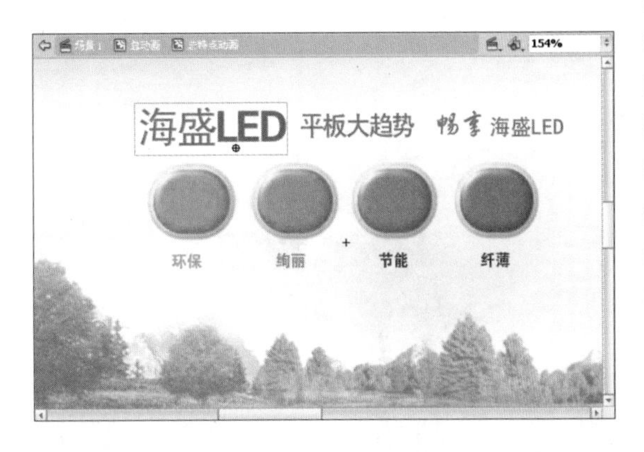

21 依次设置第146、148、150、152、153帧所对应实例的Alpha值及X值，以制作出文本从左向右并渐变清晰的动画。

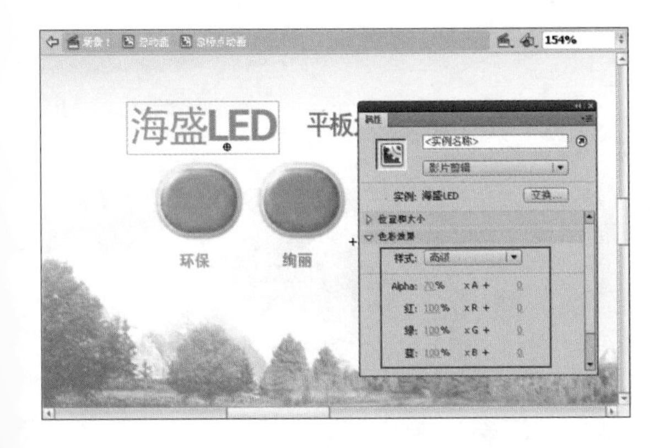

22 用同样的方法，创建“广告语”图层中的文本动画，其运动方向与“海盛”图层中的相反。新建图层“Action”层，在第121帧插入空白关键帧，并添加脚本stop ();。

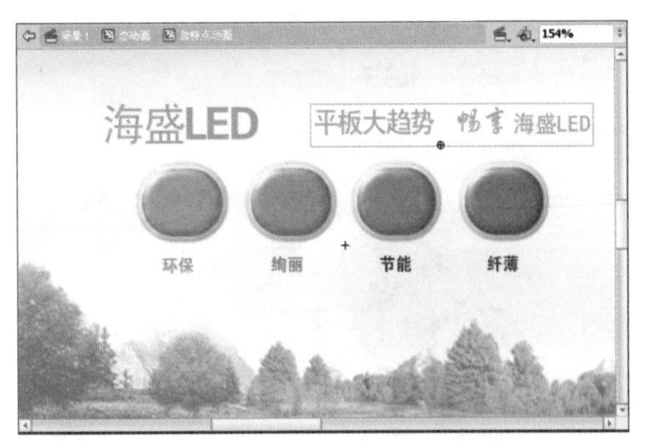

17.2.5 制作竹子特效动画

下面将介绍竹子特效的制作过程。

01 单击舞台上方的“总动画”影片剪辑元件名称，进入“总动画”元件编辑区。在“竹子”图层的第43帧插入关键帧，将“竹枝”元件拖曳至舞台，放置在显示器的左上方。

02 使用任意变形工具选择“竹枝”实例，将变形框的中心点移至实例的中心处。使用选择工具选择“竹枝”实例，按下【F8】键，将其转换为“竹子总动画”影片剪辑元件。

03 在“竹子总动画”实例上双击，进入该元件的编辑区，在图层1的第105帧插入帧。

04 新建图层2，将库中“形状 1”元件拖曳至舞台，并设置其X和Y值均为0。利用任意变形工具选择“形状 1”实例，将变形框的中心点移至实例的中心处。

05 在图层2的第2帧插入空白关键帧，将库中“形状 2”元件拖曳至舞台，设置其X和Y值均为0，使用任意变形工具选择“形状 2”实例，将变形框的中心点移至实例的中心处。

06 用同样的方法，在图层2中插入多个空白关键帧，然后将“竹子遮罩元件”文件夹中的元件依次拖曳至舞台，放置在相应的关键帧中。

07 新建图层3，将其放置在“图层1”的下方，在第30帧插入空白关键帧，将“竹叶”元件拖曳至舞台，并设置其X和Y值分别为-1和63。在图层3的第47、48帧插入关键帧。

08 在第30～47帧间创建传统补间动画，分别设置第30、47帧所对应实例的Alpha值为0%和95%。选择图层2并右击，在弹出的快捷菜单中选择“遮罩层”命令，创建遮罩动画。

09 新建图层4，在第48帧插入空白关键帧，将“合成竹叶动画”元件拖曳至舞台，设置其X和Y值分别为299.25和10.55。

10 新建图层5，在第105帧插入空白关键帧，并添加脚本stop ();。返回“总动画”影片剪辑元件编辑区，选择图层“Action”，在第80帧插入空白关键帧，并为该帧添加脚本stop ();。

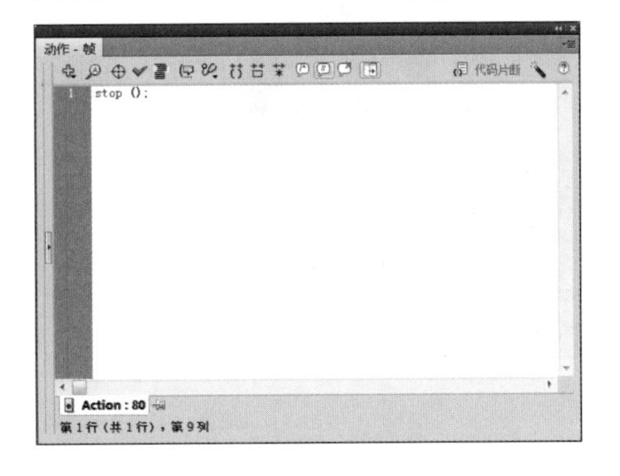

17.2.6 保存并输出动画

下面将介绍该动画的保存及输出操作。

01 按下【Ctrl+E】组合键，返回主场景。选择“文件>另存为”命令，在弹出的“另存为”对话框中进行相应的设置，最后单击“保存”按钮。

02 选择“控制>测试影片”命令，或按下【Ctrl+Enter】组合键，测试该动画效果。

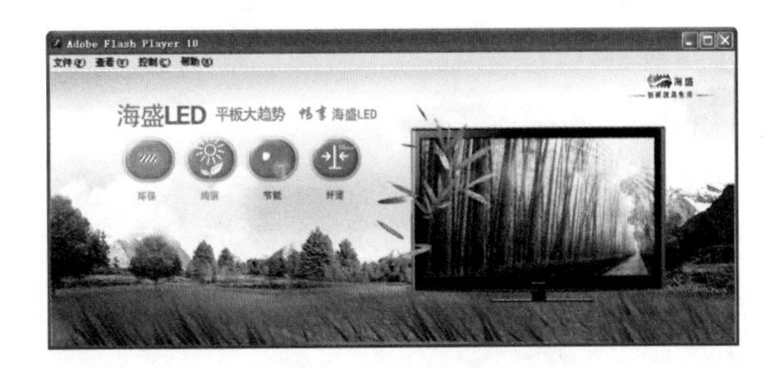

拓展项目实训

本章从网络广告的概念讲起，其间分别对网络广告的分类、设计原则进行了阐述，力求让读者对网络广告的基础知识有所了解，在这个基础上再进行案例的演练，才能真正做到有的放矢，心中有数。

饰品类广告的制作

设计点评：

该广告动画中用暗红色的背景营造出了高贵的效果，从而将饰品的高贵品质很好地展示出来。

宣传类广告的制作

设计点评：

该产品广告有着浓浓的节日气息，清新且精美的背景图片，再加上跳动的广告语，品质与温暖将带给购买者物超所值的惊喜。

对联类广告的制作

设计点评：

该游戏对联广告以深蓝色为主色调，紧扣主题，流畅的黄色和银白色文本非常吸引浏览者的眼球，将广告的内容完全展示了出来。

标识类广告的制作

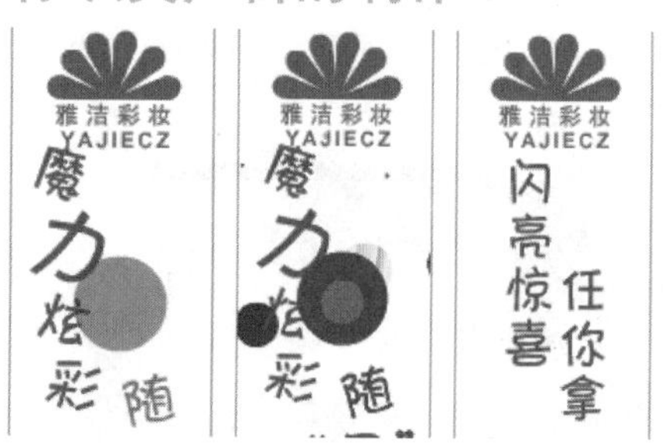

设计点评：

该企业标识广告采用橙色的主色，扇形的标识图案和文本均为白色，将雅洁彩妆时尚流行的象征意义充分体现了出来。

横幅类广告的制作

设计点评：

该横幅广告中将模特动画设计得非常有灵性，再加之文本动画的衬托，从而使该动画显得十分成功。

公益类广告的制作

设计点评：

该公益广告动画以蓝天白云、绿草和树木，以及具有现代气息的建筑为主体，配上文本和音乐，鼓舞人们齐心协力，重建家园。

动画设计锦囊

1. 如何一次性导入多个声音文件?

要一次性导入多个声音文件很简单，只需要在导入时同时选择多个声音文件即可，其操作步骤如下。

（1）执行“文件 > 导入 > 导入到库”命令，打开“导入到库”对话框，如下左图所示。

（2）在对话框中同时选择多个声音文件，单击“打开”按钮即可，如下右图所示。

2. 如何确认添加的声音文件的长度?

添加的声音文件的长度，可以在“库”面板中确认。打开“库”面板，选中面板中的声音文件，单击面板底部的“属性”按钮，在打开的“声音属性”对话框中即可看到声音文件的大小、播放时间长度等属性。

3. 如何对声音进行压缩处理?

要对声音进行压缩处理，只需要在“声音属性”对话框的“压缩”选项中选择压缩方式即可，如下图所示。

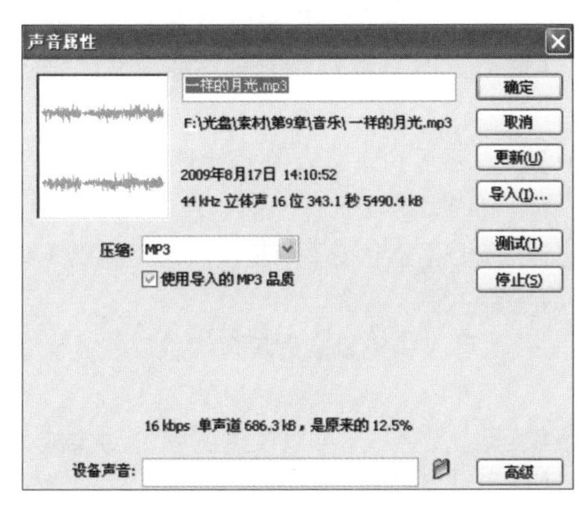

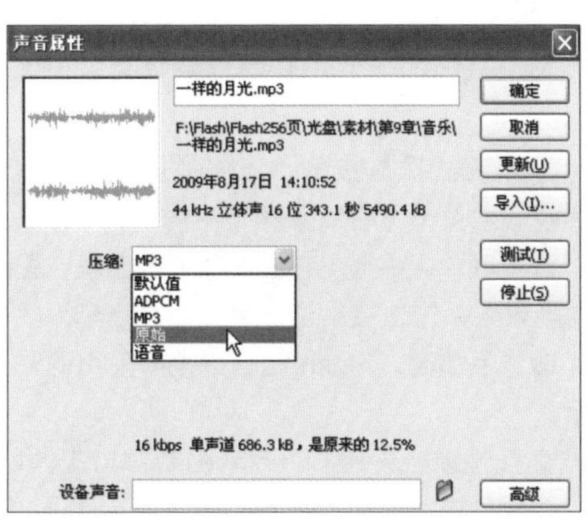

星期一到星期天

周周七天有动漫

Chapter 18 交互网页设计

行业应用

网页是构成网站的基本元素，它承载着网站中的多种应用。随着计算机技术的发展，设计并制作网页的工具也更加多元化。其中，Flash就是一种很好的工具。Flash动画网页具有很多优点，用其他软件制作的网页不能与其相提并论。

核心知识点

1. 网页整体结构的规划
2. 主页面、次页面的设计
3. 动画的合成制作
4. 网页的发布

18.1 行业知识导航

网站是企业向用户提供信息的一种方式，是企业开展电子商务的基础设施和信息平台。因此，网页的布局结构是否合理、页面设计是否美观等都将影响到用户浏览的兴趣。下面将对 Flash 动画网站的相关知识进行介绍。

18.1.1 Flash动画网站的特点

由于 Flash 动画具有较强的视觉冲击力和听觉冲击力，因此很多公司都将原有的静态网站纷纷改版为动画型，从而借助 Flash 的精彩效果吸引客户的注意力。下面将对 Flash 动画网站的特点进行简单介绍。

（1）采用流式播放技术。流式播放技术使得动画可以边播放边下载，在很大程度上节省了下载的时间，缓解了网页浏览者焦急等待的情绪。

（2）音视频效果显著。Flash 动画将音乐、图像及交互方式等融合在了一起，从而打造出了让人意想不到的动画效果。这也突出了 Flash 动画“酷”、“炫”的特点。

（3）图像品质高。Flash 动画中大多采用的是矢量图形，可以将矢量图形任意缩放，也不会影响到图形的质量。

（4）交互性强。使用 Flash 动画制作出来的网站不仅可以欣赏，还可以让浏览者的动作成为动画的一部分，通过单击、选择、输入等动作决定动画的运行过程和结果。

（5）支持 ActionScript 编程语言。Flash 提供了一种动作脚本语言，即 ActionScript。ActionScript 语句使 Flash 具备了强大的交互功能，提高了动画与用户之间的交互性，并使得用户对动画的控制得到加强。通过控制代码可以实现设计者与浏览者之间的交互性，也使 Flash 具有更大的设计自由度。

18.1.2 Flash动画网站的制作流程

下面将对 Flash 动画网站的制作流程进行概括介绍。

1. 网站定位、整体构思

在制作 Flash 动画网站之前，首先要分析自己的需求，如动画的风格、所要表达的内容等。之后根据需要创建网站的整体结构。

2. 设计方案、搜集资料

对网站的整体结构做出规划后，就需要对内容的表现进行设计。通常会设计多种方案，之后再做进一步的比较。同时，应对网站的内容进行整理，做好随时查看并调用的准备工作。

3. 主页面、次页面的制作

在完成好前面两项工作后，就可以制作主页面与次页面了。打开 Flash 软件，依次将页面中需要的元件制作好，之后再进行动画合成，最后对动画效果进行进行测试。若不能达到预期效果，则需要重新进行调试。

4. 动画网站的发布及维护

动画制作完成之后需要对其进行发布，其发布类型可以根据需要进行选择。如 SWF 类型、HTML 类型、GIF 类型、EXE 类型等。Flash 网站的页面维护其实很简单，只需启动 Flash 软件对其中某个一元件进行更新并保存即可。

18.1.3 Flash动画网站赏析

下面是一些优秀的动画网站，从中可以观察和了解到 Flash 动画网站的真正优越之处。

1. 个人网站

经典个人网站效果如下图所示。

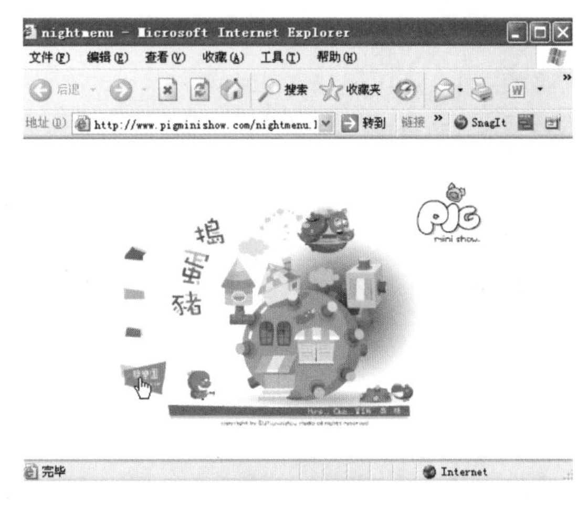

2. 节日网站

经典节日网站效果如下图所示。

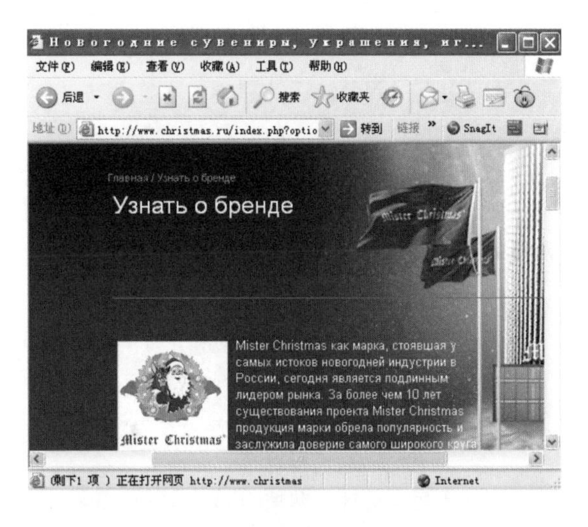

3. 游戏网站

经典游戏网站效果如下图所示。

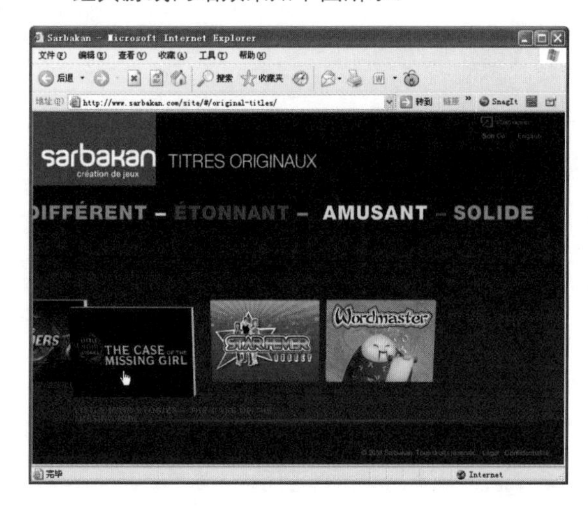

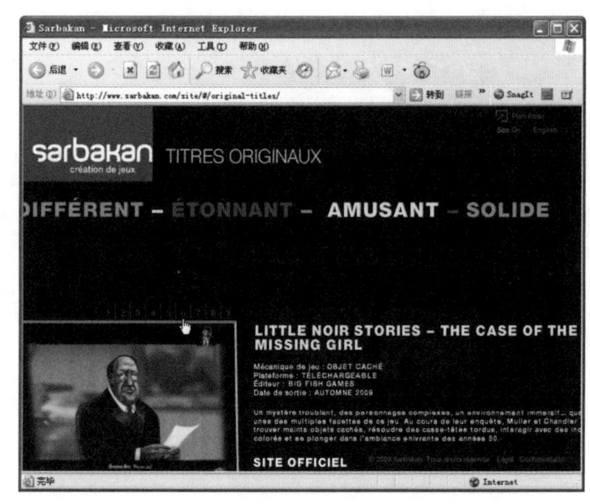

18.2 交互网页的制作

本实例将通过一个动漫网站的制作过程展开介绍。

原始文件： 第18章\18.2\交互网站设计\交互网页设计素材.fla

最终文件： 第18章\18.2\交互网站设计\交互网页设计.fla

注意事项： 对整个页面的展示效果一定要熟悉，否则将会导致时间轴很混乱

核心知识： 了解网页的制作过程，掌握各部分动画效果之间的内在联系

流程导引： ①网页结构的创建　②导航栏的制作　③次页面内容的制作　④动画的合成

18.2.1 创意风格解析

下面将对该交互网页的设计过程进行分析。

1. 交互式网页的设计思想

本案例设计的是一个动漫网页，其中是以“一周 7 天，天天有动漫”为主题，以“宣传”为目的，以“交互操作”为目标，以“简洁大方”为宗旨。整个案例作品中，在对热门的动漫作品进行大力宣传的同时，还对最新的动漫消息进行了及时发布，从而保证浏览者能随时查看到自己所喜爱的动漫作品，创作人员可谓是用心良苦。

2. 交互式网页的设计要求

在设计本案例的过程中，应遵守以下设计原则。

（1）网页整体结构要简洁、大方。

（2）导航栏的设计要具有特色，同时应体现动画所具有的动感效果。

（3）主页不仅要突出该网站的主题，还要起到检索的作用。

（4）主页要体现出动画的优点，如将静态图片改变为可以自动切换的动态图片。

（5）次页面内容的设置要紧扣导航栏中各标题的主题思想。

（6）要体现交互的特性，即应实现各个页面的随意切换。

（7）为网页添加必要的声音特效。

（8）将动画发布为 HTML 类型，以便于在浏览器中打开。

18.2.2 网页整体结构的设计

下面将对动漫网站首页布局结构的制作过程进行介绍。该页面首先通过绘制的方法对整个页面结构进行了勾勒，之后才进一步显示出了页面中的详细内容，其表现手法可谓是别具一格。在页面中，铅笔在一只无形的手的操作下，短短的数秒内便绘制出了整体的轮廓。

01 打开“交互网页设计素材 .fla”文件，并将其另存。将“图层 1”重命名为“背景”，将“背景 .jpg”拖曳至舞台并调整其位置与大小，在第 230 帧插入普通帧。

02 在“背景”图层上新建“线”图层，在第27帧插入关键帧，将库中元件“底线”拖曳至舞台，然后对其位置及大小作出调整。

03 在“线”图层上新建“遮罩”图层，在第 27 帧插入关键帧。将影片剪辑元件“遮罩”拖曳至舞台合适位置。

04 在“遮罩”图层上新建“铅笔”图层。选择“铅笔”图层并右击，在弹出的快捷菜单中选择“添加传统运动引导层”命令。

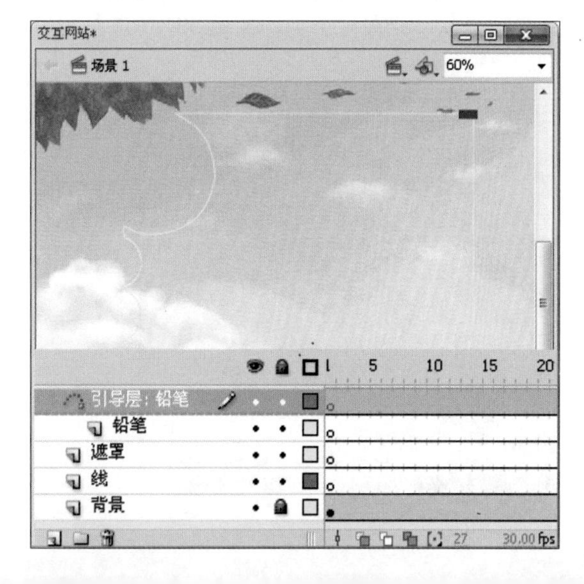

05 选择“引导层：铅笔”图层的第 24 帧插入关键帧，参照“线”图层图形，绘制一条线。

06 选择第58、99、113、128帧插入空白关键帧，参照“线”图层图形，分别在每帧上绘制一条曲线。

07 选择“铅笔”图层，在第 24 ～ 27 帧键处插入关键帧，依次将元件 Symbol37、Symbol39、Symbol41、Symbol59 拖曳至舞台合适位置。

08 选择第38帧插入关键帧，将元件向左移动，并且中心点对齐线段左端，在第27～38帧间创建传统补间动画。

09 选择第 55 帧插入关键帧，将元件向下移动，并且中心点对齐线段下端，在第 38 ～ 55 帧间创建传统补间动画。

10 选择第56～58帧，按下【F7】键插入空白关键帧，依次将元件Symbol61、Symbol63、Symbol65拖曳至舞台合适位置。

11 在第95帧插入关键帧，将元件向下移动，使元件中心点对齐线段下端，在第58～95帧间创建传统补间动画。

12 在第96～99帧插入空白关键帧，依次将元件Symbol67、Symbol69、Symbol71、Symbol73拖曳至舞台合适位置。

13 在第110帧插入关键帧，将元件向右移动，使元件中心点对齐线段右端，在第99～110帧间创建传统补间动画。

14 在第111～113帧插入空白关键帧，依次将元件Symbol77、Symbol79、Symbol81拖曳至舞台合适位置。

15 在第123帧插入关键帧，将元件向上移动，使元件中心点对齐线段上端。在第113～123帧间创建传统补间动画。

16 在第124～128帧插入空白关键帧，依次将元件Symbol39、Symbol82、Symbol83拖曳至舞台合适位置。

17 在第137帧插入关键帧，将元件向上移动，使元件中心点对齐线段上端，在第128～137帧间创建传统补间动画。

18 在第138～143帧插入空白关键帧，依次将元件Symbol59、Symbol41、Symbol39、Symbol37、Symbol33拖曳至舞台调合适位置。

19 选择“遮罩”图层并右击，在弹出的快捷菜单中选择“遮罩层”命令，将其设置为遮罩层。

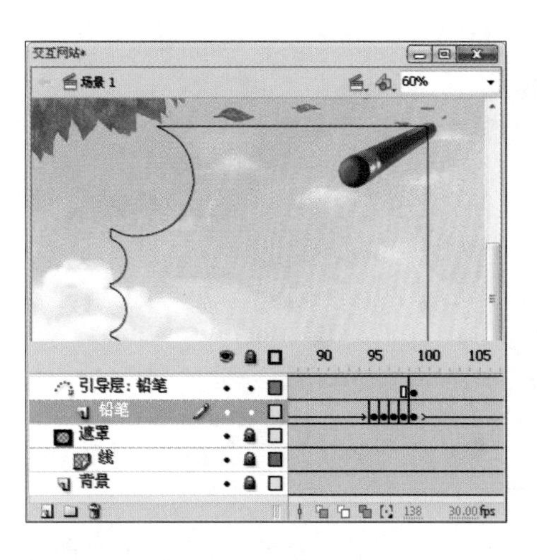

20 在“引导层：铅笔”图层上新建“页面”图层。在第145帧处插入关键帧，将元件“页面”拖曳至舞台。

21 选择第145帧，设置该帧中“页面”元件的Alpha值为0。

22 在第155帧插入关键帧，然后在第145～155帧间创建传统补间动画。

18.2.3 网页中导航栏的设计

下面将对页面中导航栏的设计与制作过程进行介绍。在此将导航栏拆分成一个个导航按钮进行设计。

01 新建影片剪辑元件“主页图案”，将“图层1”重命名为“火轮”，将元件“火轮”拖曳至编辑区，选择第20帧插入普通帧。

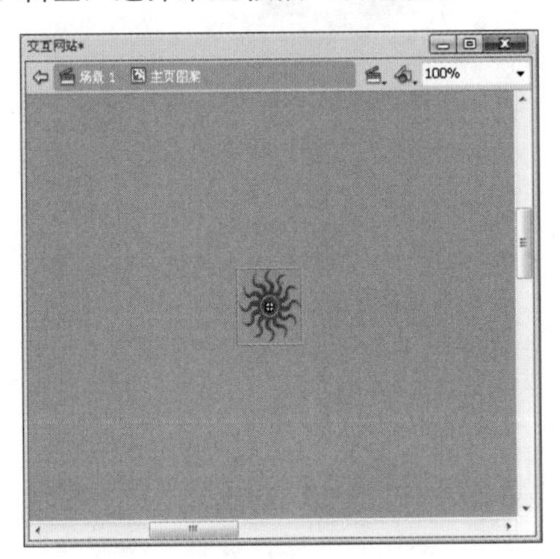

02 选择第2帧插入关键帧，将元件转换为影片剪辑元件“火轮动”。进入其元件编辑区状态，选择第90帧插入关键帧。

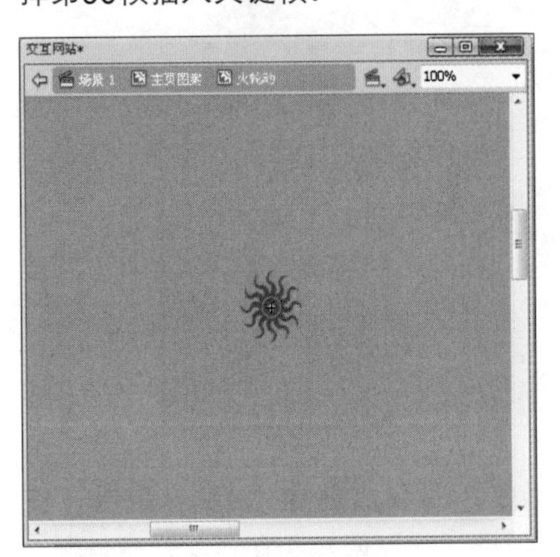

03 在第1～90帧间创建传统补间动画，打开“属性”面板，设置补间旋转为逆时针。返回“主页图案”元件编辑状态。

04 在“火轮”图层上新建“logo”图层，将元件“主页logo”拖曳至编辑区，并调整其位置及大小。

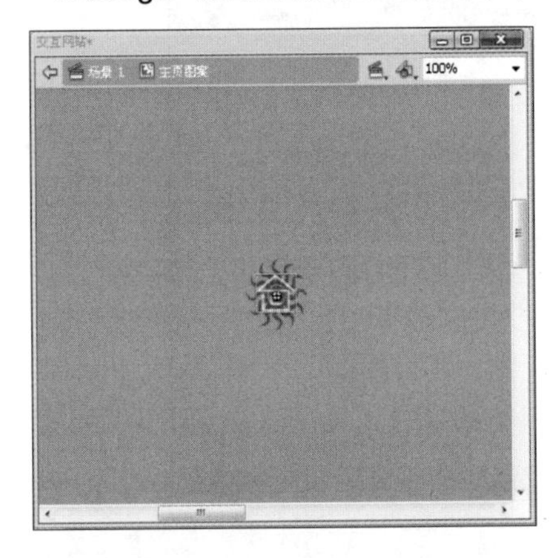

05 在“logo”图层上依次新建“泡泡”、“字”图层，同时选择第5帧插入关键帧，分别将元件“泡泡”、“主页字”元件拖曳至编辑区。

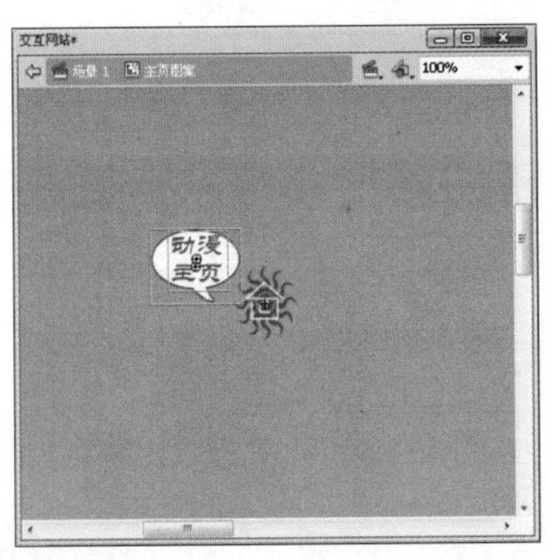

06 同时选择“泡泡”、“字”图层的第11、16帧并插入关键帧。在第17帧插入空白关键帧。然后同时选择两图层的第11帧，将元件缩小。

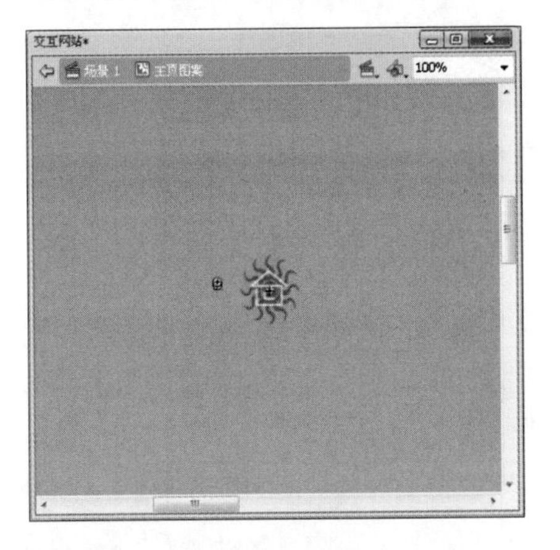

07 同时在两个图层选择第16帧，设置其Alpha值为0。在“泡泡”、“字”图层的第5～11、11～16帧间创建传统补间动画。

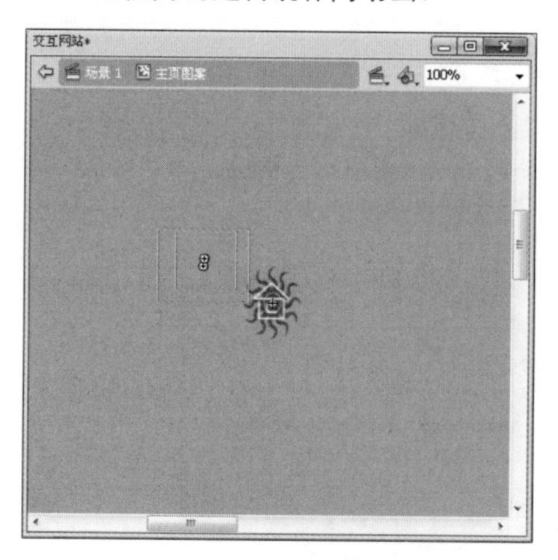

08 在“字”图层上新建“帧标签”图层，在第2、11帧插入关键帧，分别为其添加帧标签。

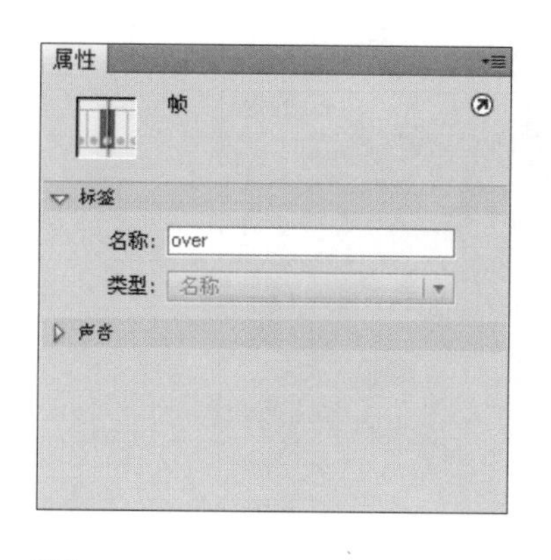

09 在“帧标签”图层上新建“AS”图层，在第10帧插入关键帧。为第1、10帧添加控制脚本stop();。

10 新建影片剪辑元件“主页按钮”，将“图层1”重命名为“底”图层，将图形元件“按钮底”拖曳至编辑区。

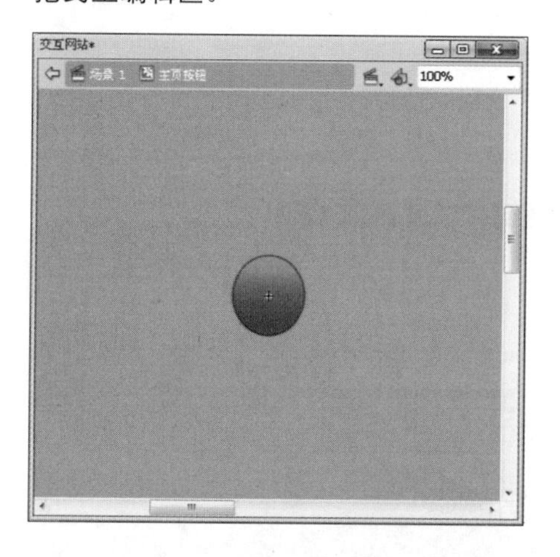

11 在“底”图层上新建“火轮”层，将元件“主页图案”拖曳至编辑区合适位置。然后打开其属性面板，为其添加实例名称roll。

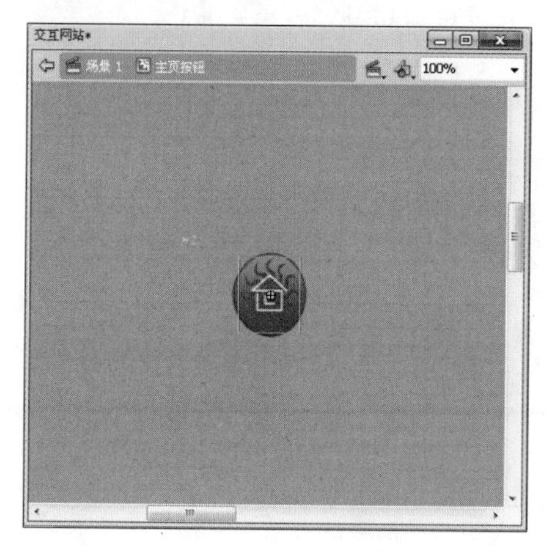

12 在“火轮”图层上新建“btn”图层，将元件“btn”拖曳至编辑区，并调整其位置与大小。

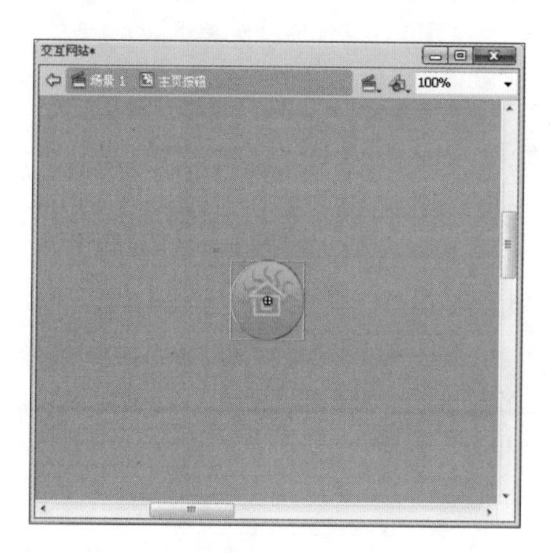

13 参照“主页按钮”的制作方法，制作“排行按钮”、“消息按钮”、“主创按钮”、“联系按钮”。返回场景1，在“页面”图层上新建“按钮”图层。

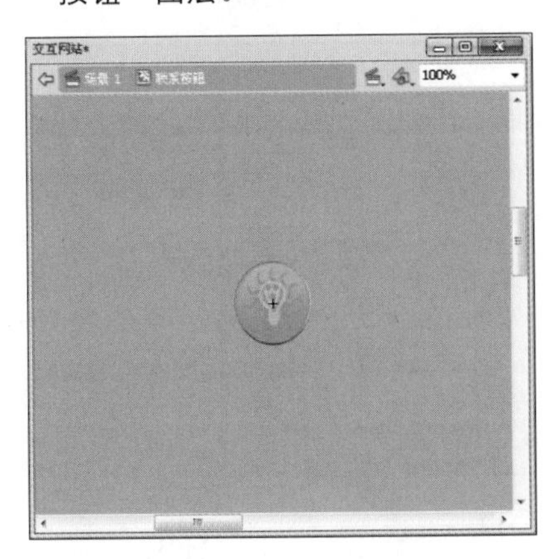

14 在第145帧插入关键帧，将元件“主页按钮”拖至舞台合适位置，并将其转换为影片剪辑元件“按钮列表”，然后为其添加实例名称。

15 进入“按钮列表”元件编辑状态，将“图层1”重命名为“主页按钮”，选择第10帧插入关键帧，将元件向左移动。在第1～10帧间创建传统补间动画。选择第18帧插入普通帧。

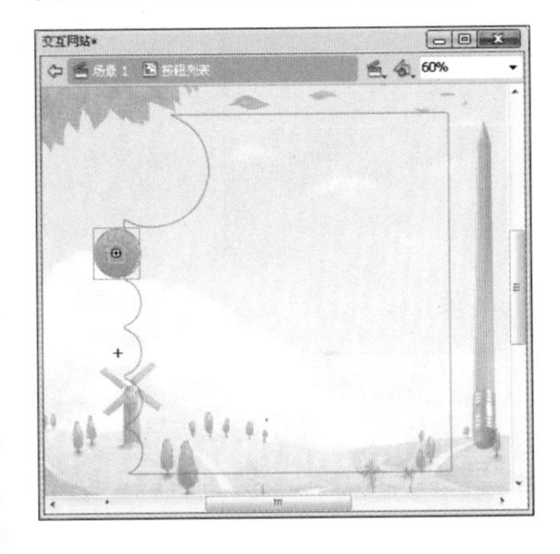

16 在“主页按钮”图层上依次新建“排行按钮”、“消息按钮”、“主创按钮”、“联系按钮”层，然后分别在各层的第6、8、10、12帧插入关键帧，同时将对应其各个层的元件拖曳至舞台。

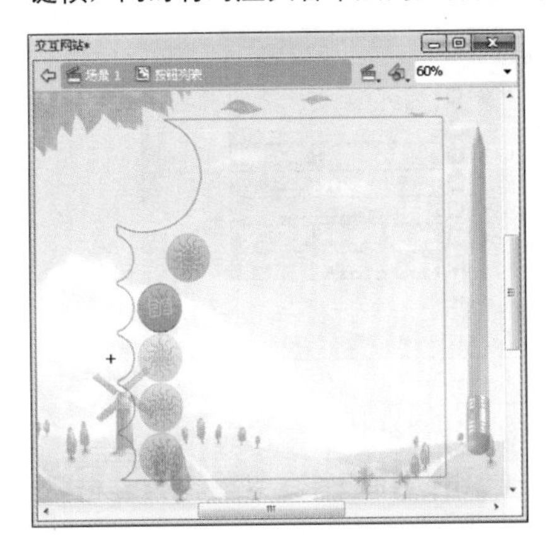

17 选择“排行按钮”层的第12帧，按下【F6】键插入关键帧，然后将元件左移，在第6～12帧间创建传统补间动画。

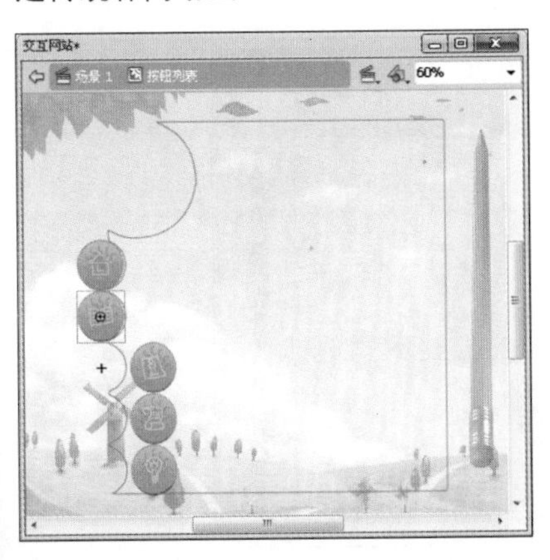

18 选择“消息按钮”层的第14帧，按下【F6】键插入关键帧，然后将元件左移，在第8～14帧间创建传统补间动画。

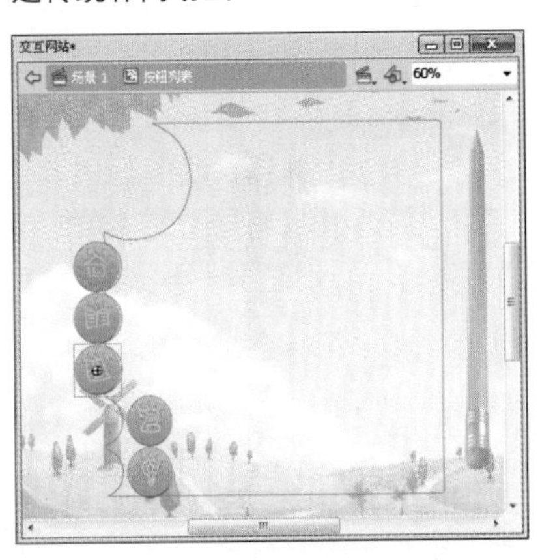

19 在“主创按钮”图层的第10帧插入关键帧，然后将元件左移，在第10～16帧间创建传统补间动画。

20 在“联系按钮”图层的第16帧插入关键帧并将元件左移。在第18帧插入关键帧将元件右移。在第12～16、16～18帧间创建传统补间动画。

21 在“联系按钮”图层上新建“AS”图层。此时，时间轴面板设置如下。

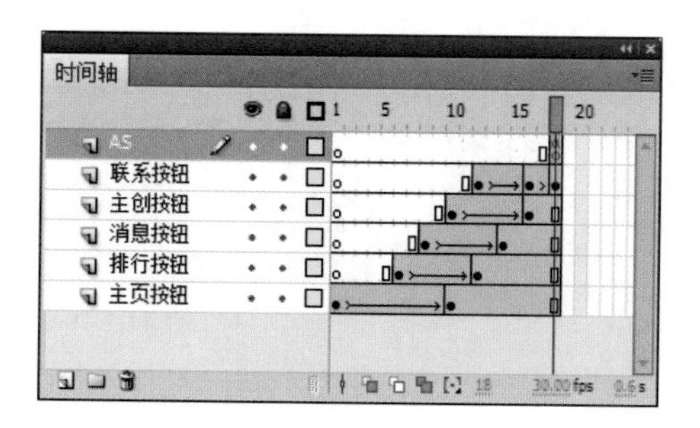

22 选择“AS”图层的第18帧，按下【F6】键插入关键帧，打开其动作面板，从中添加相应的脚本。

18.2.4 网页动画的合成

在各个元件制作完成之后，下面将对整个网页的动画效果进行合成，从而完整地展现出该动画网站的效果。

01 返回场景1，在“按钮”图层上新建“logo”图层，在第150帧插入关键帧，然后将元件“logo”拖曳至舞台。

02 在第165帧插入关键帧，然后选择第150帧上的元件，设置其Alpha值为0，在第150～165帧间创建传统补间动画。

03 在“logo”图层上新建“下绿图”图层，在第169帧插入关键帧，将元件“下绿图”拖曳至舞台。设置其图形元件的循环选项为播放一次。

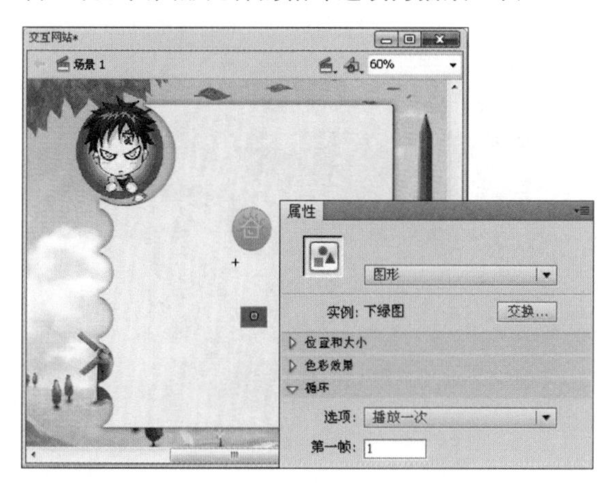

04 在“下绿图”图层上新建“下橙图”图层，在第181帧插入关键帧，将元件“下橙图”拖曳至舞台。设置该元件的循环选项为播放一次。

05 在“下橙图”图层上新建“上绿图”，在第191帧插入关键帧，将元件“上绿图”拖至舞台。设置该元件的循环选项为播放一次。

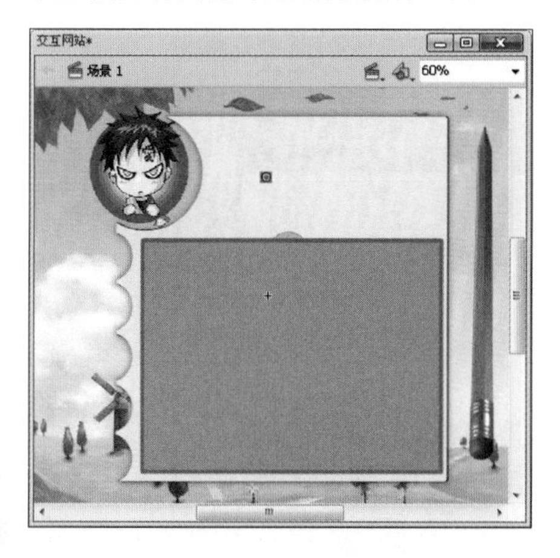

06 在“上绿图”图层上新建“上白图”，选择第212帧插入关键帧，将元件“上白图”拖曳至舞台。设置其图形元件的循环选项为播放一次。

07 在“上白图”图层上新建“广告”图层，在第220帧插入关键帧，将元件“广告”拖曳至舞台合适位置。

08 在“广告”图层上新建“七天”图层，在第226帧插入关键帧，将元件“七天”拖曳至舞台，并调整其位置与大小。

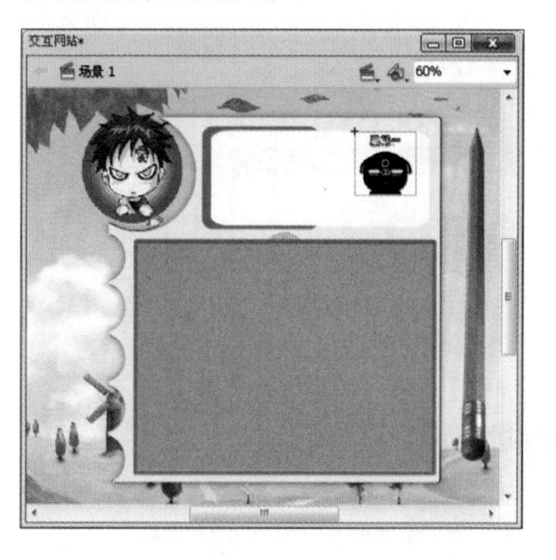

09 新建影片剪辑元件“菜单内容1”，将“图层1”重命名为“底”，选择矩形工具，设置笔触为无，颜色为橙色，绘制图形。

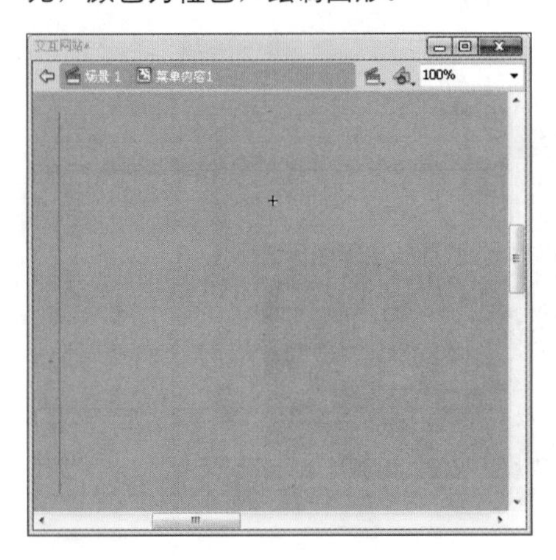

10 选择第6帧插入关键帧，使用任意变形工具和选择工具对图形进行调整。在第1～6帧间创建形状补间动画。

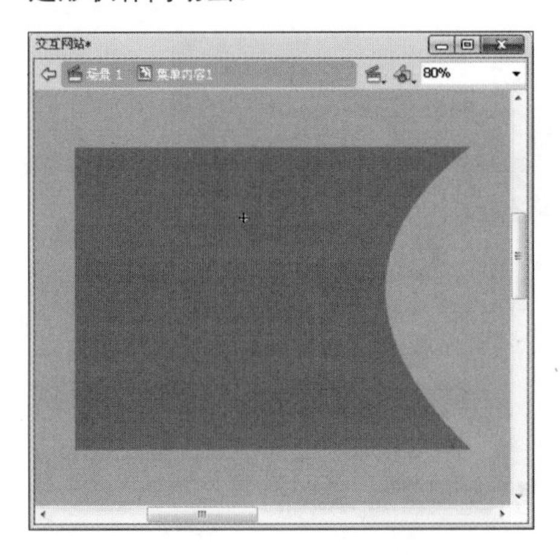

11 在第10帧插入关键帧，使用选择工具对图形进行调整。在第6～10帧间创建形状补间动画。在第11帧插入普通帧。

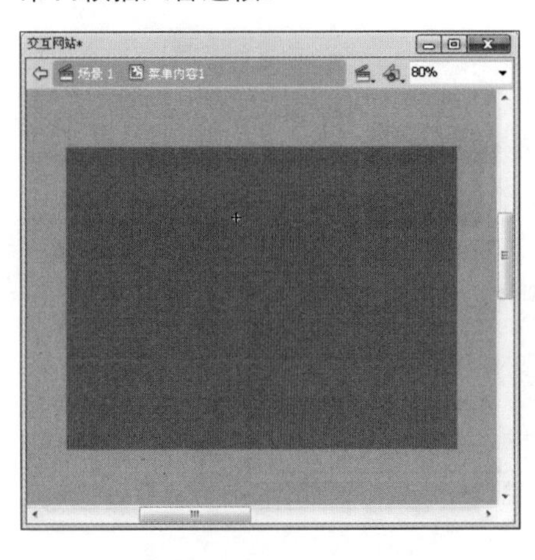

12 在“底”图层上新建“白板”图层，在第11帧插入关键帧，使用钢笔工具绘制图形，并填充白色，随后再删除边线。

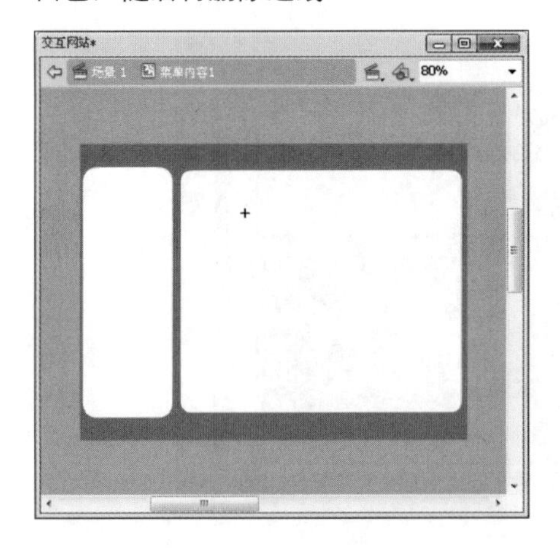

13 在“白板”图层上新建“内容”图层，在第11帧插入关键帧，将元件“封面滚动”拖曳至编辑区，并调整其位置。

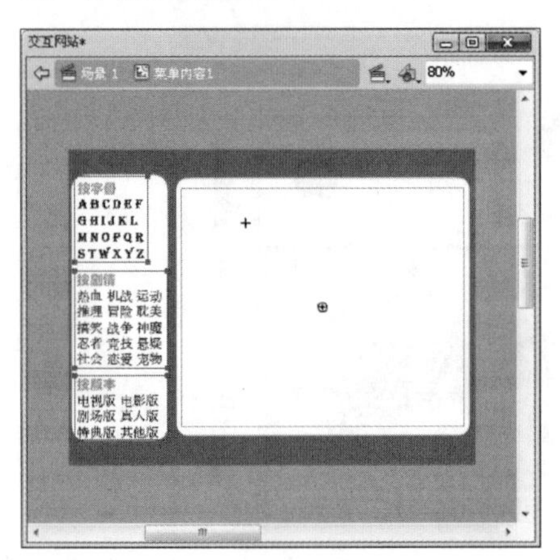

14 在“内容”图层上新建“AS”图层，在第11帧插入关键帧，打开“动作”面板，为其添加相应控制脚本。

15 参照“菜单内容1”的制作方法，制作“菜单内容2～5”，然后根据需要分别加入不同的内容。在“七天”图层上新建“内容”图层。

16 选择第226～230帧并插入关键帧。将元件“菜单内容1～5”依次放置在第226～230帧上，并对其位置及大小进行适当调整。

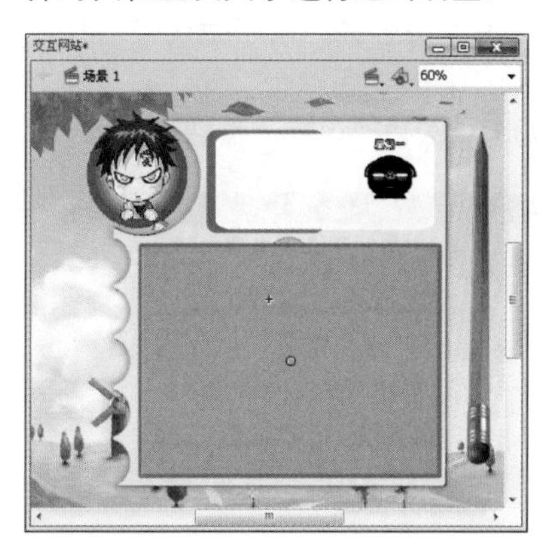

18.2.5 音效、脚本的添加

网页动画设计完成之后，别忘了为其添加声音。其实动画作品的魅力所在之处就是具有音频特效。不仅仅只是背景音效，还包括执行一系列动作后所产生的音效。

01 在“内容”图层上新建“铅笔声音”图层，选择第27帧按下【F6】键插入关键帧，然后为其添加声音“铅笔.mp3”。

02 在“铅笔声音”图层上新建“背景音乐”图层，选择第129帧插入关键帧，并为其添加“背景音乐.mp3”。

03 在“背景音乐”图层上新建“AS”图层，在第169、226、227、228、229、230帧插入关键帧。为第1帧添加控制脚本，使其能够全屏显示该网站。

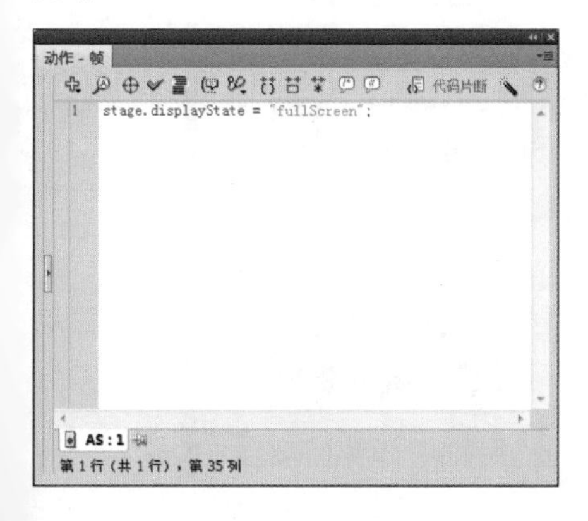

04 在第169帧的“动作”面板中输入相应的控制脚本，以实现导航栏按钮的跳转。分别在第226、227、228、229、230帧的动作面板中添加控制脚本stop();。

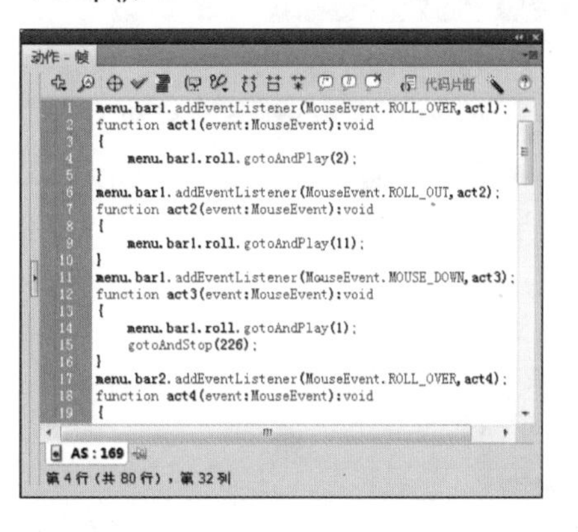

18.2.6 保存并发布动画

下面将介绍该动画的保存及输出操作。

01 按下【Ctrl+E】组合键，返回主场景。按下【Ctrl+S】组合键打开“另存为”对话框，在其中进行相应的设置，单击“保存”按钮。

02 单击“文件>发布设置”命令，对文档进行相应的设置，以便于得到想要的文件类型。

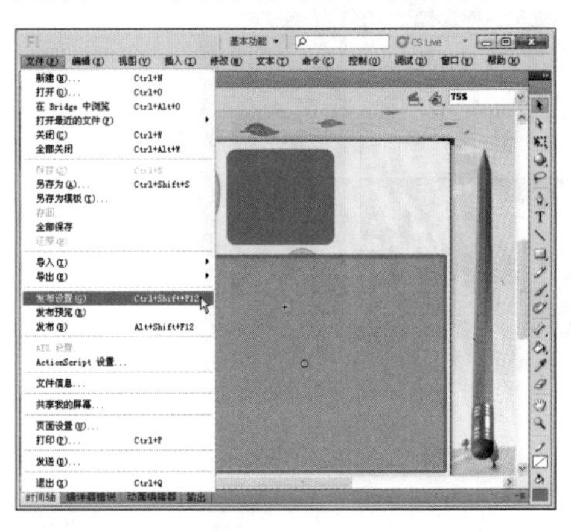

03 打开“发布设置”对话框，从中选中Flash与HTML类型。

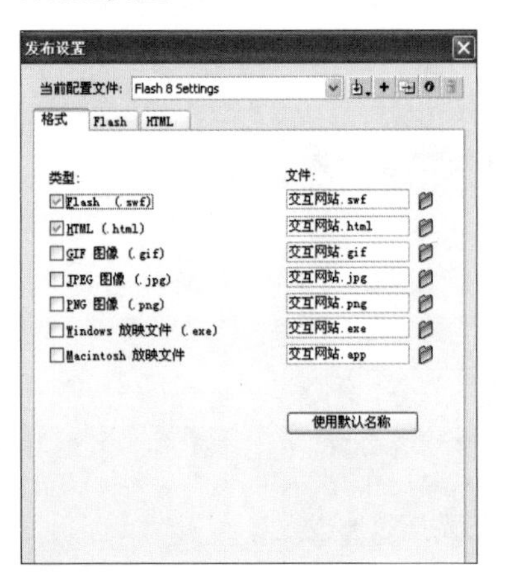

04 选择HTML选项卡，从中进行相应的设置，然后单击“发布”按钮。

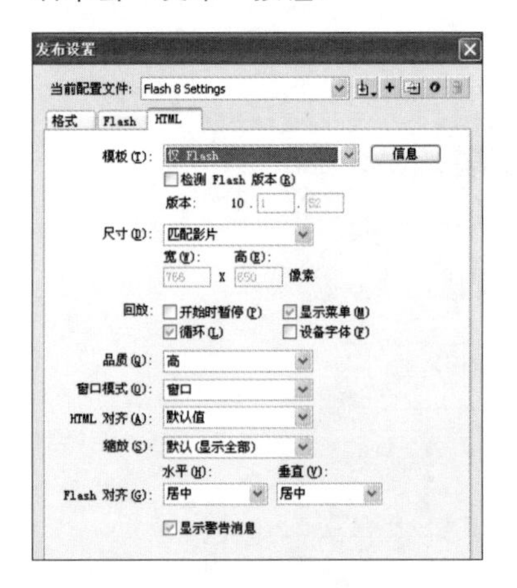

05 打开指定的文件夹，从中可以查看发布得到的文件。

06 从中双击“交互网站.html”文件，即可通过IE浏览器打开该动画。

拓展项目实训

本章从 Flash 动画网页的基础知识讲起，其间分别对 Flash 动画网站的特点、制作流程等分别进行了介绍，随后列举了精美大方、动感十足的 Flash 网站，从而使读者对动画网站有一个真正的认识。在学习了上述知识的基础上再进行案例的演练，能让读者真正做到学有所成。

婚庆公司网站

设计点评：

该网站主题鲜明，重点突出，页面切换流畅，从而牢牢地吸引了人们的眼球。

电子产品网站

设计点评：

该网站简洁大方，在首页中毫不吝啬地将一款电子产品显示出来，这正是它的成功之处。

动漫作品网站

设计点评：

该网站以动漫作品的宣传与欣赏为主，很多优秀的作品都在页面中得到了充分的展示。

互动游戏网站

设计点评：

该网站重点突出了游戏的互动性，让人们在欣赏的过程中也感受到了游戏所带来的乐趣。

音乐视频网站

设计点评：

该网站主要展示的是音乐界的优秀人士，其主题突出、特点鲜明。

色彩艺术网站

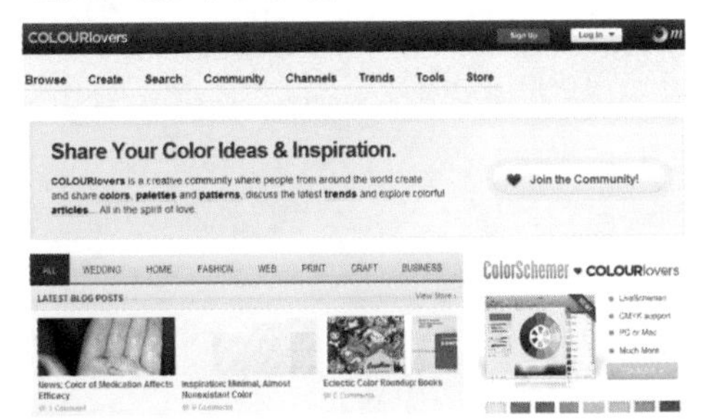

设计点评：

该网站主题很明确，突出地展示了色彩的应用。同时也为设计师们提供了很好的帮助。